IRÉNÉE DE LYON

CONTRE LES HÉRÉSIES

SOURCES CHRÉTIENNES

Fondateurs : H. de Lubac, s.j. et † J. Daniélou, s.j.
Directeur : C. Mondésert, s.j.

N° 293

IRÉNÉE DE LYON

CONTRE LES HÉRÉSIES

LIVRE II

ÉDITION CRITIQUE

PAR

Adelin ROUSSEAU

Moine de l'abbaye d'Orval

ET

Louis DOUTRELEAU, s.j.

TOME I

INTRODUCTION, NOTES JUSTIFICATIVES, TABLES

Cet ouvrage est publié avec le concours
du Centre National de la Recherche Scientifique

LES ÉDITIONS DU CERF, 29 Bd DE LATOUR-MAUBOURG, PARIS
1982

La publication de cet ouvrage a été préparée avec le concours de l'Institut des Sources Chrétiennes

(E.R.A. 645 du Centre National de la Recherche Scientifique)

AVANT-PROPOS

Par ce Livre II s'achève notre édition de l'œuvre maîtresse du grand évêque lyonnais du IIe siècle.

L'ordre dans lequel s'est effectuée notre publication des différents Livres de l'*Aduersus haereses* est, nous en convenons, plutôt insolite. Il s'explique néanmoins par les circonstances concrètes au milieu desquelles s'est trouvée engagée notre équipe.

La dernière édition de l'œuvre irénéenne, en effet, qui était celle de Harvey (1857), avait régné durant près d'un siècle et rendu de nombreux services. Mais, en raison des exigences critiques de notre temps, le besoin s'était fait de plus en plus vivement sentir d'une édition nouvelle en laquelle seraient intégrés les progrès de la recherche. Ce fut le mérite du P. F. Sagnard d'avoir osé entreprendre, seul, cet immense travail de rénovation. Il inaugura son édition de l'*Aduersus haereses*, en 1952, par la publication du Livre III ; malheureusement, emporté par la mort, il ne put conduire plus avant l'œuvre à peine commencée.

Appelés à reprendre l'œuvre du P. Sagnard au point où il l'avait laissée, nous fûmes amenés, par la force même des choses, à nous fixer comme premier objectif l'édition des Livres IV et V. C'était, d'ailleurs, tout à fait logique : les trois derniers Livres de l'*Aduersus haereses* visant, de l'aveu d'Irénée lui-même, à fournir une démonstration de l'enseignement de la foi à l'encontre des négations de l'hérésie et constituant, de ce fait, un bloc littéraire et doctrinal d'un seul tenant, il était tout indiqué que nous achevions d'abord l'édition de ces trois derniers

Livres qu'avait commencée le P. Sagnard. A cette raison
s'en ajoutait, pour nous, une autre non moins détermi-
nante : les Livres IV et V sont les seuls, comme on sait,
pour lesquels nous ayons la bonne fortune de posséder,
outre la version latine, l'intégralité d'une version arménienne. Or, l'appoint de cette tradition indépendante
et jamais encore systématiquement exploitée jusqu'alors,
en permettant un contrôle rigoureux de tout l'ensemble
de la tradition latine, nous mettait à même de formuler
un jugement plus sûr et plus nuancé sur la valeur respective
des deux familles constitutives de la tradition latine.
Notre chemin était donc tout tracé. C'est ainsi que furent
successivement édités les Livres IV et V.

Vint ensuite notre édition du Livre III. Celle du
P. Sagnard était épuisée : il fallait la rééditer. A une
édition corrigée nous crûmes devoir préférer une édition
entièrement nouvelle. Le P. Sagnard avait en effet
notablement majoré la valeur de la première famille des
manuscrits latins et, en particulier, du *Claromontanus*,
fasciné qu'il avait été, comme bien d'autres avant lui,
par l'ancienneté de ce manuscrit. Or, la confrontation
des versions latine et arménienne tout au long des
Livres IV et V nous avait imposé, avec la plus massive
des évidences, la conclusion que chacune des deux familles
possédait, d'une façon pratiquement égale, son lot de
bonnes et de mauvaises leçons et qu'aucune des deux
familles ne pouvait *a priori* être préférée à l'autre. Nous
dûmes donc refaire l'édition du Livre III sur de nouvelles
bases, à partir d'une collation de tous les principaux
manuscrits des deux familles et d'une appréciation plus
exacte de leur valeur respective.

Restaient les Livres I et II, dont l'édition avait pu être
différée sans dommage notable pour les études irénéennes,
étant donné que les travaux antérieurs d'historiens tels
que W. Foerster et F. Sagnard avaient déjà largement
déblayé le terrain pour une intelligence correcte des

systèmes hérétiques tels qu'ils apparaissaient à travers les exposés d'Irénée. C'est cette édition des Livres I et II qui s'achève heureusement aujourd'hui.

Pas plus que l'édition des autres Livres, celle du présent Livre II ne s'est révélée exempte de difficultés. Celles-ci se sont même plutôt accrues, car, là où nous n'avions plus pour témoin que le seul texte latin — et c'était précisément le cas du Livre II dans sa quasi-totalité —, notre marche a été très souvent rendue tâtonnante du fait des nombreuses altérations et incohérences déparant ce texte. Aussi bien, pas plus pour ce Livre II que pour le restant de l'œuvre irénéenne, nous ne prétendons avoir résolu tous les problèmes. Peut-on d'ailleurs jamais se flatter d'avoir atteint à du définitif dans le domaine de l'édition des textes anciens ? De toute manière, nous nous estimons heureux d'avoir pu ajouter un chaînon à une recherche que d'autres ont commencée avant nous et que d'autres encore feront progresser après nous.

Nous regrettons d'autant moins notre peine, faut-il le dire, que nous avons conscience de présenter au lecteur, en la personne d'Irénée, un des plus prestigieux témoins de la Tradition de l'Église des premiers siècles. Vigueur dialectique souvent mordante, secret des formules bien frappées qui font naître en nous de longs échos, profonde assimilation du contenu des Écritures, perception aiguë de l'unité du dessein divin de création et de salut dont tout le déroulement de l'histoire n'est que la réalisation progressive, foi d'une vigueur impressionnante en Celui « qui, à cause de son surabondant amour, s'est fait cela même que nous sommes afin de faire de nous cela même qu'Il est » (*Adu. haer.* V, Pr.) : tout cela, qui rend si attachante la personnalité d'Irénée, n'a cessé de provoquer notre admiration tout au long de notre travail, et c'est cette admiration même que, autant qu'il est en notre pouvoir, nous voudrions faire partager au lecteur.

*   *
*

Au terme de la présente édition de l'ensemble de
l'*Aduersus haereses*, il ne sera sans doute pas inutile de
rappeler la part prise par chacun des collaborateurs à
l'entreprise commune.

Disons d'abord que, dans l'équipe initialement constituée
pour l'édition du Livre IV, c'est à M. B. Hemmerdinger
qu'incombaient l'établissement du texte et, particulièrement, la collation des manuscrits latins. Le P. L. Doutreleau
n'est intervenu qu'en cours de route pour coordonner
l'effort des collaborateurs.

Pour les Livres IV et V, M. l'abbé Ch. Mercier, qui
disposait d'un excellent microfilm reçu du Maténadaran
d'Érivan, a pu entreprendre une collation nouvelle du
manuscrit arménien : le fruit de ce travail a été, outre
l'apparat arménien, une longue et précieuse liste de
corrections au texte édité (*TU* 35, 2, Leipzig, 1910), liste
qui est, pour les arménisants, l'équivalent d'une nouvelle
édition critique de la version arménienne.

Reste la part des deux principaux collaborateurs, le
P. Doutreleau et moi-même.

En dehors du Livre IV, le P. Doutreleau a pris sur lui
la lourde tâche de l'étude et de la collation de tous les
principaux manuscrits latins ainsi que de toutes les
éditions antérieures de l'*Aduersus haereses* ; pour les
cinq Livres, il a, en accord avec moi, établi le texte latin,
en visant à donner, autant que le témoignage des manuscrits permettait d'y accéder, le texte sorti de la plume
du traducteur latin. Dans cette exploration des manuscrits
latins, la tâche la plus délicate assumée par le P. Doutreleau
aura été sans doute celle de résoudre les multiples énigmes
que posait le manuscrit de Salamanque, ce dernier venu
dans le champ des études irénéennes. De même, en ce qui
concerne ceux d'entre les fragments grecs qui n'avaient

jamais encore fait l'objet d'une édition critique, le P. Doutreleau n'a pas reculé devant une patiente et minutieuse investigation de tous les manuscrits susceptibles de fournir une base à une telle édition critique. Toute cette recherche lui a permis d'aboutir à un texte grec plus sûr que celui des éditions antérieures, plus proche de celui qui sortit de la plume des citateurs et des caténistes.

Cependant, dans le cas d'une œuvre telle que l'*Aduersus haereses*, qui ne nous est plus accessible qu'à travers des versions ou des citations, le travail d'édition ne pouvait se limiter à l'établissement du texte des versions et des citations : il postulait aussi l'indispensable effort par lequel on tenterait de dépasser ces intermédiaires et de remonter, si possible, jusqu'à Irénée lui-même et, sinon toujours jusqu'au texte sorti de sa plume, du moins jusqu'à sa pensée. C'est cette seconde étape que, pour ma part, j'ai tenté de réaliser. Tout d'abord, dans les chapitres d'Introduction portant sur le contenu et le plan des différents Livres, je me suis efforcé de dégager aussi clairement que possible les articulations majeures de ceux-ci et d'éclairer par là, de haut, l'ensemble de la pensée irénéenne. Ensuite, persuadé que la principale lumière devait venir d'un incessant effort visant à retrouver le grec sous-jacent aux versions, je me suis risqué, pour les trois derniers Livres, à doubler la traduction française par une rétroversion grecque intégrale, qui, sans prétendre être le texte d'Irénée, voudrait aider le lecteur à s'approcher de ce texte autant qu'il est possible dans l'état actuel de notre documentation. Dans les notes justificatives enfin, j'ai tenté de résoudre au mieux les innombrables problèmes que posent, soit le désaccord des sources, soit les obscurités et les incohérences du texte des manuscrits, soit des expressions qui, pleinement intelligibles pour les contemporains d'Irénée, ont pu faire problème par la suite.

La spécificité de cette seconde étape de l'édition par

rapport à la première se manifeste d'une manière particulièrement spectaculaire dans le cas du Livre II. Comme
je l'ai dit plus haut, en effet, nous ne disposons plus, pour
la quasi-totalité du Livre, que de la seule version latine,
et le texte de celle-ci, tel que nous le livrent les manuscrits,
se révèle particulièrement abîmé par l'incurie des scribes.
Le lecteur ne s'étonnera donc pas si, très souvent, il
constate un décalage entre le texte latin qu'il lit sur les
pages de gauche et la traduction française figurant sur les
pages de droite. D'une part, en effet, le texte des manuscrits
n'a été corrigé qu'avec la plus grande circonspection,
car l'expérience a montré que, s'il est relativement facile,
de déceler une altération, il est habituellement malaisé
d'y remédier d'une façon tout à fait sûre. D'autre part,
s'il s'agit de remonter jusqu'à la pensée d'Irénée, l'ensemble
du contexte permet, la plupart du temps, de s'orienter
avec une certitude suffisante. C'est là, d'ailleurs, qu'interviennent les notes justificatives pour apporter tous les
éclaircissements opportuns et, le cas échéant, doser le
degré de certitude ou d'incertitude affectant les solutions
proposées.

Tel est, pour l'essentiel, la manière dont se sont réparties
nos tâches respectives. Pour plus de détail, il suffira de
relever, dans les volumes d'introductions et de notes,
les noms des signataires des différents chapitres ou sections.
Est-il besoin de dire que, si les tâches se sont trouvées
nettement réparties de la manière qui vient d'être dite,
chacun de nous a œuvré en collaboration et en union
constante avec ses coéquipiers ? Cette collaboration a
joué d'une manière toute particulière, comme il était
normal, entre le P. Doutreleau et moi. Je suis heureux
de rendre ici un cordial hommage à l'inlassable dévouement,
non moins qu'à la science jamais en défaut, de l'incompa-
rable ami qu'aura été pour moi le P. Doutreleau tout au
long de notre commun labeur.

*
* *

Nous sera-t-il donné de procéder à une réédition du Livre IV ? Nous ne savons. Une telle réédition serait souhaitable à plusieurs titres. Une collation plus attentive des manuscrits latins, en particulier du *Vaticanus lat. 187*, serait opportune. La rétroversion grecque pourrait bénéficier d'améliorations non négligeables. Enfin, le volume d'Introduction ne manquerait pas de s'augmenter d'un chapitre portant sur le contenu et le plan du Livre, et les notes justificatives seraient notablement accrues.

Il convient cependant de ne rien dramatiser. Tout d'abord, le texte latin ne subirait pratiquement aucune modification, car, sauf de rares exceptions, partout où l'on a été amené à corriger le texte des manuscrits, on ne l'a fait que parce que la version arménienne permettait de déceler de façon certaine le mécanisme des erreurs de transmission et de retrouver ainsi le texte du traducteur latin. En second lieu, lors même que la rétroversion serait de-ci de-là rendue plus sûre, la traduction française n'en serait nulle part substantiellement modifiée. Enfin, à défaut d'un chapitre d'introduction portant sur le contenu et le plan du Livre IV, le lecteur dispose dès à présent d'un excellent ouvrage qui lui fournira — et en surabondance — toute la lumière désirable : Ph. BACQ, *De l'ancienne à la nouvelle Alliance. Unité du Livre IV de l'Aduersus haereses*, Paris-Namur, 1978. Cet ouvrage ne contient d'ailleurs pas seulement une analyse philologique et doctrinale du Livre IV que nous faisons nôtre sans réserve, mais il constitue également une introduction idéale à la lecture de toute l'œuvre d'Irénée.

*
* *

En terminant, et en récapitulant ces quelque vingt années d'assiduité irénéenne qu'encouragèrent des personnalités et des collaborations de toute sorte, dans ma famille monastique et en dehors, je me dois de dire d'une façon particulière ma dette de gratitude envers ceux qui m'ont ainsi aidé. Qu'ils aient apporté leur savoir-faire dactylographique, leur entraide, leurs avis ou leurs discussions, je ne saurais tous les nommer. Mais je dois remercier spécialement le P. Cl. Mondésert, qui, avec une largeur de vue qui ne s'est jamais démentie, n'a pas craint d'accueillir dans la collection des Sources Chrétiennes, cinq fois successivement, une onéreuse publication dont lui seul connaissait les frais. Je remercie avec lui l'Institut des Sources Chrétiennes, dont les membres, toujours disponibles, savent à merveille résoudre les problèmes complexes de la présentation critique des textes. Il faut également associer à cet éloge l'imprimerie Bontemps de Limoges, car le travail de montage simultané des registres latin, français, grec, arménien et scripturaire n'était jamais facile et il a toujours été excellemment exécuté. Ajoutons enfin que nous sommes reconnaissant au Centre National de la Recherche Scientifique d'avoir bien voulu prêter son concours à notre éditeur : il s'en faudrait de beaucoup que nos dix volumes, sans cette aide, soient aujourd'hui entre les mains du lecteur.

A. ROUSSEAU.

INTRODUCTION

CHAPITRE PREMIER

LA TRADITION LATINE

SOMMAIRE

I. — TEXTE CRITIQUE ET ÉDITIONS ANTÉRIEURES
La main d'Érasme. — Variantes et corrections. — Conjectures.

II. — LE MANUSCRIT DE SALAMANQUE
Fragments et compléments. — Place au sein de la famille AQε : stemma. — Jugement définitif.

III. — ARGUMENTA ET CAPITULA
La *Tabula:* numérotation ; — numérotation grecque de Q ; — ordre des argumenta.
Les *Capitula:* le cas de A³, Q³ et S ; — Érasme témoin d'une restauration ; — Josias Mercier ; — Tableau des *capitula.*

IV. — LE MANUSCRIT DE STRASBOURG

Comme le Livre II de l'*Aduersus haereses* donne encore lieu à des considérations particulières sur le texte et sa transmission, nous pensons qu'il est bon de revenir une fois de plus, avec des éléments nouveaux, sur la tradition latine. On se reportera, pour les autres Livres, à nos Introductions antérieures (*SC* 100, 152, 210, 263), dont chacune a étudié non seulement des aspects particuliers aux livres en question, mais aussi des points de vue se rapportant à l'ensemble de l'œuvre. Pour ce Livre II, qui clôt notre travail d'édition, nous nous proposons quatre sortes de considérations :

1) Marquer ce qui, dans notre texte critique, nous différencie de l'édition Harvey et des éditions antérieures.

2) Déterminer définitivement la valeur du ms. de Salamanque, qui nous a toujours paru énigmatique.

3) Régler le difficile problème de l'harmonisation des chapitres du Livre II à travers les mss.

4) Présenter un nouveau témoin, le ms. *3762* de Strasbourg, qui a pour sigle T.

I. TEXTE CRITIQUE
ET ÉDITIONS ANTÉRIEURES

Ainsi que nous l'avons fait dans les autres volumes, nous avons cherché à remonter au texte du traducteur latin et nous avons utilisé pour cela les cinq manuscrits qui font autorité, CV AQS, ainsi que l'édition d'Érasme (ε) qui tient de trois mss perdus — les autres mss (les trois *Vaticani* et le *Holmiensis*) n'étant, on le sait, que des copies directes ou indirectes de V et de Q. Il en est résulté un grand nombre de modifications par rapport aux éditions antérieures. Pour fixer les idées, nous dirons que le texte de l'édition Harvey a subi quelque six cents modifications, en les prenant des plus simples (v.g. *nec/neque*) aux plus importantes (changements de cas, de temps, de mots...). Mais il est une sorte de changement qu'on ne comptabilise pas et qui a pourtant son importance : celui de la ponctuation. Nous avons révisé avec soin la ponctuation de Harvey, de manière que le texte latin présente au lecteur l'intelligibilité que nous pensons y trouver.

Nos interventions sur le texte de Harvey sont légitimées la plupart du temps par une lecture plus méthodique des manuscrits. Harvey ne pouvait pas bien, à son époque, pondérer les variantes au poids des familles, qu'il reconnaissait pourtant (cf. sa Préface, p. VIII), et, d'autre part, comme beaucoup d'éditeurs de texte, il s'en est laissé imposer par les éditions antérieures, qui, elles-mêmes, reposaient souvent sur l'édition d'Érasme.

La main d'Érasme. On sera frappé du nombre de choix de Harvey que nous avons repoussés et qui n'étaient autres, finalement, que ceux d'Érasme, venus jusqu'à lui à travers Feuardent, Grabe, Massuet et Stieren : prestige des éditions !

Cela apparaît particulièrement dans les interversions de mots. Beaucoup de celles de Harvey, que nous avons rejetées, remontent à Érasme, qui suivait obligatoirement, mais peut-être avec des distractions, ses deux manuscrits monastiques et, dans une moindre mesure, celui de Fabri[1].

Parmi la quarantaine d'interversions que nous avons relevées, une est due à Harvey lui-même (**28**, 200), une à Stieren (**25**, 5), quatre à Feuardent (**6**, 54 ; **12**, 28 ; **18**, 31.129), trois à Grabe (**6**, 22 ; **12**, 36 ; **29**, 55), toutes les autres à Érasme. Parmi ces dernières, il est naturel que quelques-unes se rencontrent avec AQ (**5**, 25 ; **19**, 177 ; **22**, 130 ; **32**, 24) ou avec Q seulement (**19**, 115 ; **20**, 90 ; **22**, 33.146 ; **25**, 62 ; **26**, 6 ; **27**, 42 ; **32**, 39) ou avec S[2] (**18**, 73 ; **28**, 51), puisque les manuscrits d'Érasme sont de la même famille. Mais il est étonnant que des dix-huit autres (**4**, 36 ; **5**, 11 ; **11**, 16 ; **13**, 174 ; **16**, 55 ; **22**, 119 ;

---

1. J. RUYSSCHAERT a montré (« Le manuscrit ' Romae descriptum ' de l'édition érasmienne d'Irénée de Lyon », dans *Scrinium Erasmianum*, Leyde 1969, vol. I, p. 264-273) que la copie de Fabri, troisième « manuscrit » d'Érasme, avait été faite sur R *(Vat. lat. 188)*, lui-même copie de Q *(Vat. lat. 187)*. Ce *Fabrianus* ne parvint à Érasme que trois mois avant la fin de l'impression de l'*Aduersus haereses*. On se doute donc qu'il a eu peu d'influence sur la rédaction définitive de l'édition princeps.

2. S dans lequel nous en trouvons aussi près de cinquante.

23, 18.19 ; **24,** 177 ; **25,** 58 ; **26,** 50.71 ; **28,** 97.263 ; **29,** 68 ; **32,** 64 ; **33,** 41), aucune ne se trouve dans nos manuscrits. Il faut croire que les manuscrits monastiques d'Érasme en contenaient une quantité sans commune mesure avec les autres mss de leur famille ; ce qu'on dira plus loin sur la restauration dont témoignent les *capitula* d'Érasme invite à le penser.

Ce ne serait pas les seules modifications que nous devrions à Érasme. Il en est d'autres espèces qui reviennent souvent et qu'il est difficile de ne pas lui attribuer — à lui ou, mieux, à ses sources monastiques —, surtout si l'on pense qu'en ces matières lui ou elles pouvaient laisser libre cours à leurs préférences humanistes : le choix de *nec* plutôt que de *neque*, de *id est* plutôt que de *hoc est*, de *ut* plus souvent que *uti*. Plus d'une cinquantaine de *neque* ont été ainsi apocopés dans le Livre II, alors que la tradition manuscrite bannit ordinairement la forme *nec* (sauf en deux passages, **21,** 30 et **33,** 81-85, qui semblent avoir provoqué chez Érasme une réaction de contradiction !). Tous les *id est* de Harvey viennent d'Érasme. Il faudrait aussi comparer la manière d'écrire les nombres, en toutes lettres ou en chiffres : la manière d'Érasme, qui n'est pas constante, a été suivie bien souvent par ses successeurs. Bref, la tradition imprimée a véhiculé sans barguigner des formes purement érasmiennes, ou monastico-érasmiennes, jusqu'à nos jours. Il était temps de revenir, conformément aux exigences contemporaines, à la teneur exacte des manuscrits.

Orthographe et morphologie. Petits redressements que ceux que nous venons de signaler et qui ne touchent vraiment pas au sens du texte. D'autres fois, il a fallu redresser aussi l'orthographe, la forme des mots ou le type de déclinaison : amendements peu visibles, sans portée pour le sens, mais voulus par une grammaire mieux connue du latin tardif et par une appréciation plus exacte des manuscrits. Harvey ayant, en effet, selon son époque, abondé dans la normalisation des formes et des déclinaisons — qu'il recevait la plupart du temps de ses devanciers et, plus que de tout autre, à travers eux, d'Érasme —, il a fallu procéder à bien des retours à la tradition manuscrite. Pour l'esprit dans lequel nous l'avons fait, nous renvoyons une fois pour toutes aux principes de critique énoncés dans les Introductions aux autres Livres (*SC* 100, 152, 210) et à nos *grammatica* et *orthographica* de l'Introduction au Livre I (*SC* 263, p. 10-30).

On trouvera donc dans ce Livre II les formes suivantes, qui se distinguent de celles de Harvey :

(Notre lecture est celle qui vient en premier, avant les deux points. — Quand on lit : *edd.*, il faut entendre les éditeurs, y compris Harvey.)

9, 43	aduersus CV S	: aduersum AQε *edd.*	
21, 19	aeonas *codd.* ε	: aeones *edd.*	
24, 195	aeones *codd.* ε *Feu.*	: aeonas *al. edd.*	
14, 192	aeonis CV	: aeonibus AQSε *edd.*	
4, 15	aequiperans CV A	: aequiparans QSε *edd.*	
23, 22	aliquotiens *codd.*	: aliquoties ε *edd.*	
4, 2	altero *(dat.)* C AQε	: alteri V S *edd.*	
10, 8	antea CV *Sti.*	: ante AQSε *al. edd.*	
12, 148	baptisma CV A	: baptismum QSε *edd.*	
26, 25	conatos C	: conatus V AQSε *edd.*	
24, 201	dexteram CV A	: dextram QSε *edd.*	
21, 24	duo CV AQε	: duos S *edd.*	
16, 50	ebdomade *codd.*	: hebdomade ε *edd.*	
14, 94	edulium *(gén.)* CV AQε	: hedulii S eduliorum *edd.*	
24, 140	epar *codd.* ε	: hepar *edd.*	
18, 100	finctus C AQS	: fictus V ε *edd.* factus *Feu.*	
13, 180	genesim *codd.* ε	: genesin *edd.* *Cf.* **13,** 222 ; **14,** 6.	
		38.121.156 ; **17,** 27	
10, 13	harena *codd.* ε	: arena *edd.* *Cf.* **27,** 60	
24, 150	heremo *codd.*	: eremo ε *edd.*	
31, 81	idolatriae *codd.*	: idololatriae ε *edd.*	
8, 46	infra *omnes*	: intra *Hv*	
23, 23	liniamentum *codd.* ε	: lineamentum *edd.*	
14, 158	obstricantes C AQ	: obstetricantes V Sε *edd.* *Cf.* **28,**	
		172	

14, 165   pithanologian   C   *Cf.* : pithanologiam *cett.* ε *edd.*
          etymologian **14,** 197
24, 154   porpuram C .   : purpuram *cett.* ε *edd.*
12, 82   rursus *codd. Feu.*   : rursum ε *al. edd.*
28, 189   solo *(dat.)* C AQε   : soli V S *edd.*
26, 36   tempt(are) *codd.*   : tent(are) ε *edd. Cf.* **28,** 36
24, 64   typus *(acc. pl.) codd.* ε : typous *Feu. Gra.* typos *Mass.*
                                          Sti. Hv. Cf. **24,** 66

                            Les noms propres, surtout, avaient
      Normalisation   été normalisés. Rétablis sous la forme
    des noms propres.   que leur avait donnée Irlat, autant
du moins que les mss nous permettent de l'atteindre, ils
se présentent ainsi dans notre texte (notre orthographe
se trouve avant les deux points).

passim   Ennoia *ou* Ennoea (-*acc.* -am) *selon les mss.*

4, 25   Ptolomaei S   : Phtolomaei C Tholomaei V
                                       Stolomaei AQ   Ptolemaei ε *edd.*
                                       Cf. **28,** 246
12, 17 Triacontadem CV ASε   : Triacontada Q *Feu. Gra. Hv*
           Mass. Sti.
       97   Ogdoadam CV   : Ogdoadem AQS *Sti.* Ogdoaden
                                       ε *al. edd.*
14, 2   Antifanus CV   : Antiphanus AQSε^mg Antipha-
                                       nius ε^tx Antiphanes *edd. (voir*
                                       ad loc. la note justif. à son
                                       sujet)
       39   Tethyn A   : Tethin C Thethyn V The-
                                       t'ymn Q Thethim S Thetin
                                       ε *edd.*
       49   Anaxagoris *codd.*   : Anaxagorae ε *edd.*
      175   Monogenen CV AQε   : Monogenem S *edd.*
      176   Macarian CV Q (-cha-   : Macariam AS *edd.*
           Q) ε
24, 91 Decadam CV   : Decadem AQSε *edd. Cf.* **24,** 112.
                                       185
      112   Duodecadam C AQ   : Duodecadem S Duodecada ε
                                       edd.
30, 127 Moysen *codd.* ε   : Moysem *edd.*
31, 31 Basiliden C   : Basilidem *cett.* ε *edd.*
34, 6   Eleazaro C   : Lazaro *cett.* ε *edd. Cf.* **34,** 8
                                       Elazaro

35, 26   Eloae C AQSε *Feu. Gra.* : Eloe V *Mass. Sti. Hv. Cf.* **35,**
                                        30
        Adonae CV AQS   : Adonai ε *edd. Cf.* **35,** 33.35
    31   Elloeuth *omnes*   : Eloeuth *Hv*

On voit nettement dans ces énumérations, qui ne sont que partielles, le rôle joué par les éditeurs et, auprès d'eux, en particulier, celui d'Érasme. Les éditeurs, Harvey avec eux en fin de liste, agissent ici comme un seul homme neuf fois sur dix et l'édition d'Érasme se trouve ainsi à la source de la plus grande partie de leurs options. Ce rôle prépondérant d'Érasme, nous pourrions encore le reconnaître à bien d'autres variantes ; la lecture attentive de l'apparat critique est édifiante à ce sujet. En passant aujourd'hui au crible d'une critique mieux outillée que celle de nos prédécesseurs les phénomènes paléographiques, orthographiques et autres de l'*Aduersus haereses*, sans parler de l'effort d'intelligence qui restitue le sens, nous donnons une allure plus proche de ses origines à un texte enserré jusqu'ici dans les plis de sa vulgate et véhiculant encore les faillibles options de l'humanisme naissant.

Mais laissons Érasme.

Cas, genre et nombre. Comme ses devanciers, Harvey s'est trouvé en présence de leçons diverses entre lesquelles il lui fallait opter. On a l'impression que le cod. A, qu'il put facilement consulter et dont Grabe, son compatriote, le premier, avait été l'heureux utilisateur, l'influença davantage que le cod. C (pour lui, du XIᵉ siècle), qu'il n'est pas sans avoir collationné (dans la Bibliothèque de Sir Thomas Phillips à Middlehill), et qui avait été largement suivi par ses deux prédécesseurs, Massuet et Stieren.

Si nous nous en tenons aux variantes qui affectent le genre, le nombre ou le cas des mots, il se trouve que pour 52 mots répartis sur l'ensemble du texte, et sur lesquels nous avons pris une position différente, 33 sont choisis

par Harvey en conformité avec tous ses prédécesseurs,
9 le sont avec Grabe sans Massuet, 5 avec Massuet sans
Grabe, 5 sont dus à Harvey seul. On remarque que pour
ces cinq derniers, Harvey n'a pas eu la main heureuse[1].

Nous avons été déterminé à nous séparer de Harvey
soit par le poids des familles manuscrites, soit par le grec
sous-jacent, soit par les habitudes stylistiques de notre
traducteur latin, soit par l'évidence du sens. Ce faisant,
nous sommes revenu d'ordinaire à un texte qui est, plus
souvent que chez Harvey, en accord avec l'ensemble
des mss et avec la famille CV. Il est arrivé que nous ne
nous sommes rencontré qu'avec un seul manuscrit et
que c'était S. Du cas particulier de S, nous parlerons
plus bas.

Voici, portant sur des mots déclinables, quelques-unes
des leçons qui nous opposent à Harvey. Nous donnons
en bref le motif de notre choix.

6, 16   infixus CV (= *le* Λόγος) : infixa Aε *edd.*   infixas QS

7, 73 ⎫
et   ⎬ liber CV *Habitude sty-* : libro AQSε *edd.*
14, 185 ⎭ *listique d'Irlat.*

7, 81 ⎫
et   ⎬ multa CV QSε *Feu.* : multae *(gén.)* A *edd. a Gra.*
8, 50 ⎭ *Accord avec* ea, *n. pl.*

7, 105   primo   *codd.* *Retour* : primum ε *edd.*
                    aux mss.
       106   malarum CV *Mass. Sti.* : malorum AQSε *Feu. Gra.* Hᴠ
                    Rapport au subst. fém.

---

1. Deux d'entre eux, **22,** 161 *eam* au lieu de *eum,* **26,** 44 *suum*
au lieu de *suam,* peuvent passer pour une faute d'impression. Pour
30, 69, la forme *meliore ... aptabiliore* doit être considérée comme
une correction classicisante de Harvey, qui ne se souvenait sans
doute pas d'avoir rencontré d'autres ablatifs de comparatif en *-i,*
p. ex. I, **5,** 81. En **19,** 110, *adaptati* au lieu de *adaptatae* est aussi
une correction silencieuse de Harvey, mais qui suppose un contresens,
bien qu'*adaptati* se trouve aussi chez S. Quant à **19,** 6, *seminatam*
au lieu de *seminatum,* c'est encore une erreur, que Hᴠ aggrave en
attribuant la leçon à C, alors que c'est A le responsable.

7, 109   imagines   C^{ac} *Gra*^{n} :   imaginis C^2 V AQSε *Feu. Gra.*^{tx}
       Mass. Sti.   Retour à C   *Hv*
       et à la perspicacité de
       Grabe.

     156   incomprehensibilia ε :   incomprehensibiles *codd. al. edd.*
        Feu. Gra. Accord avec
        illorum quae.

12, 114   Christo   et   Spiritu   :   Christum et Spiritum sanctum
       sancto *codd.* ε *Feu.*   *Mass. Sti. Hv*
       Gra. Préservation de
       l'abl. du grec sous-
       jacent.

13,   73 ⎰ hoc *codd.* ε (*en* 73 *om.* Q) : haec *edd.*
et 128 ⎱ *Retour aux mss.*

15,   18   plura   AQSε *Gra.* : plus CV *Feu. Mass. Sti. Hv*
       Accord avec haec *n. pl.*

16,   48   factorum CV *Mass. Sti.* : factorem AQSε *Feu. Gra. Hv*
       Selon le sens.

     70   medietatem *codd. Mass.* : medietate ε *Feu. Gra. Hv*
       Sti. Retour aux mss.

On trouvera d'autres exemples en **17,** 132 sapientia ; **18,** 72 naturae ; **24,** 136 longitudinem et latitudinem ; **24,** 194 tricenarios ; **29,** 70 anima ; **30,** 55 per sapientiam ; **32,** 51 uniuersas ; **33,** 11 soporato ; **33,** 31 obliuionem ; **33,** 95 praefiniti ; **35,** 63 ostensum; etc.

                    Modes et temps des verbes sont
    Verbe   fragiles sous la plume des copistes
et conjugaison.   et varient souvent d'un manuscrit
à l'autre. Il faut donc choisir. Pour faire ressortir l'abondance des passages où notre édition diffère de celle de Harvey, ne craignons pas d'en dresser une liste nombreuse. L'indication de tous les mss et celle des autres éditeurs permettront de se rendre compte de la fluctuation du texte à travers son histoire. Notre lecture est toujours la première. Celle de Harvey vient en second lieu après les deux points ; elle est, selon les cas, désignée par l'abréviation Hv, mais la plupart du temps elle est comprise dans celle des *edd.* ou *al. edd. (alii editores).*

Modes et temps.

1, 43 subaudiatur *codd.* ε : subauditur *Feu. Gra. Hυ Mass. Sti.*

2, 16 dicunt C : dicant *cett.* ε *edd.*

23 sint C *Mass. Sti.* : sunt *cett.* ε *al. edd.*

5, 28 dicent V AQSε *Feu.* : dicunt C *Mass. Sti. Hυ Gra.*

6, 47 permittent *codd. Gra.* : permittant ε *al. edd.*

52 habitarent *codd. Mass. Sti.* : habitant ε *al. edd.*

7, 76 poterint CV QSε : prote in A poterunt *edd.*

101 est CV : sunt AQS sit ε *edd.*

8, 45 fabricatam S : fabricasse *cett.* ε *edd.*

10, 55 dicetur CV *Feu. Mass. Sti.* : diceretur AQSε *Gra. Hυ*

11, 31 perseuerauerint *codd.* ε : perseuerarint *edd.*

13, 107 dicent C ASε : dicit Q dicant V *edd.*

192 coobaudiuntur S : coobaudientur CV AQ *edd. a Gra.* eo obaudient ε *Feu.*

15, 36 enarrant S : enarrarunt C AQ enarrarent ε enarrabunt V *edd.*

descendunt C S : descendent V AQ *edd.* descenderent ε

16, 70 sint CV AQ : sunt Sε *edd.*

perseuerent CV : perseuerant AQSε *edd.*

17, 11 quaeretur CV AQS : quaeritur Q^{ac} ε *edd.*

18, 15 absorbitur C AQ : absorbetur V Sε *edd.*

22 est et A ε *Mass. Sti.* : esset *cett. al. edd.*

21, 13 possint C AQ : possit V ε *edd.*

22, 33 pluet AQ *(présent)* : pluit V Sε *edd. om.* C

96 audiret CV S *Mass. Sti.* : audiretur Q *al. edd.*

120 dicentes S : dicunt CV AQε *edd.*

24, 109 adseuerant *codd.* ε : adseuerare *edd.*

25, 25 operantur AQSε : offerantur CV operatur *edd.*

26, 48 putent S : putentur CV AQε *edd.*

50 fiunt *codd.* ε *Mass. Sti.* : fiant *al. edd.*

28, 82 interroget *codd.* ε *Feu.* : interrogat *Sti. Hυ Gra. Mass.*

83 dicemus S : dicimus *cett.* ε *edd.*

95 sciant V AQSε *Mass. Sti.* : scienti C sciunt *al. edd.*

29, 64 relinquitur *codd. Mass. Sti.* : relinquetur ε *al. edd.*

	69	succedat S	:	succedit *cett.* ε *edd.*
30,	97	habet *codd.* ε	:	habeat *edd.*
	184	sint *codd.* ε	:	sunt *edd.*
32,	18	tractentur C AQSε	:	tractantur V *edd.*
	119	perficit C *Mass. Sti.*	:	perfecit *cett.* ε *al. edd.*
34,	16	resurgeret AQSε *Feu.*	:	resurgerit C resurrexerit V *al.*
		Gra.	:	*edd.*

A la lecture de plusieurs de ces cas, dans cette liste comme dans les autres qui l'ont précédée, on perçoit de la part de Harvey une certaine résistance à suivre Massuet (et Stieren) et, par le fait même, une propension à donner la préférence à Grabe.

Confusion de verbes similaires.

Plus importante que les variations de modes et de temps, la confusion des verbes qui se ressemblent.

1,	29	inclusus CV *Mass. Sti.*	:	reclusus AQSε *al. edd.*
	54	definiens *codd.* ε *Mass. Sti.*	:	desinens *al. edd.*
2,	22	perspiciat CV	:	respiciat AQSε *Feu. Gra.* prospiciat *al. edd.*
3,	20	concepit S *Sti.*[n]	:	coepit C cepit *cett.* ε *al. edd.*
4,	23	praedicatus S	:	praedictus *cett.* ε *edd.*
	40	abscidere CV AQ	:	abcidere Sε abscindere *edd.*
12,	123	et dicere C AQ(S)ε *Feu.*	:	edicere V *edd. a Gra.*
14,	53	fecerint CV Qε *edd.* praeter Hv	:	confecerint AS Hv
	142	erant CV *Mass. Sti.*	:	enarrant *cett.* ε *al. edd.*
17,	182	fluxisse ε *Feu.*	:	floruisse *codd. al. edd.*
20,	39	cederet AQSε *edd. praet. Hv.*	:	accederet CV Hv
21,	33	substitit V AQ	:	subsistit C ε *edd.* subsistat S
	37	collatum C Sε *Feu.*	:	collocatum V AQ *al. edd.*
22,	51	subsistit S	:	substitit *cett.* ε *edd.*
24,	196	praefinitas *codd. Mass. Sti.*	:	praefiguratas ε *al. edd.*
28,	126	suffocatur AQSε *Feu. Mass. Sti.*	:	suffugatur CV *Gra. Hv*
30,	211	deuertisse CV AQ	:	diuertisse Sε *edd.*

32, 68   abibunt C   : adibunt V AQε *edd. om.* S
34, 15   uellent ε *Feu. Gra.*   : ualent Q mallent *cett. al. edd.*

Corrections diverses   Laissons de côté les petits mots
tels que *et, ac, ab, in, uel, aut...* ou
tels que les pronoms *is, hic, hoc, qui, quod, se...*, dont les
formes sont, de la part des copistes, sujettes à oubli, à
confusion ou à insertion subreptice. Il serait fastidieux
de relever tous les amendements que nous avons dû faire
subir en ce genre au texte de Harvey. Ils sont notés dans
l'apparat et le lecteur qui voudrait y consacrer ses soins
en trouvera aisément plus d'une cinquantaine. Nous en
avons fait un premier relevé, nullement exhaustif, en
note[1].

Mais il ne sera pas inutile de faire apparaître avec une
certaine abondance les amendements de toute sorte sur
des mots de toute catégorie. Ajouté au reste, cela va
permettre au lecteur du latin de se rendre compte de
l'ampleur du renouvellement qui est apporté au texte
d'Irlat dans notre édition. Nous rappelons que nos options
sont à gauche des deux points et celles de Harvey à droite.

1, 4   quoniam *codd. Mass.*   : quod ε *al. edd.*
          Sti.
     26   erit enim C *Mass. Sti.*   : et iterum *cett.* ε *al. edd.*
2, 20   in potestate CV *Mass.*   : potestatis AQSε *al. edd.*
          Sti.
     46   primus CV *Mass. Sti.*   : prius AQSε *al. edd.*
4, 32   distantiam C *Mass. Sti.*   : substantiam V *Feu.*mg senten-
                                    tiam AQSε *Feu.*tx *Gra. Hv*
5, 15   ac terrena et *Gra.*   : et aeterna V AQSε *Feu. Hv*
                                    aut (et C) aeterno C *Mass. Sti.*
7, 16   uobis CV AQ   : nobis S ε *edd.*
     79   eorum CV AS *Mass. Sti.*   : ipsorum Qε *al. edd.*

---

1. **Pr.** 32 ; **2,** 23.48.49 ; **3,** 15 ; **5,** 11.16 ; **7,** 121.155 ; **8,** 50 ; **12,** 4.38 ;
13, 73.74.103.188 ; **14,** 55.139.177 ; **17,** 168 ; **18,** 55 ; **19,** 130.133 ;
21, 20 ; **22,** 95.164 ; **24,** 25.44.141.145.151.154.169.187 ; **26,** 23.43.69 ;
27, 4 ; **28,** 51.67.135.213 ; **30,** 84.97.160 ; **31,** 27.37.51 ; **32,** 46.76 ;
33, 19...

12, 34 una Sε *Feu. Gra.*   : unam AQ unum CV *al. edd.*

129 infimiores C Qε *edd.*   : infirmiores V AS *Hv*
     praeter Hv

13, 93 aliquid C AQS *Mass.*   : aliquod V ε *al. edd.*
     Sti.

169 anterius ε *Feu. Gra.*   : alterius *codd. Sti. Hv*
     Mass.

14, 99 autem *(reposui)*   : *om.* V *Hv*

15, 10 talia AQSTε *Feu.*   : alia CV *al. edd.*

44 huiusmodi *codd.* ε   : eiusmodi *edd.*
     fecisse CV AQ   : effecisse S ε *edd.*

49 esset iam CᵖᶜV   : essentiam AQSε *edd.* (? Cᵃᶜ)

16, 43 mundum *codd.* ε *Feu.* : mundum talem *Gra. Hv*
     Mass. Sti.

57 super *codd. Mass. Sti.*   : supra ε *al. edd.*

17, 64 ante pusillum CV   : ante tempus illum AQε *Feu.*
               Gra. ante pusillum tempus
               al. edd. De S, *uide app.*

137 eiusmodi *codd.*   : huiusmodi *edd.*

152 deminoratione V   : deminorationem *cett.* ε *edd.*

166 est CV   : id est AQSε *edd.*

18, 72 naturae *codd.* ε   : natura εᵐᵍ *edd.*

20, 7 fluxum CV ΛQS *Mass.*   : profluuium ε *al. edd.*
     Sti.

21, 37 collatum C Sε *Feu.*   : collocatum V AQ *al. edd.*

22, 100 coluens C *Mass. Sti.*   : soluens suam V AQSε *al. edd.*

23, 45 aeonum C AQSε *Mass.*   : eorum V *al. edd.*
     Sti.

24, 32 numerus AQSε *Feu*   : numerus autem CV *Gra. Hv*
     Mass. Sti.

46 sinistram *codd. Mass.*   : sinistram partem ε *al. edd.*
     Sti.

77 autem C AQSε   : ante *edd.* aute V

105 omnimodo CV AQ   : omnino S ε *edd.*

151 quinque *codd.*   : quinque scilicet ε *edd.*

25, 22 bene *codd.* ε *Feu. Mass.* : *om. Gra. Hv*
     Sti.

26, 54 fiunt *codd. Gra.*   : fiunt et fient ε *al. edd.*

59 consonantia AQSε *Gra.* : conscientia CV *al. edd.*

27, 29 propheticae CV ASε : prophetiae Q *al. edd.*
     Feu. Gra.

30 euangelicae *codd.* ε *Feu.* : euangelia *al. edd.*
     Gra.

28, 41 uerni QS   : uernis CV A ueris ε *edd.*

28, 48   immissiones *codd.*   : emissiones ε *edd.*
     70   eum CV *Mass. Sti.*   : deum AQSε *al. edd.*
          semper CV AS *Mass.*   : uere semper Q ε *edd.*
          Sti.
    161   principes CV QSε *Feu.*   : principatus A *Gra. Hv*
          Mass. Sti.
    213   nunc *codd. Mass. Sti.*   : nec ε *al. edd.*
    260   sunt *codd.* ε *Feu.*   : om. *edd. a Gra.*
29, 7   quem V *Feu.*mg   : quoniam *cett.* ε *edd.*
     65   hominis CV   : hominis mens AQSε *edd.*
30, 11   deum CV *Mass. Sti.*   : dominum AQSε *al. edd.*
     73   sicuti (*uel* sicut) C   : sicuti ipsi V *edd.*
          AQSε
    234   ipsis CV   : his AQSε *edd.*
31, 46   ipsorum CV AS   : eorum Q ε *edd.*
     49   ut benefici *Mass.*   : in beneficiis *al. edd. De codd.*
                                        u. app.
     82   uere AQSε *Feu. Gra.*   : uero CV   uero sunt *al. edd.*
     88   quapropter etiam V   : quam prophetiam C *Mass. Hv*
          AQSε *Feu. Gra. Sti.*
32, 118 ad utilitatem *De codd. et* : secundum utilitates ε *Feu. Gra.*
          Mass. Sti. u. app.   *Hv*
    123   cuiusquam CV AS   : cuiusque Q   cuiuscumque ε *edd.*
    127   prophetis C AQS *Mass.*   : propheticis V ε *al. edd.*
          Sti.
33, 44   somnis *codd.*   : somniis ε *edd.*
35, 63   ostensum CV AS *Mass.*   : ostensa Q ε *al. edd.*
          Sti.
etc.

Conjectures.   Tout ce que nous venons de
présenter comme leçons nouvelles
dans les listes précédentes s'appuie sur un ou plusieurs
manuscrits. Nous voudrions maintenant grouper ici les
conjectures propres que nous avons été amené à insérer
dans le texte. C'est évidemment fournir des cibles à la
critique, mais quiconque voudra bien les étudier en se
reportant au sens, aux habitudes du traducteur latin, au
grec sous-jacent, et ne craindra pas de s'aider pour cela
des notes justificatives du P. A. Rousseau, devra convenir
que nous sommes resté dans les limites prudentes que
nous nous étions imposées pour l'édition des Livres

précédents. Nous devons plusieurs de ces conjectures
à des philologues divers, même anciens : nous l'indiquerons.
Nous indiquerons aussi (<...> *edd.*) ce qui fut un jour,
sans être avoué, conjecture d'éditeur — ordinairement
de Feuardent —, puis passa dans le texte des autres
éditeurs sans autre forme de procès.

		Conjecture	*Codd.* ε *edd.*
1,	52	omnis	: omni CV omnia AQε omnino S *edd.*
	80	excidere	: excedere
2,	28	<uel>	: *om.*
4,	45	*seclusimus*	: labem
	75	confiteri *1Ls72*	: fieri
5,	64	dominantior *2Ls62*	: dominatior CV ε *edd.* dominator AQS
	80	dominantiorem *id.*	: dominationem *codd.* ε dominatiorem *edd.*
7,	125	<non> *edd.*	: *om. codd.* ε
	157	<neque> (nec *Hv*)	: non *Mass. Sti. om. codd.* ε *Feu. Gra.*
	160	<non> *edd.*	: *om. codd.* ε
8,	50	ea *2Ls149*	: et
9,	37	qui$_2$	: quod
12,	5	decidente	: dicente
	24	<nun> *edd.*	: *om. codd.* ε
	30	co *Eagnard*	: et
13,	30	cogitatio nominatur	: cogitationis examinatio
	118	<in> *edd.*	: *om. codd.* ε
	188	ea *cf. Mass.*	: et
14,	139	<uel> *cf. Gra.*[n]	: *om. codd.* ε
15,	48	rhythmizata *cf. Mannucci*[n]	: -zati
17,	108	deriuauit *cf. Billy*	: deriuatio *u. app.*
	137	<in> *edd.*	: *om. codd.* ε
	159	<in>	: *om.*
18,	71	contrariae *2Ls130*	: contraria
	89	excogitare *Gra.*	: excogitaret *codd.* et cogitare ε *Feu.*
	107	cecidisse	: recidisse
19,	151	maxime *cf. Billy*	: maxima
20,	96	perire *2Ls217*	: perisse

		Conjecture		*Codd. ε edd.*
21,	49	lyricis *Löfstedt*	:	lyrici CV AQ ε *edd.* lyricus S
22,	106	<in>	:	*om.*
	142	enim	:	autem
24,	144	paruulus deinde puer	:	puer deinde paruulus
25,	26	subsistentem	:	subsistentes CV AS subsistens Q ε *edd.*
	66	<et> meliorem	:	meliorem *codd.* ε melioremque *edd.*
28,	223	aliquando autem	:	est autem quando CV AQ ε *edd.* aliquando S
30,	198	qua *cf. Gra.*[n]	:	quae
31,	33	hi	:	hi qui
	35	*seclusimus*	:	sunt *codd.* ε sunt quae *edd.*
32,	48	consummantur	:	consumantur *codd.* ε *edd.*
	61	decies	:	decimam
	87	*seclusimus (cf. Gra.*[n]*)*	:	firmum est
34,	39	omne	:	omnem C *om.* V omnia AQSε *edd.*
35,	33	innominabile *cf. Mass.*[n]	:	nominabile
	44	nuncupationes	:	nuncupationis

Arrêtons là ce catalogue des lectures nouvelles que recèle notre texte latin. C'est en les replaçant dans leur contexte que l'on en verra toute la portée. Enfouies qu'elles sont dans la masse de l'apparat critique, elles risquent de passer inaperçues et d'être tenues, si l'on en saisit l'une ou l'autre en passant, pour un banal et super-ficiel ravaudage. Certes, il n'en est rien. Le défilé que représentent nos listes montrera suffisamment l'importance qualitative et numérique des interventions de l'éditeur actuel.

On remarquera que nous n'avons jusqu'ici que très peu mentionné le ms. de Salamanque. C'est à dessein. Nous nous proposons d'en étudier les leçons à part, dans les pages qui viennent. Mais auparavant, il faut rappeler l'état de cette copie du XVIe siècle et se donner le fil d'Ariane qui permettra de se diriger à travers le texte brouillé du manuscrit.

II. LE MANUSCRIT DE SALAMANQUE
S 202

Le Livre II dans le S 202. Au Livre III (*SC* 210, p. 14), nous avons dit que S était constitué de deux séries, fragments et compléments, qui avaient eu chacune en leur temps, sur des feuillets libres, une existence propre en deux dossiers séparés. A l'usage, les feuillets des deux dossiers ont été en partie mélangés, comme on ferait d'un jeu de cartes, certains ont été perdus, des ensembles ont été déplacés, mais il est toujours resté deux dossiers. Le tout, en 1456, fut recopié tel quel en deux parties, Sa et Sb, dans le désordre et avec les lacunes existantes, par l'un des quatre ou cinq « scriptores » qu'employait au prieuré d'Aiton, en Savoie, le cardinal Jean de Ségovie[1]. Reliée avec cinq autres pièces dans un recueil factice devenu notre *S 202*, la copie de l'*Aduersus haereses* est insérée maintenant comme n° 2, du f. 60ʳ au f. 171ᵛ, entre des *Flosculi* de toute sorte qui composent le n° 1 et la Lettre de Jean de Ségovie à Guillaume de Orliaco qui constitue le n° 3 et qui porte à son explicit, de la main de Jean de Ségovie, la date du 13 octobre 1456 avec sa signature[2].

1. « Quinque aut quatuor apud me continuo residentibus scriptoribus » (*Cod. Salmant. 211, f. 2ᵛ*), écrit Jean de Ségovie au début de son acte de donation à l'Université de Salamanque, daté du 9 octobre 1457.

2. On s'étonne que le livre d'Irénée occupe la seconde place, car dans l'acte de donation de Jean de Ségovie, il est spécifié que celui-ci donne, sous le n° 53, « Irenaeus, archiepiscopus Lugdunensis, contemporaneus apostolorum, V libri eius contra haereses. In hoc volumine sunt Arithmetica ; Tractatus de Sphaera ; Item Flosculi poetarum, historiographorum et sanctorum eremitarum, excerpti per Vincentium historialem ; Epistola Johannis ad Guillelmum de Orliaco, eremitani in Sabaudia ; De quatuor hostibus hominis et de considera-

2

Par chance, le cod. S nous a conservé, en dépit du désordre, le Livre II en entier, alors qu'il n'en va pas de même pour les Livres I, III, IV (on sait que le Livre V manque). Au Livre II, on se trouve en présence, d'abord, des *compléments*, f. 75^r-95^v, puis cinquante-cinq folios plus loin, des *fragments*, f. 151^v-160^v.

Première constatation : inversion de l'ordre normal ; les fragments, contenu du dossier n° 1, eussent dû venir en premier. Deuxième constatation : ces fragments occupent beaucoup moins de place (9 folios, 800 lignes environ) que les compléments (20 folios, 1800 lignes). D'où la conclusion : l'excerpteur, dans ce Livre II, a trouvé plus de passages à rejeter qu'à prendre. Ont retenu son attention — on le voit par les textes qu'il a choisis, cf. plus bas, p. 37 — les explications d'Irénée sur des passages de l'Écriture Sainte et tout texte concernant la doctrine chrétienne. La réfutation elle-même de l'hérésie, la démonstration de l'incohérence ou des contradictions des systèmes gnostiques sont laissées de côté. L'excerpteur avait manifesté le même desintéressement dans le Livre I, puisqu'il n'y avait trouvé à recopier qu'une centaine de lignes et qu'il en avait laissé plus de 2000 au copiste chargé des compléments. Dans les autres Livres, dont la nature est bien différente, l'excerpteur a su, au contraire, trouver largement de quoi satisfaire ses goûts : 1250 lignes contre 1300 au copiste pour le Livre III et 1800 contre 450 pour le Livre IV. C'était un théologien, ce n'était pas un hérésiologue.

Il est indispensable d'indiquer comment se décomposent les fragments et les compléments du Livre II. Mais auparavant, quelques explications.

tione dierum septem hebdomadae habenda circa vitam Christi ; Sermones plures Augustini ex libro De verbis Domini ; et magna pars Glossae magnae Catonis » (*Cod. Salmant. 211, f. 9^r*). La reliure de cet ensemble ne correspond pas, pour l'ordre, aux indications de Jean de Ségovie.

Les doublets. D'abord, le fragment auquel nous avons donné plus bas le n° 1 n'est pas simple. Il est fait en réalité de sept « sous-fragments » différents, que l'excerpteur avait cru pouvoir choisir, mais qu'il a abandonnés à peine entamés. Manière de faire que nous avons déjà rencontrée dans le Livre III (*SC* 210, p. 16 s.). Ces passages sont précédés d'une indication qu'il faut attribuer, croyons-nous, au copiste de S, soucieux de mettre une séparation entre le Livre I et le Livre II autre que celle de la marge, car celle-ci énonce simplement : *de libro secundo*. Le copiste n'ignorait pas qu'il avait déjà reproduit le début du Livre II au f. 75^r, aussi écrit-il ici au f. 151^v : *In primo qui ante hunc est quidem libro, etc., quaere in principio 2^i libri, reperies de uerbo ad uerbum.* Suivent les sept passages, les « sous-fragments », dont la totalité équivaut à 75 lignes SC. Certains se terminent par *Et infra*, signe de leur interruption, d'autres sont liés au suivant. Le premier s'orne d'une lettrine, laquelle n'était pas dans le texte parallèle de Sa, c'est-à-dire dans la première partie. Deux alinéas coupent l'ensemble.

a) **2,** 59 56 (*en mg* : aliud capitulum) Non autem — ab illo. Et infra. *4 lignes.*
b) 66-89 Omnia — nobis. *21 lignes.*
c) **10,** 15-20 (*lié au préc., mais en mg* : aliud) Omnis — absolutiones. *5 lignes.*
d) **13,** 40-44 (*lié au préc.*) de quo — loquitur. Et infra. *4 lignes.*
e) 60-91 (*alinéa*) Si autem — partiuntur. *30 lignes.*
f) **18,** 4-7 (*alinéa*) Ubi enim — Sophia non est. *2 lignes.*
g) **19,** 26-34 (*lié au préc.*) Et propter — Patrem. Et infra. *9 lignes.*

Le copiste de S avait déjà recopié ces passages dans la première partie, si bien que ces 75 lignes constituent pour nous des doublets[1]. Confrontés les uns avec les autres,

---

1. 75 lignes, plus cinq ou six autres en trois sous-fragments groupés un peu plus loin dans le ms. Étant donné la difficulté de se repérer

Sa avec Sb, ils apportent la certitude qu'ils proviennent
d'un même modèle. Les divergences qu'on peut y relever
trouvent facilement leur explication dans l'étape précédente de la formation du texte, où excerpteur et copiste,
n'ayant pas le même coefficient intellectuel, ont réagi
différemment devant la copie qu'ils avaient à prendre.
Cela ne pose que des problèmes mineurs de critique
textuelle[1].

**Les fragments
et les compléments.** Mais revenons à l'imbrication des
fragments et compléments. Les frag-
ments ont pour signe distinctif de
se terminer par la formule *Et infra*, que le fragment
suivant jouxte aussitôt sur la même ligne. C'est ce qui
se constate aux frag. 4, 5, 6, 7, 9, encore que le frag. 4.
laisse la fin de la ligne en blanc et que le frag. 6 place
Et infra deux lignes avant la fin. Par contre, les frag. 2,
3, 8, 10 ne comportent pas la formule finale, ils laissent
alors la ligne en blanc. De leur côté, les compléments,
sauf le 9e, se terminent par la formule *Et infra, quaere*
(ou *require*) *in alio* (ici *E.i.r.i.a.* ou *E.i.q.i.a.*), suivie de

dans ce ms. extravagant, nous croyons bien faire de donner pour
les doublets les points de repère actuels (pages et lignes du ms.).
Les trois derniers que nous venons de signaler prendront les lettres
h) i) j) à la suite des autres :

a) f. 77ʳ 31-33 et 151ᵛ 15-17.
b) f. 77ʳ 40 - 77ᵛ 8 et 151ᵛ 18-30.
c) f. 81ʳ ult. - 81ᵛ 3 et 151ᵛ 30-34.
d) f. 83ʳ 34-36 et 151ᵛ 34-36.
e) f. 83ʳ ult. - 83ᵛ 19 et 151ᵛ 37 - 152ʳ 13.
f) f. 88ʳ 6 a.f. et 152ʳ 14.
g) f. 89ʳ 2 a.f. - 89ᵛ 5 et 152ʳ 15-21.
h) **29**, 41-44 Deus — est. f. 93ᵛ 5-3 a.f. *et avec* Et infra f. 156ᵛ 41.
i) **29**, 65-68 Sensus — habentes. f. 94ʳ 10-12 *et avec* Et infra
f. 156ᵛ 2 a.f.
j) **30**, 21 Unde — meliores. f. 94ʳ 26 *et avec* Et infra f. 157ʳ 1.

1. Nous nous en sommes expliqué dans l'Introduction au Livre III,
SC 210, p. 16-19.

la réclame mise en marge. Dans la récapitulation qui suit, nous indiquons l'étendue de chaque passage en lignes de notre édition. L'astérisque indique la fin d'un chapitre dans notre édition ou d'une page dans le ms. En caractère ordinaire, les fragments ; en *italique* les compléments.

[Sb] 1) f. 151ᵛ 15 - 152ʳ 21. Groupe des sept sous-fragments tels que décrits plus haut.

[Sa] *1′)* **Tabula+Pr.** 1-**19,** *120 (f. 75ʳ 1 - 90ʳ 14). 2030 lignes. In primo — meliores facit. E.i.q.i.a. Adhuc autem.*

[Sb] 2) **19,** 121-149 (f. 152ʳ 22-42*). 28 lignes. Adhuc autem — falsa opinione.

[Sa] *2′)* **19,** *149 - 22,* 8 *(f. 90ᵛ 15 - 91ʳ 45*). 194 lignes. Eodem modo et nos — de pleromate omnium. E.i.r.i.a. Duodecimo autem mense.*

[Sb] 3) **22,** 9-173 (f. 152ᵛ 1 - 153ᵛ 24). 164 lignes. Duodecimo autem mense — unus annus.

[Sa] *3′)* **22,** *173 -* **25,** *41 (f. 91ʳ 45* - f. 93ᵛ 13). 308 lignes. Nisi <si> apud <aeones> eorum — conditorem. E.i.r.i.a. Si autem.*

[Sb] 4) **25,** 42 - **28,** 261 (f. 153ᵛ 25 - 156ᵛ 41). 424 lignes. Si autem — credemus. Et infra. Fragment coupé de trois Et infra abusifs, après **26,** 37 excogitauerunt, **28,** 208 docuit, **28,** 226 effictitia.

[Sa] *4′)* **28,** *261 -* **30,** *24 (f. 93ᵛ 14 - 94ʳ 30). 100 lignes. Et tanta — arguentes eos. E.i.r.i.a. Sed nobis quidem.*

[Sb] 5) **30,** 24-51 (f. 157ʳ 2-20). 27 lignes. Sed nobis quidem — sub caelo. Et infra. Passage précédé des trois sous-fragments h, i, j.

[Sa] *5′)* **30,** *51-111 (f. 94ᵛ 31 - 94ᵛ 24). 60 lignes. Vel quam — afferentes. E.i.q.i.a. Quis melior est.*

[Sb] 6) **30,** 111-147 (f. 157ʳ 20-44*). 36 lignes. Qui *(sic)* enim melior — potestate demiurgi. Et infra (positionné deux lignes avant la fin).

[Sa] *6′)* **30,** *148-161 (f. 94ᵛ 25-33). 13 lignes. Si eorum — illorum peruenire. E.i.r.i.a. Si enim se hoc est.*

[Sb] 7) **30,** 161-190 (f. 157ᵛ 1-21). 29 lignes. Si enim se hoc — animalis Demiurgus. Et infra.

[Sa] *7′)* **30,** *191-202 (f. 94ᵛ 34 - 42). 11 lignes. Alioquin numquam — operationis. E.i.q.i.a. Et eum quidem.*

[Sb] 8) **30,** 202-253* (f. 157ᵛ 21 - 158ʳ 11). 51 lignes. Et eum quidem — reuelari Deus.

[Sa] *8′)* **31,** *1-44 (f. 94ᵛ 43 - 95ʳ 26). 43 lignes. Destructis — affingere. E.i.q.i.a. Feroces autem.*

[Sb] 9) **31,** 44-**32,** 7 (f. 158ʳ 12 - 158ᵛ 4). 53 lignes. Feroces autem — fratri suo. Et infra.

[Sa] *9')* **32,** *7-37 (f. 95ʳ 27 - 95ᵛ 1). 30 lignes. Qui et non solum non
— exstinguetur.*

[Sb] 10) **32,** 38 - **34,** 81* (f. 158ᵛ 4 - 160ᵛ 9). 267 lignes. Adhuc
etiam — dictum sit (est S). Immédiatement suivi, après la fin de
la ligne blanche, de III **Pr.** 1. Tu quidem dilectissime. Coupé de trois
Et infra abusifs après **32,** 39 conuersatione, **32,** 91 animas, **32,** 105
restituent.

[Sa] *10')* **35,** *1-70* (f. 95ᵛ 2-44*). 70 lignes. Basilides — aman-
tibus ueritatem. Explicit liber II^{us}.*

Attribuables à Sa : 2859 lignes
—   - Sb : 1159 lignes

Les omissions :
S 202
et les autres
manuscrits.

Maintenant que nous tenons en
main le fil indicateur qui permet de
nous mouvoir à l'aise dans le laby-
rinthe du ms. de Salamanque et que
nous sommes assurés que le parcours du Livre II peut se
faire sans interruption d'un bout à l'autre, nous pouvons
passer à l'étude du texte et à la comparaison avec les
autres manuscrits.

Nous ne reviendrons pas sur le fait de l'appartenance
à la famille AQε, il est patent. En dehors des observations
déjà faites dans les autres Livres, suffirait à le confirmer
ici la masse de 16 longues (= trois mots et plus) omissions
communes AQSε[1], entraînant la perte de 85 mots, et
57 petites omissions communes, alors que CV présentent
14 grandes omissions différentes[2], entraînant la perte de
128 mots, et 95 petites omissions autres que celles de
AQSε. Dans ce domaine des omissions, nous pouvons
aussi comparer nos mss les uns aux autres et voir si S
est plus déficient qu'eux.

1. Grandes omissions communes à AQSε : **4,** 5.51 ; **5,** 73 ; **7,** 95 ;
12, 99 ; **13,** 109.201.216 ; **14,** 84 ; **15,** 9 ; **20,** 69 ; **24,** 70 ; **26,** 29.43 ;
28, 76 ; **34,** 48.
2. Grandes omissions communes à CV : **1,** 32 ; **2,** 8 ; **5,** 16.88 ;
6, 36 ; **11,** 23 ; **13,** 36.116.207 ; **17,** 102 ; **21,** 22 ; **24,** 199 ; **32,** 32.45-55
(cette dernière de 10 lignes compte 66 mots).

Dans le tableau ci-dessous, le second chiffre représente les omissions corrigées par le copiste lui-même ou une main de son époque.

	Grandes omissions	Mots perdus	Petites omissions
C[1]	4+4	37+42	38+8
V[2]	6+4	55+67	71+16
A[3]	4+1	36+13	59+14
Q[4]	14	103	41+8
S[5]	14	129	185
ε[6]	1	5	26

Au vu de ce tableau, il est clair que S détient le dernier rang dans l'ordre de la fidélité. C'est lui qui a le plus de mots perdus par grandes et petites omissions : plus de 300 mots ce n'est pas rien. Mais le cod. Q, remarquons-le, n'est guère en meilleure situation. Ainsi même dans le négligé de la copie, nous retrouvons entre Q et S l'affinité que nous avons déjà signalée aux autres Livres et que nous allons encore voir se confirmer. En effet, indépendamment de celles qu'on vient d'indiquer, S et Q ont trois longues omissions qui leur sont propres **7**, 167,

---

1. Grandes omissions de C (les om. comblées après coup ont l'astérisque) : **13**, 126 ; **17**, 109*.122* ; **19**, 43.162 ; **22**, 33 ; **23**, 2* ; **30**, 60*.

2. Grandes omissions de V : **4**, 39 ; **7**, 47 ; **13**, 41*.87* ; **14**, 57*. 128* ; **18**, 48 ; **20**, 46 ; **22**, 59* ; **28**, 47 ; **32**, 122*.

3. Grandes omissions de A : **4**, 50.76 ; **5**, 6 ; **18**, 38 ; **24**, 33*.

4. Grandes omissions de Q : **1**, 33 ; **2**, 26 ; **6**, 38 ; **8**, 16 ; **12**, 64.91 ; **13**, 28.227 ; **14**, 148.166 ; **16**, 22 ; **30**, 136.202 ; **32**, 83.

5. Grandes omissions de S : **Pr.** 16 ; **5**, 3 ; **7**, 130 ; **8**, 11 ; **12**, 1 ; **13**, 135 ; **14**, 126 ; **22**, 125.178 (10 mots grecs) ; **23**, 32 ; **24**, 4.176 ; **26**, 35 ; **30**, 203.

6. Grande omissions de ε : **13**, 42. Elle est due sans doute à l'inadvertance d'Érasme plutôt qu'à ses mss. Ne pas oublier qu'Érasme a les 16 omissions communes AQSε que nous avons dites.

12, 38 et 13, 43, tandis qu'on n'en trouve pas qui soient propres à AQ, AS, Aε, Qε ou Sε. On pourra dire que l'om. 13, 43, qui ne porte que sur quatre mots *(et quod animo tractat)*, dans un texte où les formules semblables se répètent, n'est qu'une rencontre de hasard, soit ! mais il sera difficile de le soutenir pour 12, 38 où ce sont 25 mots qui manquent. L'homoiotéleute qui a produit cette omission n'est plus une coïncidence, mais une cause, autrement dit S et Q relèvent tous deux d'un même ancêtre qui leur a transmis ses lacunes.

Affinités entre Q, S et ε. Cela aperçu, on peut aller plus loin dans la manifestation de cette affinité entre Q et S. Nous avons relevé les rencontres QS, celles où ils sont seuls, contre tous les autres, à proposer leur leçon. Sans avoir travaillé à la manière d'un ordinateur, nous en avons trouvé 57. Chacune prise à part est insuffisante, évidemment, à convaincre du rapprochement. Ce sont, plusieurs fois, des petits mots qui manquent, *in, si, sed, a, est...* (7, 120 ; 15, 46 ; 16, 8 ; 17, 48.125 ; etc.), il n'y a rien là de bien caractéristique. Ailleurs c'est *Sige* (4, 11 ; 12, 37.59.84.97. 98.105 ; 13, 226 ; 14, 13 ; 14, 40) qui se trouve écrit avec un *y* (une exception : 12, 86) sous la plume des seuls QS : cela est-ce un hasard ? Ailleurs, c'est la même façon de proposer les nombres — pour une grande part — différemment de tous les autres mss[1] : là encore, est-ce un hasard ? Est-ce un hasard si en 24, 14 et 18 le mot très connu de *Soter* est écrit par QS *Sother*, avec un *h*, et qu'ils soient seuls à le faire à cet endroit ? Est-ce un hasard s'ils se rencontrent tous deux sur des variantes particulières ?

1. Pour les nombres, cf. 20, 17.64 ; 21, 11.14 ; 22, 16.17.87.89.107. 137 (2 fois). 158.171 ; 23, 13.15.17 ; 24, 120.136.140, et j'en passe.

1, 95	dominum QS	*au lieu de*	deum
6, 16	infixas QS	—	infixa *ou* infixus
7, 133	fixerunt nus QS	—	fixerimus
155	illorum eorum QS	—	illorum
168	arguerentur QS	—	arguentur
8, 42	*omission* QS	—	uel non consentiente
10, 26	non dum QS	—	nodum
12, 73	uniuersum QS	—	{ uniuersi sensus { uniuersorum { uniuersi
15, 43	*omission* QS	—	et duodeciforme
18, 24	{ quierebat Q { qui herebat S	—	qui quaerebat
19, 167	{ demino Q { domino S	—	deminoratione
24, 55	Barueth QS	—	{ Baruch { Barueh { Barneth
etc.			

Enfin, est-ce un hasard si ces deux mss sont seuls à avoir préservé des lettrines[1], du moins d'une manière caractéristique, sur la fin du Livre ? S en a gardé plus que Q (28 contre 8). Mais, vers la fin, lorsque Q multiplie les siennes, les deux mss ont gardé les mêmes, une seule exceptée pour chacun d'eux. Ce sont celles de leurs chapitres 35, 36, 40, 61, 62, 69, 70 ; l'exception : S 37

1. Il s'agit de grandes lettres sans ornementation. Dans S, toutefois, elles sont alternativement rouges et bleues. Le cod. A n'a aucune lettrine, sauf en un endroit inattendu : **4,** 8 **A***ntiquius*. Le cod V a laissé un espace blanc pour la lettrine à chacun de ses chapitres. Le cod. C en a inscrit quelques-unes : au début du Prologue et au début des chap. 2, 7, 8, 10, 12, 18, 53. Érasme en a imprimé une au début de chacun de ses chapitres. La liste des lettrines de Q et de S se trouve dans le tableau comparatif de l'emplacement des *capitula*, *infra*, p. 69. Une grande lettre initiale, légèrement travaillée et ornée, se trouve en tête du Livre dans C, de la *Tabula* dans A (sans ornement), de la *Tabula* et du Livre dans Q et S ; emplacement laissé en blanc dans V.

et Q 45. On a vu par la note que les autres manuscrits ne portent aucune de ces lettrines. Ici, en S et Q, elles paraissent transmises, sporadiquement, par un archétype, dans lequel, déjà, plusieurs devaient être manquantes. Quoi qu'il en soit, cette reproduction de lettrines milite encore en faveur du rapprochement QS dans la famille AQSε. Ces deux manuscrits forment donc un groupe à part, dont l'ancêtre se situe au delà du *Carthusianus*, daté avec vraisemblance du xiiᵉ siècle et père de Q.

D'autre part, il reste vrai aussi, comme nous l'avons déjà laissé entendre (*SC* 210, p. 20), que les affinités QS avec ε sont bien plus grandes qu'avec A. Ce n'est pas sans raison que QSε omettent en **26,** 19-20 une ligne de huit mots, dont l'homoiotéleute seul ne justifie pas la perte simultanée dans les trois manuscrits, ni sans raison, non plus, que l'on trouve une trentaine de fois la constellation QSε opposée à la leçon de A[1]. Ce qui suppose en bonne logique que les deux manuscrits d'Érasme descendent d'un ancêtre proche mais différent de celui de QS. Si l'on se rappelle que Jean de Ségovie acquit une grande partie de ses manuscrits au cours des missions qu'il accomplit en Allemagne[2], on comprendra sans peine qu'il y ait des affinités entre S et ε. Par là même, Q qui est très lié à

---

1. Par ex. : **4,** 18 omission de *aut* ; **5,** 42 om. de *in* ; **19,** 71 om. de *se* ; **20,** 23 om. de *est* ; **6,** 7 *quoquo modo* pour *quomodo* ; **19,** 150 *haec* pour *ea* ; **28,** 141 *hominis* pour *hominum* ; **29,** 6 *factas* pour *factos* ; **30,** 91 *matris* pour *matri* ; **31,** 49 *in* pour *ut* ; **34,** 40 *multa tempora* pour *multo tempore* ; **30,** 31 addition de *esse* ; etc. — D'autres fois il faut donner raison à QSε contre A : **5,** 91 *posset* ; **5,** 94 *fati* ; **6,** 2 *fabricator* ; **6,** 10 *enim* ; etc.

2. « cum ... curam habuerim specialem pro libris theologicae facultatis penes me habendis, diuina pietas magnam donauit oportunitatem, dum, in minoribus constitutus, ambasciatis persaepe, maiori uero assumptus statu, legationibus pluriphariam fuerim potitus, quibusdam etiam commissionibus, magno mihi deputato salario. » JEAN DE SÉGOVIE, *Acte de donation* (Cod. *Salmant. 211*, f. 2).

S, ou plus exactement le *Carthusianus*, son père, révèle qu'il a, lui aussi, une origine allemande.

De là vient que, dans la généalogie des mss, S se trouve au même degré de descendance que Q et ε. Si jusqu'à présent Q et ε ont eu voix au chapitre, à côté de A, pour l'établissement du texte, il est aussi légitime de se servir de S. Nous verrons dans quelles conditions et avec quelles précautions, car son texte est manifestement plus corrompu et le traitement que lui ont fait subir ceux qui l'ont coupé en morceaux choisis, puis ceux qui ont mélangé ses feuillets et l'ont corrigé, n'est pas fait pour plaider en sa faveur.

Pour répondre aux considérations que nous venons de faire, on pourrait, de la famille AQSε, risquer le stemma suivant :

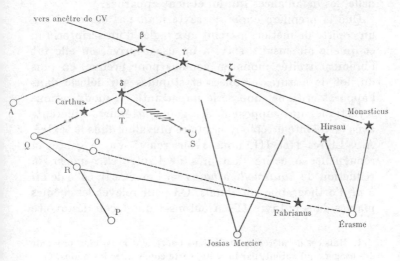

A	*Arundelianus 87*, s. XII ex.	O	*Ottob. lat. 752*, ± 1465
T	*Strasbourg 3762*, s. XI	P	*Ottob. lat. 1154*, ± 1530
S	*Salmanticensis 202*, a. 1456		Fabri ± 1521
Q	*Vatic. lat. 187*, ± 1429		Érasme 1526
R	*Vatic. lat. 188*, ± 1450		Mercier ca. 1575

**Corruption
et interpolation
de S.**

Maintenant que nous avons un peu mieux cerné les origines de S, nous pouvons scruter son texte. Celui-ci, dans les autres Livres de l'*Aduersus haereses*, nous est apparu comme affligé d'énormes faiblesses en même temps que pourvu d'éblouissantes leçons. Nous n'osions pas trop nous engager sur l'authenticité de ces dernières, mais nous ne voulions pas en rester à l'idée d'un texte irrémédiablement corrompu et inutile. En définitive, comme on va le voir, il faut accepter la coexistence de belles leçons et de stupides altérations, mais savoir donner sa part d'un côté à la négligence qui, dans une étape antérieure, a présidé à la copie des dossiers et, de l'autre, à l'intelligence de celui qui en a redressé ici et là, mais sans système, au profit de sa lecture personnelle, les défaillances qui lui étaient apparues.

Que la première copie du texte n'ait pas été confiée à un copiste de métier, astreint aux règles d'un scriptorium, et qu'elle ait ensuite servi à un usage privé, où elle fut librement traitée, nous en voulons pour preuve, en plus du flot de lectures erronées et stupides qui déferle dans l'apparat critique, une série importante de modifications stylistiques qui supposent des goûts littéraires différents avec la volonté arrêtée de les faire prévaloir dans le texte[1]. Aux Livres I et III, nous avons relevé, en ce genre, la répugnance à écrire l'un près de l'autre *et... autem*, la réduction de *huiusmodi* à *huius* (et l'inverse !), celle de *uti* à *ut*, l'orthographe *spiritualis*. On peut relever les mêmes manies dans le Livre II[2]. Ajoutons-y une façon désinvolte

---

1. Mais ces dernières modifications pourraient aussi bien provenir des usagers qui eurent, par la suite, cette copie entre les mains. Cela ne change rien au résultat, qui est fidèlement consigné dans le cod. S.

2. Mutilations de *et ... autem* : suppression de *et* **1**, 19 ; **11**, 11 ; **14**, 71 ; **15**, 21 ; **30**, 141 ; suppression de *autem* **1**, 71 ; **13**, 29 ; **14**, 188 ; **18**, 81 ; **19**, 178 ; **20**, 88 ; **21**, 20 ; **22**, 149 ; **23**, 35 ; **24**, 50.54.73.102 ; **27**, 36 ; **32**, 86.107 ; **34**, 8. Cas particulier : **18**, 8 *autem* devient *aut*

de supprimer des *et* et des *est*, une propension à confondre
enim et *autem*, un goût prononcé pour les interversions
— une cinquantaine en ce Livre II, comme nous avons
déjà dit —, manières inconscientes de remodeler le texte
selon les canons d'une certaine rhétorique... Tout cela
dénote un comportement d'amateur[1]. Pas celui d'un
grand érudit de l'humanisme. Pas celui non plus, d'un
copiste inculte. Entre les deux, celui d'un homme cultivé,
mais inexpérimenté. Le respect scrupuleux du modèle
n'est pas son fait. Il retouche légèrement le texte quand

(mélecture du copiste ?). — Confusion *autem/enim* **1**, 19.61 ; **13**, 77 ;
22, 36 ; **29**, 60. — *Huius modi* devient *huius* **7**, 49 ; **12**, 137 ; **16**, 10 ;
22, 145 ; **26**, 61.62.68 ; **28**, 111.122 ; **29**, 66 Sb (mais *huiusmodi* Sa) ;
31, 82 ; **32**, 93 ; **33**, 27 ; **35**, 6. — Surprise ! *huius* devient *huiusmodi*
Pr. 32 ; **6**, 19 ; **14**, 76 ; **17**, 106 ; **25**, 28 ; **30**, 63.110. — Etc. Nous
n'avons pas relevé dans l'apparat l'orthographe *spiritualis* qui
apparaît en S dans la majorité des cas.

1. Voici quelques exemples. Corrections grammaticales classici-
santes ou banalisantes du proto-S : **4**, 2 *datif tardif* altero C AQε :
classique alteri VS ; **Pr.** 33 titulauimus *codd.* : intitulauimus S ;
1, 20 in ea *codd.* : in his S ; **1**, 57 in uno deo *codd.* : in unum deum S ;
1, 62 duo dei *codd.* : duo dii S ; **3**, 9 fabricatum est *codd.* : fabr. sit S
corr. erronée ; **4**, 16 ei qui est ... patri *codd.* : ei qui est ... pater S ;
6, 29 cognoscent *codd.* : cognoscunt S ; etc. — Refus de textes qui
lui paraissent incompréhensibles (il dut en biffer sur sa copie, car
ils n'existent plus, dans S, que sous la forme d'une omission par
rapport à AQε) : **1**, 47 continebit utraque et CV : continebit aqua
et AQε continebit atque S (la correction approche du texte authentique) ; **4**, 49 percipere CV : perficere AQε perficere percipere S
(ici, mot corrigeant et mot corrigé sont restés côte à côte). — Banalisa-
tion et contresens : **4**, 61 et ille qui est de umbra et uacuo sermo
codd. : et ille de umbra uacuus sermo S (correction évidente du
proto-S, mais erronée) ; **6**, 52 in tantam amentiam uenientes uti
dementem pronuntient mundi Fabricatorem *codd.* : in tantam
dementiam uenientes ut pronuntient mundi Fabricatorem S (falsification pour avoir voulu simplifier) ; **19**, 21 in tantum abest uti fabricatorem huius universitatis Deum *codd.* : ut tantum abest a fabricatore
huius uniuersitatis Dei S ; **23**, 30 solui *codd.* : solui a uinculo isto S
(qui harmonise avec *Luc* 13, 16) ; etc.

il ne le trouve pas bon ; il le respecte suffisamment pour qu'il reste substantiellement le même.

C'est dans cet esprit, pensons-nous, mais avec un zèle différent pour les fragments et pour les compléments, qu'a été prise la copie primitive qui aboutit aux deux dossiers. Puis, entre les mains de son ou de ses possesseurs, lettrés assez largement cultivés, cette copie altérée a subi des interpolations, dont plusieurs, il faut le reconnaître, l'ont améliorée sensiblement. On ne peut expliquer le grand nombre de leçons heureuses de S en des textes corrompus de la famille AQε sans l'intervention d'un homme réfléchi, qui suivait attentivement le sens du passage ; il retouchait alors, sans aller bien plus loin, les désinences et les formes des mots quand le texte lui paraissait corrompu et qu'il pouvait y remédier. Il ne s'attaquait pas à tout systématiquement, il ne collationnait pas le texte avec un autre modèle qu'il aurait eu sous les yeux. Il agissait simplement en lettré qui redresse des incompatibilités grammaticales et qui restaure à travers elles, quand il y a pris garde, une logique défaillante. Il ne se préoccupait pas de savoir s'il avait le droit de corriger un texte qui lui venait du fond des âges. Il pensait que, sur ces papiers dont il était le détenteur, le bon sens le lui demandait. Et en s'exécutant, il lui est arrivé souvent de rejoindre, fruit heureux de sa culture, le texte authentique du traducteur latin. A tel point que nous ne craignons pas aujourd'hui d'accepter ses conjectures (leçons S dans les parties positives de l'apparat) en bien des passages où, sans lui, nous serions intervenu nous-même dans le même sens que lui.

Bonnes conjectures de S. Il n'est pas question de relever les mélectures, étourderies, bourdes, altérations de toute sorte, qui grèvent la lecture de S. L'apparat critique, qui a voulu être exhaustif, leur a procuré un « enfer ». Mais nous nous proposons de donner ici un échantillon des bonnes leçons de S. D'abord celles qui rejoignent CV quand ces deux derniers (ou l'un des deux) détiennent la leçon choisie contre le reste de la famille AQε. Ensuite celles qui s'avèrent être les bonnes contre tout le reste des manuscrits et qui, de ce fait, ne peuvent être que des conjectures.

En examinant la première série qui suit, on s'aperçoit que beaucoup de ces corrections sont à la portée d'un esprit moyen, surtout si celui-ci ne se sent pas lié par le respect scrupuleux d'un texte officiellement transmis. Mais plusieurs autres supposent un esprit avisé, une grande attention et de l'intuition. Ces qualités nous disposent à recevoir nous-même plus facilement les corrections de la seconde série, qui n'ont pas la garantie de CV pour se faire accepter, mais seulement celle de la critique interne.

Nous ne présentons que des échantillons, n'ayant pas d'ordinateur à notre disposition...

Corrections garanties par CV.

		CVS	AQε
1,	61	continebuntur CVS	: continebantur AQε
	68	quis CVS	: quisqui AQ quisque ε
2,	19	in illius CVS	: illius AQε
3,	33	dignam CVS	: dignum AQε
5,	89	pater CVS	: mater AQε
7,	56	quasi CVS	: quas AQε
8,	7	quod CVS	: *om.* AQε
	33	circumscribatur CVS	: circum scriptura AQε
9,	8	testimonium CVS	: testimoniis AQ -nia ε
10,	5	manifeste nihil CV ma- nifeste S	: manifestum est AQε
11,	9	similes CVS	: simile AQε
12,	2	decidere CVS	: dicere AQε
	62	illo VS	: ullo C AQε
13,	77	sic CS	: si V AQε
13,	215	motiones CS	: monitiones AQε notiones V
15,	37	descendunt CS	: descendent V AQ -derent ε

CVS	AQε

18, 37 non eum inuenient CV : *om.* AQε
non inuenient S
19, 24 sit CVS : sint AQε
22, 149 ipsi CVS : ipsi autem AQε
23, 12 undecim CV xɪ S : xɪɪ AQε
24, 135 et ipse CVS : ipse AQε
162 deliramenta CVS : liramenta AQε
32, 118 inuocans CV inuocans : in AQε
in S
etc.

Conjectures de S conformes à la critique interne.

Comme on le verra, les conjectures des éditeurs ont
rejoint plusieurs fois celles de S sans les connaître.

	S nos	CV AQε

2, 27 fabricatorem : fabricator est
3, 20 concepit *Sti.*^{n} : coepit C cepit V AQε
27 inuisibilem *Gra.*^{n} : uisibilem
Mass.^{n} *Sti.*^{n}
4, 7 aequale : aequalis
23 praedicatus : praedictus
6, 3 continerentur *edd.* : continentur
8, 45 fabricatam *Gra.*^{n} : fabricasse
Mass.^{n} *Sti.*^{n} *(addunt*
esse hi edd.)
10, 51-
52 lacrimae tantae...tristi- : lacrimas tantas... tristitias
tiae *Billy* *(« soloecismus apertus », edd. in n.)*
63 separatum *Feu.* : separatam
12, 130 numero *edd.* : numeri
13, 20 cogitationem : cognitionem
41 contemplatur *edd.* : contemplatus AQε -tus est CV
76 quod *edd.* : qui C AQε *om.* V
97 susceptor *Feu. Mass.* : susceptior *Gra. Hυ*
Sti.
141 lumine₁ *edd.* : lumine est
160 fabricatores *edd.* : fabricatoris
192 coobaudiuntur : coobaudientur *codd.* eo obaudient ε

		S nos	CV AQε
14,	62	sursum	: rursum CV rursus AQε
	69	huiusmodi *edd.*	: huius mundi
15,	36	enarrant	: enarrarunt CAQ -bunt V enarrarent ε
17,	29	si « *sensus requirit* » (*Mass.*)	: *om.*
	61	idem *Gra.*[n] *Mass.*[n]	: id CV Aε eid Q
	94	emissum aeonem	: emissam aeonam
18,	5	imprudentia Sa	: improuidentia *cett.* Sb
	14	ipsa *edd.*	: ipsum
	73	cognata *edd. ab* ε[34]	: ex eo nata CV eo nata AQε
	96	in passione *edd.*	: non in passione
19,	133	qui	: *om.*
22,	120	dicentes	: dicunt
23,	18	duodecim aeonum	: duodecimi aeonis CV Aε xii aeonis Q
24,	31	terram	: terra
26,	23	quam *Feu.*	: aut
	42	tanti	: tantos
	48	putent	: putentur
27,	50	intellegentes	: intellegentibus
28,	83	dicemus	: dicimus
	223	aliquando S aliquando autem *nos*	: est autem quando
29,	19	descensio *Billy. Mass. Sti.*	: discessio
	69	succedat	: succedit
30,	97	ut	: et
	193	per *edd.*	: *om.*
	253	reuelari *Hʋ*	: reuelare
32,	10	non₂ *edd.*[n]	: *om.*
35,	3	caelos	: *om.*
	25	diuersas	: diuerse

Jugement définitif sur S. En avons-nous assez dit maintenant pour résoudre l'énigme qui pesait sur ce manuscrit déconcertant ? Je le pense et ne pousserai pas plus loin l'analyse des corrections. On aurait pu établir que S, je veux dire le proto-S, n'avait pas toujours été aussi heureux dans ses essais d'émendation[1], car il est facile, avec l'apparat critique de relever sa trace un peu partout. On aurait pu aussi, écartant tous ces passages interpolés et les comparant au texte de Q, retrouver en bien des endroits l'état du texte de leur proche ancêtre, et par une judicieuse comparaison avec ε celui de cet ancêtre allemand plus éloigné qui est postulé par le stemma. Mais à quoi bon? S ne mérite pas tant d'égards. Le lecteur d'Irlat ne se préoccupe pas des sottises ultérieures qui ont éclaboussé l'authenticité du texte. Il désire savoir ce que valent les documents sur lesquels on s'appuie pour le lui restituer.

Désormais, donc, nous saurons que S et Q, génétiquement sont des cousins peu éloignés, mais que si Q a su préserver la dignité et l'intégrité de son texte, S a subi des violences et des traitements qui l'ont défiguré. Copié sans technique, découpé en morceaux, livré entre les mains d'un amateur habile qui s'est exercé à lui refaire un visage, il demeure un manuscrit extrêmement délicat à utiliser. Mais, au terme de ce jugement et en nous reportant à toutes les surprises que S nous a réservées au cours des quatre Livres de l'*Aduersus haereses*, nous ne saurions assez admirer, ici et là, le coup de plume, le sens averti du texte et parfois l'intuition remarquable de l'humaniste dont nous avons soupçonné la présence sous les libres essais d'une restauration personnelle.

1. Cf. L. DOUTRELEAU, « Le Salmanticensis 202 et le texte latin d'Irénée », dans *Orpheus. Rivista di umanità classica e cristiana*. N.S. (Catania) 1981, p. 131-156.

III. ARGVMENTA ET CAPITVLA

Nous avons déjà beaucoup disserté sur les *argumenta* et les *capitula*[1] dans les autres Livres de l'*Aduersus haereses*. La question de l'insertion des *capitula* dans le texte nous a particulièrement retenu, car nous nous demandions s'il fallait mettre l'insertion au compte de la tradition latine ou la faire remonter à la grecque. Aujourd'hui, grâce à une récente découverte, la question semble résolue. Des extraits irénéens dans un manuscrit grec de l'Athos, le *Vatopedinus 236*, portent des numéros et renvoient à une série d'autres qui correspondent à ceux que la tradition latine nous fait connaître. Il y avait donc une division en *capitula* dans la tradition grecque, et elle a passé dans nos manuscrits latins. Il n'y aurait pas de problème si ceux-ci s'entendaient, mais, nous l'avons vu pour les autres Livres, ils ne s'entendent pas et c'est

---

1. Nous appelons *argumenta* la série des titres mentionnés sur une liste à part, ou début des Livres de l'*Aduersus haereses*. Chaque *argumentum* de la série porte un numéro d'ordre, qui doit, en principe, se retrouver le même au cours du texte. Nous appelons *capitula* la série des titres insérés dans le texte. Chaque *capitulum* doit porter, en principe, le numéro et l'intitulé de l'*argumentum* auquel il correspond. Les variations dans l'ordre ou dans la numérotation ou dans l'emplacement au cours du texte ont donné lieu à de profitables études, non point de la part des éditeurs nos prédécesseurs, qui ont trop rapidement passé sur la question, mais de la part de F. Loofs, que nous avons déjà cité plusieurs fois dans les volumes précédents (*Die Handschriften der lateinischen Übersetzung des Irenaeus und ihre Kapitelteilung*, Leipzig 1888). Nous-même, ici, en apportant pour le Livre II un nouveau témoin, S, en fournissant une lecture plus attentive du cod. Q, et surtout en produisant le témoignage du *Vatopedinus 236*, récemment publié, nous essaierons de prolonger ou de redresser, autant que faire se pourra, les résultats déjà atteints par Loofs.

particulièrement frappant ici pour le Livre II. On aimerait connaître les causes des divergences. C'est ce qui justifie les données qui vont suivre. A défaut d'une réponse adéquate à la question, elles permettront de saisir la complexité de la tradition et d'ouvrir la voie à une interprétation sinon définitive, du moins cohérente et acceptable en l'état des témoignages.

LES ARGVMENTA DANS LA TABVLA

Parlons d'abord des *argumenta*.

Au Livre II, tous les mss ont une *Tabula* en tête du Livre, comme il se doit ; avec des numéros dans la famille CV, sans numéros dans l'autre. Le cas de Q avec ses numéros grecs est particulier, nous en traiterons le moment venu. Quant à Érasme, seul contre le reste de sa famille, il a des numéros. On pourrait le soupçonner d'y avoir pourvu par lui-même en profitant des facilités nouvelles de l'imprimerie. Nous verrons ce qu'il faut en penser. Pour le moment, ce qui frappe dès l'abord, c'est l'absence de numérotation dans les mss de la famille AQS.

Voyons la *Tabula* de plus près[1].

Première famille :
CV.

Pour C, la liste se termine au n° 71 ; pour V, au n° 68. La différence tient à ce que V, agissant après coup, a omis de numéroter trois *argumenta*, le 61e et le 66e, faute de place au bout de la ligne, semble-t-il, et le 71e, le dernier ; mais chacun de ces trois *argumenta* a bien été inscrit comme une unité à part.

---

1. On se reportera utilement à l'apparat critique de la *Tabula*, en tête du volume de texte. Les numéros d'*argumenta* auxquels nous nous référons sont ceux que nous avons apposés dans cette *Tabula*. Ils sont conformes à ceux de Loofs, qui suivent eux-mêmes ceux de C. Pour le n° 55, voir l'apparat. Mais Loofs n'a pas craint de transformer les numéros érasmiens, v. *infra*, p. 66.

Signalons que, dans C, la numérotation, qui est sans conteste de l'époque, a été apposée avec plus d'une distraction : le scribe a d'abord négligé de mettre le n° 1 devant le premier argument ; le deuxième s'est donc trouvé le premier, le troisième le second, et ainsi de suite jusqu'au 20e, au bas de la page.

Alors le scribe s'est aperçu de son erreur. Dans le système romain, il lui a été facile de se corriger en ajoutant des barres, c'est pourquoi l'on trouve iiiii pour 5, viiiii pour 10, xviiiii pour 20 ; tous les numéros ont ainsi été transformés à peu de frais et sans déparer la page de copie. La même manœuvre a recommencé de 56 à 62, mais là ce fut plus court, car notre étourdi s'est vite aperçu qu'il avait oublié l'*arg*. 55. Il l'inscrivit avec un obèle au bas de la page et restructura sa numérotation ; ce qui nous vaut entre autres ici, lviiiii pour 60.

Deuxième famille : AQSε. Passons à l'autre famille, AQSε. Aux 71 *argumenta* de CV, le cod. A en oppose 68, que l'on est obligé de compter puisqu'ils n'ont pas de numéros. Mais on ne peut se tromper, car A a laissé entre chacun un vaste espace blanc, d'une vingtaine de lettres, dans l'intention évidente d'y inscrire les chiffres plus tard. Si A ne tombe pas juste avec C, c'est qu'il a fusionné deux fois deux *argumenta*, 40+41 et 47+48, et qu'il a oublié d'inscrire le 49e.

Quant à Q, étant donné l'apparente régularité de ses retours à la ligne, on ne lui donnerait que 65 *argumenta*. Mais il en a bloqué plusieurs ensemble, chacun gardant sa majuscule après un point, ce qui montre qu'il faut les compter comme déliés. Ainsi avons-nous 19-20-21, 22-23, 37-38. Autre est le cas de deux groupes où les *argumenta* sont fusionnés, 40+41 et 53+54. Mais, au total, les 71 *argumenta* de CV s'y retrouvent.

S de son côté a inscrit fidèlement tous les *argumenta* ; il les a fait commencer par le signe médiéval du paragraphe, mais il a bloqué ensemble 31-32, distingués par la majuscule, et il a véritablement fusionné 1+2+3, 40+41, 53+54, si bien qu'on ne lui donnerait, selon l'apparence, que 66 *argumenta*. Rien n'y manque cependant par rapport à CV.

Érasme ne fait pas chorus avec les siens, car il numérote. Il atteint à 68 *argumenta* (ne tenons pas compte de la faute d'impression, corrigée dans les éditions postérieures, qui lui a fait redoubler le chiffre 67). Il fusionne 40+41 et 53+54. Il écrit, à l'*arg.* 19, *De quaestionibus* au lieu de *De speciebus*. Il omet, comme fera aussi Josias Mercier (v. *infra*), l'*arg.* 55, qu'il faut placer chez lui, par suite des décalages, entre *arg.* 52 et 53.

En somme, les questions qui se posent maintenant sont :

a) comment expliquer la présence d'une numérotation chez Érasme, alors qu'il n'y en a pas dans AQS ?

b) y a-t-il un motif pour expliquer les fusions d'*argumenta* dans les différents groupes : 1+2+3 en S, 47+48 en A, 53+54 en QSε, 40+41 en AQSε ?

La numérotation. Que les numéros soient absents de AQS, c'est un accident survenu à toute la branche ; en l'absence de documents, nous ne pouvons pas savoir à quelle date il remonte. Mais si cela est, nous devons nous étonner fortement qu'Érasme ait échappé aux suites de cet accident. Il faut donc penser que c'est un autre événement qui lui a restitué la numérotation. Nous ne sommes pas en droit de dire que c'est lui qui l'a faite. Nous pensons plutôt — on le verra mieux tout à l'heure — qu'il l'a reçue, mais qu'elle ne vient pas de l'archétype de la famille. Sur la route de la descendance, un relais, un relais « monastique », a pu facilement rétablir ce qui manquait. Et comme nous verrons que la distribution des *capitula* dans le texte d'Érasme dépend aussi d'un relais imprévu sur la voie de la transmission, nous ne craignons pas de rapprocher l'une de l'autre ces deux opérations de jouvence. Érasme en a été, en quelque façon, le seul bénéficiaire — mis à part l'inconsistant Josias Mercier. Nous verrons plus bas si ce fut vraiment au profit du texte latin.

Les fusions d'argumenta. Pourquoi ces fusions ? Si l'on peut traiter de fantaisie personnelle celle de 1+2+3 en S, manuscrit que nous connaissons maintenant et qui nous a habitués à beaucoup de relâchement, il est plus difficile de le faire pour 47+48 en A. Cependant, comme QSε n'ont pas été atteints par ce blocage, il est à présumer que c'est une erreur de A. Elle s'explique par le fait de la brièveté de l'*arg.* 47 (4 mots), à laquelle le copiste n'a pas prêté attention, habitué qu'il était, dans cette *Tabula*, à de plus longues rubriques.

Cette explication ne peut pas valoir pour 40+41, fusion qui affecte A, mais qui s'est aussi étendue à toute la famille. On soupçonne l'inattention du copiste qui voit un *argumentum* commencer par *de*, alors que tout ce qui précède commence par *quomodo*, *quoniam*, *ostensio*, et qui met ensemble tout le texte qui lui paraît dépendre de *de*, y compris ce fameux *de amen* auquel il ne comprenait rien — et pour cause, voir la note justificative. Une erreur de ce genre, venue de très haut, ne pouvait donc que se transmettre.

C'est de moins haut qu'il faut faire partir la dernière fusion dont nous ayons à nous occuper, 53+54. Le fait qu'elle atteigne QSε plaide encore en faveur de la distinction qu'il faut faire entre ce groupe et A (voir plus haut, p. 40 s.). Les *arg.* 53 et 54 ont pour être ensemble la raison que l'*arg.* 53 ne comporte que trois mots, qu'ils commencent par *de*, ce qui a toujours troublé les copistes — voir à ce sujet l'*arg.* 19 *de speciebus* — et que l'*argumentum* suivant permet d'intégrer un *quoniam* rassurant.

Quoi qu'il en soit, ces fusions sont accidentelles, comme

les blocages dont nous avons parlé. Ce sont des altérations du texte, comme tant d'autres. On ne peut leur chercher une intention qui viendrait de la tradition authentique.

La numérotation grecque de Q. Nous avons laissé de côté un phénomène curieux, que nous n'avons pas assez de documents pour bien traiter : la numérotation grecque en Q. Nous pouvons toutefois le décrire mieux qu'il n'a été fait. Pitra[1], en effet, en a fait état, ainsi que Loofs[2], plus tard, d'après lui. Mais tous deux se sont essayés à transcrire en caractère d'imprimerie les chiffres grecs mal formés par cette main « maleferiata » dont parle Pitra. Le résultat imprimé n'avance pas à grand-chose.

On peut se demander en premier lieu si ces chiffres ont été apposés par le copiste lui-même ou, plus tard, par quelqu'un d'autre, désireux de montrer son savoir-faire en grec. Car ils ont bien été inscrits après coup et d'une seule venue. Il n'y a pas de doute à avoir : l'écriture est celle du copiste. Il a fallu, en effet, que celui-ci, au cours du Livre II, écrive en grec les passages des chapitres **21**, 39 et **22**, 177, laissés dans cette langue par le traducteur latin. Or, autant qu'on peut en juger, s'il y a plus d'application à imiter la forme des lettres en **21,** 39 et **22,** 177, c'est malgré tout la même inhabileté ici et là. Les $\varkappa$, les ε et les θ, notamment, relèvent du même ductus. On ne se trompera donc pas en attribuant au même copiste les numéros de la *Tabula* et les lignes grecques du texte.

Mais alors, il faut admettre que le manuscrit de la Grande Chartreuse, modèle de Q, portait déjà cette numérotation grecque. Pourquoi lui, et pas les autres ?

1. J. B. Pitra, *Analecta Sacra Spicilegio Solesmensi parata*, t. IV, Paris, 1883, p. 215. « ... capitula libri II, instructa graecis numeris, sed manu latina, haud semel maleferiata... » Et à la fin de la note : « Ea Flori esse, uix nunc iurauerim. »

2. F. Loofs, *Die Handschriften ... des Irenaeus*, p. 28-37.

Tradition ou cure d'hellénisme en cours de route? Nous penchons pour la seconde hypothèse, sans aller avec Pitra jusqu'à supposer l'intervention de Florus lui-même. Mais nous nous demandons si cela n'explique pas l'absence de numérotation dans la *Tabula* du groupe AQS. Le cod. A, qui porte aussi la Préface de Florus comme la portait le *Carthusianus* au témoignage de Sirmond, aurait renoncé à reproduire cette numérotation saugrenue, tandis qu'elle se serait perpétuée sur une ligne secondaire où le seul cod. Q, après le *Carthusianus*, l'aurait recueillie. Le cod. S, pour sa part, l'aurait laissée de côté. Quant à Érasme, l'opération de jouvence dont nous avons parlé explique qu'il ne lui en soit rien resté.

Il semble que le copiste de Q avait, sur son modèle, certains repères en chiffres romains pour tomber juste au cours de la numérotation. Il a en effet reproduit dans la colonne même où ils s'alignent avec le grec les chiffres suivants des dizaines : L (LN), LX (ξLX), LXX (θLXX [θ pour O]), et, en marge, XL. Cela ne l'a pas empêché d'oublier le chiffre ΛΔ (34) et ξZ (67), moyennant quoi son dernier numéro est 70 et il laisse en blanc la place du chiffre 71, imaginant que l'*argumentum* qui commence par « *Εσπυσίιο,,,* » est le titre de ce qui suit, c'est-à-dire du texte du Livre II. A l'instar de Ω et de Λ, en effet, Q ne porte pas d'explicit de la *Tabula*. On remarque donc que la numérotation grecque se termine au n° <71>, comme en C, et cependant il n'y a en fait que 69 *argumenta* distingués les uns des autres.

Pour en terminer avec cette numérotation de Q, il faut encore relever, dans la marge, des essais postérieurs d'harmonisation de la numérotation grecque avec une autre numérotation, dont on rencontrera la plupart des éléments chez Érasme. Ces essais — que nous avons relevés dans l'apparat critique — sont à mettre en rapport avec la division en *capitula* que l'on trouve dans le cours du texte de Q et sur laquelle nous reviendrons. Ce ne sont pas de vains essais ; ce sont ceux qui ont abouti à numéroter les divisions du texte de Q. La même main, Q^3, a travaillé dans les marges de la *Tabula* et dans celles du texte.

L'ordre des argumenta. Au terme de cette enquête foisonnante à travers les six tables d'arguments de nos témoins, il nous reste à éprouver l'ordre lui-même des *argumenta*. Puisque celui-ci est constant à travers nos six témoins, il est facile de le confronter avec le déroulement du texte.

Nous avons porté entre crochets, dans la *Tabula* de notre édition [voir Tome II], l'emplacement présumé où devrait survenir chacun des *argumenta*, et même chaque élément d'entre eux quand il s'en trouve plusieurs. Un simple coup d'œil renseignera vite. On constatera des déplacements, des glissements inexplicables dans l'état actuel des témoignages. Ce sont des accidents survenus très tôt, avant la séparation des familles. Peut-être même affectaient-ils déjà la tradition grecque.

Ainsi, les *arg.* 3 et 4 ont été intervertis. *Arg.* 4 tombe en **3,** 1, tandis qu'*arg.* 3 tombe en **6,** 4. De la même façon, il faut lire, dans l'ordre, *arg.* 22, 21, 20. Plus loin, *arg.* 44 a gagné 4 rangs : on lira donc *arg.* 45, 46, 47, 48, 44. Il faut lire, au delà de ce groupe, *arg.* 51, 49, 50. Pour ce qui est des deux éléments, apparemment inversés, de 11 a et 11 b, il ne paraît pas opportun de vouloir les renverser, car l'argument a été constitué intrinsèquement de manière remontante.

Il est bon d'avoir fait cette épreuve de la cohérence de la *Tabula* avec le texte. On voit qu'un réviseur très attentif aurait pu déceler ces décalages et tenter de redresser l'ordre troublé. Nul ne l'a fait avant les éditeurs Feuardent, Grabe et Harvey, dont, au reste, les résultats divergents sont peu satisfaisants. Cela nous amène de plain-pied à l'étude des *capitula*, puisqu'il s'agit précisément de voir comment ils ont pris place dans le texte.

LES CAPITVLA DANS LE TEXTE

Dans les codd. C et V, les *capitula* font partie intégrante du texte, copiés qu'ils sont avec leur numéro, sans discontinuité entre les chapitres. Mais les codd. AQS n'ont pas de *capitula*, ou, si deux d'entre eux, AQ, paraissent en avoir, ceux-ci ne sont pas d'origine — nous allons en reparler. A l'inverse, Érasme, surgeon de la même famille, a des *capitula* parfaitement numérotés[1], rangés en bon ordre sans toutefois s'accorder pour l'emplacement avec ceux de CV.

En A et A³. Omission accidentelle, ancienne et inexpliquée, que celle des *capitula* en A. Pour y subvenir, une main tardive — appelons-la A³ — les a copiés dans la marge avec leur numéro[2]. Que cette main ait aussi reproduit en marge plusieurs des gloses érasmiennes de 1526[3] prouve à l'envi que la capitulation tardive est calquée sur celle d'Érasme. La conformité au ms. demande donc de considérer tout simplement que A n'a pas de *capitula*.

Le cas de Q et de Q³. Comme A, le cod. Q porte une division et une numérotation adventices. En effet, dans un texte continu et très serré, une main différente a dessiné, aux endroits voulus, un grand signe de paragraphe, épais et allongé, ⌐, avec un numéro correspondant dans la marge, en

---

1. Sauf les exceptions que nous dirons plus bas.

2. Bien fidèlement jusqu'au cap. 28 ; puis de 28 à 54 n'a mis que les numéros, en sautant, comme Érasme, le n° 50, et, de 54 à la fin, a mis tantôt les numéros seuls, tantôt les numéros avec l'intitulé. Le détail de ce report importe peu, puisque la source en est, sans conteste, l'édition d'Érasme.

3. Voir par exemple à l'apparat critique les gloses de **12**, 93 ; **13**, 209.210 ; **21**, 39 ; **22**, 167.

chiffres romains largement étalés. Il n'y a pas d'intitulé.
Cette division postérieure en paragraphes, que nous
attribuerons à Q³, se rapproche étonnamment de celle
d'Érasme, mais ne la recouvre pas parfaitement. Un peu
d'attention montre que les paragraphes 13, 47, 50, 54, 56
comportent de légers décalages ou quelque anomalie
par rapport à ceux d'Érasme[1]. Ces divergences portent
à penser que Q³ a transcrit ou une capitulation voisine
de celle d'Érasme — celle qu'a connue Josias Mercier —
ou celle-là même d'Érasme, mais en essayant de la rectifier
là où il la jugeait mal en place. Cette dernière hypothèse
est moins vraisemblable.

Nous n'en avons pas fini avec Q. La division tardive
de Q³ en recouvre une autre, sporadique et peu remarquée,
mais qui paraît originale puisqu'elle est de la main du
copiste et fait corps avec le texte. D'autre part, elle est
mariée à l'apparition de lettrines. On trouve ainsi, en
numérotation romaine, les numéros 5, 31, 35, 40, 45, 61,
62, 69, 70. Parmi eux, les numéros 31, 40, 61 et 62 ont été
subrepticement transformés en 35, 42, 57 et 59 sous la
plume de Q³, qui a camouflé habilement leur première
identité. Or cette numérotation primitive correspond
exactement à celle de CV, on s'en rendra compte par le

---

1. Ainsi, le *cap.* 13 de Q commence en **11**, 30 *de his* et celui
d'Érasme, trois lignes plus bas, en **12**, 1 *Primo* ; le *cap.* qui correspond
à 40 selon la séquence, en **22**, 145, ne porte pas de numéro indiqué
par Q³, alors qu'Érasme à cet endroit bloque sous le n° 40 les deux
intitulés 40 et 41 ; Q³ en **28**, 1 ramène à 47 le numéro erroné
57 d'Érasme - 1526 (corrigé d'ailleurs dans les autres éditions
d'Érasme) ; le *cap.* 50 indiqué en **28**, 227 n'existe pas chez Érasme,
quelle qu'en soit l'édition ; le *cap.* 54, indiqué par Q³ en **30**, 10
demiurgum, commence chez Érasme à *et uniuersae*, sur la même
ligne mais quatre mots plus haut (ici, Loofs a interverti les attribu-
tions) ; le *cap.* 56, indiqué par Q³ en **30**, 141 *et Paulus*, commence
chez Érasme une ligne plus haut en **30**, 140 *quoniam* (*qui* ε) *enim*.
Ces divergences se retrouvent dans ce qu'on appelle les *Mercerii*.
Sur ces derniers, voir plus loin, p. 63.

tableau que nous avons dressé plus bas. Usurpatrice donc, la numérotation de Q^3 ; authentique, au contraire, celle de Q, dont témoignent sans conteste les lettrines et les numéros anciens.

Les vestiges de S. Forts de cette constatation, nous pouvons nous tourner vers S et interpréter les quelques vestiges que l'on serait tenté, autrement, de négliger. S, en effet, a multiplié les petites lettrines : on en compte 25 alors que Q n'en offre que 8. Elles surviennent ordinairement au départ d'un *capitulum* de la famille CV. Mieux : quelques numéros restants coïncident exactement avec ceux de CV : 11, 21, 32, 35, 36, 40[1].

Ainsi, il n'y a pas de doute à avoir. Puisque Q et S, mss de la deuxième famille, concordent avec la première, ils apportent la preuve que la division de CV est celle de la tradition authentique. Si A ne comporte pas de *capitula*, ce n'est pas que la tradition ne lui en offrait pas, c'est qu'un accident qui lui est propre, ou propre au rameau qui le portait, l'a empêché de la recevoir, ou de la transmettre.

Érasme témoin d'une restauration. Alors Érasme ? que penser de la présence de ses *capitula*, insolite par rapport aux autres témoins de sa famille ? que penser de leur emplacement sans concordance avec celui de CV[2] — ce qui, on le verra, encombre lourdement l'apparat critique ? Et pourtant, dans ces conditions,

---

1. Se reporter plus bas, p. 69-80, au tableau comparatif de l'emplacement des *capitula*. Toutes ces données seront mieux comprises, envisagées synthétiquement les unes à côté des autres.

2. Seuls concordent les emplacements des *cap.* 13, 58, 62, 63, 64, 66, 68, 69. Il ne pouvait guère en être autrement puisque les intitulés de ces chapitres obligent quiconque lit le texte avec intelligence à les placer convenablement. Mais les autres, de par leur formulation moins précise, tolèrent d'être situés, selon le sens, un peu plus haut ou un peu plus bas, sans trop paraître en désaccord avec les textes qu'ils régissent.

comment se fait-il que les intitulés, à quelques variantes mineures près, concordent pleinement avec ceux de CV?

Sur le rameau où il se situe, Érasme aurait dû recevoir la capitulation traditionnelle. Elle n'était pas tarie puisque Q et S, qui ont un même ancêtre avec lui, en avaient reçu des miettes authentiques. La seule explication qui se présente est que, sur la ligne descendante qui passe par les deux *Monastici* d'Érasme, une profonde restauration a eu lieu. Un lecteur, moine entreprenant, peut-être, et avisé, aura, au moyen des *argumenta* numérotés de neuf, et à la suite d'une lecture attentive, replacé les *capitula* à l'endroit qu'il jugeait opportun[1], comme aurait pu le faire Érasme lui-même pour son édition si ce réviseur n'avait pas agi avant lui. On verra par une lecture personnelle du texte que la capitulation d'Érasme est plus exacte dans bien de ses emplacements que celle de CV. C'est que, justement, un esprit réfléchi y avait pourvu depuis peu, tandis que, sur la branche de CV, la dégradation n'avait fait que s'accroître au fil des transmissions.

Nous pouvons affirmer qu'Érasme n'est pas l'auteur de cette nouvelle capitulation, car d'autres que lui ont

---

1. Mais si ce réviseur déplace les *capitula* en fonction d'un contexte parfois plus exact, il ne pousse pas sa réflexion jusqu'à voir qu'il faut modifier l'ordre établi. Il n'a pas osé restituer, dans quelques séquences, l'ordre qui nous a paru s'imposer logiquement : 4-3 ; 22-21-20 ; 43-45-46-47-48-44 ; 51-49-50. Il s'est senti tenu par l'apparente légitimité de l'ordre des *capitula* qui se trouvait identique à celui des *argumenta*. Mais Feuardent, plus tard, qui se conforme d'ordinaire assez strictement à l'ordre transmis par son manuscrit V aussi bien qu'à l'ordre d'Érasme, ne craindra pas de déplacer le *cap.* 36 après le *cap.* 38 et de faire remonter le *cap.* 39 après le *cap.* 35, pour répondre à sa logique propre. De même, Grabe, fortement alerté par les incohérences des titres vis-à-vis des textes, a su déplacer plus d'un titre. On assistera chez lui au combat de la logique et de la tradition. Il laisse des numéros muets, il redouble des titres, il en déplace d'autres ; il s'explique chaque fois ; malgré tout, on est un peu comme au rouet.

reçu le même héritage d'une tradition restaurée. Ainsi, d'abord, l'anonyme Q³ qui a procuré au cod. Q, nous l'avons vu, une seconde division. Ensuite et tout à fait dans la ligne de Q³, Josias Mercier.

De ce dernier, dont le nom est déjà venu plusieurs fois sous notre plume, il est temps de dire quelques mots.

Josias Mercier et les Mercerii. Josias Mercier, d'Uzès, sieur des Bordes, dont les biographies ne nous disent pas la date de naissance, mourut à Paris en 1626. En 1601 il avait été nommé Conseiller d'État par Henri IV. Son activité d'humaniste se situe donc approximativement à partir de l'époque où Feuardent procure son édition d'Irénée, en 1575. Nous retenons de lui — en dehors de ses éditions d'Apulée, d'Aristénète, de Nonius Marcellus, de Dictys de Crète —, qu'il écrivit une vie de Pierre Pithou, le collectionneur de manuscrits, et qu'il fut le beau-père de Saumaise, lequel hérita de ses papiers, notamment de notes sur Tertullien, et s'en servit pour ses propres publications. Est donc dans la ligne de ses études qu'il se soit intéressé à l'*Aduersus haereses* de S. Irénée. En tant que Protestant et érudit, il pouvait vouloir contrôler un texte qui avait donné lieu à l'édition d'Érasme, plus de dix fois réimprimée, à l'édition de N. des Gallards à Genève en 1570, à celle du Pasteur J. J. Grynée également à Genève en 1571, et à celle de Feuardent en 1575.

Comment et où J. Mercier eut-il en main deux manuscrits de l'*Aduersus haereses*, nous ne le saurons probablement jamais, mais cela n'est sans doute pas étranger à ses relations avec Pierre Pithou. Ce qui est certain, c'est que Grabe se sert, pour son édition d'Irénée, des variantes des deux manuscrits relevées par Josias Mercier[1]. Ces

1. Grabe écrit dans les *prolegomena* de son édition, p. xx : « Dⁿᵘˢ Dodwellus ... varias lectiones [codicis Is. Vossii] ... communicavit, ut et Apographum variantium Lectionum, quas a Josua

variantes, inscrites sur les marges d'une édition d'Érasme, avaient été communiquées par Isaac Vossius à Dodwell, qui en avait pris une copie et avait transmis cette dernière à Grabe. Celle-ci dort sans doute à Oxford au milieu des papiers de ces érudits. A Leyde, où, comme l'on sait, fut transférée de Londres la bibliothèque de Vossius après sa mort, se trouve un exemplaire de l'édition érasmienne de 1567, in-8°, dont les marges sont couvertes de variantes. Il s'agit sans nul doute de la collation de J. Mercier. Stieren a retrouvé et consulté cet exemplaire : il en a consigné les variantes dans les notes de son édition. Il nous est ainsi loisible de les comparer avec celles des deux familles de mss et de reconnaître, comme l'ont fait Stieren et Loofs, l'appartenance des deux *Mercerii* à la famille AQSε. En comparant ceux-ci au texte d'Érasme, il apparaît aussi qu'ils ont avec lui suffisamment de différences pour n'être pas les *Monastici* dont Érasme s'est servi et suffisamment d'affinités pour leur être liés plus étroitement qu'à AQS. C'est ici qu'interviennent nos réflexions d'il y a un instant. Stieren n'a pas enregistré les variantes des *argumenta* et des *capitula*, mais Loofs l'a fait. En nous appuyant sur lui, nous constatons que l'un des deux *Mercerii* a des *capitula* conformes, par leur emplacement, à ceux de Q^3[1]. L'autre *Mercerius*, n'ayant pas donné lieu à variante, laisse entendre que la division du texte n'était pas différente de celle d'Érasme et qu'elle n'incluait pas l'intitulé des *capitula*[2].

Mercero olim e duobus MSS. Codicibus, nescio quibus, erutas, idem Vossius ipsi D^n Dodwello describendas dederat. »

1. Voir, *supra*, la note de la p. 60, et le tableau comparatif.

2. On sait que J. Mercier n'a pas indiqué la provenance de ses manuscrits. D'autre part, le relevé des variantes indique si c'est un seul ou les deux manuscrits qui portent la variante, mais ne fait pas connaître quel est celui des deux qui est concerné. Pour le Livre II, l'un des manuscrits comporte les *capitula*, mais J. Mercier ne s'est pas préoccupé de la numérotation.

Ainsi, sans connaître autrement les *Monastici* d'Érasme
et les *Mercerii*, nous pouvons penser qu'au moins deux
d'entre eux, chacun pris de part et d'autre, se rejoignaient
dans l'ancêtre commun qui avait restauré la numérotation
des *argumenta* et l'emplacement des *capitula*. Mais, entre
l'époque de l'ancêtre et celle des mss qu'Érasme, Mercier
et Q³, chacun de leur côté, s'étaient procurés, il y avait eu
suffisamment d'intermédiaires pour que s'instaure, plus
bas que les bifurcations enregistrées par notre stemma,
de nouvelles voies qui conduisaient à un texte de plus
en plus diversifié. Il était temps que l'humanisme et
l'imprimerie, avec leurs méthodes nouvelles, viennent
le ramener à l'unité.

TABLEAU COMPARATIF
DE L'EMPLACEMENT DES CAPITVLA

Note préliminaire. Toutes les données évoquées dans
les pages précédentes se retrouvent
dans le tableau.

Les parenthèses qui enferment les paragraphes de
l'édition de Massuet indiquent que le paragraphe ne
commence pas strictement avec la ligne qui l'accompagne.

L'astérisque qui distingue les lignes de la présente
édition marque la fin d'un chapitre. Toutes les fins de
chapitre sont indiquées, de manière qu'on puisse apprécier
la dimension du texte qui sépare deux *capitula*.

L'emplacement optimal est approximativement celui
que nous avons indiqué dans la *Tabula* (voir Tome II).
Mais il convient de prendre chaque *capitulum* comme
un curseur que l'on peut placer plus ou moins haut en
marge du passage considéré : il monte ou descend selon
que l'on inclut ou non le contexte qui prépare ou qui suit
le thème du *capitulum*. Il faut donc comprendre que, par
rapport à l'emplacement optimal, un *capitulum* peut varier

3

de quelques lignes, même assez nombreuses, sans cesser d'être à une place justifiée.

Pour Q et S, la lettre ℒ indique une lettrine, le signe § un paragraphe fortement marqué mais sans numéro. Le cod. T *(Strasbourg 3762)* figure ici avec la seule lettrine qu'il porte, correspondant à l'une de S.

La colonne Q^3 relève les numéros, d'époque tardive, ajoutés en marge de Q ; ces numéros, dans le manuscrit, ne sont jamais accompagnés de l'intitulé du *capitulum*.

Pour J. Mercier, nous tenons notre documentation de Loofs. Mais Loofs a numéroté lui-même les *capitula* de Mercier, car ce dernier n'a rien consigné concernant les numéros proprement dits ; c'est pourquoi nous les mettons entre crochets brisés, < ... >. Loofs a inscrit les numéros d'après l'édition d'Érasme qui servait de base à Mercier, sachant qu'il ne pouvait y en avoir d'autres. Mais, pour que la comparaison puisse valoir d'intitulé à intitulé et pas seulement de numéro à numéro, Loofs, à partir du n° 41, a relevé d'une unité et à partir du n° 52 de trois unités, les chiffres réels d'Érasme, de façon que les intitulés correspondent au chiffre de base qu'il leur avait donné dans une première liste. Nous n'avons pas cru devoir le suivre dans ce procédé et nous avons gardé les numéros tels qu'ils se présentent en Q^3 et chez Érasme. Ce dernier n'a jamais modifié la numérotation de son vivant. Il eût pu le faire, car on n'a certainement pas manqué de lui remontrer que le *cap.* 50, par exemple, était omis dans son édition. S'il ne l'a pas fait, la seule raison nous paraît en être qu'il a voulu rester fidèle à ses manuscrits. Il a, par contre, corrigé sur les éditions postérieures les chiffres erronés de 57 et 67 en 47 et 66, mais on sent bien qu'il n'a pas voulu ajouter dans l'édition ce qui n'existait pas dans les mss et qui eût été une conjecture aventureuse de sa part. Il faut rendre hommage également aux éditions érasmiennes qui ont vu le jour après sa mort, car elles n'ont rien changé au dispositif de l'édition princeps[1].

Nous reprenons donc les numéros d'Érasme, mais nous indiquons à côté, entre parenthèses, le numéro de référence à notre *Tabula*, qui donnera l'intitulé. Au reste, les numéros de la *Tabula* sont les mêmes que ceux de la colonne CV : il est donc loisible de faire la comparaison d'une colonne à l'autre.

Accords et désaccords apparaîtront d'un seul coup d'œil, ainsi que ce que nous avons dit de la restauration des *capitula*. En effet, les divergences très nombreuses entre le groupe Q[3]-Mercier-Érasme et CV, alors que Q et S sont au contraire, du moins dans les vestiges qu'ils ont gardés, en accord avec CV, montrent à l'évidence qu'une autre capitulation a prévalu pour nos trois colonnes de droite et qu'elle ne doit rien à celle de l'ancienne tradition qui se trouve en CVQS.

Quant à Harvey, il a, lui aussi, changé la numérotation et, dans une mesure moindre, l'ordre des *capitula*, en quoi, on le conclura au moyen des chiffres entre parenthèses (qui sont ceux de la *Tabula*), il se rapproche plus d'une fois de ce que nous proposons nous-même comme emplacement optimal.

On remarquera enfin, dans la dernière colonne, le témoignage du *Vatopedi 236*, f. 116v[2].

Ce qui frappe lorsque le *Vatopedi* entre en scène, c'est l'unanimité des témoins concernant l'intitulé 62. Harvey, Érasme et CV s'entendent. Comment pourrait-il en être autrement, étant donné la particularité du sujet ? La

---

1. Au reste, comment l'auraient-elles fait — et de quel droit ? — puisque les éditeurs ne connaissaient alors pas d'autres manuscrits que ceux d'Érasme. Il faut attendre Feuardent en 1575 pour voir apparaître dans le domaine public un manuscrit nouveau, V, lequel venait d'Angleterre.

2. Sur ce manuscrit et le fragment grec 10 présenté par A. de Santos Otero, voir plus loin, p. 91 ss.

tradition authentique, en effet, n'a pas pu perdre ce point
de repère important qu'était l'évocation de la transmigration des âmes, pas plus que la tradition « nouvelle » n'a
pu ne pas le reconnaître. Il y a donc entente. Mais il n'y a
pas accord sur le numéro puisque Q³ et Érasme donnent
le n° 59, alors que C, (V) et Q affichent 62. Le piquant, ici,
est que le *Vatopedi*, manuscrit grec témoin d'un état du
texte bien plus ancien que tout autre latin, vient appuyer
la numérotation nouvelle d'Érasme et semble dire, contrairement à ce que nous avons avancé jusqu'ici, que c'est
elle l'authentique.

Il ne faut pas se laisser abuser. Le restaurateur de la
capitulation érasmienne héritait d'*argumenta* qu'il devait
numéroter et replacer dans le texte comme *capitula*.
Les *arg.* 40+41 et 53+54 lui étaient transmis bloqués,
comme nous l'avons vu. Il ne les a pas déliés : il avait
donc deux unités en moins dans sa numérotation. Il en
perdit une autre en oubliant le *cap.* 50 qui contenait les
deux intitulés 51 et 52, si bien qu'il tombait d'accord avec
les numéros du *Vatopedi*. Heureux hasard !

Reste à savoir si le blocage des *argumenta* est plus
authentique que leur séparation. Selon leur contenu,
il apparaît plus normal qu'ils aient été inscrits séparément.
Mais nous ne savons pas sous le coup de quelle influence
ils ont été réunis.

Il semble donc que ce n'est qu'un hasard si la numérotation d'Érasme se rencontre exactement avec celle du
Vatopedi 236. Le manuscrit grec ne peut servir de garant
à un restaurateur indépendant, ignorant la tradition.
D'autre part, le *Vatopedi* lui-même n'offre pas les garanties
d'une authenticité absolue. Porteur d'une tradition
indirecte, il n'est pas assuré, bien que la présomption n'en
manque pas, qu'il soit le témoin d'une unique et authentique numérotation grecque.

TABLEAU COMPARATIF DE L'EMPLACEMENT DES CAPITVLA

Massuet et présente édition		Empla-cement optimal	CV	Q	S	Q³	Mercier	Érasme (A³)	Harvey	Autres
Chap. et §	lignes									
1, 1	1			$\S$						
2	10	1 b	—		$\S$	—	<1>	1	1	
4	62	1 c								
(5)	99*									
2, 1	1	2 a	2		$\S$	2	<2>	2 *is*	2	
2	13	1 d								
	19	2 c								
(4)	52									
6	86		3		$\S$	3	<3>	3	3 (4)	
	93*									
3, 1	1	4			$\S$	4 *quae*				
2	19									
	39									
	40*									

Massuet et présente édition Chap. et §	lignes	Emplacement optimal	CV	Q	S	Q³	Mercier	Érasme (A³)	Harvey	Autres
4, 1	1		4 antiq.				<4>	4	4 (3)	
	24									
(3)	80*									
5, 1	1		5	5		5	<5>	5	5	
(2)	40		6							
4	76		7							
	94*	3								
6, 1	4					6	<6>	6 esse	6	
(3)	57									
	59*									
7, 1	1	5 a	8							
2	8	5 b								
3	38		9							
	70									
(4)	112									
(5)	132	6								
	169*									

7 (8)	7	⟨7⟩	7			7	1	**8, 1**
	8	⟨8⟩	8			8	51	(3)
							55*	
8 (9)	9	⟨9⟩	9	℣		9 a	1	**9, 1**
	10	⟨10⟩	10	℣	10	9 b	7	(2)
9 (10)				11 ℣			21	**10, 1**
						10	40	
10 (11)	11	⟨11⟩	11		11	11	43*	2
							1	3
							3	
							6	4
11 (12)	12 *credentes*	⟨12⟩	12		12	12	21	**11, 1**
		⟨13⟩ *de his*	13 *de his*				38	
							53	
							65*	2
							1	
							5	
12 (13)	13 *Primo*				13	13	18	**12, 1**
	14	⟨14⟩	14				30	
13 (14)						14 a	33*	
							1	2
							17	
							23	

Massuet et présente édition		Emplacement optimal	CV	Q	S	Q³	Mercier	Érasme (A³)	Harvey	Autres
Chap. et §	lignes									
[12] 3	51	14 b	14							
(5)	67	15			♃	15	<15>	15	14 (15)	
(7)	83		15							
	108		16							
	147									
	151*									
13, 1	1	16	17			16	<16>	16	15 (16)	
2	24	17							16 (17+ 18 a)	
(4)	81									
	87		18			17	<17>	17		
(6)	113	18 a				18	<18>	18		
(7)	137	18 b	19			19 a. corr.			17 (18 b)	
(8)	157		20							
10	206									
	217									
	228*									

Réf.	Num.	19 b.c.	(num.)	⳨	19 p. corr.	⟨19⟩	19	18 (19 b.c.) om. 19 a	Cod. T (Strasbourg 3762) ⳨ ◄▶
14, 1	1			21 ⳨					
7	7								
(9)	123								
	198*								
15, 1	1		21	⳨	20	⟨20⟩	20	19 (20)	
(3)	55*		22						
16, 1	1	22	23	⳨	21	⟨21⟩	21	20 (22)	
	12	21			22	⟨22⟩	22	21	
	49								
	70*								
4	8								
17, (1)	11		24 *et quoniam*	⳨	23	⟨23⟩	23	22 (23+24)	
2	42	20			24	⟨24⟩	24		
(3)	47								
4	65		25						
5									
9	139	19 a	{ $C\ 27_1$ / V 26		25	⟨25⟩	25	23 (25)	
11	220*		{ $C\ 27_2$ / V 27						
18, 1	1								

Chap. et §	lignes	Emplacement optimal	CV	Q	S	Q^3	Mercier	Érasme (A^3)	Harvey	Autres
[18]										
2	6		28		⁊					
3	12				⁊					
5	27	26				26	<26>	26	24 (26)	
	59	27				27	<27>	27 *quemadm.*	25 (27)	
	64									
6	89	28				28	<28>	28	26 (28)	
	103	29				29	<29>	29	27 (29)	
7	111									
	131*	30				30	<30>	30	28 (30+31)	
19,1	1									
2	11	31				31	<31>	31	29 (32)	
3	36									
	40									
	45	32	29			32	<32>	32	30 (33)	
4	53									
	61									

31 (34)	33 34 35	<33 > <34 > <35 > VVV	33 34 35	ℛ	31	30 31	33 34	67 80 121 149 181*	5 7 (8) (9) **20,** 1
32 (35)	36 37	<36 > <37 >	36 37	32 ℛ	§	32	35	1 3 59 102*	(3) (5) **21,** 1 2
	38	—	38	ℛ / Sₐ 35 ℛ	35 ℛ (biffé)	33 34	36 a	5 30 40 54*	**22,** 1
33 (36)	39	—	39	Sᵦ 35 ℛ / { Sₐ 36 / Sᵦ 36 } ℛ	35 ℛ (in fine)	35	36 b	1	3
	40 (40 + 41)	—	§	ℛ		36		9 57	(4) (5) **23,** 1
34 (37)	41 (42)	<41 >	41			37	37	106 145	(6) (2)
						{ C 39₁ / V 38 }		180* 1 45*	**24,** 1
								1 22	

| Massuet et présente édition | | Empla-cement optimal | CV | Q | S | Q^3 | Mercier | Érasme (A^3) | Harvey | Autres |
Chap. et §	lignes									
[24]										
3	61	38	{ C 39_2 / V 39						35 (38)	
	105								36 (39+40+41+43)	
4	110	39	40							
5	115	40	41							
6	168	41								
	198	42		40 ⚥	40 ⚥	42	<42>	42 (43)	37 (42)	
	215*	43	42			43	<43>	43 (44)		
25, 1	1									
[1]	15									
2	20	45				44	<44>	44 (45) *non enim*	38 (45)	
4	56									
	57									
26, 1	67*	46				45	<45>	45 (46)	39 (46)	
	1									

40 ⟨47⟩	46 (47)	<46>	46
41 (48+44)	47 (48)	<47>	47
42 (51+49+50)			
	48 (49)	<48>	48
43 (52)	49 (50)	<49>	49
	omission	<50>	50
44 (53+54)	51 (53+54)	<51>	51

≤5

Chapitre	Mss		
2	25, 75*		43
(3)	1		44 45
27, 1	6	47	
(2)	43		
(3)	61*		
28, 1	1	48	46 47 48
2	21, 57		
3	73		
4	92		
5	105, 118, 129, 131, 133, 137	51 49 50	49 50
6	145, 168, 183, 227		51
(7)	265*		52
(8)		52	
(9)			
29, 1	1	53	53

| Massuet et présente édition | | Emplacement optimal | CV | Q | S | Q³ | Mercier | Érasme (A³) | Harvey | Autres |
Chap. et §	lignes									
[29]										
1	21	54								
2	31					52	<52 >	52 (55)		
3	45		54			53	<53 >	53 (56)	45 (55)	
	59		55							
	69	55	56							
	72*								46 (56+57)	
30, 1	1	56								
	10 a					54 demiurg.	<54 > demiurg.	54 (57) et uniu.		
	10 b		57							
2	18	57	58			55	<55 >	55 (58)		
	32									
4	73	58						56 (59)		
6	136									
7	140								47 (59+58)	

	Vatopé-di 236 f. 116v	νθ' (= 59)	ξ', (= 60)	globa-lement de **33**,24 à **34**,81 ξα' ξβ' ξγ' ξδ' ξε'				
	48 (60)	49 (61)	50 (62)	51 (63)	52 (64)	53 (65)	54 (66)	55 (67)	56 (68)
	57 (60)	58 (61)	59 (62)	60 (63)	61 (64)	62 (65)	63 (66)	64 (67) 65 (68)
<56>	<57>	<58>	<59>	<60>	<61>	<62>	<63>	<64> <65>
56	57	58	59	60	61	62	63	64 65
	℞		℞					
	℞ 61		℞ 62					
59	60	61	{ C 62 / V 61 } 63	64		65 66	67	68
59 *et Paulus*	60	61	62	63	64	65 66	67	68
141	191 253*	1 47 90* 38	128* 1	24	41	61 66 79 97*	1 16 23	81*
(8) (9) **31,** 1	2 (3) 2 **32,**	(5) **33,** 1	2	3	4	5	**34,** 1

| Massuet et présente édition | | Emplacement optimal | CV | Q | S | Q³ | Mercier | Érasme (A³) | Harvey | Autres |
Chap. et §	lignes									
35, 1	1	69	69	69 ⚹	⚹	66	<66 >	66 (69)	57 (69)	en **34,** 16 le ms. syr. B.M. Add. 12155 donne le n° 71
2	16	70	70	70 ⚹	⚹	67	<67 >	67 (70+71)	58 (70+71)	
	24	71	71							
	52				⚹					

IV. LE MANUSCRIT DE STRASBOURG

Le *Strasbourg 3762* (T) n'est pas à proprement parler un manuscrit, mais une collection de fragments de manuscrits conservés dans un dossier unique. Au cours d'une vérification, P. Petitmengin a identifié, en ce qui n'est qu'un folio mutilé ayant servi jadis de couverture à un livre, un texte du Livre II de l'*Aduersus haereses*. C'est le folio 19 du dossier. Il en a donné la description en 1971 dans la *Revue des Études Augustiniennes*[1]. L'écriture est du XIe siècle. Le bas de la feuille manque.

Il s'agit très exactement des passages suivants :

— au recto, 14, 125-152 *cognouerunt et si quidem* — *per humanas adfe*[ctiones ;

— au verso, 14, 176 - 15, 10 *similiter aeonis* — *talia delirant.*

Le lecteur trouvera les variantes de ces passages à l'apparat critique. Il verra assez vite que T est à ranger dans la famille AQSs. Plus précisément, à cause des variantes 14, 785 *libro* ST (au lieu de *liber*) et 15, 10 *qui* ST (au lieu de *quae*), nous le placerions volontiers dans la proximité des ancêtres de S. Un autre détail, mais qui a son importance comme on l'a vu à propos des *capitula*, rapproche T de S : la lettrine R de *revertamur*, qui ouvre le passage de 15, 1, début du *cap.* 23 chez CV. Voir plus haut le tableau comparatif. Pour ces raisons, il nous a paru qu'on pouvait, dans le stemma, situer T

---

1. P. PETITMENGIN, « Notes sur des manuscrits patristiques latins. I. Fragments patristiques dans le ms. *Strasbourg 3762* », dans *R.E.A.*, 1971, XVII, 1-2, p. 1-12 ; le fragment irénéen, p. 4-7.

avec vraisemblance en le plaçant sous un même ancêtre
que Q et S. Il faut remarquer alors que T, le plus ancien
ms. du groupe, oblige à remonter assez haut la présence
de cet ancêtre.

L. D.

CHAPITRE II

LES FRAGMENTS GRECS

Des cinq Livres dont se compose l'*Aduersus haereses*, le deuxième est, de loin, celui dont la plus faible quantité de grec nous ait été conservée par les auteurs anciens : un total correspondant à 126 lignes du texte latin sur les 3919 que compte la présente édition, soit à peine 3 %[1].
Rien d'étonnant à cela, si l'on songe que la plus grande partie du Livre II est consacrée à des argumentations *ad hominem* destinées à mettre en lumière les contradictions et incohérences inhérentes aux thèses gnostiques. De telles argumentations n'avaient plus d'intérêt immédiat deux ou trois siècles plus tard, lorsque, au fort des controverses trinitaires ou christologiques, on se mit à récolter les témoignages des Pères antérieurs et à en composer des florilèges destinés à étayer les argumentations. Aussi bien les quelques textes du Livre II qui ont retenu l'attention des excerpteurs sont ou ceux qui fournissaient quelque indication d'ordre historique (Eusèbe de Césarée) ou ceux qui pouvaient intéresser par leur contenu doctrinal ou spirituel (*Sacra Parallela* et Florilège d'Ochrid). Le cas du fragment provenant du *Cod. Vatopedi 236* est spécial : Irénée viendra apporter sa caution à la polémique anti-

---

1. Encore faut-il ajouter que, de ce total de 126 lignes, le tiers — c.-à-d. les 40 lignes provenant du *Cod. Vatopedi 236* — n'est connu que depuis moins de 10 ans.

TABLEAU DES MANUSCRITS GRECS

	ORIGINE	ÉDITEURS	ADV. HAER.	PAGES T. I	PAGES T. II	Hv. I
1	Eusèbe, *H.E.*, III, 23, 3	Schwartz, *GCS* 9, 1, 1903, p. 238	22, 139-142	86	224	331
2	J. Damasc., *Sacra Parallela*	Holl, *TU* 20, 1899, p. 58	26, 1-4	89	256	345
3	J. Damasc., *Sacra Parallela*	Holl, p. 58	27, 1-8	89	264	347
4	J. Damasc., *Sacra Parallela*	Holl, p. 59	28, 57-65	90	274	351
5	J. Damasc., *Sacra Parallela*	Holl, p. 59	28, 73-81	90	276	352
6	J. Damasc., *Sacra Parallela*	Holl, p. 59	29, 41-44	90	298	360
7	J. Damasc., *Sacra Parallela*	Holl, p. 59-60	30, 36-38	90	305	362
8	Eusèbe, *H.E.*, V, 7, 2	Schwartz, p. 440	31, 61-67	87	328	370
9	Eusèbe, *H.E.*, V, 7, 3-5	Schwartz, p. 440-442	32, 92-113	87	340	374-375
10	Florilège antiorigéniste, *Vatopedi 236*	de Santos Otero, *Emerita* 41 (1973), p. 486-488	33, 1-40	93	344	—
11	J. Damasc., *Sacra Parallela* / Florilège d'Ochrid	Holl, p. 60 / Richard-Hemmerdinger, *ZNTW* 53 (1962), p. 255	33, 82-97	90	352	380

origéniste, mais non sans que son texte ait été subrepticement modifié par son excerpteur, ainsi qu'on va le voir.
Tous ces fragments ont déjà fait l'objet d'excellentes
éditions critiques. Nous ne croyons donc pas utile d'en
refaire une édition proprement dite, qui n'ajouterait rien
à l'apport de nos prédécesseurs. Comme pour le Livre I,
nous viserons plutôt à rejoindre, à travers le texte des
excerpteurs et, au besoin, par-delà celui-ci, *le texte authentique d'Irénée*[1]. Que le lecteur soucieux d'objectivité se
rassure : il trouvera, dans l'apparat critique, toutes les
indications dont il aura besoin pour connaître la teneur
exacte du texte des manuscrits et, de surcroît, des notes
justificatives donneront, dans la mesure du nécessaire,
les raisons pour lesquelles nous aurons cru devoir nous
écarter des leçons de ces manuscrits.

Après cette mise au point, nous voudrions présenter nos
sources : nous ne parlerons que très brièvement d'Eusèbe,
des *Sacra Parallela* et du Florilège d'Ochrid, déjà présentés
à l'occasion des autres Livres de l'*Aduersus haereses*, mais
nous nous étendrons plus longuement sur ce nouveau venu
qu'est le *Cod. Vatopedi 236*.

1. L'Histoire ecclésiastique d'Eusèbe

L'*Histoire ecclésiastique* d'Eusèbe contient trois citations
explicites du Livre II de l'*Aduersus haereses* (fragments 1,
8 et 9) :

A.H. **22**, 139-142 = *H.E.* III, 23, 3 (Schwartz, p. 238,
1-3).

A.H. **31**, 61-67 = *H.E.* V, 7, 2 (Schwartz, p. 440, 9-14).

A.H. **32**, 92-113 = *H.E.* V, 7, 3-5 (Schwartz, p. 440,
16 - 442, 10).

1. Cf. *SC* 263, p. 63-66.

Nous nous référons au Tome I de l'édition de l'*Histoire ecclésiastique* publiée par E. Schwartz dans le Corpus de Berlin (*GCS* 9, Leipzig, 1903).

Rappelons que l'édition de Schwartz est basée sur les sept manuscrits suivants, répartis en deux groupes distincts :

B *Paris. gr. 1431*, s. XI-XII.
D *Paris. gr. 1433*, s. XI-XII.
M *Venet. Marc. 338*, s. XII inc.

A *Paris. gr. 1430*, s. XI.
T *Laur. 70, 7*, s. X-XI.
E *Laur. 70, 20*, s. X.
R *Mosq. Bibl. Syn. 50*, s. XII.

D'une manière générale, Schwartz donne la préférence au premier groupe.

Les trois fragments en question ne posent pas de problème majeur au plan de la critique textuelle.

Dans le **fragment 1** (p. 224) Eusèbe a délibérément omis les mots τὸ αὐτό et αὐτοῖς, correspondant respectivement aux mots « id ipsum » et « eis » de la version latine. Dans le texte irénéen, en effet, ces mots sont indispensables pour le sens : d'après Irénée, les presbytres d'Asie attestent que Jean *leur* a transmis *la même chose* (que celle dont il était question dans la partie du texte précédant immédiatement le fragment, à savoir que Jésus était âgé d'au moins quarante ans lorsqu'il livra son enseignement). Par contre, lorsqu'il cite Irénée, Eusèbe n'a d'autre but que de prouver que Jean était encore en vie aux temps de l'empereur Trajan (cf. *H.E.* III, 23, 1-2) : d'où le traitement assez particulier qu'il est obligé d'imposer au texte d'Irénée, d'abord en faisant débuter la citation au beau milieu d'une subordonnée, ensuite en supprimant les pronoms τὸ αὐτό et αὐτοῖς, ceux-ci n'étant guère intelligibles qu'autant qu'ils étaient compris à la lumière du développement précédant le fragment.

Par la manière dont il est délimité, le **fragment 8** (p. 328) témoigne d'une préoccupation analogue chez le citateur. En effet, le but d'Eusèbe est ici de montrer « qu'il existait encore, jusqu'à Irénée, dans certaines Églises, des preuves de l'étonnante puissance divine » (*H.E.* V, 7, 1). Or la première partie de la phrase d'Irénée évoquait précisément des miracles de résurrection corporelle : « Il s'en faut tellement que les (hérétiques) ressuscitent un mort..., comme il est arrivé souvent dans la fraternité... ». Eusèbe cite donc très exactement cette première partie de la phrase, qui va à son propos. Mais, cela fait, comme la suite de la phrase est sans intérêt pour le but qu'il poursuit, il l'omet purement et simplement, sans paraître se soucier de ce que, tronquée de la sorte, la phrase reste en l'air. Signalons que, à l'encontre de Schwartz, nous croyons préférable de suivre le latin et d'écrire (ligne 3 du fragment) : ... διά τι ἀναγκαῖον, τῆς..., plutôt que : ... διὰ τὸ ἀναγκαῖον καὶ τῆς...

Le **fragment 9** (p. 340) correspond parfaitement au latin, à l'exception d'une minime variante : là où le latin a « aliquem » (ligne 111), ce qui suppose le grec τινα, la quasi-totalité des manuscrits d'Eusèbe ont le pluriel τινας. Il est possible que la leçon τινας remonte à Eusèbe lui-même, mais le latin « aliquem » permet de penser qu'Irénée avait écrit τινα.

2. Les Sacra Parallela et le Florilège d'Ochrid

Les *Sacra Parallela* fournissent sept fragments du Livre II (fragments 2, 3, 4, 5, 6, 7 et 11), dont l'étendue totale ne dépasse pas 53 lignes du texte latin correspondant.

Tous ces fragments ont été édités critiquement par K. Holl, et c'est à partir de ce texte de Holl que nous

donnons ce que nous croyons être — ou, du moins, approcher autant qu'il est possible — le texte d'Irénée lui-
même[1]. A vrai dire, les textes des *Sacra Parallela* sont,
pour ce qui concerne le Livre II, remarquablement en
accord avec la version latine et nous n'avons eu que peu
de modifications à y introduire, comme on le verra plus
loin.

Les manuscrits dont s'est servi K. Holl pour l'établissement du Livre II sont les suivants :

C   = *Coislinianus 276*, s. X.

H   = *Hierosolymitanus s. Sepulchri 15*, s. X.

R   = *Rupefucaldinus* = *Berolinensis gr. 46 (Philipp.
     1450)*, s. XII.

O   = *Vat. Ottobonianus gr. 79*, s. XV.

A   = *Ambrosianus H 26 inf.*, s. XVI.

P   = *Parisinus gr. 923*, s. IX.

M   = *Marcianus gr. 138*, s. X-XI.

K   = *Vaticanus gr. 1553*, s. X.

Flor. Mon. = *Monacensis gr. 429*, anno 1346 descriptus.

Le fragment 11, dont on vient de voir qu'il est fourni
par les *Sacra Parallela*, est également contenu dans ce
qu'il est convenu d'appeler le « Florilège d'Ochrid ».
Il s'agit d'une compilation occupant toute la dernière
partie (p. 133-212) du *Cod. Ochrid, Musée nat. 86* (Mošin 84),
manuscrit datant du XIIIe siècle. Ce florilège, divisé en
25 chapitres, est en réalité, comme l'a bien vu M. Richard,
une collection de florilèges d'origines et de dates très
diverses[2]. Le chap. 2 contient quatre citations d'Irénée

---

1. K. HOLL, *Fragmente vornicänischer Kirchenväter aus den Sacra
Parallela (TU 20)*, Leipzig, 1899. Dans son Introduction (p. xxxv),
l'auteur souligne expressément que son but n'a pas été de donner
le texte original des différents auteurs, mais seulement le texte que
Jean Damascène avait lu ou, du moins, reproduit.
2. Cf. M. RICHARD, « Quelques nouveaux fragments des Pères

(*Adu. haer.* III, 9, 3 ; IV, 20, 4 ; V, Pr.—1,1 ; I, 9,3), et le chap. 24 en contient une cinquième (*Adu. haer.* II, 33, 5), qui est précisément notre fragment 11. M. Richard et B. Hemmerdinger ont naguère fait connaître les cinq citations irénéennes du « Florilège d'Ochrid »[1] : c'est à cette publication que nous nous référons pour ce qui concerne le fragment en question.

Après ces quelques indications, nous pouvons passer aux principales observations auxquelles donne lieu la confrontation du texte grec des manuscrits avec le latin et, éventuellement, avec l'arménien.

Dans le **fragment 2** (p. 256), mise à part la conjonction οὖν que l'excerpteur n'avait aucune raison de conserver[2], le texte grec est parfait. En particulier, les mots πολυμαθεῖς καὶ ἐμπείρους δοκοῦντας εἶναι, qui contrastent avec la maladresse du latin, sont pleinement confirmés par l'arménien.

Dans le **fragment 3** (p. 264), là où le grec a ἐν ταῖς θείαις γραφαῖς λέλεκται, le latin « posita sunt in Scripturis » suppose comme substrat κεῖται ἐν ταῖς γραφαῖς. C'est cette dernière leçon qu'il faut considérer comme authentiquement irénéenne, ainsi que le montre une note justificative à cet endroit. D'autre part, le latin « eorum »... (ligne 5) invite à substituer la leçon αὐτῶν, plus naturelle, à la leçon ἑαυτῷ, qui est celle des deux manuscrits grecs.

1. Cf. M. Richard et B. Hemmerdinger, « Trois nouveaux fragments grecs de l'Aduersus haereses de saint Irénée », dans *Zeitschrift für die neutestamentliche Wissenschaft* 53 (1962), p. 252-255.
   2. La même observation pourra être faite par le lecteur lui-même à propos des autres fragments : il est tout à fait normal qu'un excerpteur laisse tomber, au début d'une citation, une conjonction qui n'a de raison d'être qu'autant qu'elle relie une phrase à ce qui précède.

Dans le **fragment 4** (p. 274), le latin « commendamus » (ligne 62) permet de substituer à la leçon ἀνακείσεται des deux manuscrits grecs la leçon ἀνατίθεμεν, incontestablement plus naturelle. En revanche, malgré le latin « discat quae sunt a Deo », qui suppose comme substrat μανθάνῃ τὰ παρὰ Θεοῦ, nous croyons que la leçon μανθάνῃ παρὰ Θεοῦ, qui est celle des manuscrits grecs, a plus de chances de remonter à Irénée : il ne s'agit pas, en effet, d'« apprendre les choses venant de Dieu » — on attendrait d'ailleurs plutôt l'expression τὰ τοῦ Θεοῦ, « les choses de Dieu » —, mais de « recevoir de Dieu un enseignement ».

Le **fragment 5** (p. 276) ne donne lieu à aucune observation particulière : il semble pouvoir être attribué à Irénée tel exactement que Holl l'a établi à partir des deux manuscrits qui le contiennent. Signalons seulement l'évidente erreur du traducteur latin lisant, comme dernier mot du fragment, αἰσθήσεται (= « sentiet ») au lieu de ἀσθήσεται.

Dans le **fragment 6** (p. 298), on n'hésitera pas à préférer la leçon ἔχων, que suppose le latin « habens » (ligne 42), à la leçon καὶ, qui figure dans les manuscrits grecs. Il s'agit d'une participiale à sens causal, et le sens de la phrase est celui-ci : Dieu est plus puissant que la nature, *parce qu'*il a auprès de lui le vouloir..., le pouvoir... et l'accomplir... De même, en accord avec le latin « et perfectus » (ligne 44), on ajoutera au fragment les mots καὶ τέλειος, jugés sans doute inutiles par l'exerpteur pour le but qu'il poursuivait.

Le **fragment 7** (p. 305), qui compte moins de deux lignes, ne pose aucun problème. On s'étonnera seulement de la forme passive latine « dicitur » : le grec λέγειν, non moins que le contexte, requiert la forme active « dicit ».

Dans le **fragment 11** (p. 352) — qui se lit, rappelons-le, non seulement dans les *Sacra Parallela*, mais aussi dans le Florilège d'Ochrid —, le latin « per artem Dei » (ligne 84) permet de penser que les mots κατὰ τέχνην Θεοῦ ont été omis dans le grec, soit accidentellement, soit intentionnellement. Le fait que cette omission soit commune aux *Sacra Parallela* et au Florilège d'Ochrid invite à se demander s'il n'existerait pas quelque lien de parenté entre les deux textes, mais, faute d'une base plus large, on ne peut que poser la question. Sur un point, le Florilège d'Ochrid permet d'améliorer le texte des *Sacra Parallela* : à la leçon ἴδια ἔχοντες σώματα καὶ ἰδίας ἔχοντες ψυχὰς de ces derniers, on préférera la leçon ἴδια ἔχοντες σώματα καὶ ἰδίας ψυχὰς du Florilège. La dernière phrase du fragment donne pleine satisfaction dans sa teneur grecque ; quant aux mots latins « perfectorum compago siue aptatio », ils supposent soit une lecture fautive du grec, soit une altération survenue dans le latin lui-même au cours de la transmission du texte.

Comme on peut le voir, les fragments du Livre II provenant des *Sacra Parallela* et du Florilège d'Ochrid ne posent que des problèmes mineurs pour ce qui concerne la recherche du texte irénéen primitif. Grâce à la littéralité de la version latine, un contrôle permanent du grec par le latin et du latin par le grec est possible, voire, lorsqu'il en est besoin, une correction de l'un par l'autre, et cela permet d'atteindre à un texte grec qui est, sinon toujours celui d'Irénée lui-même, du moins un texte très proche de celui qu'il a dû écrire.

3. Le Vatopedi 236

Connu depuis de nombreuses années déjà, ce manuscrit du monastère de Vatopédi (mont Athos) connaît un regain d'intérêt depuis que les travaux de M. Richard ont attiré l'attention des patrologues sur le nombre et la qualité des textes inédits qu'on y rencontre.

Il s'agit d'un beau manuscrit en parchemin de 311 folios, datant du XIIe siècle[1]. Sans vouloir faire un inventaire détaillé du contenu de ce manuscrit[2], disons seulement qu'on y trouve des écrits tels que le « Contre les Manichéens » de Sérapion de Thmuis, le traité de même titre de Tite de Bostra, ainsi qu'un très grand nombre de traités, lettres, homélies et autres écrits d'auteurs divers portant sur toutes sortes de questions dogmatiques. C'est au milieu de tout cela que figure, aux fol. 113r-127r, un florilège antiorigéniste anonyme dont la toute première citation est précisément le texte irénéen du Livre II relatif à la doctrine de la métempsycose.

Quelle est l'origine de ce florilège antiorigéniste ? Se basant sur le fait que, dans le manuscrit, il vient immédiatement à la suite d'une collection de petits traités sortis de la plume de Théodore Abu Qurra, qui fut évêque de Haran vers la fin du VIIIe-début du IXe siècle, A. de Santos Otero estime que le florilège en question pourrait avoir été composé par cet évêque[3]. Cependant, avec raison, nous semble-t-il, M. Richard pense que sa composition doit remonter à une époque beaucoup plus ancienne, vraisemblablement au second quart du VIe siècle, c'est-à-dire à ces années où la querelle origéniste connut son maximum d'acuité : sans doute l'ouvrage fut-il élaboré dans les milieux monastiques palestiniens pour combattre les moines origénistes de la Nouvelle Laure et d'ailleurs[4].

---

1. Description détaillée du manuscrit par E. LAMBERZ, « Kodikologisches zur Handschrift Vatopedi 236 » dans Κληρονομία 5 (1973), p. 327-329.

2. Cet inventaire a été fait excellement par A. DE SANTOS OTERO, « Der Codex Vatopedi 236 » dans Κληρονομία 5 (1973), p. 315-326.

3. Cf. A. DE SANTOS OTERO, « Dós capítulos inéditos del original griego de Ireneo de Lyon (Aduersus haereses II, 50-51) en el códice Vatopedi 236 », dans Emerita 41 (1973), p. 483.

4. Cf. M. RICHARD, « Nouveaux fragments de Théophile d'Alexandrie », dans Nachrichten der Akademie der Wissenschaften in Göttingen.

Comme il vient d'être dit, le premier texte patristique cité par le florilège est donc notre **fragment 10** (p. 344). Le texte de la citation correspond très exactement aux deux premiers paragraphes du chap. 33 du Livre II. Cependant la citation offre cette particularité que non seulement les deux paragraphes sont donnés séparément l'un de l'autre, mais que le second est cité avant le premier. De plus, la provenance de ces textes est indiquée avec précision : les deux paragraphes sont donnés comme étant respectivement les chap. 60 et 59 du troisième *(sic !)* Livre d'Irénée « Contre les hérésies ». L'auteur du florilège commence en effet son ouvrage par une introduction de quelque ampleur, en laquelle il fustige notamment ceux qui, tout en s'appelant « gnostiques », ne cherchent qu'à faire revivre le mythe de Pythagore et de Platon sur la préexistence de l'âme humaine, sur sa chute et sur son emprisonnement dans un corps[1]. Ensuite, après une exégèse des premiers chapitres de la Genèse montrant qu'il n'y a pas trace d'une prétendue préexistence des âmes à cet endroit de l'Écriture, l'auteur du florilège en vient aux témoignages patristiques et, d'abord, à celui d'Irénée. Voici comment il présente ce premier témoignage :

« Je commencerai donc, à partir de la succession des bienheureux apôtres, en présentant les paroles d'Irénée, évêque de Lyon, au sujet de cette question. Car il s'exprime ainsi dans le troisième livre contre les hérésies, au chapitre 60 : [suit la citation de A.H. II, 33, 2]. Du même, extrait du même livre, chapitre 59 : [suit la citation de A.H. II, 33, 1]. Mais, afin que nous n'en citions pas davantage, tu trouveras des choses en accord avec tout cela également dans les chapitres 61, 62, 63, 64 et 65 »[2].

I. Philologisch-historische Klasse, Jahrhang 1975, n° 2, Göttingen, 1975, p. 57. Article repris dans M. RICHARD, *Opera minora*, t. 2, n° 39, Turnhout-Leuven, 1975.

1. Cf. A. DE SANTOS OTERO, « Dós capítulos inéditos... », p. 483-484.

2. Ἄρξομαι δὲ ἐκ τῆς τῶν μακαρίων ἀποστόλων διαδοχῆς τὰ

L'excerpteur dispose, de toute évidence, d'un exemplaire de l'œuvre d'Irénée dans lequel la matière est répartie en chapitres numérotés, et il cite intégralement deux de ces chapitres. Mais ici se pose une double question : l'auteur du florilège cite-t-il d'une manièrc rigoureusement conforme au texte qu'il a sous les yeux, ou prend-il certaines libertés avec lui ? et dans quelle mesure le texte actuel du manuscrit est-il demeuré exactement conforme à celui de l'excerpteur, ou s'est-il déformé par l'impéritie des scribes ?

Cette double question nous paraît avoir été résolue un peu trop rapidement par A. de Santos Otero, l'éditeur de notre fragment. Sans doute ce savant a-t-il rendu le plus précieux des services aux études irénéennes en mettant au jour un nouveau fragment et en reproduisant avec un soin scrupuleux le texte du manuscrit. Mais ne va-t-il pas un peu vite en besogne, lorsqu'il estime que la loi de la prudence, toujours de mise lorsqu'il s'agit de fragments provenant de florilèges ou de chaînes, ne s'applique pas dans le cas présent, « puisqu'il ne s'agit pas simplement d'une citation sporadique, mais de deux chapitres complets avec tout leur contexte »[1] ? Pour notre part, nous croyons, au contraire, que la plus grande prudence est de mise et que, en saine méthode, on ne peut se dispenser de confronter de la façon la plus attentive le texte grec du manuscrit et le passage correspondant de la version latine.

Commençons par régler le sort de quelques bévues grossières qui sautent aux yeux avant même une quelconque confrontation avec le latin et qui ont été corrigées par l'éditeur comme il se devait. Ainsi, ligne 4, suppression

---

Εἰρηναίου τοῦ Λουγδοῦνος ἐπισκόπου περὶ τούτου προθέμενος. Λέγει γὰρ οὕτως ἐν τῷ τρίτῳ τῷ πρὸς τὰς αἱρέσεις λόγῳ, ἐν κεφαλαίῳ ξ΄... Τοῦ αὐτοῦ ἐκ τοῦ αὐτοῦ λόγου κεφάλαιον νθ΄... Ἵνα δὲ μὴ πλεῖστα τούτου παρατιθέμεθα, σύμφωνα τούτοις εὑρήσεις καὶ ἐν τῷ ξα΄ κεφαλαίῳ, καὶ ξβ΄, καὶ ξγ΄, καὶ ξδ΄, καὶ ξε΄.

1. A. de Santos Otero, « Dós capítulos inéditos... », p. 486.

de μὴ ; ligne 8, ἀποϐέσαι corrigé en ἀποσϐέσαι ; ligne 20, προσ- corrigé en προ- ; ligne 23, δυνηθῆς corrigé en δυνηθεὶς.

Mais la comparaison avec le latin montre que, même amendé de la sorte, le texte du manuscrit ne peut être considéré comme étant de tout point celui d'Irénée :

1. On doit mettre sur le compte des copistes quelques fautes évidentes de transmission :

Lignes 13-14 : ὑπερανήγγειλεν. Cette forme est plus qu'étrange. Le verbe ὑπεραναγγέλλω n'a jamais, que nous sachions, figuré dans aucun dictionnaire. Quelle pourrait d'ailleurs être la valeur du préfixe ὑπερ- dans le cas présent ? Le mystère s'évanouit, si l'on s'avise que le latin « uigilans adnuntiat » est la traduction toute normale de ὕπαρ ἀνήγγειλεν (ou ἀναγγέλλει ?), expression on ne peut plus en situation et sûrement primitive.

Lignes 15-16 : τὸ ὄναρ ... φωραθὲν. Le latin « hoc quod... uisum est » invite à voir dans ces mots la corruption de τὸ ... θεωρηθὲν. Il semble que θεωρηθὲν se soit d'abord corrompu en φωραθὲν et qu'un copiste ou un lecteur ait ensuite ajouté ὄναρ pour tenter de donner un semblant de sens.

Lignes 26-27 : ὑπὸ τοῦ ὑπὸ γῆς εἰσοδίου δαίμονος. Le latin a : « ab eo qui est super introitum daemone ». Il est clair que le latin ignore les mots ὑπὸ γῆς. A. de Santos Otero (p. 486, note 2) assure que ces mots appartenaient à l'original et que c'est le traducteur qui les a omis. Mais ces mots, qui alourdissent inutilement la construction, ne proviendraient-ils pas plutôt d'une simple addition due à l'imagination du copiste ?

2. Il semble que l'on doive aussi mettre sur le compte des copistes — ou peut-être déjà sur celui de l'excerpteur — des omissions et des négligences qui, sans altérer fondamentalement le texte, le rendent moins naturel :

Ligne 11 : ⟨καθ' ἑαυτὴν⟩ = lat. « apud se ».

Ligne 13 : ⟨τις⟩ = lat. « quis ».

Ligne 16 : ⟨μόνης⟩ = lat. « sola ».

Ligne 19 : ⟨ἂν⟩ ... ἐμνημόνευεν = lat. « reminisccretur ».

Ligne 20 : τοῦ προγεγονότος βίου (au lieu de προγε-γονότι τοῦ βίου) = lat. « praeteritae uitae ».

Ligne 22 : ⟨'Αθηναῖος⟩ = lat. « Atheniensis ».

Ligne 25 : μὲν (au lieu de δὲ) = lat. « quidem ».

Ligne 25 : ⟨δὲ⟩ = lat. « autem ».

Ligne 32 : ⟨σου⟩ = lat. « tua ».

Lignes 32-33 : εἰς τὸ σῶμα εἰσελθεῖν (au lieu de ἐν τῷ σώματι ἐλθεῖν) = lat. « in corpus introeat ».

3. Une intervention manifeste de l'excerpteur se décèle sans peine au début de II, 33, 2. En effet, par là même qu'il intervertit les deux paragraphes, l'excerpteur se voit obligé de supprimer les mots Πρὸς ταῦτα (= « Ad haec »), qui n'ont de sens que par tout le paragraphe qui les précède et auquel ils renvoient. C'est donc l'excerpteur, et non Irénée, qui écrit, à la ligne 23 : Πλάτων δὲ ... Notons-le, cette intervention de l'excerpteur est normale : des interventions similaires se rencontrent au début de très nombreux fragments.

4. Mais une intervention autrement spectaculaire, sans conteste, est celle par laquelle, à la ligne 1, l'excerpteur substitue ἐγκατάπτωσιν (= « chute dans [un corps] ») à μετενσωμάτωσιν (= « passage d'un corps dans un autre »). L'importance du cas nous paraît appeler une justification de quelque ampleur.

Disons donc tout d'abord que le latin « de corpore... in corpus transmigrationem » n'admet pas d'autre substrat grec que μετενσωμάτωσιν : c'est, sans doute possible, ce mot que le traducteur latin a eu sous les yeux (cf. *infra*, p. 337, *note justif.*, p. 345, n. 1). C'est également, de toute évidence, ce même mot qu'a écrit Irénée. En effet, dans toute cette section relative à la doctrine de la métempsycose (II, 33, 1-34, 1), Irénée entend réfuter une hérésie bien déterminée qu'il a décrite au Livre I, celle de Carpocrate et de ses disciples. A en croire ces hérétiques, les âmes devaient, soit en une seule vie ici-bas, soit en plusieurs vies successives, s'adonner à toutes les formes possibles de désordre afin de donner satisfaction aux puissances planétaires et, par là, d'obtenir d'elles, après la mort, le libre passage jusqu'au Dieu situé au-dessus d'elles : aussi longtemps qu'il restait à ces âmes une forme quelconque de désordre non encore réalisée, elles étaient condamnées à retourner dans de nouveaux corps et à recommencer leur existence d'ici-bas (cf. I, 25, 4). C'est très précisément le fondement même de cette théorie qu'Irénée entend ruiner dans toute la présente section, à savoir que les âmes « passeraient de corps en corps » (μετενσωματοῦσθαι), à travers un plus ou moins grand nombre d'existences successives, en notre monde terrestre.

Cela étant, comment cette réfutation de la doctrine de la métempsycose a-t-elle pu retenir l'attention d'un excerpteur préoccupé de polémique antiorigéniste? Rien que de naturel à cela, vu la relative similitude des doctrines. On sait en effet que les Origénistes posaient comme base à tout leur système la thèse d'une préexistence des âmes. D'après eux, tous les êtres raisonnables (λογικοί) ou « intellects » (νόες) auraient été créés dans un état de pure immatérialité qui les mettait à même de contempler l'essence de Dieu. Mais, s'étant relâchés dans cette contemplation par suite d'une négligence, ils avaient laissé se briser l'unité qui les rattachait à Dieu et entre eux pour « tomber » (ἐκπίπτειν, καταπίπτειν) dans le mal de la multiplicité. Déchéance (κατάπτωσις) de degré variable, selon qu'ils s'étaient plus ou moins profondément détachés de l'unité primordiale. Devenus des « âmes » (ψυχαί) du fait de leur déchéance, ces intellects avaient été unis alors à des corps inégalement opaques, en rapport avec

leur degré de déchéance : corps angéliques, corps humains,
corps démoniaques, créés par Dieu postérieurement à la
déchéance et comme remède à celle-ci. Après le siècle
présent, il y en aura un grand nombre d'autres, au cours
desquels les âmes revêtiront d'autres corps, soit angéliques,
soit humains, soit démoniaques, selon leurs mérites ou
leurs démérites. Finalement, tous les intellects déchus
reviendront à l'état de pure immatérialité et à la contemplation de Dieu qui fut leur condition première[1].

Comme on le voit, Carpocratiens et Origénistes avaient
un point commun : pour les uns comme pour les autres,
notre âme existait avant de se trouver présentement dans
un corps. Mais on doit ajouter que cette préexistence
était conçue fort différemment par les uns et les autres,
puisque, pour les Carpocratiens, l'âme s'était déjà auparavant trouvée dans d'autres corps, tandis que, pour les
Origénistes, elle avait été, jusqu'à sa chute et à son
emprisonnement dans le corps, dans un état de pure
immatérialité et de total repos dans la contemplation
de Dieu. L'auteur de notre florilège antiorigéniste, au
moment où il décidait d'y insérer le texte irénéen, devait
tout naturellement être sensible à ce double aspect de
la question. Dès lors, nous comprenons sans peine ce que
dut être son comportement : d'une part, trop heureux de
disposer d'une page d'un auteur encore tout proche des
apôtres en laquelle se trouvait réfutée l'idée d'une existence
de l'âme antérieure à celle du corps, il la reproduisit tout
entière ; mais, d'autre part, désireux de mieux ajuster

1. Pour un exposé plus détaillé de l'ensemble du système, voir
A. GUILLAUMONT, Les « Kephalaia gnostica » d'Évagre le Pontique
et l'histoire de l'origénisme chez les Grecs et chez les Syriens (Patristica
Sorbonensia, 5), Paris, 1962, p. 37-39 et passim. On sait qu'en identifiant le texte authentique des Κεφάλαια γνωστικά d'Évagre et en
démontrant la complète identité des vues évagriennes et des théories
qui furent condamnées par le Concile de 553, le savant historien a
renouvelé notre connaissance de l'origénisme.

le texte d'Irénée au but pour lequel il l'insérait dans son florilège antiorigéniste, il n'hésita pas à laisser tomber le terme μετενσωμάτωσιν, qui n'évoquait que le « passage d'un corps dans un autre corps », et à lui substituer le terme ἐγκατάπτωσιν, qui évoquait la « chute dans (un corps) » et traduisait ainsi de la façon la plus explicite la thèse fondamentale de l'origénisme. Nous prenons, de la sorte, l'excerpteur en flagrant délit de ce qu'il faut bien appeler une falsification textuelle.

Quelle est l'origine de ce terme ἐγκατάπτωσις ? Il ne figure dans aucun dictionnaire, mais sa formation est comparable à celle d'une foule d'autres noms composés que l'on rencontre surtout dans le grec post-classique, et rien ne s'oppose à ce qu'il ait été créé spontanément par l'auteur même du florilège. Le verbe correspondant, ἐγκαταπίπτω, est parfaitement attesté (Apollonius de Rhodes, Anthologie Palatine, Grégoire de Nysse...). D'autre part, le substantif κατάπτωσις est largement utilisé dans le grec classique au sens de « chute » en général ; il se rencontre, à partir du IIIᵉ siècle — en même temps que ἀπόπτωσις, ἔκπτωσις, μετάπτωσις et les verbes correspondants — pour exprimer la « chute » des intellects telle que la conçoit la doctrine origéniste. C'est précisément le terme κατάπτωσις qu'on trouvera dans le 7ᵉ anathématisme antiorigéniste du Concile de 553 ; le verbe καταπίπτω figurera dans les 6ᵉ et 15ᵉ anathématismes[1].

Telle est donc, finalement, la manière dont nous paraît devoir s'expliquer la présence du terme ἐγκατάπτωσις dans le présent fragment. On pourra, si l'on veut, faire entrer ce nouveau vocable dans les dictionnaires, en le présentant comme un mot figurant dans un florilège dogmatique du VIᵉ siècle, mais on se gardera bien, pour autant, de le mettre sur le compte d'Irénée, car il n'a rien

---

1. Cf. J. STRAUB, *Acta Conc. Oecum.*, t. IV, 1, p. 248-249 ; trad. franç. dans A. GUILLAUMONT, *Les « Képhalaia gnostica »...*, p. 144-146.

à voir avec l'évêque de Lyon. Par cet exemple, on voit, une fois de plus, que la prudence n'est jamais hors de saison lorsque l'on a affaire à des florilèges destinés à alimenter des polémiques doctrinales.

Concluons ces considérations sur la valeur du texte irénéen du *Vatopedi 236* : d'une valeur inappréciable en tant que lambeau de l'œuvre d'Irénée ayant échappé au naufrage des siècles, le texte de notre manuscrit n'en doit pas moins être soumis à une critique sévère si l'on veut, par-delà des manipulations et des accidents trop compréhensibles, avoir quelque chance de retrouver le texte irénéen primitif. Ajoutons, pour être complet, que, si la version latine est d'une aide irremplaçable pour retrouver de façon pratiquement certaine le grec primitif, le texte du manuscrit est, à son tour, au moins dans deux cas, comme il sera montré dans des notes justificatives, indispensable pour retrouver la vraie pensée d'Irénée sous les déformations du latin.

A. R.

CHAPITRE III

LES FRAGMENTS ARMÉNIENS

Les fragments arméniens du Livre II proviennent de trois sources différentes : deux brefs fragments figurent dans le *Galata 54* ; une citation plus longue se rencontre parmi les œuvres d'Évagre le Pontique anciennement traduites du grec en arménien ; enfin, quelques lignes éparses, provenant indubitablement du Livre II, peuvent être glanées à travers les centons irénéens du *Sceau de la foi*.

1. Le Galata 54

Sur ce manuscrit arménien du XIVe s., actuellement conservé à la Bibliothèque du Patriarcat arménien d'Istanbul, voir *SC* 263, p. 101 et suiv. Rappelons seulement que les 32 premières pages du manuscrit en son état actuel contiennent une suite de 65 extraits des œuvres d'Irénée[1]. Comme il s'agit d'un florilège axé plus particulièrement sur les doctrines christologiques, il n'y a pas lieu de s'étonner que notre Livre II, consacré avant tout à faire ressortir les contradictions et les incohérences des thèses hérétiques, ne soit qu'à peine représenté dans le

---

1. Ces extraits ont été excellemment édités par Ch. RENOUX, *Irénée de Lyon, Nouveaux fragments arméniens de l'Aduersus haereses et de l'Epideixis* (*PO* XXIX, 1), Turnhout, 1978.

florilège en question : deux fragments seulement correspondant à un total de 24 lignes du texte latin. Ces fragments
se localisent comme suit :

Renoux PO 39, 1	Adv. Haer. Livre II	Présente édition pages et lignes
fr. 8 p. 38	13, 9	p. 127, 187-198
fr. 9 p. 38	26, 1	p. 256, 1-12

Ces deux fragments, si brefs soient-ils, ne laissent pas
d'apporter de précieuses indications permettant d'éclairer
la version latine. Ainsi le premier de ces fragments permet
de retrouver de façon certaine, sous le latin « secundum
descensionem » (13, 188) le substrat grec κατ' ἐπιγονήν
(cf. *infra*, p. 251, *note justif.*, *p. 127, n. 1*). Le deuxième
fragment est partiellement recouvert par un fragment grec
provenant des *Sacra Parallela* : il confirme, à cet endroit,
le texte grec dont s'écarte quelque peu la version latine (cf.
infra, p. 303, *note justif.*, *p. 259, n. 1*). Le grand intérêt
de ces fragments fait regretter d'autant plus la perte de
la version arménienne intégrale de l'*Aduersus haereses*
dont ils proviennent.

2. L'Évagre arménien

Plus important est le fragment conservé parmi les
anciennes traductions arméniennes des œuvres d'Évagre
le Pontique : il correspond aux lignes 8-50 du texte latin
du chap. 13.

Ce fragment fut publié pour la première fois par
H. B. Sarghisian en 1907, dans son édition des œuvres
d'Évagre conservées en arménien[1]. Sarghisian lisait la

---

1. *Vie et œuvres du saint Père Évagre le Pontique traduites du grec
en arménien au Ve siècle* (en arménien), Venise, 1907, p. 385-387.

citation irénéenne dans le Cod. 427 de Saint-Lazare de Venise, parmi des commentaires sur Évagre le Pontique.

Six ans plus tard, H. Jordan publiait à nouveau ce texte dans son étude sur les fragments arméniens d'Irénée[1]. En plus du manuscrit de Venise, Jordan faisait état d'un second manuscrit, le Cod. 47 (olim 49 a) de la Bibliothèque des Méchitaristes de Vienne, fol. 325 a.

C'est à cette édition de Jordan que nous nous référons. A la suite de celui-ci, nous désignerons les deux manuscrits en question par les sigles « cod. Ven. » et « cod. Vind. ».

Il peut être intéressant de chercher à savoir pour quelle raison ce passage du Livre II de l'*Aduersus haereses* s'est vu introduire dans le corpus des œuvres d'Évagre le Pontique, et cela sans doute dès avant la traduction de ces œuvres du grec en arménien. Une indication des plus intéressantes nous est fournie par quelques mots d'introduction précédant la citation et par une phrase de conclusion ajoutée à cette même citation. Comme la vraie portée de ces textes nous paraît avoir échappé à Jordan, nous ne croyons pas hors de propos de revenir brièvement sur la question.

Dans les manuscrits arméniens, l'introduction se présente de la manière suivante : Ցերինասի (Ցերինաս cod. Ven.) զրոց, Հայրզունէն յաղադս նոյացն ի հնգ կարգացն նուազութեան (նուազութեան cod. Vind.), <զ>որ եւագր[ին] յիշէ. Ce qui se traduira : « (Extrait) d'un écrit d'Irénée, question au sujet du νοῦς et des cinq degrés de déchéance (de celui-ci), (déchéance) dont Évagre fait mention». On peut négliger les deux variantes, pratiquement sans importance pour le sens. Quant à la correction զոր եւագր յիշէ, elle est proposée par Jordan lui-même et elle paraît aller de soi.

Comment comprendre la « déchéance » (ou « défaillance » ou « diminution »...) dont il est question dans cette introduction? Cette idée d'une « déchéance » a été estimée

---

1. *Armenische Irenaeusfragmente* (*TU* 36, 3), Leipzig, 1913, p. 1-3.

impossible par Jordan : dans la citation, en effet, Irénée
ne parlera pas d'une déchéance de l'intellect, mais au
contraire d'un déploiement de son activité vitale fait
de cinq mouvements d'intensité croissante, depuis la
simple pensée qui ne fait que traverser l'esprit jusqu'au
discours intérieur dûment élaboré. Pour tenter de résoudre
la contradiction, Jordan a proposé l'hypothèse d'une lecture
erronée du texte grec par le traducteur arménien : celui-ci
aurait lu une forme de ἀπορία là où le grec avait une forme
de ἀπόρροια. Dans le texte grec primitif, il ne s'agissait
donc pas de cinq degrés de « déchéance », mais de cinq
degrés d'« émanations ». Ainsi Jordan croit-il pouvoir
accorder le texte d'introduction avec le contenu de la
citation[1].

Cette hypothèse nous semble plus que fragile, car il
est très improbable que ἀπορία (= « manque », « priva-
tion ») ait jamais pu être traduit par ꜱⱺⱳⱰⱨⱷⱷⱨⱶ ou par
ꜱⱺⱳⱰⱨⱷⱷⱨⱶ. De plus, l'hypothèse en question ne résout
rien, car, bien loin de parler d'« émanations », la citation
irénéenne repousse cette notion : pour Irénée, la pensée,
la réflexion et les autres choses de ce genre ne sont pas
des réalités distinctes de l'intellect, que celui-ci émettrait
hors de lui-même, mais elles sont seulement des « mouvements » (κινήσεις) de l'intellect, ou, si l'on préfère, elles
sont l'intellect lui-même en mouvement.

Mais l'hypothèse de Jordan nous semble surtout parfaitement superflue. En effet, la contradiction que croit
relever celui-ci entre le terme ꜱⱺⱳⱰⱨⱷⱷⱨⱶ et le contenu
de la citation irénéenne, *telle que la comprenait le citateur*,
est plus apparente que réelle. Pour voir s'évanouir la
contradiction, il suffit de se rappeler la doctrine d'Évagre,
aujourd'hui mieux connue grâce aux travaux d'A. Guillaumont[2], sur le νοῦς et l'état de perpétuelle mobilité qui est

1. Cf. H. JORDAN, *o.c.*, p. 40, note 2.
2. Cf. *supra*, p. 98, n. 1.

à présent le sien. Pour Évagre, en effet, tous les « intellects » (νόες) avaient été créés dans un état de parfait repos : ils étaient naturellement unis à l'intelligible divin par une contemplation dont rien ne les détournait. Par suite d'une négligence de ces intellects se relâchant dans cette contemplation de l'essence divine, il se produisit une rupture : ce fut le « mouvement » (κίνησις), ou plus exactement le « mouvement premier », par lequel les intellects se détournèrent de l'Unité et virent se briser leur union avec elle. Nos âmes ne sont autre chose que ces intellects déchus, unis à des corps à la suite de leur chute. Dans l'état de déchéance qui est actuellement le sien, l'intellect est constamment porté à vagabonder en tous sens : cette mobilité est le retentissement et comme le prolongement, au plan psychologique, du « mouvement premier » dont on vient de parler. Mais, avec la grâce de Dieu et moyennant l'effort ascétique, c'est-à-dire la lutte contre toutes les « pensées » (λογισμοί) susceptibles d'entraîner le νοῦς à leur suite, celui-ci est appelé à se dégager progressivement de sa déchéance et à s'élever de la sorte jusqu'à retrouver enfin la perfection de sa contemplation première. Telle est, à grands traits, la conception évagrienne. En résumé : 1. la création du νοῦς dans le repos de la parfaite contemplation de Dieu ; 2. le « mouvement premier » et tous les « mouvements » subséquents par lesquels le νοῦς se detourne de cette contemplation ; 3. la douloureuse et progressive reconquête de la contemplation originelle.

Nous comprenons maintenant pourquoi un disciple ou un lecteur d'Évagre a pu s'intéresser à la page d'Irénée qui nous occupe : Irénée n'y traite-t-il pas précisément de l'«intellect » (νοῦς) et n'y décrit-il pas les « mouvements » (κινήσεις) survenant au-dedans de celui-ci? L'identité du vocabulaire est complète. Sans doute Irénée parle-t-il de tout autre chose qu'Évagre : le mot κίνησις a même chez lui un sens diamétralement opposé à celui qu'il a dans le système d'Évagre. Mais là n'est pas la question.

Telle que la comprend le citateur — c'est-à-dire moyennant
la collation, aux mots νοῦς et κίνησις, du sens qu'ils ont
chez Évagre —, la page d'Irénée peut paraître consonner
avec la doctrine du célèbre moine : les cinq mouvements
de l'intellect deviennent cinq degrés d'un désordre moral
allant croissant, l'intellect se laissant de plus en plus
happer par le tourbillon des pensées qui le dispersent et
l'écartent de la contemplation de Dieu.

Cette explication de la présence du texte d'Irénée parmi
des œuvres d'Évagre reçoit une confirmation décisive de
la phrase de conclusion ajoutée à ce texte par le citateur.
Cette phrase est la suivante : Եւ որ ի քաշութիւն
կրթեալք են, առաւել զգուշանան <ի> Հնգիցս այսոցիկ որ
վերագրեալս է. Elle se traduira : « Et ceux qui ont été
exercés dans les vertus se gardent davantage de ces
cinq (choses) qui viennent d'être décrites ». Nous entendons
le verbe զգուշանամ en son sens le plus habituel : « se tenir
en garde contre », « se garder de », « éviter »..., et nous ne
voyons pas la possibilité de comprendre autrement la
phrase. Le sens est limpide et en plein accord avec le texte
irénéen *tel que le comprend le citateur* : « ceux qui, par
l'ascèse, se seront exercés dans la pratique des vertus,
ceux-là sauront se garder des cinq formes de désordre
moral évoquées dans la citation ».

Jordan paraît avoir été embarrassé par la phrase en
question. Il rapporte les mots Հնգիցս այսոցիկ à առաւել
et les considère comme des génitifs traduisant d'une
façon toute matérielle des génitifs grecs de comparaison.
Il comprend : « ceux qui sont exercés dans les vertus
prennent en considération plus que ces cinq (choses) qui
ont été décrites »[1]. Mais nous voyons mal quel sens
acceptable peut offrir la phrase ainsi comprise, et nous
voyons encore moins quel rapport elle peut avoir avec
tout son contexte.

---

1. Cf. H. JORDAN, *o.c.*, p. 44, notes 8 et 9.

Telle est donc la manière dont nous proposons d'expliquer la présence, au sein de la tradition évagrienne, de la page d'Irénée relative aux mouvements de l'intellect.

Après cet aperçu, nous pouvons revenir à la citation elle-même et tenter de préciser ce qu'elle apporte pour une meilleure intelligence du texte et de la pensée d'Irénée. Disons tout de suite que cet apport est considérable, et cela à deux titres différents :

1º Tout d'abord, en ce qui concerne le début de II, 13, 2 (lignes 24-33 du texte latin), l'arménien coïncide de tout point avec le latin et donne raison à celui-ci contre le texte grec qui se lit chez Maxime le Confesseur et Jean Damascène : ce texte grec, quelle que soit la parenté qui l'unisse au texte irénéen, ne peut absolument pas être considéré comme une citation implicite de celui-ci, car il s'en écarte sur trop de points[1].

2º Ensuite, pour la recherche du substrat grec, la citation arménienne est extraordinairement précieuse par le complément qu'elle apporte au latin. Cela se vérifie surtout dans le cas des nombreux substantifs et verbes qui, dans cette page d'allure philosophique, tendent à revêtir une signification plus ou moins technique et sont, de ce fait, malaisément traduisibles en quelque langue que ce soit : ἔννοια, ἐνθύμησις, φρόνησις..., ἐννοέομαι, ἐνθυμέομαι, φρονέω... Là où le latin, embarrassé, traduit tel mot grec tantôt par un mot, tantôt par un autre, l'arménien, calquant de plus près les termes grecs, est constant dans ses traductions. Cela vaut même pour la première partie de la citation (lignes 8-23 du texte latin), où l'arménien abrège quelque peu le texte irénéen : grâce à l'arménien, le grec sous-jacent peut être reconstitué d'une manière généralement sûre.

---

1. Cf. *infra*, Appendice II, p. 366-370.

3. Le « Sceau de la foi »

Au sujet de cet ouvrage, nous ne pouvons que rappeler ce que nous avons déjà dit lors de l'édition des autres Livres de l'*Aduersus haereses*[1]. Le *Sceau de la foi de l'Église universelle* est une compilation monophysite du VIIe s. connue par un unique manuscrit découvert à Daraschamb en 1911[2]. On y trouve, entre autres citations d'auteurs anciens, sept textes donnés comme provenant d'œuvres d'Irénée : ce sont les fragments 5-11 de Jordan[3]. Deux d'entre eux seulement concernent le Livre II de l'*Aduersus haereses* : le 9e et le 10e.

Le fragment 9 de Jordan est un centon résultant de la juxtaposition de quelques lignes de IV, 35, 2 (*SC* 100, p. 866, lignes 34-42) et de II, 12, 5 (lignes 87-89 de la présente édition). L'auteur du centon modifie quelque peu le texte de IV, 35, 2 dans le but de lui conférer une portée christologique ; il reproduit ensuite, sans modification, les trois lignes susdites de II, 12, 5 ; enfin, pour achever de donner une apparence d'unité à l'ensemble, il ajoute quelques lignes de son cru.

Le fragment 10 de Jordan est un centon, lui aussi, mais d'une ampleur autrement considérable, car il ne compte pas moins de 129 lignes dans l'édition de Jordan. C'est vers la fin de ce morceau que se laissent repérer, à la suite

---

1. Cf. notamment *SC* 263, p. 106.
2. Édité par K. Ter-Mekerttschian, Etschmiadzin, 1914. Réimpression anastatique, Louvain, 1974. Sur les nombreuses citations patristiques que contient cet ouvrage, cf. J. Lebon, « Les citations patristiques grecques du ' Sceau de la foi ' », dans *Rev. d'hist. eccl.*, 25 (1929), p. 5-32.
3. Cf. H. Jordan, *o.c.*, p. 8-22. Ayant reçu communication de la découverte faite par K. Ter-Mekerttschian, Jordan put, un an avant que ne fût publié le « Sceau de la foi », emprunter à cet ouvrage le texte des sept fragments attribués à Irénée.

l'un de l'autre, deux très brefs extraits du Livre II :
d'abord, quelques lignes de II, 18, 5 légèrement modifiées
mais parfaitement reconnaissables (lignes 78-83 de la
présente édition), puis quelques lignes de II, 25, 1 repro-
duites sans changement aucun (lignes 18-19 de la présente
édition).

Donnons tout de suite, en traduction latine, le contenu
précis de ces trois petits extraits du Livre II :

— II, 12, 5 (lignes 87-89 haec — tenebrae) : « haec
enim euersoria sunt inuicem, quemadmodum lumen et
tenebrae in eodem simul numquam erunt ; sed, si lumen,
non iam tenebrae » [Jordan, fr. 9, p. 13, lignes 14-16].

— II, 18, 5 (lignes 78-83 timor — calamitas) : « timor
enim et pauor et passio et quae talia sunt secundum nos
fiunt, secundum corporalia ; in spiritalibus autem, quae
effusum habent lumen, non tales sequentur calamitates »
[Jordan, fr. 10, p. 18, lignes 16-20].

— II, 25, 1 (lignes 18-19 neque — Deo) : « non enim
Deus ex factis est, sed facta ex Deo : omnia enim ex uno
et <eodem> Deo » [Jordan, fr. 10, p. 18, lignes 20-22][1].

Quel est l'intérêt de ces extraits ? De primo abord, il
peut paraître mince. Il s'agit de très brefs passages, pour
lesquels le texte latin ne semble pas poser de problèmes
particuliers. D'autre part, on sait que, pour pouvoir être
incorporées dans des centons offrant un semblant de

---

1. D'après B. REYNDERS, *Vocabulaire de la « Démonstration »
et des fragments de Saint Irénée*, Chevetogne, 1958, p. 62, les lignes 21-
22 de la p. 18 de Jordan correspondraient à la phrase « omnia autem
ex uno et eodem ipso Deo » de III, 11, 4 (Harvey II, p. 43, 26), et
les lignes 20-21 de cette même page de Jordan proviendraient d'une
source non identifiée. L'acribie du P. Reynders se trouve ici prise
en défaut, car, en fait, les lignes 20-22 constituent un tout et correspondent très exactement au passage de II, 25, 1 que nous venons
de dire.

cohérence et d'unité, les bribes éparses extraites de l'œuvre
irénéenne ne sont pas sans subir diverses manipulations :
additions, suppressions et autres modifications. Quelle
confiance, dès lors, faudra-t-il leur accorder ? Cependant
une confrontation minutieuse de l'arménien et du latin
montre que, pour ce qui concerne le deuxième des trois
fragments précités, l'arménien apporte quelques indications des plus intéressantes qui permettent non seulement
de mieux entrevoir le grec sous-jacent aux deux témoins,
mais même de rectifier, au moins sur un point, les indications du latin (pour le détail de la démonstration, cf.
infra, p. *272*, *note justif.*, p. *181*, *n. 2*).

En guise de conclusion, redisons une fois de plus tout le
prix que revêt à nos yeux ce témoin indépendant du latin
qu'est la version arménienne de l'*Aduersus haereses*, et
cela jusque dans les lambeaux les plus défavorisés qui
nous en parviennent — car c'est de cette version que
provient, directement ou indirectement, la multitude
des petits extraits dont se composent les centons —.
Et, s'il était permis de formuler un souhait au bénéfice
d'une connaissance renouvelée de l'œuvre irénéenne, ce
serait que, à défaut du texte grec irrémédiablement
perdu, un heureux concours de circonstances fasse
retrouver du moins l'intégralité de cette version arménienne
de l'*Aduersus haereses*.

Note sur un fragment arabe

Au cours de l'étude qu'il fait du fragment figurant dans
l'Évagre arménien, Jordan cite un fragment arabe plus ou
moins parallèle qu'il tire du *Codex Vatican. arab. 178 (olim
28)*, début du XIVe s., fol. 67. On ne sait d'où provient ce
fragment, ni si le texte irénéen est passé du grec à l'arabe par
l'intermédiaire du copte ou autrement (cf. Jordan, *o. c.*,
p. 47-49). Toujours est-il que le texte arabe fourmille de

gaucheries et d'erreurs, si bien qu'il n'apporte, en fin de compte, aucun élément nouveau par rapport aux indications complémentaires du latin et de l'arménien. Nous n'en aurions même pas parlé, s'il n'offrait malgré tout une indication intéressante. En effet, contrairement à ce que dit Jordan, il ne correspond pas aux lignes 17-34 de notre texte latin, mais il comporte en réalité deux extraits distincts : un premier correspond aux lignes 4-7 du latin : « Nus — motio » ; un second correspond aux lignes 25-34 : « perseuerans — accipientia ». Voici, en effet, la teneur du premier de ces extraits :

Version latine	*Fragment arabe*
Nus enim est ipsum quod est principale et summum,	L'intellect est le conducteur et le guide,
et uelut principium et fons uniuersi sensus ;	il se comporte comme le principe premier et déterminé pour toute pensée ;
ennoia autem quae ab hoc est qualislibet	la vision *(sic !)*, par contre, est un mouvement doté de qualités particulières,
et de quolibet facta motio.	qui surgit à l'égard d'un objet.

Il est aisé de voir que cette partie du fragment arabe correspond bien aux lignes 4-7 du latin. Il se fait ainsi — et c'est là l'intérêt de ce passage — que le fragment arabe a conservé une phrase qui ne nous est pas connue autrement que par le latin.

                                             A. R.

CHAPITRE IV

LES FRAGMENTS SYRIAQUES

Se rapportant au Livre II de l'*Aduersus haereses*, deux fragments syriaques seulement ont été conservés, l'un de huit, l'autre de sept lignes. C'est très peu ; comparé aux quelque 3900 lignes du livre entier, cela représente 0,38 %.

Le premier, **26** § 1, lignes 16-24, Melius — cadere, T. II, p. 259, provient de l'ouvrage de Sévère d'Antioche *Contre l'impie Grammairien*, chap. XLI.

Le second, **34** § 1, lignes 1-7, Plenissime — Abrahae, T. II, p. 354, provient d'un recueil de *testimonia*.

Ils ont été édités en syriaque, avec une traduction latine, en tant que fragments, par Harvey et Pitra ; le premier l'a été aussi, avec le reste de l'ouvrage de Sévère, par J. Lebon. Harvey les a groupés à la fin du T. II de son édition d'Irénée, sous les nos IV et V, p. 434-436, et Pitra, après une collation nouvelle des mss par J. P. Martin, les a redonnés dans ses *Analecta Sacra*, t. IV, p. 18-19, sous les mêmes numéros IV et V, la traduction latine étant reportée p. 294. J. Lebon a édité l'ouvrage de Sévère en syriaque dans le *CSCO* 101 (1933) — notre fragment s'y trouve à la page 284 —, il en a donné la même année une version en latin dans le *CSCO* 102, p. 209.

Le premier fragment se trouve dans le cod. *Brit. Mus. Add. 12157*, s. VII-VIII, f. 200^v, col. 2. Le manuscrit est décrit par W. Wright, *Catalogue of Syriac Manuscripts in the British Museum* II, 688, London 1871, p. 551. Nous en avons déjà parlé dans les Livres précédents au chapitre des Fragments syriaques.

Le second fragment est attesté par quatre mss :

a) *B. M. Add. 12155*, s. VIII, f. 54^r, col. 1 (Wright 857, p. 929, § 14) ;

b) *B. M. Add. 14612*, s. VI-VII, f. 165^r, col. 2 (Wright 753, p. 699, § 25) ;

c) *B. M. Add. 14532*, s. VIII, f. 139^r, col. 2 (Wright 858, p. 963) ;

d) *B. M. Add. 14538*, ap. Hv s. XI-XII, f. 24^v (Wright 863, p. 1005, 886).

Pour l'établissement du texte latin, les fragments syriaques ne nous ont été d'aucune utilité. Ils nous ont obligé toutefois à revenir longuement sur la phrase latine correspondant au premier, dont la grammaire a de quoi choquer. Mais il faut expliquer les phénomènes en recourant au grec sous-jacent et à la pensée d'Irénée. On trouvera toutes les indications dans la note justificative.

Une donnée curieuse est fournie par le lemme du deuxième fragment. Harvey et Pitra l'ont relevée, chacun de leur côté. Nous la reproduisons d'après Pitra. Titre en *Add. 14612* : « Quod animae non praecedant corpora. Irenaei, episcopi Lugdunensis (excerptum). » Titre en *Add. 12155* et *14532* : « Quod animae non praecedant corpora (corpus *14532*) et quod non transeant de corporibus (corpore *12155*) in alia corpora. (Sancti *12155*) Irenaei, episcopi Lugdunensis, excerptum libri cui titulus : *Reprehensio falso dictae scientiae*, e tractatu secundo, capite LXXI, quod est caput DXXVII totius libri. » On mettra ces numéros en rapport avec ceux du tableau comparatif des *capitula*, *supra*, p. 79-80. Nous sommes dépourvu de documents pour les interpréter correctement.

Que le P. F. Graffin trouve ici l'expression de nos remerciements pour nous avoir largement aidé dans la rédaction de ce chapitre et de l'apparat des fragments.

L. D.

CHAPITRE V

CONTENU ET PLAN DU LIVRE II

PRÉFACE

Le Livre II s'ouvre par une brève Préface dont l'ordonnance est des plus simples : en un premier temps (« In <eo> quidem libro qui ante hunc est... »), Irénée rappelle le contenu du Livre I ; puis, en un second temps (« In hoc autem libro... »), il annonce l'objet du Livre II.

L'évocation du contenu du Livre I est relativement développée : elle occupe la plus grande partie de la Préface. Irénée rappelle qu'il a consacré ce premier Livre à une « dénonciation » (ἐλέγχοντες) de la fausse gnose : il a arraché à celle-ci le masque sous lequel elle se dissimule et l'a fait apparaître au grand jour telle qu'elle est. Il a notamment fait connaître la doctrine secrète des disciples de Valentin — il s'agit de la « Grande Notice », en laquelle est plus particulièrement exposé le système de Ptolémée — ; il a reproduit les spéculations arithmologiques de Marc le Magicien, qui est lui aussi un disciple de Valentin ; il a montré comment, en reprenant à leur compte les théories des « Gnostiques », Valentin et ses disciples se rattachent à Simon le Magicien, le chef de file de tous les hérétiques. Il n'est pas malaisé de reconnaître, dans la nomenclature d'Irénée, les articulations maîtresses du Livre I.

L'erreur ayant été de la sorte démasquée et mise sous les yeux de tous, Irénée peut passer de plain-pied à sa

« réfutation » : « Dans le présent Livre, nous... réfuterons (ἀνατρέψομεν), sur ses points fondamentaux, l'ensemble de leur système ». Quels sont ces points fondamentaux? Irénée se borne à nommer les « syzygies » ou couples d'Éons dont les Valentiniens peuplent leur Plérôme, et l'« Abîme » ou Éon primordial duquel ils font dériver ces couples. Il s'agit donc du « Plérôme », ce monde seul véritablement divin que les Valentiniens se flattent de découvrir au-dessus du Dieu Créateur, lequel se voit du même coup ravalé au rang de Démiurge subalterne. Ce prétendu monde divin situé au-dessus du Créateur, Irénée entend montrer qu'il n'existe pas et ne peut même pas exister : il n'existe d'autre Dieu que le Dieu Créateur, et tout ce qui n'est pas ce Dieu est sorti de ses mains créatrices.

Telle est la Préface du présent Livre. Pour précieuse que soit l'indication qu'y donne Irénée sur l'objet du Livre, une telle indication n'est pas l'annonce d'un plan. Ce plan, Irénée veut que, comme pour les autres Livres, le lecteur le découvre par lui-même au fil de sa lecture, aidé d'ailleurs par les indications qu'il rencontrera aux endroits voulus. Quelles sont donc les grandes lignes de ce plan?

Une lecture du Livre fait distinguer, d'emblée, deux blocs bien distincts : d'une part, les 30 premiers chapitres, qui contiennent la réfutation des principales thèses de l'école valentinienne ; d'autre part, les 5 derniers chapitres, en lesquels sont réfutées quelques thèses relevant de doctrines non proprement valentiniennes. A cet égard, le premier paragraphe du chap. 31 contient une indication des plus nettes. Jetant un coup d'œil rétrospectif sur la réfutation qu'il vient d'achever, Irénée montre comment, en réfutant les thèses valentiniennes, il a, du même coup, réfuté les thèses essentielles de tous les autres hérétiques, Marcion, Simon, Ménandre, etc. Cependant, quelques

doctrines plus particulières à certaines sectes lui paraissent
mériter un supplément d'examen : c'est à quoi précisément
il entend consacrer le restant du Livre. Comme on le voit,
il s'agit, tout compte fait, moins de deux parties d'un Livre
que d'un vaste ensemble constituant le corps même du
Livre, d'une part, et d'un simple complément venant s'y
ajouter en manière d'appendice, d'autre part.

A son tour, le bloc de la réfutation des thèses valentiniennes se divise de lui-même en quatre parties que
permettent de distinguer tant leur contenu que les indications, nettes à souhait, données par Irénée en cours de
route.

1. Une première partie fait ressortir l'inanité de la
thèse valentinienne relative à l'existence d'un Plérôme
situé au-dessus du Dieu Créateur (chap. 1-11).

2. Une deuxième partie montre les multiples contradictions et invraisemblances de la doctrine valentinienne
relative aux émissions des Éons, à la passion de Sagesse
et aux avatars de la semence (chap. 12-19).

3. Dans une troisième partie, Irénée passe aux spéculations arithmologiques des Valentiniens ; il est amené, de
la sorte, à traiter de l'usage que les hérétiques font des
Écritures, car c'est surtout dans celles-ci qu'ils relèvent
les nombres susceptibles d'apporter un semblant de
caution à leur système[1]. Irénée montre d'abord le caractère
fantaisiste des exégèses gnostiques. Mais, non content
d'une simple réfutation, il met ensuite en lumière l'origine
profonde du vice de l'exégèse des hérétiques : leur orgueil,
leur refus de se laisser enseigner par Dieu (chap. 20-28).

4. Vient une quatrième et dernière partie, que sa relative brièveté fait apparaître plutôt comme une sorte de

---

1. Nous disons bien : « ... surtout dans celles-ci... », car les Marcosiens exploitent aussi les nombres qu'offre l'univers des créatures,
et Irénée le rappellera dans sa réfutation.

complément ajouté aux trois premières : Irénée y revient, pour les réfuter, sur deux thèses particulières du système valentinien, celle relative au sort final des trois natures ou substances et celle qui ne reconnaît au Dieu Créateur d'autre nature qu'une nature psychique[1] (chap. 29-30).

Comme nous l'avons dit, Irénée a tenu à compléter la réfutation de ces principales thèses valentiniennes par celle de quelques thèses relevant d'autres systèmes. Pour simplifier les choses, nous considérerons cette finale du Livre (chap. 31-35) comme une cinquième partie faisant suite aux quatre autres[2].

---

1. Envisagées au point de vue de leur contenu, les première, deuxième et quatrième parties constituent un tout nettement distinct de la troisième partie : dans celles-là, Irénée traite des *thèses* hérétiques, dont il fait ressortir les incohérences et contradictions, tandis que, dans celle-ci, il examine les *appuis* que les hérétiques cherchent en faveur de leurs thèses, soit dans l'Écriture, soit dans notre monde visible. De la sorte, le bloc de la réfutation des doctrines valentiniennes répond adéquatement à l'exposé qu'Irénée a fait de ces mêmes doctrines dans le Livre I. On se souvient en effet que, dans l'exposé de la doctrine de Ptolémée, Irénée distinguait avec grand soin le système proprement dit (I, 1, 1-2 ; I, 2 ; I, 4-7) et ses prétendus appuis scripturaires (I, 1, 3 ; I, 3 ; I, 8-9) ; il distinguait de même, dans l'exposé de la doctrine de Marc le Magicien et de ses disciples, le système proprement dit (I, 14-16) et les appuis cherchés en sa faveur dans notre monde visible (I, 17) ou dans les Écritures (I, 18-20).

2. De même que les quatre premières parties du Livre II correspondent, globalement, aux deux premières parties du Livre I (exposé des systèmes valentiniens), on peut considérer cette cinquième partie du Livre II comme correspondant, de quelque manière, à la troisième partie du Livre I (exposé des systèmes antérieurs à Valentin).

PREMIÈRE PARTIE

RÉFUTATION DE LA THÈSE VALENTINIENNE RELATIVE À UN PLÉRÔME SUPÉRIEUR AU DIEU CRÉATEUR (1-11)

La première partie du Livre montre l'inanité de la thèse hérétique selon laquelle il existerait, au-dessus du Dieu Créateur, un Dieu d'une essence supérieure, voire tout un monde d'entités divines issues de ce Dieu et constituant son Plérôme.

Dans cette prétention à s'élever au-dessus de l'unique vrai Dieu, qui est le Créateur de toutes choses, y compris notre monde de matière, Irénée voit *l'erreur fondamentale commune à toutes les gnoses*, et c'est à cette erreur qu'il entend s'attaquer d'abord[1]. En montrant l'inanité de la thèse selon laquelle il existerait un Dieu ou un Plérôme supérieurs au Dieu Créateur, quelle que soit la manière dont on conçoit ce Dieu ou ce Plérôme, Irénée va dégager le terrain tout autour du premier article de la Règle de vérité. Cette vérité la plus fondamentale de la foi, Irénée veut, avant même de se tourner contre l'hérésie, la rappeler en toute clarté : le Dieu Créateur du ciel et de la terre « a fait toutes choses, non sous la motion d'un autre, mais en toute indépendance et librement, étant le seul Dieu, le seul Seigneur, le seul Créateur, le seul Père, le seul qui contienne tout et donne l'être à tout »[2] (1, 1).

---

1. Ce faisant, Irénée ne « simplifie » pas, « pour les besoins de la cause », comme on l'a dit quelquefois, mais il témoigne seulement de la lucidité de son regard. D'une manière analogue, un vrai chef militaire sait déceler le centre de résistance de l'armée adverse afin de diriger sur ce point l'essentiel de son attaque.

2. Ce n'est pas la première fois qu'Irénée énonce cette vérité fondamentale de la foi, car il l'a formulée déjà avec toute la netteté

1. Monde prétendument extérieur au Plérôme ou au premier Dieu (1)

La première thèse hérétique qu'Irénée entreprend de réfuter est celle qui établit une coupure absolue entre la divinité et le monde, la divinité étant comme localisée dans un domaine qui est le sien et notre monde étant situé hors de ce domaine. Cette position est celle des Ptoléméens : on a vu comment, d'après eux, l'Enthymésis de l'Éon Sagesse, avec la passion qui lui était inhérente, fut projetée hors du Plérôme, dans les lieux du vide et de l'ombre, pour y être à l'origine de notre monde (cf. I, 2, 5 ; 4, 1...). Cette position est aussi, en substance, celle de Marcion : le Dieu bon et le Dieu Créateur ont chacun leur domaine propre et, lorsque Jésus, l'envoyé du Père, vint dans notre monde, il fit irruption dans un domaine qui lui était étranger. On reconnaît là la thèse fondamentale de toutes les gnoses : la pureté même de Dieu lui interdit d'avoir un rapport quelconque avec un monde de matière, et il ne peut que refouler hors de lui-même et de sa sphère propre un monde dont le contact le souillerait.

La réponse d'Irénée est aussi simple que décisive. Dieu est, par définition, le Plérôme de toutes choses, Celui qui contient tout dans son immensité sans être contenu par quoi que ce soit. Si donc il existe une réalité quelconque qui soit hors de Dieu, il n'est plus le Plérôme de toutes choses ; bien plus, il est contenu, limité et enfermé par ce dehors, qui, de ce fait même, se trouve être plus grand que lui [1, 2].

Rien ne sert d'imaginer une « immense distance » entre le Plérôme et ce qui est en dehors de lui : il y aura alors

desirable en I, 10, 1 et, d'une manière plus développée, en I, 22, 1. Sur le lien qui unit ces deux sections du Livre I, voir *SC* 263, p. 131 et suiv.

une troisième réalité qui contiendra en elle et le Plérôme et ce prétendu dehors. Et même, il faudra aller à l'infini dans la série des contenus et des contenants [1, 3].

Ce qui vaut contre le Plérôme des Valentiniens, note Irénée, vaut également contre le premier Dieu de Marcion [1, 4].

Dilemme inexorable, donc : — ou, conformément à l'enseignement de la foi, on confessera un seul Dieu qui contient toutes choses et a fait toutes choses dans son propre domaine, librement et comme il l'a voulu, — ou l'on se verra contraint d'admettre une multitude illimitée de Dieux enfermés chacun dans son domaine et se limitant les uns les autres, de telle sorte que plus aucun d'entre eux ne soit véritablement Dieu[1] [1, 5].

On aura noté le caractère particulièrement percutant de cette première argumentation. Les hérétiques croient grandir Dieu en le reléguant dans une sphère sans rapport avec l'impureté de notre monde de matière. En réalité, dit Irénée, ils n'aboutissent qu'à faire de ce Dieu un être limité et, par là même, un Dieu qui n'en est pas un : ils versent dans la « négation de Dieu » (ἀθεότης).

2. Monde prétendument fait par des Anges ou par un Démiurge (2)

Voici une seconde thèse hérétique, complémentaire de la première : notre monde n'a pas été fait par le Dieu

---

1. Première apparition de ce dilemme qui, sous des formulations plus ou moins différentes, reviendra encore plusieurs fois dans la suite du Livre II (cf. 7, 5 ; 10, 2 ; 10, 4...), mais qui, à l'état implicite, constitue comme la toile de fond de tout le Livre : — ou adhérer à un mystère qui dépasse notre raison, mais ne lui est en rien contraire, à savoir que Dieu a créé de rien toutes choses par un acte de sa volonté toute-puissante, — ou accorder foi à une fable grotesque, pleine d'incohérences, inacceptable pour quiconque réfléchit un instant.

suprême, mais par un ou plusieurs êtres inférieurs à lui. Cette production du monde est attribuée, ainsi qu'on l'a vu au Livre I, tantôt à des Anges (Simon le Magicien, Ménandre, Saturnin, Basilide, Carpocrate), tantôt à une Puissance considérablement éloignée du Dieu suprême (Cérinthe), tantôt à un Dieu Créateur inférieur au Père (Marcion), tantôt à un Protarchonte (Barbéliotes), tantôt encore à un Démiurge (Valentin, Ptolémée, Marcosiens). Sans s'arrêter à toutes ces variations, secondaires à ses yeux, Irénée entend réfuter ici tous ceux qui, de quelque façon que ce soit, refusent d'attribuer au seul vrai Dieu la production de notre monde : celui-ci aurait été fait par d'autres que lui et en dehors de toute volonté de sa part.

La réponse d'Irénée tient dans une argumentation comportant les étapes suivantes :

1. Si les Anges ou le Démiurge ont fait le monde sans la volonté du Dieu suprême, de deux choses l'une : — ou ils l'ont fait dans le domaine de ce Dieu, et alors il faut accuser celui-ci d'impuissance ou d'insouciance ; — ou ils l'ont fait hors du domaine de ce Dieu, et alors on retombe dans les contradictions soulignées au chapitre précédent [2, 1-2].

2. Si donc ce sont des Anges ou un Démiurge qui ont fait le monde, il est impossible qu'ils l'aient fait sans la volonté du Dieu suprême : ils n'ont pu le faire qu'au su de celui-ci et en conformité avec sa volonté. Mais, dans ce cas, ils sont les instruments par lesquels le Dieu suprême a lui-même produit le monde : c'est, en effet, ce Dieu qui est le véritable Auteur du monde, s'il est vrai que lui-même a préparé les causes productrices de celui-ci. Ainsi, même au cas où le monde aurait été fait par des Anges ou par un Démiurge, il faudrait déjà reconnaître que le seul véritable Auteur en serait le Dieu suprême [2, 3].

3. En fait, cependant, il ne saurait être question de

reconnaître à des Anges ou à un Démiurge un rôle quelconque, même simplement instrumental, dans la production de l'univers : un Dieu qui aurait besoin d'instruments
distincts de lui pour agir ne serait rien de plus qu'un
homme. Dieu n'a nul besoin d'instruments pour produire
quoi que ce soit : lui-même a prédéterminé en lui-même
toutes choses et les a réalisées, quand il a voulu et comme
il a voulu, par son seul Verbe. Et c'est bien ce qu'attestent
les Évangiles (*Jn* 1, 3) et les prophètes (*Gen.* 1, 3 ; *Ps.* 32,
9) : Dieu a fait toutes choses, y compris notre monde de
matière, par la seule puissance de son Verbe. Et ce Dieu
Créateur n'est autre que le Père de notre Seigneur Jésus-
Christ, le seul Dieu (*Éphés.* 4, 6). On reconnaît, dans ces
quelques témoignages, le trinôme en lequel se récapitulent
toutes les Écritures aux yeux d'Irénée : prophètes, Seigneur,
apôtres [2, 4-6].

Il est à peine besoin de souligner l'importance unique
de ces deux premiers chapitres du Livre II : Irénée y a
montré que le monde ne peut avoir été fait ailleurs que
dans le domaine du Dieu qui est au-dessus de toutes
choses (chap. 1) et par nul autre que par ce Dieu lui-même
(chap. 2). À la rigueur, Irénée aurait pu arrêter là sa
réfutation, car la thèse qui est à la base de tous les systèmes
hérétiques est renversée et ces systèmes ne peuvent plus,
dès lors, que s'écrouler d'eux-mêmes. Cependant, pour
mieux faire ressortir toutes les absurdités et invraisemblances dont fourmille la doctrine gnostique, Irénée va
revenir sur trois thèmes plus spécifiquement valentiniens :
celui du « vide » en lequel aurait été produit le monde ;
celui de l'« ignorance » d'où le monde serait issu ; celui,
enfin, de l'« image » des réalités du Plérôme selon laquelle
le monde aurait été fait[1].

---

1. Il nous est impossible de suivre A. BENOÎT dans sa division
et son analyse des huit premiers chapitres du Livre II. « ... C'est
ainsi », écrit-il notamment, « que, dans les chapitres 1-4, 1, on trouve

3. Un « vide » dans lequel aurait été fait le monde (3-4, 1)

Le « vide » en question est le lieu en lequel, d'après la Grande Notice du Livre I, « bouillonna » Achamoth, lorsque, à l'état d'avorton informe, elle eut été jetée hors du Plérôme (cf. I, 4, 1-2) ; ce lieu est aussi celui en lequel fut fait, par la suite, notre univers.

Pour montrer l'inanité d'une telle conception, Irénée commence par reprendre à grands traits les argumentations précédentes. Si ce « vide » est hors du Plérôme, dit-il en substance, il englobe le Plérôme et se trouve être plus grand que lui. Il ne peut donc se trouver qu'à l'intérieur du Plérôme, le Dieu suprême l'ayant délibérément laissé tel quel. Mais alors, de deux choses l'une : — ou ce Dieu ignorait ce qu'un autre que lui devait y créer un jour, et il n'est plus Dieu ; — ou ce Dieu savait ce qui devait y être créé, et, en ce cas, c'est nécessairement lui-même qui l'y a créé, après l'avoir préformé de la sorte en lui-même [3, 1].

Irénée insiste alors sur l'absolue correspondance existant nécessairement entre ce que Dieu conçoit au-dedans de lui-même et ce qu'il réalise : il est impossible que les choses ne soient pas telles exactement que Dieu les conçoit et les veut. Il en résulte que : — si Dieu avait conçu un monde spirituel, totalement exempt des servitudes et des imperfections inhérentes à la matière, le monde serait tel que Dieu l'aurait conçu ; — mais si, en fait, le monde est

la réfutation de la doctrine du Plérôme séparé de la création et, dans les chapitres 4, 2 à 8, 3, la réfutation de la doctrine du Plérôme compris comme contenant la création » (*Saint Irénée, Introduction à l'étude de sa théologie*, Paris, 1960, p. 163-164). L'auteur, il est vrai, ne peut s'empêcher d'ajouter que « le passage du premier thème au second n'est pas très nettement indiqué » (*ibid.*, p. 164). En fait, une simple lecture du texte suffit à montrer que telle ne peut absolument pas être la structure de cet ensemble.

composé, changeant et constitué d'êtres éphémères, c'est
qu'il a été conçu tel par Dieu, et, dès là qu'il est l'œuvre
de Dieu, il serait blasphématoire de le taxer de « fruit
de déchéance » ou de « produit d'ignorance », comme le
font les hérétiques. Il faudra, certes, chercher à savoir
pourquoi Dieu a créé le monde tel qu'il l'a créé, mais on
se gardera d'attribuer cette création à un autre qu'à Dieu
sous prétexte que le monde est imparfait[1] [3, 2 - 4, 1 a].

Revenant, pour finir, au « vide » imaginé par les
Valentiniens, Irénée ne peut s'empêcher d'exercer contre
lui sa verve en y allant d'un nouveau dilemme. D'où
viendrait-il, ce prétendu « vide » ? De deux choses l'une :
— ou il a été émis par le Père : il est alors semblable au
Père et frère des Éons, lesquels, tous tant qu'ils sont,
sont vides ; — ou il n'a pas été émis : il existe alors par
lui-même et est l'égal de l'Abîme, Dieu comme lui [4, 1 b].

4. Une « ignorance » d'où serait issu le monde (4, 2 - 6, 3)

Irénée s'attaque ensuite à la thèse de certains hérétiques
selon laquelle, l'intérieur du Plérôme n'étant autre chose
que la « gnose », un « dehors » de ce Plérôme serait à
concevoir moins comme un lieu proprement dit que
comme un état d'« ignorance ». Au sein même du Plérôme
aurait donc surgi une « ignorance » — entraînant passion
et déchéance — et cette « ignorance » serait à l'origine
de notre monde de matière, lequel serait au-dedans du
Plérôme « à la manière du centre dans un cercle ou d'une
tache sur un vêtement ».

Irénée va dénoncer les multiples incohérences d'une
telle conception. Nous pouvons distinguer, dans son
réquisitoire, les griefs suivants :

1. « Il faudra donc chercher la cause d'une telle ' économie '
de Dieu... », dit Irénée (II, 4, 1). Sur cette « économie », cf. *infra*,
p. 213, *note justif. P. 45, n. 2.*

a) *Un Père négligent* (4, 2).

Si une ignorance a pu surgir au sein du Plérôme avec toutes les conséquences funestes qu'elle a entraînées, de deux choses l'une : — ou le Père n'a pu empêcher cette ignorance de se produire au commencement, et, en ce cas, on ne voit pas comment il aurait pu y remédier par la suite ; — ou ce Père y remédie effectivement, comme l'affirment les hérétiques, en appelant maintenant les hommes à la « perfection », c'est-à-dire à la connaissance de lui-même ; mais, en ce cas, n'était-il pas tenu de couper court, dès le commencement, à l'ignorance, en accordant la connaissance de lui-même au Démiurge ou aux Anges par qui seraient créés les hommes, en sorte que ceux-ci fussent créés « parfaits » par des êtres « parfaits » ?

b) *Une Lumière impuissante* (4, 3 - 5, 1 a).

De la thèse hérétique relative à l'« ignorance », Irénée rapproche celle relative à l'« ombre » en laquelle fut abandonnée Achamoth (cf. I, 4, 1) et créé ensuite notre monde : à la « lumière » de la gnose s'oppose en effet tout naturellement l'« ombre » de l'ignorance.

Comment, demande Irénée, une ombre a-t-elle pu se produire à l'intérieur d'un Plérôme de lumière ? Il serait absurde de dire que la lumière du Père aurait été incapable d'illuminer tout ce qui se trouvait dans le domaine du Père. C'est d'autant plus absurde qu'est plus vaste le lieu qu'occupe notre monde. De deux choses l'une, donc : — ou notre monde est lumineux, puisqu'il est dans le domaine du Père, — ou la lumière du Père est impuissante et n'est elle-même, en fin de compte, que ténèbres[1].

---

1. On voit la tactique d'Irénée : acculer les hérétiques, — soit à reconnaître la bonté de notre monde, ce dont ils ne veulent à aucun prix, — soit à envelopper leur prétendu Père lui-même dans la condamnation dont ils frappent le monde.

c) *Des Éons dans l'ignorance* (5, 1 b-2).

Revenant au thème de l'«ignorance» proprement dite, Irénée découvre une nouvelle contradiction dans cette composante du système valentinien. La Grande Notice rapporte en effet qu'Achamoth, après son expulsion du Plérôme, bénéficia d'une double formation : formation selon la substance par le Christ étendu sur la Croix-Limite, formation selon la gnose par le Sauveur sorti du Plérôme avec ses Anges (cf. I, 4, 1 ; 4, 5).

Mais, rétorque Irénée, s'il faut identifier le dedans du Plérôme à la gnose et le dehors de ce même Plérôme à l'ignorance, il en résulte tout d'abord que le Christ fut une cause d'ignorance pour Achamoth lorsqu'il la repoussa hors du Plérôme après l'avoir formée selon la substance. Plus grave encore, lorsque le Sauveur sortit du Plérôme pour conférer à Achamoth une prétendue formation selon la gnose, il se trouva par là-même hors de la gnose, donc dans l'ignorance ; et déjà le Christ lui-même, lorsqu'il s'étendit sur la Croix-Limite pour former Achamoth selon la substance, cessa de quelque manière de se trouver dans le Plérôme et fut, lui aussi, de ce fait, dans l'ignorance.

d) *Un Dieu esclave de la nécessité* (5, 3-4).

De la considération de l'«ignorance», Irénée passe à celle de ses suites, c'est-à-dire du monde de déchéance et et d'erreur issu de cette ignorance. Une fois de plus, il pose la question fondamentale : comment, dans le domaine du Père et au sein d'un Plérôme de perfection et de vérité, des Anges ou un Démiurge ont-ils pu faire un monde de déchéance et d'erreur ? Pour montrer le caractère intenable de la position hérétique, Irénée envisage toutes les hypothèses possibles : 1. les Anges ou le Démiurge ont-ils œuvré avec la permission et la pleine approbation du Père, c'est alors le Père qui est la vraie cause productrice du monde de déchéance et d'erreur, même si ces Anges ou ce Démiurge se sont imaginé le créer eux-mêmes ; 2. ont-ils œuvré sans la permission ni l'approbation du Père, ils sont alors capables de tenir sa volonté en échec et sont donc plus puissants que lui ; 3. ont-ils œuvré avec la permission du Père, mais une permission que celui-ci leur aurait octroyée contre son gré, comme certains le prétendent pour tenter d'échapper aux absurdités précédentes : en ce cas le Père aurait été esclave d'une nécessité, à la manière du Zeus d'Homère qui céda contre son gré sa chère ville de Troie à la vindicte d'Héra pour obéir aux arrêts du Destin.

e) *Une ignorance chez les Anges ou chez le Démiurge* (6, 1-3).

Pour produire un monde de déchéance et d'erreur, il fallait que les Anges ou le Démiurge fussent dans l'ignorance. Mais, demande Irénée, comment auraient-ils pu ignorer le Dieu suprême, alors qu'ils se trouvaient dans son domaine et qu'ils étaient sa propre création ? C'est donc une fin de non-recevoir qu'Irénée oppose de la sorte à la thèse hérétique. Cependant, comme celle-ci contient une part de vérité qu'il importe de recueillir, Irénée formule ici une distinction d'immense portée qui reviendra maintes fois par la suite sous des expressions plus ou moins semblables : si la *grandeur* du vrai Dieu le situe à une infinie distance de ses créatures, sa *providence* le rend aussi infiniment proche des plus humbles d'entre elles ; dès lors, autant ce Dieu leur est nécessairement invisible du fait de sa grandeur, autant il est aussi nécessairement connu d'elles par la providence dont il les entoure. Et c'est bien ce qu'atteste l'Écriture elle-même : par le Verbe qui, en se révélant, révèle en lui le Père, tous les êtres doués d'intelligence connaissent le Père d'une connaissance qui, pour n'être pas une vision de son inaccessible gloire, n'en est pas moins la plus réelle des connaissances[1]. Comment,

1. En IV, 6, 3-7, Irénée développera ce thème de l'universalité

dès lors, des Anges ou un Démiurge auraient-ils pu ignorer
le Dieu qui est au-dessus de toutes choses, comme le
prétendent les hérétiques [6, 1] ?

Même les démons, ajoute Irénée, et même les animaux
sans raison tremblent et fuient lorsque est invoqué contre
eux le nom de Dieu : preuve que, à leur manière, ils
connaissent eux aussi sa puissance et sa souveraineté,
de la même manière que tous les habitants de l'empire
romain connaissent, pour en éprouver les effets, l'autorité
d'un empereur qu'ils n'ont jamais vu. Ainsi, en taxant
d'ignorance le Démiurge, en qui ils reconnaissent leur
Auteur et l'Auteur de notre monde, les Valentiniens
le ravalent au-dessous des animaux sans raison [6, 2-3].

5. Des « images » des réalités du Plérôme (7, 1 - 8, 2)

Selon un procédé fréquent chez Irénée, les dernières
lignes de II, 6, 3 ont conclu la section précédente et
introduit le thème de la nouvelle section : si grande était
l'ignorance du Démiurge, y rappelle Irénée, qu'il ignorait
jusqu'aux choses qu'il produisait, car il était mû d'en haut
à son insu de telle sorte que ces choses fussent les « images »
des réalités du Plérôme. Il s'agit là d'une pièce essentielle
du système valentinien (cf. I, 5, 1 ; 5, 3...), car c'est sur
cette prétendue correspondance entre les réalités du
Plérôme et celles de l'univers du Démiurge que s'appuyaient
les Valentiniens pour en déduire toutes sortes de conclusions
touchant la constitution du Plérôme ou les événements
survenus en son sein. Irénée va montrer le caractère
fantaisiste d'une telle conception : il existe des correspon-

de la connaissance du Père : certes, y dira-t-il en substance, nul ne
peut connaître le Père sinon par la révélation du Fils, mais cette
révélation est offerte à tous les hommes, car déjà le Verbe leur
révèle le Père par la création, avant même de leur parler par les
prophètes et de se faire voir d'eux par son incarnation.

dances, certes, mais seulement à l'intérieur de notre
univers créé ; quant à l'affirmation selon laquelle il
existerait, au-dessus de celui-ci et de son Auteur, un
Plérôme d'Éons dont notre monde serait le reflet, elle se
heurte à toutes sortes d'invraisemblances et de contradictions.

a) *Un monde voué à l'anéantissement* (7, 1-2 a).

Le Sauveur, disent les Valentiniens, a honoré le Plérôme
en produisant, par l'entremise d'Achamoth, ces images
des réalités d'en haut que sont les choses de notre monde.

Comment, rétorque Irénée, des êtres que les hérétiques
vouent à l'anéantissement peuvent-ils constituer un
honneur pour un Plérôme qu'ils affirment incorruptible ?
Loin d'honorer le Plérôme par de tels êtres, le Sauveur
ne l'a-t-il pas bien plutôt outragé ? On a vu en effet que,
pour les Valentiniens, la matière, qui est mauvaise par
nature, est vouée à disparaître dans l'embrasement final
et, avec elle, toute la portion de la substance psychique
qui se sera librement rendue semblable à cette matière
(cf. I, 7, 1 ; 7, 5). Ainsi les hérétiques voudraient que
glorifie leur divinité un univers mauvais qui ne leur
inspire que mépris et dégoût et dont ils attendent l'anéantissement : on voit la contradiction.

On notera l'accent d'indignation qui marque tout le
présent passage. Irénée ne peut supporter que soit ainsi
vilipendée l'œuvre de Dieu. Pour Irénée, l'univers chante
en toute vérité la gloire du Créateur, car cet univers est
bon et, comme tel, est destiné à durer à jamais ; seule
passera, quand le moment sera venu, la « figure » imparfaite
qui est présentement la sienne, pour faire place à une
figure nouvelle, parfaite et définitive. Ces précisions,
Irénée ne les donnera que par la suite (cf. IV, 3, 1 ; IV,
4, 3 ; V, 36, 1...), mais il convient de les avoir déjà présentes
à l'esprit pour saisir toute la portée de la présente argumentation.

b) *Un Démiurge ignorant* (7, 2 b).

D'après les Valentiniens, le Sauveur, œuvrant par l'entremise d'Achamoth, n'aurait pas seulement fait notre monde à l'image du Plérôme, ainsi qu'on vient de le voir, mais il aurait préalablement fait de l'Auteur de notre monde ou Démiurge l'image plus particulière du Monogène ou Intellect (cf. I, 5, 1).

Irénée enferme ici ses adversaires dans un réseau de dilemmes : en effet, si l'on ne veut pas faire du Sauveur un mauvais artisan, il faut admettre que l'image en question est vraiment ressemblante ; mais, en ce cas, de deux choses l'une : — ou la connaissance qui existe dans le Monogène se retrouvera chez celui qui a été fait à sa ressemblance ; — ou l'ignorance, voire la stupidité, que les Valentiniens attribuent au Démiurge se retrouvera chez celui à la ressemblance de qui il a été fait.

c) *Des créatures multiples et diverses* (7, 3-4).

Revenant à notre univers, Irénée montre que les êtres qui le constituent ne peuvent être les images du Plérôme des hérétiques.

Il y a d'abord la multitude de ces êtres et de leurs espèces : comment seraient-ils les images d'un Plérôme ne comptant que trente Éons ? Il y a ensuite la diversité des êtres créés, voire leurs oppositions — que l'on songe, notamment, à l'opposition que les hérétiques prétendent établir entre ceux des hommes qui sont bons par nature et ceux qui sont mauvais par nature — : comment ces êtres seraient-ils les images d'Éons de même nature, parfaitement égaux et semblables ? Il y a encore le feu éternel de l'enfer : duquel des Éons serait-il donc l'image ? demande sarcastiquement Irénée.

Rien ne servirait de dire que le Plérôme contient aussi une multitude d'Anges, dont les êtres d'ici-bas seraient les images, car il faudrait pouvoir retrouver chez eux la diversité et les oppositions qu'on observe dans leurs prétendues images. Au reste, s'il existait des images des Anges du Plérôme, elles ne pourraient être que les Anges entourant le Créateur.

d) *Un Plérôme lui-même à l'image de réalités supérieures* (7, 5).

Nouvelle absurdité de la conception hérétique : si l'Auteur de notre monde, au lieu de concevoir de lui-même les idées des êtres qu'il faisait, n'a pu que copier des modèles situés au-dessus de lui, de quel droit affirmer que le prétendu Dieu des hérétiques en ait agi autrement ? Lui aussi a dû recevoir d'un Dieu encore plus élevé le modèle des réalités du Plérôme, et l'on n'a aucune raison de s'arrêter dans la série indéfiniment ascendante des images et des modèles.

Nous retrouvons la conclusion qu'Irénée formulait déjà sous la forme d'un dilemme en II, 1, 5 : — ou, conformément à l'enseignement de la foi, un seul Dieu qui a tiré de lui-même le modèle de tout ce qui existe, — ou une série infinie de Dieux qui n'en sont pas, puisque chacun a au-dessus de soi un Dieu plus élevé auquel il emprunte le modèle des choses qu'il produit.

e) *Choses de ce monde contraires aux réalités du Plérôme* (7, 6-7).

Nouvelle contradiction de la thèse hérétique : comment des réalités possédant des propriétés contraires pourraient-elles être les images les unes des autres ? Comment un monde de ténèbres et d'obscurité — car c'est bien ainsi que les hérétiques conçoivent notre monde — pourrait-il être l'image d'un monde de lumière ? Comment des êtres éphémères pourraient-ils être les images d'Éons incorruptibles ? Et comment des êtres emprisonnés dans des contours et des figures pourraient-ils être les images d'êtres spirituels qui, comme tels, n'ont rien à voir avec

quelque contour ou figure que ce soit ? Si les choses de
notre monde sont véritablement les images des réalités
du Plérôme, il faut que celles-ci soient, elles aussi, encloses
dans des contours, vouées à disparaître et plongées dans
les ténèbres.

f) *Des « ombres » des réalités d'en haut* (8, 1-2).

Pour résoudre cette difficulté, on pourra être tenté
de voir dans les choses de ce monde les « ombres » de celles
d'en haut (cf. I, 4, 1) : ainsi, tout en ayant des propriétés
contraires, seront-elles leurs images.

Mais ce n'est là qu'imagination gratuite. Pour faire de
l'ombre, il faudrait que les Éons du Plérôme fussent des
corps. Et, au cas où les êtres d'ici-bas seraient réellement
les ombres des Éons, il faudrait que ces ombres durent
comme eux éternellement ou que, à l'inverse, ils dispa-
raissent en même temps que leurs ombres.

6. Conclusion (8, 3 - 11, 2)

La première partie du Livre se termine par une conclusion de quelque ampleur, en laquelle Irénée met en
parallèle l'inébranlable solidité de la foi au seul Dieu
Créateur de toutes choses et l'inconsistance des rêveries
gnostiques.

a) *Résumé de la première partie* (8, 3).

Mais, avant cela, Irénée tient à rappeler l'essentiel
des résultats acquis grâce aux argumentations précédentes.
Cet essentiel tient, en fin de compte, dans les deux propositions suivantes : 1º il ne peut exister, hors du domaine
du Dieu suprême, un lieu en lequel aurait été fait notre
monde, car, en ce cas, le prétendu Dieu en question serait
limité et contenu par ce qui lui serait extérieur ; 2º ayant
été fait dans le propre domaine du Père, l'univers des

créatures ne peut être l'œuvre de personne d'autre que du Père lui-même appelant librement à l'existence l'universalité des êtres.

Ainsi se trouve ruiné par la base tout l'édifice hérétique, puisque celui-ci repose tout entier sur la distinction entre un Démiurge subalterne et borné, auteur de la création, et un Père transcendant, sans rapport avec le monde des créatures.

b) *Témoignage unanime en faveur du Dieu Créateur* (9, 1).

Tous les hommes reconnaissent un Dieu Auteur du monde, constate Irénée, à commencer par les hérétiques eux-mêmes qui, lors même qu'ils le ravalent au rang de Démiurge ignorant, ne laissent pas de le confesser encore à leur manière. Ce témoignage est corroboré par la tradition qui enseigne l'existence d'un seul Dieu Créateur de toutes choses : tradition reçue des origines par les patriarches, rappelée sans cesse par les prophètes, confirmée par le Christ et transmise par les apôtres à l'Église. Il n'est pas jusqu'aux païens eux-mêmes, ajoute Irénée, qui, du spectacle du monde, ne s'élèvent à la reconnaissance de son Auteur.

c) *Nul témoignage en faveur du « Père » des hérétiques* (9, 2 - 10, 2).

Face au témoignage unanime rendu au Dieu Créateur, de quel témoignage peut se prévaloir le Dieu des hérétiques? D'absolument aucun. Ce Dieu n'est qu'une invention de Simon le Magicien (cf. I, 23, 1-2), invention reprise et constamment amplifiée par ses successeurs qui sont, de la sorte, convaincus d'un double crime : blasphémer le Dieu qui est et inventer un Dieu qui n'est pas [9, 2].

Cependant les hérétiques ne peuvent se résigner à une telle absence de témoignage, et c'est pourquoi, tout en reconnaissant que les Écritures ne parlent nulle part clairement d'un « Père » situé au-dessus du Créateur, ils ne s'en efforcent pas moins de tirer de ces Écritures des textes plus ou moins ambigus — ce qu'Irénée appelle des « paraboles » — qui, moyennant une interprétation de leur cru, témoigneraient en faveur de leur prétendu Dieu transcendant. Anticipant les développements de la 3e partie du Livre, Irénée dénonce dès à présent le caractère arbitraire de ces interprétations hérétiques ; il ne nie pas l'existence de textes susceptibles d'être diversement interprétés, mais, dit-il, ces textes-là doivent être compris à la lumière des textes clairs et non ambigus. Plus concrètement : s'il arrive que divers textes de l'Écriture dépeignent la divinité sous des traits différents, voire de prime abord malaisément conciliables, on n'en conclura pas à l'existence de plusieurs Dieux — ce qui irait à l'encontre d'une vérité clairement attestée à travers toute l'Écriture —, mais on montrera comment, par des « économies » diverses s'échelonnant tout au long de l'histoire, un même Dieu Créateur peut acheminer, étape par étape, un unique genre humain vers le salut qu'il lui destine dès l'origine. Au lieu d'apporter, de cette manière, une solution aux difficultés que peuvent soulever les textes de l'Écriture, les hérétiques ne font qu'apporter une difficulté de surcroît — et insurmontable celle là — en affirmant qu'il existe, au-dessus du Dieu Créateur, un « Père » n'ayant nul rapport avec notre univers.

d) *Crédibilité de l'enseignement de la foi, absurdité de la thèse hérétique* (10, 3 - 11, 2).

Irénée achève cette ample conclusion en campant dans un vigoureux contraste la foi de l'Église et la fable des hérétiques. D'un côté, un Dieu manifestant l'infini de sa puissance en faisant surgir du pur néant, par un acte de sa volonté souverainement libre, l'universalité des êtres existants ; de l'autre, les pitoyables contorsions d'une Enthymésis en proie à des passions qui, en s'échappant

d'elle et en se solidifiant, deviendront la matière de notre
monde. D'un côté, le mystère pleinement admissible et
cohérent d'un Dieu qui nous dépasse à l'infini ; de l'autre,
une fable se réfutant d'elle-même par son inconsistance.

DEUXIÈME PARTIE

RÉFUTATION DES THÈSES VALENTINIENNES RELATIVES AUX ÉMISSIONS DES ÉONS, À LA PASSION DE SAGESSE ET À LA SEMENCE (12-19)

Dans la première partie, Irénée a concentré l'effort de
sa réfutation sur la thèse fondamentale commune à tous
les hérétiques auxquels il est affronté. Il a montré l'inanité
de leur prétention à s'élever au-dessus du Dieu Créateur
de toutes choses qui est l'objet premier de la foi de l'Église :
en délaissant cette foi sous prétexte de « gnose », les
hérétiques rejettent le seul vrai Dieu au bénéfice d'un pur
produit de leur imagination.

Irénée aurait pu en rester là, car l'hérésie est ruinée
dans son fondement. Toutefois, il ne juge pas inutile de
revenir sur quelques-unes des principales thèses hérétiques
pour les examiner de plus près et en faire ressortir les
multiples faiblesses et incohérences. Dans cette deuxième
partie, comme dans la première, Irénée se placera avant
tout en face des thèses valentiniennes, sauf à montrer,
lorsque l'occasion s'en présentera, que ses réfutations
atteignent aussi des thèses similaires relevant d'autres
systèmes.

La structure de cette deuxième partie se laisse découvrir
sans difficulté. La quasi-totalité de la réfutation porte
sur la manière dont les Valentiniens se représentent la

constitution de leur Plérôme et les émissions successives d'Éons. Après une première escarmouche relative au nombre des Éons (chap. 12), Irénée s'attaque au principe même des émissions, montrant que celles-ci ne sont que le fruit d'une conception grossièrement anthropomorphique de la divinité (chap. 13-14). Il montre l'impossibilité de donner la raison pour laquelle le Plérôme possède telle structure plutôt que n'importe quelle autre (chap. 15-16). Il montre enfin l'impossibilité d'expliquer la prétendue déchéance d'un des Éons, quelle que soit la manière dont on conçoive les émissions (chap. 17). Après cette critique approfondie des émissions, Irénée passe à la suite des thèses valentiniennes : il montre les multiples incohérences de la doctrine relative à la Sagesse, à son Enthymésis et à sa passion (chap. 18), puis de celle relative à la semence pneumatique issue d'Achamoth (chap. 19).

1. La Triacontade (12)

D'après les Valentiniens, le monde divin est constitué par un Plérôme de trente Éons. Et c'est pour révéler l'existence de cette Triacontade que, selon eux, le Seigneur serait venu au baptême du Jourdain à l'âge de trente ans (cf. I, 1, 3 ; 3, 1). Irénée n'a pas de peine à montrer que, tel que le présentent les hérétiques, ce Plérôme pèche à la fois par défaut et par excès.

a) *Défaut d'Éons* (12, 1-6).

Il ne convient pas de compter le Pro-Père, qui n'est pas émis, avec les autres Éons, qui sont émis. C'est d'autant moins admissible que l'un de ces derniers est tombé dans la passion et l'erreur. Le Pro-Père étant ainsi soustrait, il ne reste plus que vingt-neuf Éons [12, 1].

Il est également absurde de faire de la « Pensée » ou du « Silence » du Pro-Père une entité à part de celui-ci et

faisant nombre avec lui. Et de même pour tous les autres
Éons féminins : pas plus que la chaleur, qui est une
propriété du feu, ne peut exister séparément de ce feu
et faire nombre avec lui, les Éons féminins ne peuvent
exister à part des Éons masculins qui leur correspondent
et s'additionner à eux. Le Plérôme ne peut donc compter
que quinze Éons seulement. Mais Irénée n'en reste pas
à cette simple conclusion. L'occasion est trop belle de
souligner déjà l'invraisemblance de la passion prétendument éprouvée par l'Éon féminin Sagesse en dehors de
l'union avec son conjoint Thelètos. Il met donc les Valentiniens devant ce dilemme : ou professer que tous les couples
sont réellement inséparables et renoncer à expliquer
l'origine de notre monde par la passion et l'erreur du
dernier Éon, ou avouer que tous les couples sont susceptibles de connaître défection et séparation et introduire
ainsi la possibilité d'un désordre jusque chez le Pro-Père
et sa Pensée [12, 2-4].

Autre absurdité encore : si les Éons sont des entités
existant réellement chacune à part soi, comment peuvent
coexister, dans un même Plérôme, un Éon qui est Silence
et un autre qui est Parole ? De telles entités sont, par leur
nature même, exclusives l'une de l'autre et, de cette
manière encore, le nombre trente n'est pas atteint [12, 5-6].

b) *Excès d'Éons* (12, 7-8).

Mais, par ailleurs, si l'on fait le compte de toutes les
entités plérômatiques que les Valentiniens décorent du nom
d'Éons, on constate qu'aux trente Éons constituant le
Plérôme en son état premier d'intégrité sont venus
s'ajouter quatre nouveaux Éons émis à la suite du boulever-
sement survenu au sein de ce Plérôme : Limite, Christ,
Esprit Saint et le Sauveur. On ne peut donc plus parler
d'une Triacontade, et l'âge qu'avait le Seigneur au moment
de son baptême n'a plus rien à voir avec un tel Plérôme
d'Éons.

2. Le fait des émissions (13-14)

Après cette argumentation, qui ne concernait que le nombre des Éons et demeurait quelque peu périphérique, Irénée aborde l'examen des émissions elles-mêmes. Pages de grande portée, car, non content de faire ressortir les contradictions de la théorie hérétique, Irénée va en même temps dénoncer la source de ces contradictions, à savoir la conception anthropomorphique qu'ont de Dieu les hérétiques.

a) *Émission de l'Intellect et de la Vérité* (13, 1-7).

Irénée examine d'abord longuement la première des émissions, celle par laquelle le Pro-Père et sa Pensée ont émis l'Intellect et la Vérité (cf. I, 1, 1).

Il commence par montrer qu'une telle émission est doublement contradictoire, du fait que l'Intellect ne peut avoir été émis ni par la Pensée ni par le Pro-Père.

L'Intellect ne peut avoir été émis par la Pensée. En effet, si, au niveau de notre vie humaine, on peut dire que de l'intellect procède la pensée et toute l'activité de l'esprit, il serait absurde de renverser les choses et de prétendre que l'intellect procéderait de la pensée. C'est cette absurdité que commettent les hérétiques, lorsqu'ils prétendent que, dans leur Plérôme, l'Intellect aurait été émis par la Pensée [13, 1 a].

L'Intellect ne peut davantage avoir été émis par le Pro-Père. Ici, Irénée procède à une analyse détaillée de l'activité de l'intellect humain, montrant comment de celui-ci procède, à l'intérieur de lui-même, toute une série de mouvements d'amplitude croissante gravitant autour d'un objet donné : simple pensée surgissant d'abord dans l'esprit, puis s'emparant peu à peu de l'âme entière, puis s'approfondissant en réflexion, puis s'élargissant en une sorte de délibération de l'esprit avec lui-même, puis s'amplifiant encore et prenant les dimensions d'un véritable discours intérieur, lequel pourra enfin, suivant le commandement de l'intellect, être émis au-dehors sous la forme d'une parole proférée par les lèvres. Comme on le voit, il n'y a à être émis, à proprement parler, c'est-à-dire à être produit au-dehors de l'intellect à titre d'entité distincte, que le discours des lèvres ; tout ce qui prépare celui-ci demeure à l'intérieur de l'intellect et n'est pas autre chose, en fin de compte, que cet intellect en mouvement. Tout procède donc de l'intellect, tant au-dedans qu'au-dehors, mais l'intellect lui-même ne procède d'aucune entité qui lui serait antérieure. On voit par là l'absurdité de la thèse hérétique selon laquelle, dans le Plérôme divin, l'Intellect aurait été émis par le Pro-Père [13, 1 b-2].

Jusqu'ici, Irénée n'a fait que reprocher aux hérétiques de bouleverser l'ordre normal des émissions. Mais, poursuit-il, eussent-ils même respecté cet ordre qu'on devrait leur reprocher une chose infiniment plus grave, qui est de transporter telles quelles en Dieu des activités et des opérations propres à l'homme. L'homme est, en effet, composé d'un corps et d'une âme et, par là même, doué d'une multiplicité d'activités successives et toujours limitées : il pense tantôt à une chose, tantôt à une autre ; tantôt il parle, tantôt il se tait, etc. Par contre, Dieu est absolue simplicité : il est tout entier Intellect, tout entier Pensée, tout entier Parole, tout entier Lumière, tout entier Source de tous les biens. Mais c'est trop peu dire encore, poursuit Irénée : si nous sommes redevables à l'amour du Dieu Créateur de l'univers de pouvoir le nommer valablement à partir des perfections que nous découvrons dans ses créatures, nous devons nous souvenir sans cesse que ces perfections se vérifient en lui selon un mode infiniment supérieur, autrement dit que la grandeur de Dieu le situe infiniment au-dessus de notre petitesse[1]. On voit dès lors, peut conclure Irénée, à quel point il est aberrant de distinguer en Dieu un Pro-Père émettant l'Intellect et un Intellect émis par ce Pro-Père[2] [13, 3-4].

Suit une argumentation *ad hominem* en laquelle Irénée accule ses adversaires à ce dilemme : — ou bien l'émission de l'Intellect est une véritable émission par laquelle le Pro-Père produit hors de lui-même un être distinct de lui et possédant une existence autonome : en ce cas le Pro-Père est conçu comme composé et corporel et comme limité par ce dehors de lui-même en lequel il a émis son Intellect ; — ou bien l'Intellect a été émis au-dedans du Père et, pareillement, tous les autres Éons émis à sa suite : mais, en ce cas, outre qu'il ne s'agit plus d'émissions à proprement parler, il devient impossible d'expliquer comment l'ignorance et la passion ont pu s'introduire dans les Éons à mesure qu'on s'éloignait du Pro-Père, puisque, par hypothèse, tous se trouvent à l'intérieur du Pro-Père [13, 5-7].

b) *Émission du Logos et de la Vie* (13, 8-9).

Après avoir noté, en passant, que les argumentations précédentes valent également contre Basilide ainsi que contre les « Gnostiques », Irénée passe à l'examen de la deuxième émission, celle du Logos et de la Vie (cf. 1, 1, 1).

1. Nous retrouvons ainsi la distinction, déjà formulée plus haut par Irénée (cf. *supra*, p. 130), entre la *grandeur* de Dieu qui met celui-ci à une infinie distance de toute créature, quelque parfaite qu'elle puisse être, et l'*amour* de Dieu qui, en poussant celui-ci à se faire proche de nous, nous permet de le connaître d'une connaissance pleinement valable, quoique imparfaite.

2. En II, 13, 3, Irénée met bien en lumière la contradiction inhérente au système hérétique : les Valentiniens croiraient diminuer leur Dieu suprême en faisant de lui l'Auteur de la création, et ils le ravalent au niveau des êtres créés en le gratifiant d'activités et d'opérations tout humaines.

A propos du Logos, il concède ironiquement aux hérétiques qu'ils peuvent avoir un semblant de raison lorsqu'ils le font émettre par l'Intellect, car, au niveau de l'agir humain, c'est de l'intellect que procède la parole proférée au moyen des lèvres. Mais ce qui est vrai de l'homme, être composé, ne l'est pas de Dieu, qui est absolument simple : si l'intellect et la parole sont choses distinctes dans le cas de l'homme, Dieu, au contraire, est tout entier Intellect et tout entier Parole, comme il est tout entier toute perfection concevable. Si donc Intellect et Parole ne sont en Dieu qu'une seule et même chose, à savoir la Réalité divine elle-même, on voit, peut conclure Irénée, à quel point il est aberrant de concevoir l'Intellect divin comme émettant un Logos qui lui serait extérieur, sur le modèle de notre intellect produisant au-dehors une parole à l'aide des lèvres [13, 8].

En ce qui concerne la Vie, Irénée montre sans peine quel non-sens il y a à la faire apparaître dans le Plérôme en sixième lieu seulement en tant qu'attribut du Logos. Comme si la Vie n'appartenait pas déjà à l'Intellect, et avant tout au Pro-Père ! En fait, « Vie » est un des noms par lesquels nous désignons Dieu lui-même : Dieu est Vie, comme il est Vérité, Sagesse, Bonté et toute perfection [13, 9].

c) *Émission de l'Homme et de l'Église* (13, 10).

La troisième émission, par laquelle s'est complétée l'Ogdoade valentinienne, est celle de l'Homme et de l'Église, issus du Logos et de la Vie (cf. I, 1, 1).

Irénée se borne à remarquer que les « Gnostiques », auxquels les Valentiniens empruntèrent les principes de leur système (cf. I, 11, 1), avaient une conception autrement respectueuse des vraisemblances : sachant que la parole est émise par l'homme et non l'homme par la parole, ils avaient eu du moins le mérite de faire de l'Homme l'Éon primordial dont tout le reste était sorti (cf. I, 30, 1) [13, 10 a].

Telle est, peut conclure Irénée, la manière dont les Valentiniens tentent d'expliquer la constitution progressive de leur Ogdoade : ils partent des activités et opérations propres à l'homme et, en les transportant à l'intérieur de la divinité, ils croient pouvoir conférer quelque vraisemblance à cette première partie de leur théorie. Après quoi, sans plus se soucier d'une justification quelconque, ils pourront ajouter à cette Ogdoade une Décade et une Dodécade et compléter ainsi le Plérôme [13, 10 b].

d) *Parenthèse sur l'origine païenne des théories valentiniennes* (14, 1-7).

Irénée reviendra plus loin sur cette Décade et sur cette Dodécade, ainsi que sur l'émission des derniers Éons. Mais, sans plus attendre, il tient à ouvrir une parenthèse pour souligner la ressemblance qu'il perçoit entre la généalogie des Éons qu'on vient de voir et une burlesque généalogie des dieux imaginée par un poète comique. Continuant ensuite sur sa lancée, Irénée fait défiler tout un cortège de philosophes et de poètes païens, montrant comment tout ce qu'ils ont dit se retrouve, sous une forme ou sous une autre, chez les hérétiques. Tout ce développement, qui s'intercale entre la critique des premières émissions (13, 1-10) et celle des émissions subséquentes (14, 8-9), n'est qu'une longue parenthèse : à la suite d'un premier rapprochement plus immédiatement inspiré par la genèse de l'Ogdoade, Irénée regroupe, pour n'avoir plus à y revenir dans la suite, toute une série d'autres rapprochements entre la pensée ou la littérature païennes, d'une part, et divers aspects des théories hérétiques, d'autre part[1].

1. Dans cette section essentiellement polémique, on se gardera évidemment de tout prendre à la lettre : Irénée relève des similitudes

Le premier auteur païen évoqué par Irénée est donc un poète comique. Il semble qu'il s'agisse d'Aristophane en personne, qui, dans sa comédie *Les Oiseaux*, met dans la bouche de ceux-ci une théogonie de leur cru : on y voit, à partir de la Nuit et du Silence, apparaître d'abord le Chaos, puis Éros, puis la Lumière et les premiers dieux — à savoir les Oiseaux —, puis les seconds dieux — à savoir Zeus et tous les autres —, lesquels produisent le monde et l'homme. En grossissant quelque peu les traits, Irénée voit là une sorte de première esquisse de l'épopée valentinienne : l'Abîme et le Silence, l'Intellect, le Logos, les Éons du Plérôme et, pour finir, la « Mère » qui, par l'entremise du Démiurge, produit le monde et l'homme [14, 1].

La plupart des auteurs qui viennent ensuite sont des philosophes. Irénée porte sur eux un jugement dont on ne peut que reconnaître la lucidité : ils ont ignoré Dieu — entendons : le vrai Dieu, le Dieu qui a fait de rien toutes choses par sa Parole toute-puissante. Or, poursuit Irénée, leurs assertions se retrouvent, sous une forme ou sous une autre, chez les hérétiques. Ainsi l'eau, en laquelle Thalès de Milet voit le principe de toutes choses, correspond à l'Abîme des Valentiniens. Océan et Téthys, principe et mère des dieux selon Homère, deviennent, chez ces mêmes Valentiniens, l'Abîme et le Silence. De même qu'Anaximandre fait sortir des mondes innombrables d'un infini primordial, les Valentiniens posent l'Abîme comme principe des Éons. Anaxagore, par sa théorie relative

de doctrines ou de formules — non sans grossissements ni simplifications, comme il est naturel dans ce genre de développements —, mais, lorsqu'il dit, par exemple, que les Valentiniens n'ont fait que reprendre telles quelles des théories de philosophes ou de poètes, sauf à introduire quelques changements de pure forme (cf. II, 14, 1), il est clair qu'il n'entend pas pour autant affirmer des filiations historiques.

aux semences tombées du ciel, a anticipé la thèse valentinienne relative à la semence d'Achamoth [14, 2].

C'est à Démocrite et à Épicure que les Valentiniens ont
emprunté leur conception d'un vide extérieur au Plérôme.
D'autre part, Démocrite et Platon, par leurs théories
relatives aux formes et aux idées, ont fourni aux Valentiniens leur conception d'un monde de matière fait à
l'image des réalités du Plérôme [14, 3].

La conception valentinienne d'un Démiurge tirant le
monde d'une matière préexistante se trouve déjà chez
Anaxagore, Empédocle et Platon. Lorsque les Valentiniens
affirment que tout être — pneumatique, psychique ou
hylique — fait nécessairement retour à la substance
correspondant à sa nature, ils font écho aux thèses
stoïciennes [14, 4].

La conception valentinienne d'un Sauveur issu de l'apport
commun des Éons rappelle la Pandore du poète Hésiode.
Lorsque les hérétiques prétendent que les actions sont
indifférentes, rien ne pouvant souiller l'élément pneumatique qu'ils ont en eux, ils ne font que reprendre les thèses
des philosophes cyniques. Et, par la subtilité dont ils font
preuve, ils se montrent les vrais disciples d'Aristote [14, 5].

Enfin, lorsque Marc le Magicien spécule à perte de vue
sur les nombres, il ne fait rien de neuf, car, bien avant lui,
les Pythagoriciens avaient déjà tenté de tout expliquer
par les nombres et leurs diverses combinaisons [14, 6].

En guise de conclusion à cet aperçu sur les philosophes
et poètes païens, Irénée accule les Valentiniens à un
dilemme : — ou bien ces païens ont connu la vérité : en
ce cas, la descente d'un Sauveur, qu'affirment pourtant
les Valentiniens, est sans objet ; — ou bien ces païens
n'ont pas connu la vérité : en ce cas, par là même qu'ils
ne font que reprendre à leur compte les théories de ces
païens, les Valentiniens avouent qu'ils sont étrangers
à la vérité [14, 7].

e) *Émission de la Décade et de la Dodécade et émissions ultérieures* (14, 8-9).

Fermant la parenthèse relative aux opinions des philosophes et des poètes, Irénée revient à sa critique des émissions au point où il l'a laissée en 13, 10.

Jusqu'ici, fait-il observer, c'est-à-dire aussi longtemps qu'il s'est agi des huit premiers Éons du Plérôme, les Valentiniens ont eu le souci d'apporter un semblant de justification à leurs affirmations, recourant à cette fin à l'analogie des activités et opérations propres à l'homme. Mais, une fois qu'ils ont réussi par là à faire admettre cette première partie de leur théorie, sans plus une ombre de justification, ils contraignent leurs adeptes à admettre une Décade, puis encore une Dodécade d'Éons dont ils prétendent connaître même les noms [14, 8].

Ce n'est pas tout. Toujours sans le moindre souci de justification, ils prétendent faire admettre que le dernier de ces Éons serait tombé dans la passion et la déchéance — déchéance dont serait issu l'Auteur de notre monde — et que, à la suite du trouble qui aurait ainsi affecté tout le Plérôme, d'autres Éons encore auraient été émis, parmi lesquels le Christ et le Sauveur [14, 9].

3. La structure du Plérôme (15-16)

Irénée vient de montrer l'inanité de la conception même que les hérétiques se font des émissions et l'impossibilité de telles émissions au-dedans d'un Dieu qui est absolue simplicité : lorsque les Valentiniens se représentent le Plérôme divin comme une hiérarchie d'Éons sortant successivement les uns des autres, ils projettent indûment en Dieu — et, de surcroît, de la façon la plus incohérente — des processus et des opérations qui n'ont cours que dans cet être composé de parties qu'est l'homme.

a) *La question: pourquoi une telle structure?* (15, 1-2).

Mais Irénée entend passer à une nouvelle critique de
la conception valentinienne. D'où cette question qu'il
adresse à ses adversaires : à supposer que le Plérôme soit
tel qu'ils le prétendent — Triacontade se décomposant
en Ogdoade, Décade et Dodécade —, pourquoi a-t-il été
constitué de cette manière-là plutôt que de mille autres
manières possibles?

On ne peut évidemment répondre à cette question,
poursuit Irénée, en faisant appel aux réalités de notre
monde, par exemple en disant qu'il y a trente Éons dans
le Plérôme parce qu'il y a trente jours dans le mois. En
effet, de l'aveu même des Valentiniens, c'est l'inverse
qui est vrai : c'est parce qu'il y a trente Éons dans le
Plérôme qu'il y a trente jours dans le mois. Autrement dit,
les réalités d'ici-bas sont à l'image des réalités du Plérôme,
mais ces dernières ne sont pas à l'image des réalités d'ici-
bas. Dès lors, la question d'Irénée revêt toute son urgence :
quelle est la cause — non postérieure au Plérôme, mais
forcément antérieure à celui-ci — pour laquelle le Plérôme
possède telle structure déterminée plutôt que telle autre?

b) *L'impossible réponse* (15, 3 - 16, 4).

Pour montrer ce qu'a d'intenable la position des
Valentiniens, Irénée les accule à une succession de dilemmes.

Les hérétiques pourraient être tentés de nier qu'il y
ait une cause pour laquelle le Père ait fait le Plérôme tel
qu'il l'a fait : mais cela reviendrait à dire qu'il a agi au
hasard et de façon déraisonnable et qu'il n'est donc pas
Dieu.

Ils sont donc contraints, bon gré mal gré, de rechercher
cette cause : mais alors, de deux choses l'une : — ou bien
ils diront que le Plérôme a été émis en vue de la création
à la manière dont une maquette est modelée en vue de
la statue dont elle dessine par avance les contours : en ce
cas, le Plérôme se voit subordonné à la création comme

à sa fin, ce qui est évidemment inacceptable ; — ou bien les hérétiques devront reconnaître que le Père a constitué son Plérôme sur le modèle d'une réalité antérieure et supérieure à lui : en ce cas, il n'y a nulle raison de ne pas rapporter cette dernière réalité à une réalité plus élevée encore, et ainsi de suite à l'infini.

Finalement, peut conclure Irénée, il faut choisir entre les deux conceptions suivantes : ou, conformément à la foi de l'Église, un seul Dieu Créateur qui n'a puisé nulle part ailleurs qu'en lui-même le modèle de l'universalité des êtres existants, ou, si l'on prétend subordonner ce Dieu Créateur à quelque chose de plus élevé, une escalade sans fin vers des modèles toujours plus lointains et vers des « Dieux » toujours plus inaccessibles[1] [15, 3 - 16, 1].

Irénée montre alors comment cette dernière éventualité s'est effectivement vérifiée dans le cas de Basilide, qui crut mieux sauvegarder la transcendance de Dieu en imaginant au-dessus de notre monde 365 Cieux dérivés successivement les uns des autres et en situant au-dessus d'eux le Dieu suprême. Mais, rétorque Irénée, il n'y a aucune raison de s'arrêter au nombre 365 plutôt qu'à n'importe quel autre nombre, si élevé qu'il puisse être. Dès lors, encore une fois, il n'y a pas d'autre alternative : ou reconnaître tout de suite un unique Dieu Créateur qui n'a tiré que de lui-même le modèle de toutes choses, ou être entraîné dans une course sans fin vers un prétendu Dieu qui ne cesse de reculer à mesure qu'on croit s'avancer vers lui [16, 2-4].

1. Conclusion déjà formulée, en des termes presque identiques, en II, 1, 5 et en II, 7, 5. Une argumentation toute semblable reviendra encore en IV, 9, 3.

4. Le mode des émissions (17, 1-11)

On se souvient que le problème fondamental auquel la gnose entendait répondre était celui de l'origine du mal, de ce mal qu'elle identifiait à notre monde de matière ; cette toute première origine du mal, elle prétendait la découvrir dans la déchéance d'un des Éons du Plérôme divin, et, pour justifier la possibilité d'une telle déchéance à l'intérieur du Plérôme divin lui-même, elle imaginait la divinité sur le modèle d'une hiérarchie décroissante d'entités distinctes les unes des autres tout en n'en communiant pas moins dans une même essence pneumatique. C'est la contradiction inhérente à une telle conception qu'Irénée va mettre en lumière dans cette nouvelle section, en montrant que, quelle que soit la manière dont on conçoive les émissions, une déchéance est inconcevable à l'intérieur d'un Plérôme défini comme tout entier pneumatique.

a) *Trois modes possibles d'émissions* (17, 1-2).

Partant des réalités de notre monde, Irénée distingue trois modes possibles d'émission : 1º une chose peut procéder d'une autre de manière à en recevoir une existence autonome et à constituer un être nouveau, entièrement distinct du premier : ainsi un homme engendré par un autre homme ; 2º une chose peut procéder d'une autre tout en continuant à ne faire qu'un avec la chose dont elle procède : ainsi le rayon émané du soleil ; 3º une chose peut enfin procéder d'une autre en ne s'en distinguant que d'une manière partielle : ainsi la branche produite par l'arbre. Appliquant alors au Plérôme valentinien chacun de ces modes possibles d'émission, Irénée montre qu'aucun d'eux ne permet d'échapper à la contradiction qu'on vient de dire.

b) *Premier mode d'émission : comme un homme provenant d'un homme* (17, 3-5).

Si les Éons sont conçus comme existant séparément les uns des autres à la manière des hommes, fait d'abord observer Irénée, il ne faut plus parler d'un Plérôme pneumatique, car une telle manière de concevoir la divinité se situe au niveau de l'anthropomorphisme le plus grossier.

Mais cette conception se heurte à une contradiction plus décisive encore : étant donné que, de l'aveu même des Valentiniens, les Éons du Plérôme sont tous de même substance — et comment pourrait-il en être autrement sans que c'en soit fait de l'unité du Plérôme divin ? —, ces Valentiniens sont acculés à reconnaître que de deux choses l'une : — ou tous les Éons sont impassibles comme le Père, et la chute du dernier Éon en devient inconcevable ; — ou, si le dernier Éon a pu tomber dans la déchéance et la passion, comme les hérétiques le prétendent, tous les autres Éons, y compris le Père, sont pareillement passibles.

Peut-être les hérétiques protesteront-ils contre l'anthropomorphisme qu'on met sur leur compte et diront-ils que les Éons sont à concevoir, non comme des corps issus d'autres corps, mais plutôt comme des lumières allumées à d'autres lumières. Mais, leur rétorque Irénée, le dilemme ci-dessus n'en devient que plus contraignant, car, s'il y a une multiplicité de luminaires, il n'y a qu'une seule et même lumière dont tous participent : dès lors, ou tous les Éons, Sagesse y compris, sont impassibles, ou tous ces mêmes Éons, le Père y compris, sont passibles. Tel est le dilemme, à vrai dire irréfragable, auquel Irénée ne va pas cesser d'acculer les Valentiniens.

c) *Deuxième mode d'émission : comme les branches produites par l'arbre* (17, 6).

Si l'on tente d'expliquer l'émission des Éons à partir du Père en comparant cette émission à la production des branches par un arbre, les Éons étant alors conçus comme parachevant de quelque manière la grandeur du Père, le même dilemme surgit aussitôt : tous les Éons étant de la même substance que le Père, il faut que tous les Éons soient impassibles comme le Père, ou que tous, y compris le Père, soient passibles comme le dernier Éon.

d) *Troisième mode d'émission : comme les rayons émanant du soleil* (17, 7-8).

Si l'on conçoit l'émission des Éons sur le modèle de l'émanation des rayons à partir du soleil, le dilemme revêt le maximum de force contraignante, car le soleil ne fait qu'un avec le rayonnement qui émane de lui et, voir ce rayonnement, c'est voir le soleil lui-même. Il n'est donc pas possible que des Éons émanés du Père de cette manière ignorent celui qui les a émis, pas plus qu'il n'est possible que les rayons du soleil ignorent celui-ci.

e) *Conclusion* (17, 9-10).

Ainsi, quelle que soit la manière dont on conçoive les émissions — et Irénée souligne que, en dehors des trois auxquelles il vient de s'arrêter, on n'en voit pas d'autre —, toujours on est contraint de reconnaître l'impossibilité absolue d'une déchéance ou d'une ignorance au sein d'un Plérôme dont tous les Éons ne peuvent être constitués que de la même substance pneumatique.

Irénée souligne alors ce qu'a de particulièrement aberrant la thèse hérétique selon laquelle le Logos lui-même aurait été émis « aveugle »[1]. On se souvient, en effet, que seul le Monogène, émis immédiatement par le Père, était

---

1. Nous pouvons noter, en passant, cette exégèse typiquement valentinienne d'après laquelle l'aveugle-né de *Jn* 9, 1-41 figurait le Logos, qui, émis d'abord aveugle par l'Intellect ou Monogène, avait été ensuite gratifié de la vue avec le reste des Éons postérieurement à l'émission du Christ et de l'Esprit Saint.

à même de contempler celui-ci ; le Logos, émis par le
Monogène, et *a fortiori*, tous les Éons venus après coup
ne pouvaient qu'ignorer la grandeur du Père ; l'inaccessibilité du Père ne devait leur être révélée qu'ultérieurement,
grâce à la « gnose » que leur apporterait le Christ et l'Esprit
Saint (cf. I, 2, 1 ; 2, 5).

Irénée fait ressortir les multiples contradictions inhérentes à une telle conception. Comment l'Intellect parfait
— dont Irénée a prouvé plus haut (cf. II, 13, 3) qu'il est
identique au Père lui-même — aurait-il pu émettre un
Logos imparfait ? Si cet Intellect a pu, par la suite, émettre
un Christ parfait et capable de guérir l'ignorance des Éons,
ne devait-il pas émettre, d'emblée, un Logos parfait,
capable d'émettre à son tour des Éons parfaits ? Si le Père
a laissé se produire, au sein de son propre Plérôme, une
émission d'Éons aveugles qu'il aurait pu empêcher,
n'est-il pas lui-même responsable de cet aveuglement
et de tous les maux qui en ont résulté, tant à l'intérieur
qu'à l'extérieur du Plérôme ? Enfin, même à supposer
que l'incommensurable grandeur du Père le rendît inaccessible à la connaissance des Éons, son surabondant
amour ne devait-il pas le pousser à préserver d'une
déchéance des Éons issus de lui[1] ?

5. La Sagesse, l'Enthymésis et la passion (18, 1-7)

La section précédente montrait déjà la radicale impossibilité d'un désordre quelconque au sein d'un Plérôme
pneumatique et divin. Une nouvelle section, centrée
plus particulièrement sur la passion survenue dans le

---

1. On reconnaît la distinction, déjà formulée en II, 6, 1 et en
II, 13, 4, entre la grandeur du Père qui le situe à une infinie distance
de tout ce qui n'est pas lui et l'amour par lequel il se fait proche de
tous les êtres issus de lui.

trentième Éon, va souligner les incohérences et contradictions inhérentes à cette partie du système hérétique.
On se rappelle les faits. Dans son désir de contempler
le Père, Sagesse conçoit en elle une « Impulsion » ou
« Tendance » (« Enthymésis ») mêlée de « passion » qui la
porte à quitter son rang et à se précipiter, dans un élan
désordonné, vers ce qui lui est inaccessible. La guérison
de l'Éon malade n'aura lieu qu'au prix d'une excision :
il faudra séparer de Sagesse l'Enthymésis avec la passion
qui s'y mêle et jeter hors du Plérôme cet élément pertur-
bateur. Par la suite, la passion elle-même sera séparée
de l'Enthymésis : celle-ci deviendra la « Mère », tandis
que la passion sera à l'origine de notre monde de matière
(cf. I, 2, 2 ; 4, 1 ; 4, 5).

a) *Constitution de l'Enthymésis et de la passion en
entités séparées* (18, 1-4).

Après avoir brièvement signalé la contradiction consis-
tant à appeler du nom de Sagesse un Éon tombé dans
l'ignorance et la passion, Irénée dénonce l'impossibilité
de la double séparation qu'affirment les hérétiques.

D'une part, en effet, une « tendance » n'est pas autre
chose qu'une disposition inhérente à un sujet : une
mauvaise tendance peut disparaître en cédant la place
à une bonne, mais il est impossible qu'une tendance ait
une existence autonome en dehors d'un sujet. Comment,
dès lors, l'Enthymésis aurait-elle pu être séparée de
Sagesse ?

D'autre part, une séparation de l'Enthymésis et de la
passion était plus impossible encore, puisque, par essence,
la passion n'est rien d'autre que la disposition mauvaise
elle-même. La passion de Sagesse consistait en ce que
celle-ci désirait l'impossible ; cette passion disparaissait
d'elle-même dès là que Sagesse, dûment renseignée sur
l'inaccessibilité du Père, cessait de désirer de la sorte
l'impossible.

Ainsi donc, lors même qu'on admettrait la possibilité d'une Tendance désordonnée dans un Éon, il faudrait rejeter comme absurde la thèse selon laquelle Tendance et passion auraient été séparées non seulement de Sagesse, mais également l'une de l'autre, et seraient ainsi devenues autant d'entités autonomes.

b) *Un Éon passible* (18, 5-7).

Mais il faut aller plus loin et rejeter, comme absurde, la possibilité même d'un désordre ou d'une altération quelconque dans un Éon du Plérôme.

En effet, ce n'est que sous l'action de leurs contraires que des êtres peuvent « pâtir », c'est-à-dire subir des altérations susceptibles de mettre en cause jusqu'à leur existence même. Et de telles altérations ne sont possibles que dans des êtres corporels, par exemple dans l'eau subissant l'action du feu ou réciproquement. Comment, dès lors, un Éon pneumatique aurait-il pu courir le danger de se dissoudre dans le néant, alors qu'il se trouvait au sein d'un Plérôme tout entier pneumatique, parmi d'autres Éons de même substance que lui ?

Au surplus, en prêtant une telle passion à l'Éon dont est issue leur « Mère », les Valentiniens tombent dans une contradiction de taille. En effet, pour eux-mêmes, qui ne sont que des hommes, la recherche du Père est source de connaissance, de perfection et d'impassibilité, selon la parole du Sauveur : « Cherchez et vous trouverez » (*Matth.* 7, 7). En revanche, pour l'Éon divin dont ils se prétendent les descendants, la même recherche du Père n'aurait produit qu'ignorance, déchéance et passion — et une passion telle que, sans l'intervention de Limite, l'Éon en question se fût dissous dans le néant.

On doit conclure de tout cela que l'épisode relatif à la passion de Sagesse n'est qu'un tissu d'invraisemblances et d'absurdités.

6. La semence (19, 1-7)

Poursuivant sa réfutation des principales thèses valentiniennes, Irénée en vient à la doctrine relative à la semence pneumatique que les Valentiniens se vantent de posséder et qu'ils identifient à leur vrai moi. D'après eux, cette semence aurait été d'abord conçue dans un état informe par leur Mère Achamoth à l'image des Anges entourant le Sauveur, puis déposée dans le Démiurge à l'insu de celui-ci pour être semée par lui dans les âmes provenant de lui et, à travers toute la vie d'ici-bas, parvenir progressivement à l'état parfait (cf. I, 4, 5 ; 5, 6).

a) *L'ignorance du Démiurge relative à la semence* (19, 1-3).

Après avoir fait observer, d'un mot, qu'une semence émise dans un état informe supposerait que soient également informes les Anges à l'image desquels elle aurait été émise, Irénée souligne d'abord l'invraisemblance de l'ignorance prêtée par les hérétiques au Démiurge : si cette semence avait une réalité et une action, il serait *a priori* étrange, pour ne pas dire plus, qu'elle puisse se trouver dans le Démiurge sans que celui-ci en ait conscience.

Mais il y a plus grave : en attribuant une telle ignorance au Démiurge, les hérétiques introduisent une nouvelle contradiction au cœur de leur système. En effet, eux-mêmes, à les en croire, sont pneumatiques et connaissent les réalités du Plérôme, parce qu'une parcelle de la semence pneumatique a été déposée dans leur âme psychique. Quant au Démiurge, qui est de la même essence psychique que les âmes des Valentiniens, il aurait reçu de la Mère, d'un seul coup, la totalité de la semence pneumatique et n'en serait pas moins demeuré psychique et privé de toute connaissance des réalités supérieures, qu'eux-mêmes, quoique encore sur terre, se flattent de déjà connaître. La contradiction est de taille.

b) *La croissance de la semence* (19, 4-7).

Non moins absurde est l'assertion des hérétiques selon laquelle, par sa venue et son séjour dans notre monde, la semence opérerait sa croissance et se préparerait à « recevoir le Logos parfait ».

Tout d'abord, n'est-il pas contradictoire de dire que la lumière du Père, en brillant dans le Sauveur et ses Anges, n'aurait engendré qu'une semence informe, tandis que cette même semence, par sa descente dans notre monde de ténèbres, acquerrait formation, croissance et perfection? D'avoir été plongée dans les passions d'où est sorti notre monde de matière, la Mère eût péri sans l'aide du Père : comment, dans cette même matière qui lui est contraire, la semence de la Mère pourrait-elle s'accroître et progresser vers l'état parfait? Autre question : si la semence a été émise d'un seul coup, comment peut-elle être petite et avoir besoin de croître? et si elle n'a été émise que par parties, comment peut-elle être à l'image des Anges? Autre question encore : comment se fait-il que la Mère ait conçu des images des Anges seulement, et non pas d'abord du Sauveur, qui l'emporte en beauté sur les Anges [19, 4-6 a]?

Après plusieurs autres invraisemblances, Irénée relève encore la contradiction suivante, sans doute la plus fondamentale : d'après la logique même du système valentinien, il est inconcevable que la substance pneumatique puisse recevoir quoi que ce soit de la substance psychique et, *a fortiori*, de la substance hylique ; dès lors, une descente de la semence pneumatique dans notre monde de matière en vue de procurer la croissance de cette semence ne peut apparaître que comme un non-sens. Profitant de l'occasion qui lui est offerte, Irénée laisse entrevoir ici, l'espace d'un instant, l'authentique doctrine de la foi dont l'hérésie est la déformation : au lieu d'une prétendue semence pneumatique qui descendrait dans une substance hylique dont elle aurait besoin pour pouvoir s'y développer et y acquérir sa stature parfaite, l'Esprit Saint lui-même venant, par pure grâce, habiter dans une chair qui a besoin d'être sauvée par lui et qui ne peut l'être à moins que sa mortalité à elle ne soit « absorbée » par l'immortalité de cet Esprit[1] [19, 6 b].

Voici enfin une dernière contradiction de la théorie hérétique. D'après les Valentiniens, les âmes qui avaient reçu de la Mère la semence étaient meilleures que les autres et, pour ce motif, mises par le Démiurge au rang des rois ou des prêtres. Comment, dès lors, se fait-il que le Seigneur, lors de sa venue, n'ait pas été accueilli par les grands prêtres ni par les docteurs de la Loi ni par le roi Hérode, mais par les pauvres et par tout ce que le monde considère comme méprisable [19, 7]?

7. Conclusion (19, 8-9)

La deuxième partie du Livre s'achève par une brève conclusion, dans laquelle Irénée commence par rappeler son propos, tel qu'il le formulait dans la Préface. Pas plus qu'il n'est indispensable de boire toute l'eau de la mer pour savoir qu'elle est salée ni de mettre en pièces une statue tout entière pour constater qu'elle est d'argile, de même, pour démontrer l'inconsistance de l'hérésie, il n'est nullement requis de la poursuivre jusqu'en ses moindres recoins, mais il suffit d'en réfuter les thèses maîtresses, voire de réduire à néant l'assertion fondamentale sur laquelle elle repose tout entière. Voilà pourquoi Irénée s'est attaqué avant tout à la thèse blasphématoire par laquelle les Valentiniens taxent de « fruit de déchéance » le Dieu Créateur de toutes choses et prétendent s'élever au-dessus de lui jusqu'à un Père n'ayant nul rapport avec

1. Cf. infra, p. 277, note justif. P. 195, n. 1.

notre bas monde. Et Irénée de rappeler que, ce faisant, il a réfuté du même coup tous les hérétiques qui, d'une manière ou d'une autre, bien avant les Valentiniens, avaient déjà édifié leur système sur la même répudiation du Dieu Créateur au bénéfice d'un Dieu prétendument supérieur.

TROISIÈME PARTIE

RÉFUTATION
DES SPÉCULATIONS VALENTINIENNES
RELATIVES AUX NOMBRES (20-28)

Jusqu'ici, Irénée s'est attaché à réfuter les thèses constituant l'armature du système valentinien, en montrant comment, pour peu qu'on les examine, elles se révèlent pleines de contradictions et d'invraisemblances et totalement inacceptables pour quiconque entend garder sa saine raison. S'il est arrivé à Irénée de mentionner tel ou tel texte scripturaire sur lequel croient pouvoir s'appuyer les hérétiques, il ne l'a fait qu'en passant et sans s'y attarder.

Il en va tout autrement dans la troisième partie du Livre : dès les premières lignes du chap. 20, Irénée annonce son intention de critiquer l'usage aberrant que les hérétiques font des divines Écritures lorsqu'« ils veulent étayer leurs inventions au moyen des paraboles et des actions du Seigneur ». De fait, l'Écriture va se trouver à l'avant-plan des préoccupations d'Irénée tout au long de cette troisième partie : c'est si évident qu'il n'y a pas à le montrer. Toutefois, si l'on y regarde de plus près, on ne manquera pas de faire une double remarque : en premier lieu, tous les textes scripturaires dont Irénée va contester l'interprétation sont des textes qui contiennent des indications numériques susceptibles de fournir un semblant d'appui au système valentinien ; en second lieu, Irénée ne bornera pas sa critique aux indications numériques que les Valentiniens prétendent tirer de l'Écriture, mais il dénoncera comme également fantaisistes toutes celles qu'ils croient découvrir dans notre monde créé (divisions du temps, nombre de parties du corps humain, etc.)[1]. Comme on le voit, ce n'est donc pas à proprement parler l'interprétation scripturaire des hérétiques qui fait l'objet de la critique d'Irénée au long de cette troisième partie, même si cette interprétation est constamment à l'avant-plan ; ce qu'entend montrer Irénée, c'est plutôt l'inconsistance des conclusions tirées par les hérétiques à partir de nombres arbitrairement recueillis par eux dans les Écritures ou dans le monde qui nous entoure.

L'ordonnance de cette troisième partie se laisse découvrir sans difficulté. Une première section réfute longuement trois exégèses ptoléméennes particulièrement significatives (chap. 20-23). Une deuxième section, plus brève, réfute diverses spéculations marcosiennes basées sur les nombres (chap. 24). Vient ensuite une troisième et dernière section qui apparaît comme la conclusion de la troisième partie du Livre, mais une conclusion singulièrement développée en laquelle Irénée, non content de stigmatiser l'orgueil gnostique, pose les règles d'une lecture correcte des deux grands livres mis par Dieu à la disposition de l'homme, celui des divines Écritures et celui de l'univers créé.

---

1. On se souvient en effet que les Marcosiens, avant même de faire appel aux chiffres dont sont parsemées les Écritures (cf. I, 18, 1-4), prétendaient retrouver dans notre monde créé le Plérôme avec toutes ses composantes : Tétrade, Ogdoade, Décade, Dodécade et Triacontade (cf. I, 17, 1-2).

1. Les exégèses ptoléméennes (20-23)

a) *Trois spécimens* (20, 1).

Irénée manifeste d'abord son intention de réfuter
trois exégèses typiquement gnostiques qu'il a signalées
dans la Grande Notice du Livre I (cf. I, 3, 3). Ces exégèses
portent sur trois événements appartenant à la manifestation terrestre du Sauveur, événements en lesquels les
Valentiniens veulent voir un symbole révélateur d'événements survenus dans le Plérôme : la défection du douzième
apôtre, figure de la défection du douzième Éon de la
Dodécade ; la Passion du Seigneur accomplie le douzième
mois, figure de la passion survenue en ce même douzième
Éon ; enfin, la guérison de l'hémorroïsse après douze
années de souffrances, figure de la guérison de ce même
douzième Éon.

b) *La défection du douzième apôtre* (20, 2 - 21, 2).

Comme on vient de le dire, les Valentiniens veulent voir
une figure de la défection du douzième Éon de la Dodécade
dans l'« apostasie » de Judas, le douzième apôtre. Rapprochement purement factice, leur rétorque Irénée : pour peu
qu'on y regarde de plus près, les deux événements en
question n'offrent que contrastes et divergences, si bien
que l'un ne peut être la figure de l'autre.

Première divergence : tandis que Sagesse a été rétablie
en son rang après avoir été libérée de son Enthymésis
et de sa passion, Judas a été rejeté de son rang d'apôtre
et remplacé par Matthias. Autre divergence : tandis que
Sagesse a subi elle-même la passion, ce n'est pas Judas,
le traître, mais le Christ qui a souffert la Passion [20, 2].

Au surplus, la passion de Sagesse et la Passion du Christ
contrastent de la façon la plus totale : d'un côté, une
passion de dissolution en laquelle un Éon du Plérôme est

sur le point de périr lui-même et qui donne naissance à un fruit informe qui est à l'origine de tous les maux ; de l'autre, une Passion victorieuse par laquelle le Seigneur, loin de courir le danger de se corrompre, nous libère de la mort et nous ramène à l'incorruptibilité [20, 3].

Autre divergence encore : même les nombres ne correspondent pas, car, si Judas est le douzième apôtre, Sagesse n'est pas le douzième, mais le trentième Éon du Plérôme [20, 4].

Dira-t-on que Judas est la figure, non de la Sagesse elle-même, mais de son Enthymésis ? Mais cette Enthymésis, après avoir été formée et être devenue la « Mère » des Valentiniens, doit finalement réintégrer le Plérôme, tandis que Judas est définitivement rejeté. Dira-t-on que Judas figure la passion mêlée à l'Enthymésis ? Mais Judas et Matthias, qui ne sont que deux, ne sauraient figurer ces trois réalités distinctes : l'Éon, l'Enthymésis et la passion [20, 5].

Pour montrer le caractère arbitraire du rapprochement fait par les hérétiques entre un douzième apôtre et un douzième Éon, Irénée développe encore la considération suivante : si le Christ avait voulu que ses apôtres figurent les Éons du Plérôme, il aurait dû, outre les douze figurant la Dodécade, en instituer dix autres pour figurer la Décade et encore huit autres pour représenter l'Ogdoade. Et ne serait-il pas requis, dans une telle perspective, que les soixante-dix disciples aient été choisis eux aussi pour figurer soixante-dix autres Éons [21, 1] ?

Ce n'est pas tout encore, car, outre les douze, il y a Paul, l'Apôtre par antonomase : de quel Éon sera-t-il la figure ? Il semble qu'il ne puisse figurer que le Sauveur, le dernier venu des Éons, celui qui fut constitué par l'apport de tous les autres. Quoi qu'il en soit, les Valentiniens doivent renoncer à parler de trente Éons, ainsi qu'on l'a déjà dit antérieurement [21, 2 - 22, 1 a].

c) *La Passion du Seigneur prétendument accomplie le douzième mois* (22, 1 b-6).

Les Valentiniens cherchent une autre figure de la passion du douzième Éon de la Dodécade dans la Passion que le Christ aurait soufferte le douzième mois après son baptême. D'après eux, en effet, il n'aurait prêché que pendant une seule année, et c'est ce dont lui-même témoignerait en s'appliquant la parole d'Isaïe : « ... il m'a envoyé... prêcher une année de grâce du Seigneur et un jour de rétribution » (*Is.* 61, 2, cité en *Lc* 4, 19).

Irénée commence par dénoncer ce qu'a d'arbitraire une telle interprétation du texte d'Isaïe. Les hérétiques, dit-il, découpent ce texte : ils laissent tomber l'expression « jour de rétribution » pour ne retenir que l'expression « année de grâce », et, cette dernière expression, ils croient alors pouvoir l'entendre d'une manière littérale, comme si Isaïe avait voulu prédire que la vie publique du Christ ne durerait qu'une seule année. Pour interpréter correctement ce verset, poursuit Irénée, il importe au contraire d'en garder tous les éléments et de les laisser s'éclairer les uns les autres. Or, le « jour de rétribution », qui doit suivre l'« année de grâce », ne peut être que le jour du Jugement. Dès lors, l'« année de grâce » en question s'entendra tout naturellement du temps pendant lequel retentit l'appel du Seigneur à la conversion, c'est-à-dire de tout le temps s'écoulant depuis sa venue jusqu'à son retour glorieux et à la consommation finale. Ainsi donc, replacée dans son contexte, l'expression « année de grâce » n'a nullement le sens que prétendent les hérétiques : il en est de cette expression comme d'autres expressions de l'Écriture que leur contexte invite à entendre en un sens figuré et non d'une manière littérale [22, 1-2].

Non content de reprendre aux hérétiques le texte d'Isaïe sur lequel ils prétendent s'appuyer, Irénée montre que l'ensemble de l'Évangile de Jean contredit explicitement la thèse d'une unique année de prédication : cet

Évangile mentionne en effet trois montées de Jésus à Jérusalem au temps de la Pâque (*Jn* 2, 13 ; 5, 1 ; 12, 12), ce qui suppose au moins deux années de vie publique [22, 3].

En fait, l'intervalle de temps séparant le baptême du Christ et sa Passion a été notablement plus long. En effet, lors de son baptême, il n'avait que trente ans, c'est-à-dire l'âge d'un homme encore jeune ; en revanche, lorsque, par la suite, il vint à Jérusalem et y enseigna, il devait avoir atteint l'âge requis pour être un maître, c'est-à-dire pour le moins la quarantaine, en sorte qu'il ne souffrit qu'à un âge relativement avancé. Cette thèse de la mort du Christ à un âge avancé, Irénée croit pouvoir la confirmer à l'aide d'un argument théologique tiré de la doctrine de la rédemption qu'il développera plus tard. Le principe en est le suivant : c'est en assumant notre condition humaine et en se faisant vraiment l'un de nous que le Fils de Dieu nous a retirés du péché et de la mort et nous a rendus participants de sa vie divine. Or, pour se faire vraiment l'un de nous, il a dû connaître toutes les étapes d'une vie humaine normale : non seulement la naissance, l'enfance, l'adolescence et l'âge mûr, mais aussi cette période de la vie où l'homme descend vers la vieillesse. De la sorte, le Christ n'a donc pu souffrir sa Passion qu'à un âge relativement avancé. Ce n'est pas tout : à l'appui de cette thèse, Irénée en appelle encore à une tradition concordante que les presbytres d'Asie auraient reçue de Jean [22, 4-5].

Un dernier indice de l'âge avancé que devait avoir le Christ lorsqu'il enseignait est fourni à Irénée par la réplique des Juifs : « Tu n'as pas encore cinquante ans, et tu as vu Abraham ? » (*Jn* 8, 57). Une telle phrase, remarque Irénée, serait étrange si elle s'adressait à un homme n'ayant encore que trente ans ; pour être naturelle, elle doit s'adresser à un homme approchant de la cinquantaine ou ayant du moins largement dépassé la quarantaine [22, 6].

d) *L'hémorroïsse guérie après douze années de souffrance* (23, 1-2).

Le troisième spécimen d'exégèse hérétique auquel s'arrête Irénée est celui qui concerne l'épisode de l'hémorroïsse malade depuis douze ans et guérie pour avoir touché la frange du vêtement du Sauveur : les Valentiniens voient dans cette femme une nouvelle figure du douzième Éon, dont la substance s'écoulait dans l'infini et qui se fût dissous s'il n'avait touché la frange du vêtement du Monogène, c'est-à-dire la Vérité (cf. I, 3, 3).

Pour montrer le caractère artificiel de ce rapprochement, Irénée rappelle d'abord que Sagesse n'est pas le douzième, mais le trentième Éon du Plérôme. Il fait ensuite observer que, lors même qu'on accepterait le rapprochement que font les hérétiques, la figure ne correspondrait pas à la réalité prétendue : il faudrait pour cela, qu'aux onze années de souffrance de la femme correspondent onze Éons atteints d'une passion inguérissable et qu'à la douzième année, qui fut celle de la guérison de la femme, corresponde un Éon guéri de sa passion [23, 1].

Irénée fait encore observer qu'il est d'autres miraculés dont l'Évangile précise le nombre d'années de maladie : ainsi la femme malade depuis dix-huit ans (*Lc* 13, 16) et l'homme paralysé depuis trente-huit ans (*Jn* 5, 5). Si les actions du Sauveur figurent les réalités du Plérôme, les Valentiniens devraient, en bonne logique, affirmer qu'un dix-huitième, voire un trente-huitième Éon, sont également tombés dans la passion. Mais ils n'ont garde de le faire, et cela montre bien le caractère arbitraire de leur exégèse relative à l'hémorroïsse [23, 2].

2. Les spéculations marcosiennes (24)

a) *Nombres tirés des Écritures* (24, 1-4).

Après les trois spécimens d'exégèse ptoléméennes qu'on vient de voir, Irénée passe à la réfutation des spéculations arithmologiques pratiquées par Marc le Magicien et ses disciples.

D'abord celles de Marc lui-même. On se souvient qu'il prétendait retrouver toutes sortes d'indications relatives aux Éons et à leurs avatars en comptant les lettres de certains mots de l'Écriture, ou en additionnant les nombres correspondant aux lettres dont se composaient ces noms, ou encore en se livrant à diverses manipulations à partir des nombres en question (cf. I, 14-15). Pour montrer l'arbitraire de tels procédés, Irénée prend l'exemple du nombre 888, obtenu par l'addition des nombres correspondant aux différentes lettres du mot Ἰησοῦς. Ce mot, observe-t-il, appartient à la langue hébraïque, non à la langue grecque. Dès lors, il ne convenait pas d'appliquer à ce vocable étranger la manière de compter propre aux Grecs, mais il fallait, ou bien utiliser le mot Σωτήρ, qui est la traduction grecque du mot hébreu Ἰησοῦς, ou bien prendre pour point de départ des calculs les nombres correspondant aux lettres hébraïques. Marc s'est bien gardé de ces deux manières de faire, parce que ni l'une ni l'autre ne lui apportait quoi que ce fût qui cadrât avec son système. Or, poursuit Irénée, une constatation identique doit être faite à propos de toute l'arithmologie de Marc : il retient les vocables susceptibles de fournir des indications allant dans le sens de son système, mais il néglige les autres, alors même que leur importance est des plus fondamentales. L'arbitraire du procédé saute aux yeux [24, 1-2].

Après les pratiques de Marc viennent celles des Marcosiens, dont on a vu (cf. I, 18, 1-4) le zèle à recueillir, à travers toutes les Écritures, les indications numériques en rapport avec le Plérôme et ses groupes d'Éons. Irénée dénonce une nouvelle fois l'arbitraire du procédé, montrant longuement comment, d'une part, les hérétiques se jettent sur les moindres indications paraissant appuyer leur doctrine, et comment, d'autre part, ils laissent de côté les institutions les plus hautes de la Loi mosaïque, parce qu'elles ne leur apportent aucune indication utile. A la suite de quoi Irénée peut conclure que, tous les nombres se rencontrant finalement en quelque endroit de l'Écriture, n'importe qui peut prouver n'importe quoi à partir d'eux. Et pour illustrer cette conclusion, il prend l'exemple du nombre cinq, montrant que ce nombre, totalement étranger au système valentinien, se retrouve au moins aussi fréquemment dans les Écritures, sinon davantage encore, que tous les nombres auxquels s'intéressent les hérétiques[1] [24, 3-4].

b) *Nombres tirés de la création* (24, 5).

Mais ce n'est pas seulement dans les Écritures que les Marcosiens cherchent des nombres s'accordant avec leur système, car ils prétendent en recueillir également dans notre univers, que le Démiurge, secrètement mû par la Mère, aurait fait à l'image des réalités du Plérôme (cf. I, 17, 1-2).

Irénée montre, par quelques exemples, le caractère fantaisiste de ces spéculations. Si l'année avait été faite

---

1. Notons ici un procédé de composition nullement exceptionnel chez Irénée : désireux de présenter d'une seule traite tout ce qui relève du nombre cinq et quitte à anticiper sur l'objet du développement suivant, Irénée ne craint pas d'ouvrir, au beau milieu de sa nomenclature d'exemples tirés des Écritures, une sorte de parenthèse destinée à montrer que ce même nombre cinq se retrouve aussi dans notre monde créé : les cinq doigts de la main, les cinq viscères, les cinq sens, les cinq parties du corps, les cinq âges de la vie.

pour figurer le Plérôme, elle devrait avoir trente mois plutôt que douze, puisqu'il y a trente Éons dans le Plérôme, et, pour pouvoir figurer la division du Plérôme en Ogdoade, Décade et Dodécade, elle devrait comporter trois saisons plutôt que quatre. Au surplus, les hérétiques s'abusent lorsqu'ils parlent de mois de trente jours et de jours de douze heures : tous les mois n'ont pas trente jours, puisque l'année en a 365, et tous les jours n'ont pas douze heures, puisqu'ils sont plus longs en été et plus courts en hiver.

c) *Nombres de gauche et de droite* (24, 6).

Irénée s'arrête à une dernière spéculation marcosienne particulièrement typique, basée sur le comput digital en usage dans l'antiquité. On sait que les anciens comptaient les 99 premiers nombres à l'aide des doigts de la main gauche pour passer, à partir du nombre 100, aux doigts de la main droite (cf. I, 16, 2, dernières lignes). Identifiant la gauche à la perdition et la droite au salut, les Marcosiens concevaient le salut de la brebis perdue (*Lc* 15, 6) comme son passage de la main gauche à la main droite, sa réintégration aux 99 autres brebis lui permettant de redevenir la centième.

Mais Irénée objecte à cette construction que, si le nombre 99 est un nombre de gauche, les 99 brebis demeurées au bercail sont nécessairement des brebis de perdition et non des brebis de salut. De même les Marcosiens devront-ils, en bonne logique, considérer comme relevant de la perdition des vocables tels que $\dot{\alpha}\gamma\dot{\alpha}\pi\eta$ (= charité) ou $\dot{\alpha}\lambda\dot{\eta}\theta\epsilon\iota\alpha$ (= vérité), puisque la somme des nombres correspondant à leurs lettres n'atteint pas le nombre 100.

3. L'orgueil gnostique (25-28)

Tout au long des chap. 20-24, Irénée a passé au crible de sa critique quelques-unes des indications numériques que Ptoléméens et Marcosiens prétendaient relever, à l'appui de leur système, non seulement dans les Écritures, mais aussi dans l'univers des créatures. Ces indications portaient sur le nombre des Éons du Plérôme, ou sur les groupements d'Éons, ou encore sur la chute du douzième Éon de la Dodécade. Irénée a montré le caractère fantaisiste des rapprochements ainsi opérés par les hérétiques : d'une part, un examen tant soit peu attentif de ces rapprochements fait voir qu'il n'existe pas de véritable correspondance entre les réalités du Plérôme et leurs figures prétendues ; d'autres part, étant donné que tous les nombres se retrouvent dans l'Écriture et dans l'univers, leur choix ne peut être qu'arbitraire et on peut recourir à eux pour prouver n'importe quoi.

Mais Irénée entend ne pas s'en tenir à une critique purement négative. Il veut dégager le motif profond qui dicte aux hérétiques leur attitude à l'égard de ces deux livres de la révélation divine que sont l'Écriture et le monde des créatures. Ce n'est pas tout encore : en même temps qu'il dénoncera l'usage aberrant que les hérétiques font de l'un et l'autre de ces livres, Irénée sera amené, comme tout naturellement, à réfléchir aux conditions d'une utilisation correcte de ceux-ci en vue d'une connaissance approfondie des vérités de la foi. D'où la très riche section (chap. 25-28) par laquelle s'achève la troisième partie du Livre. Il est vrai que la richesse même de cette section rend son analyse malaisée, les thèmes essentiels étant considérés d'un regard global plutôt qu'envisagés successivement : aussi avons-nous conscience que les points de repère que nous allons proposer ne sont pas les seuls possibles.

a) *La doctrine fondamentale de la vérité* (25, 1-2).

Irénée commence donc par dénoncer la radicale erreur de perspective que commettent les hérétiques lorsqu'ils tournent leur regard vers les Écritures ou vers le monde créé.

A cette fin, il se fait adresser par eux l'objection suivante : Si on ne peut rien tirer des nombres, ainsi qu'il a été dit dans les chapitres précédents, est-ce donc sans raison que le Seigneur est venu au baptême à l'âge de trente ans, qu'il a choisi douze apôtres, que l'année comporte douze mois, etc. ? Réponse d'Irénée : Tout ce que Dieu a fait, il l'a fait avec une infinie sagesse, donnant à toutes choses nombre et mesure, qu'il s'agisse de la création lors des origines, ou de tout le déroulement des étapes de l'Ancien Testament, ou des gestes posés par le Verbe lors de sa venue humaine ; mais ce n'est pas là une raison pour voir dans notre monde et son histoire l'image dégradée d'un Plérôme divin prétendument supérieur au Dieu Créateur et d'événements prétendument survenus dans ce monde transcendant ; sans doute est-il légitime de chercher à reconnaître les harmonies du plan divin dans le monde et dans l'histoire, mais à la condition que cette recherche se fasse dans le respect le plus absolu de la « doctrine fondamentale de la vérité », selon laquelle il n'existe qu'un seul Dieu tout-puissant, Créateur de toutes choses sans exception et Ordonnateur souverain de tous les événements de notre histoire [25, 1].

Pour montrer comment, d'un unique Dieu Créateur, a pu procéder toute l'infinie diversité des êtres et des choses, Irénée recourt à la comparaison des sons d'une cithare. Différents les uns des autres, voire opposés entre eux, ces sons n'en constituent pas moins, grâce à leur diversité même, une mélodie unique lorsque, sous les doigts d'un authentique artiste, ils s'ordonnent en un tout harmonieux. Ainsi en va-t-il de cette mélodie qu'est le monde avec tout le déroulement de son histoire : il sera

permis d'admirer la déconcertante variété des étapes
successives (par exemple, le temps des patriarches, la Loi
de Moïse, la nouvelle Alliance...), il sera permis de chercher
à comprendre le pourquoi de chacune de ces étapes et les
diverses relations qu'elles ont entre elles, mais on se
gardera à tout prix, sous prétexte qu'elles s'opposeraient,
de soupçonner un Artiste quelconque en dehors ou au-
dessus de l'unique Dieu Créateur de qui tout procède
[25, 2].

b) *Petitesse de l'homme face à la grandeur infinie de
son Créateur* (25, 3-4).

Que, dans une recherche ayant pour objet Dieu et son
œuvre, une multitude de questions demeurent pour nous
sans réponse n'a rien que de normal. Dieu est en effet
infiniment au-dessus de cet être tiré du pur néant qu'est
l'homme, et, lors même que celui-ci a déjà reçu la grâce
de l'Esprit Saint, il ne l'a reçue que d'une manière « partielle » et n'est point encore égal à son Créateur comme
il le sera plus tard, lorsqu'il le verra face à face et aura
part à tous ses secrets. Aussi longtemps donc que l'homme
ne fait que s'acheminer vers cet état parfait, il ne peut
qu'ignorer une infinité de choses dont la connaissance
est réservée à Dieu [25, 3].

Au lieu d'accepter de ne recevoir du Verbe que l'humble
science à laquelle leur état présent leur permet d'accéder,
les hérétiques, par un comble de folie, prétendent dépasser
le Dieu Créateur — l'Indépassable par essence — et
s'élever jusqu'à un Dieu supérieur qu'eux seuls seraient
de taille à atteindre [25, 4].

c) *Supériorité d'un amour ignorant sur une science
orgueilleuse* (26, 1).

Cette attitude des hérétiques inspire à Irénée une page
admirable de vigueur[1] en laquelle, faisant écho à une

---

1. Significatif de l'intérêt porté à cette page par les lecteurs de

parole de Paul (I *Cor.* 8, 1), il fustige une fausse science qui ne fait que s'enfler d'orgueil et met au-dessus d'elle un humble amour qui accepte de ne connaître que le Christ crucifié. Notons-le, dans cette page où il flétrit si énergiquement l'orgueil gnostique, Irénée n'a garde de répudier la connaissance comme telle. Bien au contraire, car, là où Paul dit tout uniment : « La science enfle », Irénée, dans le commentaire même qu'il fait de cette parole, distingue fort nettement une vraie connaissance de Dieu qui procède de l'amour et conduit à l'amour — celle-là même que Paul possédait plus que quiconque — et une prétendue science qui n'aboutit qu'à l'orgueil et au mépris de Dieu.

d) *Recherches aberrantes* (26, 2-3).

Pour justifier leurs spéculations, les gnostiques se réclament de la parole du Seigneur : « Cherchez et vous trouverez » (*Matth.* 7, 7). Mais, leur rétorque Irénée, cette parole les autorise-t-elle donc à entreprendre n'importe quelle recherche ? Sous prétexte que les cheveux de notre tête sont comptés, vont-ils se mettre à compter les cheveux de toutes les têtes, afin de pouvoir spéculer sur les nombres ainsi obtenus ? Ou, sous prétexte que pas un passereau ne tombe sans la volonté du Père, vont-ils essayer de compter tous ceux qui tombent chaque jour, pour pouvoir édifier des systèmes sur les nombres ainsi atteints ? Ou encore, sous prétexte que Dieu sait le nombre des grains de sable de la terre et le nombre des étoiles du ciel, vont-ils s'atteler à la vaine tentative d'en faire le dénombrement ? De toute évidence, ce sont là des choses que Dieu n'a pas jugé utile de nous faire connaître : ces choses qui dépassent notre connaissance, un homme sensé comprend qu'il doit consentir à les ignorer.

l'âge patristique est le fait que, indépendamment du latin, des extraits nous en aient été conservés à la fois dans un fragment grec, dans un fragment arménien et dans un fragment syriaque.

e) *Recherches légitimes* (27, 1-3).

En revanche, un homme sensé s'appliquera, de toute son ardeur, à connaître le domaine que Dieu a daigné mettre à notre portée. Ce domaine quel est-il ? C'est, d'abord, répond Irénée, le monde qui nous entoure et dont nous faisons partie : par tout ce qu'il offre à nos regards, il atteste qu'il est l'ouvrage d'un seul Dieu Créateur et Ordonnateur. Ce sont, ensuite et surtout, les Écritures que Dieu nous a données : qu'il s'agisse des prophètes ou des Évangiles, elles enseignent, par toute une série de textes ne prêtant à aucune ambiguïté, qu'un seul Dieu a fait toutes choses sans exception par sa Parole toute-puissante. Tel est le double roc sur lequel repose notre connaissance de Dieu et de son économie salvifique.

Mais, à côté de ces données indubitables, le monde et l'Écriture offrent aussi des indications moins nettes, susceptibles d'orienter notre recherche dans des directions multiples : c'est ce qu'Irénée, reprenant un terme déjà rencontré plus haut (cf. II, 10, 1-2 ; II, 20, 1), appelle ici des « paraboles ». Les hérétiques font le plus grand cas de ces indications plus ou moins obscures qu'ils croient découvrir dans le monde et dans les Écritures : ces sortes d'indications émanent, selon eux, du « Père » transcendant et ont été semées par lui de-ci de-là dans l'œuvre du Démiurge comme autant de vestiges susceptibles de révéler le monde d'en haut à ceux des hommes qui sont capables de les interpréter correctement. Irénée rejette de la façon la plus catégorique une telle dichotomie : qu'il s'agisse du monde ou des Écritures, tout émane du seul Dieu Créateur et si, dans ce double livre de la révélation divine, il se rencontre des éléments dont l'interprétation peut faire problème, on devra les comprendre à la lumière de ce qui se trouve clairement enseigné, à savoir précisément l'unicité du Dieu Créateur de toutes choses et Auteur du salut de l'homme. Si l'on procède de la sorte, insiste Irénée, non seulement on évitera le risque d'interpréta-

tions aberrantes, mais les « paraboles » seront comprises
de la même manière par tous et l'unique « corps de la
vérité » verra respectée par tous son harmonieuse intégrité ;
si, au contraire, comme le font les hérétiques, on prétend
partir de « paraboles » susceptibles d'interprétations
diverses et fonder sur elles sa recherche de Dieu, c'est la
porte ouverte à toutes les fantaisies de l'imagination et,
autant il y aura d'individus distincts, autant il y aura
d'opinions contradictoires qui, toutes, se donneront pour
la vérité.

f) *Réserver à Dieu la connaissance des choses qui nous
dépassent* (28, 1-3).

Tirant alors la conclusion de toutes les considérations
qui précèdent, Irénée est comme tout naturellement
amené à formuler une nouvelle fois le programme d'une
authentique réflexion théologique ou, si l'on préfère, d'une
recherche du vrai contenu des divines Écritures. Tout
repose sur cette vérité fondamentale clairement attestée
à travers toute l'Écriture : un seul Dieu et Père, après
avoir créé le monde et l'homme aux origines, n'a cessé
et ne cesse d'accompagner l'homme tout au long de son
histoire, l'acheminant, d'étape en étape, vers son salut,
lui donnant de croître sans cesse en son amour, jusqu'au
jour où, l'homme étant mûr pour une vie incorruptible,
Dieu pourra l'introduire en son propre séjour et le mettre
en possession de ses propres biens divins. Tel est le contenu
global des Écritures à partir duquel on s'efforcera de
résoudre toutes les questions particulières que pourront
soulever ces mêmes Écritures [28, 1].

Que si, au cours de cette recherche, il se rencontre telle
ou telle question à laquelle l'Écriture n'apporte pas de
réponse, on ne mettra pas aussitôt en cause la doctrine
fondamentale qui vient d'être rappelée, mais on réservera
à Dieu la connaissance de ce que celui-ci n'aura pas jugé
utile de nous enseigner présentement. Rien, d'ailleurs,

que de normal à cela : déjà dans ce monde créé qui nous entoure, il est une multitude de phénomènes naturels dont l'explication nous échappe : crues du Nil, migration des oiseaux, flux et reflux de la mer, etc. [28, 2].

Si nous réservons à Dieu la connaissance du pourquoi de ces phénomènes naturels, *a fortiori* devons-nous être prêts à lui réserver la connaissance des mystères divins qu'il n'a pas daigné nous révéler dans les saintes Écritures : car — et Irénée élargit ici la perspective jusqu'à y englober l'éternité elle-même —, étant donné l'infinie transcendance du Créateur par rapport à la créature, il est nécessaire « que toujours Dieu enseigne et que toujours l'homme soit le disciple de Dieu ». Toujours donc, même dans la vie céleste, demeureront en l'homme la foi et l'espérance avec la charité, car toujours, même lorsqu'il verra Dieu face à face, l'homme aura à apprendre de Dieu de nouveaux secrets. On aura noté l'importance de cette page dans la polémique anti-gnostique : à l'encontre de l'orgueil gnostique, Irénée y définit d'une manière particulièrement vigoureuse le caractère de réceptivité qui fait le fond de l'attitude chrétienne face à l'absolue gratuité de l'amour de Dieu [28, 3].

g) *Refus des hérétiques de rien réserver à Dieu* (28, 4-9).

Cet orgueil des gnostiques, Irénée va le stigmatiser dans un dernier développement : leur aveuglement et leur folie viennent, dit-il, de ce que, oubliant leurs limites de créatures, ils refusent de réserver quoi que ce soit au Dieu qui les a créés. Irénée montre alors comment se vérifie cette attitude gnostique à propos de trois questions fondamentales.

La première de ces questions concerne ce que nous pouvons appeler la vie intime de Dieu et, plus particulièrement, la génération du Verbe par le Père. Cette vie intime de Dieu, les Valentiniens la conçoivent sous la forme d'une série d'émissions faites à partir du Père et aboutissant

à la constitution d'un Plérôme d'entités divines ou Éons ;
tout en étant de même nature pneumatique, ces Éons
forment un ensemble hiérarchisé, leur perfection allant
en décroissant au fur et à mesure qu'on s'éloigne du Père ;
le Logos est l'un de ces Éons ; il est issu de l'Intellect,
lequel est issu lui-même du Père. Telle est la manière
dont les Valentiniens se représentent le monde divin.
Reprenant brièvement ce qu'il a longuement développé
antérieurement (cf. II, 13, 3-8), Irénée montre ce qu'une
telle conception a de grossièrement anthropomorphique.
Dans l'homme, être composé de parties, il est légitime
de distinguer la personne qui agit, l'intelligence par
laquelle elle réfléchit et la parole par laquelle l'intelligence
exprime la pensée qu'elle a conçue au-dedans d'elle-même.
Mais en Dieu, qui est absolue simplicité, il ne saurait y
avoir de distinctions de cette sorte : Dieu est tout entier
Intellect et tout entier Logos, comme il est tout entier
toute perfection ; autrement dit, l'Intellect divin est
identique à la Réalité divine et le Logos divin est identique
à cette même Réalité divine. On aura noté la vigueur
avec laquelle Irénée affirme, une fois de plus, l'absolue
simplicité de l'Être divin en lequel ne peut se rencontrer
aucune composition d'aucune sorte. S'ensuit-il qu'Irénée
évacue par là la distinction personnelle du Père et du Verbe
et la génération du Verbe par le Père ? Nullement, mais,
autant le *fait* d'une telle génération est indubitable,
attesté qu'il est par les Écritures, autant, tient à préciser
Irénée, le *mode* de cette génération est inaccessible à tout
entendement humain, voire à toute intelligence angélique,
si élevée soit-elle : car il s'agit d'un secret connu seulement
du Père qui a engendré et du Fils qui est né. Nous ne
saurions assez insister sur l'immense portée théologique
de cette page irénéenne, trop souvent mal comprise : sans
les formules techniques, qui ne viendront que plus tard,
nous avons déjà, très lucidement élaborée, la doctrine de

l'unité de la « nature » divine dans la distinction des
« Personnes »[1] [28, 4-6].

La deuxième question n'est que très brièvement évoquée
par Irénée : elle concerne l'origine de la matière. Les
Valentiniens, identifiant la matière avec le mal, lui
assignent pour origine un désordre survenu à l'intérieur
du Plérôme divin lui-même, désordre se répercutant
ensuite hors du Plérôme en toute une cascade d'épisodes :
formation de la « Mère », production du Démiurge, organisation du monde, etc. Coupant court à ces fantaisies,
Irénée ramène les hérétiques aux données de l'Écriture :
celle-ci affirme clairement que tout ce qui existe hors
de Dieu, y compris la matière dont est fait notre monde,
a reçu de Dieu l'existence même, mais elle ne nous dit
rien sur le comment d'une telle production et nous devons
réserver à Dieu la connaissance de ce mystère [28, 7 a].

La troisième question concerne le mystère du péché
et de la liberté. En général et abstraction faite de certaines
divergences, les Valentiniens pensent que, si les hommes
sont bons ou mauvais, ils le sont par nature, les uns étant
infailliblement élus et les autres inéluctablement voués
à l'anéantissement. Ici encore Irénée rappelle les hérétiques
à l'humilité. Que Dieu ait connu par avance les trans-
gressions futures et qu'il ait préparé pour les transgresseurs
un feu éternel, c'est ce qu'enseignent les Écritures ; mais
pourquoi tels êtres ont-ils transgressé plutôt que tels
autres, c'est un mystère dont nous devons savoir réserver la

---

1. Nous disons bien : « sans les formules techniques... ». Noter
cependant les expressions suivantes : « ... *aliud* enim est... quod
excogitat, *aliud* organum per quod emittitur logos... » (II, 28, 4) ;
« ... tamquam *aliud* quidem sit Deus, *aliud* autem principalis Mens
exsistens » (II, 28, 5). Et, d'autre part : « ... nisi solus *qui generauit*
Pater et *qui natus* est Filius » (II, 28, 6). Ne voit-on pas là affleurer
déjà les expressions qui deviendront classiques pour exprimer le
mystère trinitaire : « Licet ... *alius* sit Pater, *alius* Filius..., non
tamen *aliud* » (4e Concile de Latran. Denzinger-Schönmetzer, 805).

connaissance à Dieu, à l'exemple du Seigneur qui n'a pas craint de réserver au Père seul, à l'exclusion du Fils lui-même, la connaissance du jour et de l'heure du jugement [28, 7 b-9].

Ainsi s'achève la troisième partie du Livre, consacrée à réfuter les spéculations ptoléméennes et marcosiennes relatives aux nombres, noms et syllabes en lesquels les hérétiques prétendaient découvrir l'obscur dévoilement d'un monde supérieur. En couronnant sa réfutation par un long développement en lequel il a dénoncé sans ménagement l'orgueil gnostique et souligné l'urgence d'une humble docilité à l'enseignement de Dieu, Irénée a écrit quelques-unes des pages les plus suggestives de son œuvre.

QUATRIÈME PARTIE

RÉFUTATION DES THÈSES VALENTINIENNES RELATIVES À LA CONSOMMATION FINALE ET AU DÉMIURGE (29-30)

Les deux premières parties ont été consacrées à la réfutation de ce que nous pouvons appeler le « système » valentinien et, plus précisément, des thèses principales constituant comme l'armature de ce système : existence d'un Plérôme divin supérieur au Dieu Créateur, émissions successives d'Éons aboutissant à la constitution de ce Plérôme, passion du dernier Éon, avatars de la semence semée par la Mère à l'insu du Démiurge dans l'âme des Valentiniens. A propos de chacune de ces pièces maîtresses du système, Irénée a longuement montré les contradictions et incohérences dont elles sont pleines et qui suffisent à les rendre inacceptables pour tout homme qui réfléchit.

Dans la troisième partie, délaissant la critique du

système proprement dit, Irénée a montré l'inanité des
appuis que les hérétiques cherchent en faveur de ce
système, soit dans les divines Écritures, soit dans les
réalités de notre monde visible : ainsi, lorsque les hérétiques
croient trouver dans les Écritures ou dans la création
des nombres correspondant à leur Plérôme ou aux événements survenus en celui-ci, non seulement ils ne font que
procéder à des manipulations arbitraires, mais ils contredisent de front l'enseignement le plus clair que Dieu nous
donne par le moyen de ces Écritures et de cette création.

Il semblerait qu'après tout cela Irénée en ait fini avec
la réfutation des thèses valentiniennes. Cependant, avant
de mettre le point final à cette réfutation, il estime utile
d'aborder encore deux points particuliers du système
valentinien : il s'agit de la thèse relative au sort final
des trois natures ou substances et de la thèse relative à
la nature psychique du Démiurge. De là cette quatrième
partie, plutôt brève, qui, par-delà la troisième, se rattache
logiquement aux deux premières.

1. Le sort final des trois natures ou substances (29, 1-3)

La thèse hérétique à laquelle s'en prend ici Irénée a
été exposée en détail dans la Grande Notice (cf. I, 6, 1 -
7, 1). Elle concerne le sort final des diverses natures ou
substances. D'après cette thèse, les étincelles pneumatiques
qui constituent le vrai moi des Valentiniens se dégageront
finalement de leurs enveloppes psychique et hylique pour
réintégrer le Plérôme, leur lieu natif. Tout à l'opposé,
les corps, en raison de leur nature hylique, disparaîtront
dans le feu. Quant aux âmes, d'après la logique du système,
toutes devraient, en raison de leur nature psychique,
aboutir à l'Intermédiaire, leur lieu connaturel, pour y
goûter le repos en la compagnie du Démiurge. Cependant,
par un curieux illogisme, les Valentiniens subordonnent

le sort final des âmes à leur comportement : seules celles qui auront bien agi rejoindront le lieu de l'Intermédiaire, tandis que celles qui auront mal agi partageront le sort de la nature hylique à laquelle elles se seront volontairement assimilées.

A cette conception, Irénée oppose une triple critique :

1. Si les hérétiques professent que les âmes sont sauvées non du fait qu'elles sont des âmes, mais du fait qu'elles ont pratiqué la justice, ils seront contraints d'admettre que les corps eux-mêmes doivent avoir part à ce salut puisque eux-mêmes auront eu part à la pratique de cette justice. Et Irénée d'insister sur cette indissociabilité du corps et de l'âme dans la pratique de la justice, indissociabilité dans laquelle il voit un des arguments les plus convaincants en faveur de la doctrine de la résurrection des corps : car, si c'est l'homme tout entier, corps et âme, qui chemine vers Dieu par la pratique de la justice, il faut aussi que ce soit l'homme tout entier, corps et âme, qui ait part à l'éternelle vie de Dieu, autrement dit que nos corps eux-mêmes, par la résurrection, accèdent à la vie immortelle et incorruptible [29, 1-2].

2. De plus, lorsque les Valentiniens n'admettent d'accès au lieu de l'Intermédiaire que pour les seules âmes justes, ils introduisent une contradiction au sein de leur propre système : en effet, si la substance pneumatique tout entière est vouée, du seul fait qu'elle est ce qu'elle est, à rentrer au Plérôme et si la substance hylique tout entière est pareillement vouée à disparaître, il n'y a pas de raison pour que la substance psychique n'aille pas tout entière, elle aussi, au lieu de l'Intermédiaire avec le Démiurge [29, 3 a].

3. Ce n'est pas tout. Quelle est-elle donc, cette prétendue substance pneumatique constituant le vrai moi du Valentinien et vouée à réintégrer le Plérôme ? En fait, l'homme se compose de deux éléments et de deux seulement : une

âme douée d'intelligence et capable de pensée, et un corps de chair. Si, comme le veulent les Valentiniens, le corps disparaît dans le feu et si l'âme va au lieu de l'Intermédiaire, plus rien de l'homme ne reste qui soit susceptible d'entrer dans le Plérôme[1] [29, 3 b].

2. La nature prétendument psychique du Démiurge (30, 1-9)

Si la doctrine valentinienne relative au sort final des trois natures se révèle pleine d'incohérences, celle relative à la nature psychique du Démiurge n'est pas moins absurde. On sait en effet que les Valentiniens, identifiant leur véritable moi à l'élément pneumatique qu'ils se vantent de posséder en eux, n'hésitent pas à se mettre au-dessus du Démiurge, qu'ils prétendent de nature psychique et en qui ils ne veulent voir que l'Ordonnateur présomptueux et borné de notre monde de matière (cf. I, 5, 1-4).

a) *Supériorité du Démiurge prouvée par ses œuvres* (30, 1-5).

Une telle outrecuidance indigne Irénée. Partant de cette vérité de bon sens que celui qui est supérieur se montre tel par ses œuvres et non par de gratuites rodomontades, il institue une comparaison entre les Valentiniens et le Créateur de l'univers. Et pour que l'argumentation soit plus percutante encore, il accepte de se situer sur le terrain de ses adversaires : même à supposer, dit-il en substance,

---

1. On aura remarqué la netteté avec laquelle Irénée affirme ici sa conception *dichotomiste* de l'être humain comme tel. Certes, il fera état ailleurs d'une troisième « composante » (cf. V, 9, 1), mais il s'agira alors de l'homme « parfait » ou « spirituel », rendu participant de la vie même de Dieu, et la troisième réalité dont la présence agissante constituera cet homme « parfait » ne sera autre que l'Esprit Saint lui-même en tant que donné à l'homme pour être comme l'âme de son âme et la vie de sa vie (cf. V, 7, 1).

que le Dieu Créateur ne soit que l'instrument par lequel
le Sauveur et la Mère aient fait le monde, où est l'authentique supériorité ? D'un côté, il y a Celui par l'entremise
de qui ont été affermis les cieux, consolidée la terre,
suspendues les étoiles, semées toutes les merveilles dont
l'univers est rempli, produits tous les êtres vivants qui
sont sous le ciel — y compris les hérétiques eux-mêmes ! —
et tous ceux qui sont au-dessus du ciel. De l'autre côté,
il y a les Valentiniens, dont on ne voit pas que jamais le
Sauveur ni la Mère se soient servis pour faire quelque
création que ce soit. Cette simple constatation ne suffit-elle
pas à montrer combien ridicule est la prétention des
hérétiques et combien, lors même que le Démiurge ne
serait que ce qu'ils prétendent, ils sont au-dessous de lui ?
[30, 1-3].

Car, insiste Irénée, si, pour faire une création qui soit
à l'image des réalités du Plérôme, la Mère a utilisé le
Démiurge plutôt que sa propre semence à elle — cette
semence que les Valentiniens se flattent d'être —, c'est
tout simplement parce que le Démiurge était un instrument
apte à réaliser les intentions de la Mère, tandis que la
semence en question n'était bonne à rien. Il serait, en
effet, tout à fait impensable qu'un artiste digne de ce nom
en vienne à répudier un instrument excellent pour en
utiliser un mauvais [30, 4-5].

b) *Le Démiurge, Auteur des êtres spirituels* (30, 6-8).

Peut-être les hérétiques diront-ils que le Démiurge n'a
fait que les êtres matériels, c'est-à-dire le ciel visible et
tout ce qui est au-dessous de celui-ci, tandis que la semence
de la Mère, qui est d'essence pneumatique, aurait fait
les êtres spirituels situés au-dessus du ciel, Principautés,
Puissances, Anges, Archanges, etc. A cela Irénée oppose
d'abord le témoignage formel des Écritures, déjà produit
antérieurement, selon lequel toutes choses sans exception,
tant les invisibles que les visibles, ont été faites par le

seul Dieu Créateur. Au surplus, note-t-il, si les Valentiniens avaient créé les Anges et autres êtres spirituels, ils devraient pouvoir révéler leur nature, leur nombre et leur organisation, chose qu'ils sont bien incapables de faire [30, 6].

Pour prouver que les êtres spirituels sont eux aussi l'œuvre du Dieu Créateur, Irénée développe ensuite une argumentation qu'il base sur le témoignage de Paul. Celui-ci, en effet, évoquant les révélations les plus hautes dont il a été favorisé, rapporte comment il fut emporté jusqu'au troisième ciel et comment il y entendit des paroles spirituelles qu'il n'est pas possible de redire avec des mots humains (cf. *II Cor.* 12, 2-4). Or, note Irénée, cette déclaration de Paul apparaît comme dénuée de sens s'il faut admettre la thèse valentinienne selon laquelle le troisième ciel relève du Démiurge psychique et est situé bien au-dessous de lui : car, pour pouvoir bénéficier de révélations spirituelles, Paul aurait dû, selon la théorie valentinienne, dépasser le Démiurge et s'élever au moins jusqu'à l'Intermédiaire, lieu de résidence de la Mère. Si donc la déclaration de Paul a un sens, il faut admettre que les cieux contiennent des êtres spirituels et que Celui qui a créé les cieux a créé aussi les êtres spirituels qui y résident. Et si c'est lui qui a créé les êtres spirituels, poursuit Irénée, on en conclura qu'il ne peut absolument pas être de nature psychique, comme le veulent les hérétiques, mais qu'il est nécessairement de nature spirituelle, autrement dit qu'il est Celui-là même dont l'Évangile dit qu'il est « Esprit » (cf. *Jn* 4, 24) [30, 7-8].

c) *Conclusion : le Dieu Créateur, seul vrai Dieu* (30, 9).

Ainsi donc, lors même que l'on ne verrait dans le Dieu Créateur que l'intermédiaire par lequel le Sauveur ou la Mère auraient fait le monde, on devrait déjà s'insurger contre la prétention des hérétiques à s'élever au-dessus de Celui qui est leur Créateur à eux aussi. Mais, s'empresse d'ajouter Irénée, le Dieu Créateur n'est en rien cet inter-

médiaire que prétendent les hérétiques, car c'est de sa
propre initiative et librement qu'il a fait de rien tout ce
qui existe en dehors de lui.

Et Irénée de conclure alors la présente section, ainsi
que la réfutation des thèses proprement valentiniennes qui
a fait l'objet des quatre premières parties du Livre II,
par un hymne à la gloire de Celui qui est « le seul Dieu,
le seul Tout-Puissant et le seul Père ». Il a créé, fait et
ordonné toutes choses, visibles et invisibles, par sa seule
Parole et par sa seule Sagesse ; il contient tout et rien
ne peut le contenir. Il est au-dessus de toutes choses, et
il n'existe rien qui soit au-dessus de lui, n'en déplaise
aux hérétiques et à tout ce qu'ils ont pu gratuitement
imaginer. C'est lui qui, après avoir modelé l'homme, n'a
cessé et ne cesse de l'accompagner dans son cheminement :
il est Celui qu'ont connu les patriarches, qu'a annoncé
la Loi et qu'ont prêché les prophètes, Celui qui s'est rendu
visible dans le Christ, Celui qu'ont enseigné les apôtres
et qui est l'objet de la foi de l'Église. Par son Verbe, qui
est son Fils et qui est depuis toujours avec lui, il se révèle
non seulement aux hommes, mais aux Anges et aux
Puissances célestes, bref à tous ceux à qui il veut se révéler.
Tel est le Dieu qu'Irénée entend venger des blasphèmes
des hérétiques.

CINQUIÈME PARTIE

RÉFUTATION DE QUELQUES THÈSES
NON VALENTINIENNES (31-35)

Avec le chapitre précédent s'est achevée la tâche
qu'Irénée s'était assignée dans la préface du Livre, à
savoir la réfutation des principales thèses de l'école
valentinienne, notamment celles de Ptolémée et de Marc

le Magicien. Cette école valentinienne étant apparue
aux yeux d'Irénée comme le point d'aboutissement et
comme une sorte de récapitulation de toutes les hérésies
antérieures, on conçoit que l'évêque de Lyon ait eu le
sentiment que, en la réfutant, c'étaient toutes les hérésies
qu'il réfutait du même coup. Il aurait donc pu finir ici
le Livre II. Cependant, soucieux de ne laisser aucune prise
à l'erreur, il juge bon de revenir sur quelques thèses plus
particulières, propres à des systèmes antérieurs à l'hérésie
valentinienne : d'où cette cinquième partie, consacrée
à la réfutation de ces thèses.

1. Préambule (31, 1)

Avant d'aborder cette réfutation, Irénée commence
par montrer comment sa réfutation des principales thèses
valentiniennes valait déjà contre les autres hérésies.
Ainsi, en réfutant la thèse selon laquelle notre monde
de matière serait en dehors de la sphère du Dieu suprême,
il a réfuté Marcion, Simon, Ménandre et tous ceux qui ont
professé une doctrine semblable. De même, en réfutant
la thèse selon laquelle notre monde, tout en appartenant
à la sphère du Dieu suprême, n'aurait point été fait par
lui, il a réfuté Saturnin, Basilide, Carpocrate et les
« Gnostiques ». De même encore, en montrant l'inanité
de la thèse relative aux émissions des Éons et à une
déchéance survenue en leur sein, il a réfuté Basilide et les
« Gnostiques ». Bref, en montrant que le Dieu Créateur est
le seul vrai Dieu, il a renversé par la base tous les systèmes
qui, depuis Simon le Magicien, ont prétendu découvrir
un Dieu supérieur au Créateur.

2. Thèses de Simon et de Carpocrate (31, 2 - 34, 4)

a) *Pratiques magiques* (31, 2-3).

Après ce rappel général, Irénée aborde quelques points concernant plus particulièrement Simon le Magicien et Carpocrate. Il entend, certes, réfuter leurs doctrines, mais, comme ces hérésiarques sont surtout connus par leurs pratiques magiques, c'est sur ce point que, tout naturellement, il fait d'abord porter son examen.

Irénée ne nie pas que ces hérésiarques, ainsi que leurs disciples, aient pu et puissent encore opérer des prodiges plus ou moins spectaculaires ; mais, fait-il observer, de telles œuvres ne sont pas accomplies par la puissance de Dieu et, bien loin d'être de quelque utilité pour les hommes, elles ne servent qu'à les tromper et à les perdre. Il en va tout autrement dans l'Église, où la puissance de Dieu ne cesse d'être à l'œuvre pour rendre la vue aux aveugles, l'ouïe aux sourds, la santé aux malades et quelquefois même la vie aux morts, bref, pour venir miséricordieusement en aide aux hommes et procurer déjà le commencement de leur salut. Cette simple comparaison suffit à montrer de quel côté est le mensonge et de quel côté la vérité.

b) *Prétendue nécessité de s'adonner à toutes les activités possibles* (32, 1-2).

Après les pratiques magiques, les mœurs licencieuses. Ce libertinage moral est le fait des Simoniens (cf. I, 23, 3-4) et, plus encore, des Carpocratiens, qui professent que l'on doit avoir accompli toutes les actions possibles, même mauvaises, soit en une seule vie humaine, soit en plusieurs vies successives, si l'on veut franchir le domaine des Puissances planétaires après la mort et parvenir au Dieu suprême situé au-dessus d'elles (cf. I, 25, 4).

En professant une telle théorie, rétorque Irénée, les Carpocratiens se mettent en contradiction avec eux-mêmes. D'une part, en effet, ils se réclament de Jésus comme d'un Maître plus excellent que tous les autres hommes (cf. I, 25, 1) ; d'autre part, ils tournent le dos à l'enseignement le plus clair et le plus constant de ce même Jésus, car celui-ci, non content de condamner l'adultère, le meurtre et toute forme d'injustice ou de violence, interdit jusqu'au désir et à la pensée de ces mêmes actes, et il oppose d'une façon on ne peut plus claire le sort final des justes, introduits dans le royaume de leur Père, et des injustes, envoyés au feu éternel [32, 1].

Les Carpocratiens se contredisent eux-mêmes d'une autre manière encore. Ils affirment qu'on doit s'adonner à toutes les activités et comportements possibles. Mais, en fait, on ne voit pas qu'ils se soient jamais appliqués aux activités vertueuses, et encore moins qu'ils aient jamais tenté d'embrasser toute la somme des activités humaines dignes d'estime, disciplines théoriques, arts pratiques, métiers innombrables ; par contre, ils se plongent dans les plaisirs, la luxure et toutes les turpitudes. Ils se condamnent de la sorte eux-mêmes, puisqu'il leur manque tout cela qu'eux-mêmes ont déclaré nécessaire au salut [32, 2].

c) *Prétendue supériorité sur Jésus* (32, 3-5).

Dans la notice consacrée à Carpocrate, Irénée a expressément signalé que, parmi les disciples de celui-ci, certains, tout en se réclamant de Jésus, ne craignent pas de se considérer comme égaux et même comme supérieurs à lui (cf. I, 25, 2). C'est une telle prétention qu'Irénée entend ici repousser.

A cette fin, il institue une comparaison entre les œuvres de Jésus et celles des hérétiques. Jésus a accompli une foule de miracles pour le profit des hommes ; par contre, les prodiges opérés par les hérétiques ne relèvent, ainsi qu'on l'a déjà vu, que de la magie et de la mystification. Plus encore, Jésus est ressuscité d'entre les morts et est monté aux cieux sous les yeux de ses disciples ; par contre, jamais un seul d'entre les hérétiques n'est ressuscité après sa mort ni ne s'est manifesté à qui que ce soit [32, 3].

Et ce n'est pas tout. La puissance du Seigneur ressuscité ne cesse de se manifester dans son Église, car c'est par l'invocation du nom de Jésus, crucifié jadis sous Ponce Pilate, que ses authentiques disciples chassent les démons, prédisent l'avenir, guérissent les malades, ressuscitent les morts et distribuent gratuitement ce qu'ils reçoivent gratuitement de Dieu. Rien de comparable chez les hérétiques, où l'on n'a jamais vu que personne ait été guéri par l'invocation du nom de Simon, de Ménandre, de Carpocrate ou de quelque autre [32, 4-5].

d) *Prétendue transmigration des âmes* (33, 1 - 34, 1).

Les Carpocratiens, ainsi qu'on vient de le voir, professent la doctrine de la métempsycose, en ce sens, du moins, que les âmes sont contraintes de passer de corps en corps dans des existences successives aussi longtemps qu'elles ne se sont pas adonnées à toutes les formes possibles d'activité (cf. I, 25, 4).

Si les âmes, rétorque Irénée, avaient déjà vécu une ou plusieurs vies antérieures, ne devraient-elles pas en garder le souvenir? Ce serait d'autant plus indispensable que, selon la théorie carpocratienne, elles viennent en ce monde précisément pour accomplir ce qu'elles n'ont pas encore accompli au cours de leurs vies antérieures : comment sauraient-elles ce qui leur manque encore, si elles n'ont aucun souvenir de ce qu'elles ont déjà fait? D'ailleurs un tel oubli ne paraît même pas possible : si, au moment du réveil, l'âme se souvient de ce qu'elle a pu voir seule, en songe, pendant le sommeil, *a fortiori* devrait-elle se souvenir de ce qu'elle aurait vu au cours de toute une existence antérieure [33, 1].

Parler, comme l'a fait Platon, d'un breuvage d'oubli que les âmes absorberaient au moment d'entrer en cette vie, c'est affirmer une chose qu'il est impossible de prouver, puisque, par définition, ce breuvage ferait tout oublier, à commencer par le breuvage lui-même [33, 2].

Prétendre que c'est le corps qui provoquerait cet oubli est plus absurde encore, car, en ce cas, l'âme serait dans l'impossibilité de se souvenir de quoi que ce soit : à l'instant même où l'œil se détournerait d'un objet, celui-ci serait radicalement oublié. En fait, ce n'est pas le corps qui domine sur l'âme, mais l'âme sur le corps, même si l'âme unie au corps est plus ou moins entravée du fait que sa promptitude à elle se mêle à la lenteur du corps, un peu à la manière dont la promptitude de l'esprit d'un artiste est plus ou moins entravée par la lenteur de l'instrument dont il se sert pour faire une œuvre d'art [33, 3-4].

Si l'âme n'a nul souvenir d'une existence antérieure, conclut Irénée, c'est donc qu'elle n'a jamais été — et est destinée à n'être jamais — dans un autre corps que celui qui est présentement le sien. Et alors peut apparaître dans toute sa vérité l'enseignement de l'Écriture sur les rétributions dernières : lors de la résurrection générale, ceux qui ressusciteront pour la vie auront leur propre corps et leur propre âme unis à l'Esprit qu'ils auront, chacun pour leur part, reçu de Dieu et en lequel ils auront plu à celui-ci ; quant à ceux qui ressusciteront pour le châtiment, ils auront eux aussi leur propre corps et leur propre âme, mais privés de cet Esprit de Dieu qu'ils auront coupablement rejeté [33, 5].

Cette conclusion relative à l'absurdité de la doctrine de la métempsycose, à laquelle un peu de réflexion permet d'aboutir, est pleinement confirmée par l'enseignement du Seigneur. Celui-ci, en relatant avec détails l'histoire[1]

---

1. Nous disons bien : « l'histoire », car, pour Irénée, il s'agit d'une histoire réelle et non d'un récit fictif. On se demandera peut-être

de Lazare et du mauvais riche et en décrivant le sort de l'un et de l'autre après leur mort, montre clairement que les âmes, bien loin de passer dans d'autres corps, gardent l'empreinte du corps qu'elles ont animé ici-bas et se voient assigner, dès avant la résurrection générale et le jugement, le séjour qu'elles ont mérité [34, 1].

e) *Prétendue mortalité des âmes* (34, 2-4).

A la suite de sa réfutation de la doctrine de la métempsycose, Irénée juge utile de rencontrer une objection qui hante sans doute l'esprit de plus d'un homme cultivé de son temps : comment un être qui a commencé d'exister — en l'occurrence, l'âme humaine — peut-il ne pas connaître de fin ? Un adage philosophique indiscuté veut, en effet, que seul ce qui n'a pas eu de commencement n'ait pas non plus de fin ; dès lors, si l'âme a commencé avec le corps, elle doit nécessairement aussi finir avec lui. Il ne s'agit pas là, notons-le, d'une doctrine hérétique particulière : on chercherait en vain, dans les notices du Livre I, un hérésiarque ou une secte qui aient professé telle quelle la thèse en question. Il s'agit plutôt d'une objection surgissant assez naturellement à cet endroit et à laquelle Irénée désire répondre pour n'avoir plus à y revenir par la suite.

La réponse d'Irénée consiste à dépasser l'horizon empirique dans lequel demeure enfermée, en fin de compte, toute la philosophie antique, pour s'élever à celui de la foi en un Dieu qui donne à toutes choses sans exception leur être même. A cette lumière de la foi, Dieu apparaît comme

pourquoi Irénée développe ici une preuve tirée de l'Écriture, alors que les preuves tirées de l'Écriture ne doivent intervenir que dans les Livres suivants. La réponse paraît simple : prévoyant qu'il n'aura pas ultérieurement l'occasion de revenir sur la question de la transmigration des âmes, Irénée tient à dire tout de suite tout ce qu'il juge utile de communiquer à son lecteur sur ce sujet. Un procédé de composition tout semblable a été signalé déjà plus haut, p. 168, n. 1.

le seul qui soit sans commencement ni fin, étant le seul
qui soit depuis toujours et à jamais parfait ; quant à tous
les êtres distincts de lui, quels qu'ils soient, ils reçoivent
de lui le commencement de leur existence, mais ils la
conservent ensuite autant que Dieu le veut, donc non
seulement durant un temps, mais même éternellement
si tel est le bon plaisir du Donateur. Noter que, par cette
réponse, Irénée ne fait rien de plus que dissiper une difficulté : l'objection prétendait conclure à l'impossibilité
d'une durée sans fin pour un être qui aurait eu un commencement ; Irénée se contente de montrer que, dans la
perspective d'une création de toutes choses par Dieu,
il n'y a là aucune impossibilité, puisque tout dépend
de Dieu, qui donne à tous les êtres l'existence de la manière
qu'il veut [34, 2].

Ce qu'Irénée dit ensuite n'entend rien ajouter à cette
réponse, mais l'illustrer par deux exemples. En premier
lieu, le don de la simple existence que nous pouvons
appeler physique ou naturelle : à tous les êtres qu'il tire
du néant, qu'il s'agisse de notre univers matériel comme
tel ou qu'il s'agisse des âmes et des esprits angéliques,
Dieu donne d'abord le commencement de leur existence,
puis il les garde à jamais dans cette existence qu'il leur a
donnée. En second lieu, le don de la vie de l'Esprit, en vue
de laquelle l'homme a été créé : cette vie, qui ne vient pas
de nous ni de notre nature, Dieu la fait d'abord surgir
en l'homme par un pur don de sa grâce, puis il la garde
à jamais en ceux qui ne rejettent pas, par une ingratitude
coupable, le don qu'ils ont reçu. Dans l'un et l'autre cas,
on trouve donc un processus identique : une existence
ou une vie sont initialement données par Dieu, puis
éternellement conservées par lui. Ainsi est dissipée l'objection soulevée au début de la présente section [34, 3-4].

3. Thèse de Basilide sur le grand nombre des cieux (35, 1)

On a vu, dans la notice du Livre I consacrée à Basilide, que celui-ci avait imaginé, entre le Dieu suprême et ses émanations, d'une part, et notre monde, d'autre part, 365 cieux qui se seraient engendrés successivement les uns les autres (cf. I, 24, 3).

Irénée a déjà critiqué cette thèse propre à Basilide (cf. II, 16, 2-4). Il y revient ici très brièvement, pour souligner le caractère totalement arbitraire du nombre retenu : comme il n'y a aucune raison de s'arrêter à tel nombre déterminé plutôt qu'à n'importe quel autre, Basilide doit, s'il veut être logique avec sa conception de cieux dérivant les uns des autres, admettre qu'une telle production de cieux a lieu depuis toujours et aura lieu éternellement, autrement dit que le nombre des cieux est infini.

4. Thèse des « Gnostiques » sur la pluralité des Dieux (35, 2-3)

Irénée aborde, pour finir, une thèse particulière à certains hérétiques que, dans le Livre I, il a désignés sous le nom de « Gnostiques ». D'après eux, le Dieu-Démiurge aurait, avec six autres Dieux issus de lui, constitué une « Sainte Hebdomade » comprenant Jaldabaoth, Jao, Sabaoth, Adonaï, Élohim, Hor et Astaphée (cf. I, 30, 5). Tout au long de l'Ancien Testament, chacun de ces sept Dieux se serait choisi ses propres prophètes du milieu du peuple juif, en sorte que ceux-ci prêchent chacun son Dieu à lui, différent des autres (cf. I, 30, 10-11).

Se réservant de montrer dans les Livres suivants que tous les prophètes n'ont prêché qu'un seul Dieu, Créateur de toutes choses, Irénée se borne ici à établir que les divers vocables figurant dans les Écritures, tels que

Élohim, Adonaï, etc., ne désignent pas des êtres distincts,
comme le prétendent les « Gnostiques », mais un seul
et même Dieu, le Créateur et le Seigneur de toutes choses.
Sans nécessairement suivre Irénée pour le détail de ses
définitions et explications, nous lui donnerons raison sans
peine pour le fond de son argumentation.

CONCLUSION (35, 4)

«... Un seul Dieu et Père, qui contient toutes choses
et donne à toutes l'existence » (II, 35, 3) : telle est la
perspective sur laquelle s'achève le Livre II. Tout au long
de celui-ci, en effet, Irénée a mis en lumière les contradictions et incohérences de toute sorte qui rendent inacceptable, pour un homme sensé, la thèse de ceux qui, de
quelque manière que ce soit, ravalent le Dieu Créateur
au rang de Démiurge subalterne et prétendent découvrir
au-dessus de lui un autre Dieu ou monde divin, seul
véritablement transcendant et sans rapport avec notre
monde de matière : en montrant l'absurdité de cette thèse
sur laquelle reposent tous les systèmes dualistes décrits
dans le Livre I, Irénée a dégagé le terrain autour de la
grande vérité fondamentale proclamée par les apôtres,
par le Christ, par les prophètes et par la Loi : un seul
et même Dieu Père, Créateur de toutes choses.

De surcroît, cette vérité fondamentale, Irénée l'a établie
déjà, au moins de façon sommaire, en citant quelques-uns
des textes les plus explicites de l'Ancien et du Nouveau
Testament (cf. II, 2, 5-6), pour ne rien dire des allusions
scripturaires éparses à travers le Livre. Mais il ne peut
en rester là. Cette vérité fondamentale, il lui reste à la
déployer tout entière, telle qu'elle s'exprime à travers les
divines Écritures, avec son inépuisable richesse de contenu.
Il apparaîtra alors que toute l'histoire du salut n'est, en

fin de compte, rien d'autre que l'œuvre d'un unique Dieu
et Père ne cessant d'agir par son Fils et son Esprit et
poursuivant jusqu'à la fin l'accomplissement d'une unique
décision créatrice formulée aux origines : « Faisons l'homme
à notre image et à notre ressemblance » (*Gen.* 1, 26).
C'est ce programme même qui fera l'objet des trois derniers
Livres de l'*Aduersus haereses*[1]. En manifestant de la sorte
l'authentique richesse de la vérité la plus fondamentale
de la foi, Irénée n'ajoutera pas à ses deux premiers Livres
on ne sait quel hors-d'œuvre qui resterait étranger au but
de son ouvrage ; il ne fera, au contraire, qu'opposer à
l'hérésie la seule réponse vraiment efficace, celle qui ne
se contente pas de réfuter négativement l'erreur, mais
met à la place de celle-ci la vérité qu'elle méconnaît.

                                                    A. R.

---

1. Les derniers mots du Livre V évoqueront précisément l'ultime
achèvement de l'œuvre créatrice de Dieu dans l'éternel royaume
du Père, lorsque cet « ouvrage modelé » par Dieu qu'est l'homme
« saisira le Verbe et montera vers lui, dépassant ainsi les anges et
devenant *à l'image et à la ressemblance de Dieu* » (V, 36, 3).

NOTES JUSTIFICATIVES

par

A. ROUSSEAU

NOTES JUSTIFICATIVES

N.B. *Les pages auxquelles renvoient ces notes justificatives sont celles du tome II (Texte et Traduction).*

Les textes grecs d'Irénée apparaissent en caractères gras, lorsqu'ils sont attestés par des fragments, et en caractères ordinaires, lorsqu'ils sont restitués de façon conjecturale.

P. 23, n. 1. — « Dans le livre précédent », Ἐν τῇ μὲν πρὸ ταύτης βίδλῳ.

Le latin « in *primo* quidem libro qui *ante hunc* est » présente un pléonasme plutôt grossier qu'on hésitera à mettre sur le compte d'Irénée. Sans doute faut-il restituer « in *eo* quidem libro qui ante hunc est », car les mots ἐν τῇ πρὸ ταύτης βίδλῳ constituent une sorte de formule stéréotypée sous la plume d'Irénée, comme le montrent les quelques exemples suivants tirés du seul Livre II : « ... in *eo* qui est ante hunc libro posuimus » (II, 7, 3) ; « ... ostendimus in *eo* libro qui est ante hunc librum ... » (II, 12, 1) ; « ... sicut praediximus in *eo* qui ante hunc est liber » (II, 12, 7) ; « ... in *eo* qui est ante hunc libro sententias haereticorum enarrantes ... » (II, 14, 9).

P. 23, n. 2. — « démasquant la gnose au nom menteur », ἐλέγξαντες τὴν ψευδώνυμον γνῶσιν.

On reconnaît le titre même du grand ouvrage d'Irénée : Ἔλεγχος καὶ ἀνατροπὴ τῆς ψευδωνύμου γνώσεως. Dans le Livre I, Irénée a réalisé la première moitié de son programme : « dénoncer » (ἐλέγχειν) la fausse gnose, la faire apparaître sous son vrai jour en lui arrachant le masque sous lequel elle se dissimule pour mieux séduire les simples. Dans le Livre II, ainsi qu'il le dira à la fin de cette préface, Irénée va « renverser » (ἀνατρέπειν) cette fausse gnose ainsi produite au grand jour, en faisant ressortir les incohérences et contradictions de toute sorte dont elle est pleine.

P. 23, n. 3. — « nous t'avons rapporté ... tout le mensonge qui, sous des formes multiples et opposées, a été forgé par les disciples de Valentin », ἀπηγγείλαμεν ... πᾶσαν τὴν ὑπὸ τῶν ἀπὸ Οὐαλεντίνου κατὰ πολλοὺς καὶ ἐναντίους τρόπους παρεπινενοημένην ψευδηγορίαν.
Il semble que le latin ait eu primitivement : « ... omne ab his qui sunt a Valentino ... adinuentum [esse] falsiloquium », ou : « ... omne <quod> ab his qui sunt a Valentino ... adinuentum es <t> falsiloquium ». Dans cette phrase, en effet, Irénée paraît bien avoir en vue la « Grande Notice » qui constituait la première partie du Livre I. Or, dans cette « Grande Notice », Irénée n'a pas, à proprement parler, démontré que tout ce qui a été imaginé (« omne ... adinuentum ») par les Valentiniens est un mensonge (« esse falsiloquium »), mais il a simplement rapporté tout le système mensonger (« omne ... falsiloquium ») imaginé (« adinuentum », ou « quod ... adinuentum est ») par les Valentiniens. Cette façon de restituer le texte est confirmée par toute la suite de ce premier paragraphe de la Préface, en lequel Irénée présente l'ensemble du Livre I comme un exposé des systèmes hérétiques, et non comme une démonstration ou une réfutation : « exposuimus ..., retulimus ..., perexiuimus ..., renuntiauimus ..., manifestauimus ..., diximus ..., adnotauimus ... ».

P. 23, n. 4. — « de ceux qui furent leurs chefs de file ». Nous ne savons trop de quels mots grecs le latin « eorum qui priores exstiterunt » est la traduction. Quoi qu'il en soit, il nous semble que c'est à tort que Massuet voit dans ces « priores » les ancêtres lointains des Valentiniens : Simon le Magicien, les Nicolaïtes, etc. Irénée déclare en effet ici même avoir montré « qu'ils sont en désaccord les uns avec les autres et bien auparavant déjà avec la vérité elle-même ». Cela s'applique très exactement aux « chefs de file » des Valentiniens dont il a traité en I, 11-12. En effet, à cet endroit Irénée a effectivement montré « comment, dès là qu'ils sont deux ou trois, non contents de ne pouvoir dire les mêmes choses à propos des mêmes objets, ils se contredisent les uns les autres dans la pensée comme dans les mots » (début de I, 11, 1) ; de plus, en faisant précéder les chap. 11-12 par l'exposé de la foi de l'Église figurant au chap. 10, Irénée a montré comment, avant même de s'opposer les unes aux autres, toutes les doctrines hérétiques s'opposent à la « vérité » que croit et prêche l'Église à travers le monde entier.

P. 23, n. 5. — « arrachent », ἐκλέγοντες. Comparer avec
I, 19, 1 : ... ὅσα περὶ τοῦ Προπάτορος αὐτῶν ... ἐκλέγοντες
ἐκ τῶν γραφῶν πείθειν ἐπιχείρουσιν (texte grec conservé par
Épiphane), traduit par « ... quanta de Propatore ipsorum ...
eligentes de Scripturis suadere contendunt ». On notera que
cet endroit du Livre I est le seul où le verbe ἐκλέγω soit
employé au sens de « enlever », « arracher ».

P. 23, n. 6. — « Nous avons fait connaître la doctrine de
leur ancêtre, Simon, le Magicien de Samarie, et de tous
ceux qui lui ont succédé, et nous avons dit également
la multitude des ' Gnostiques ' issus de lui », Καὶ τὴν τοῦ
προγόνου αὐτῶν διδασκαλίαν Σίμωνος τοῦ μάγου τοῦ Σαμαρίτου
καὶ πάντων τῶν διαδεξαμένων αὐτὸν ἐφανερώσαμεν εἴπομέν τε τὸ
πλῆθος τῶν ἀπ' αὐτοῦ Γνωστικῶν.

Ces lignes résument le contenu de la 3ᵉ partie du Livre I :
d'une part, Simon et ses successeurs, en lesquels Irénée a
vu les « ancêtres » des Valentiniens (chap. 23-28) ; d'autre
part, les « Gnostiques », présentés comme les « pères » ou
ascendants immédiats de ces mêmes Valentiniens (chap. 29-
30). Cf. *SC* 263, p. 149-163.

P. 25, n. 1. — « négatrices de Dieu », ἄθεα. Cf. I, 6, 4 :
« Et alia multa ... *irreligiosa* facientes » = Καὶ ἄλλα δὲ
πολλὰ ... ἄθεα πράσσοντες (grec conservé par Épiphane) ;
I, 25, 5 : « Et si quidem fiant apud eos quae sunt *irreligiosa* ... » = Καὶ εἰ μὲν πράσσεται παρ' αὐτοῖς τὰ ἄθεα ...
(grec conservé par Théodoret).

Ce qui permet à Irénée de taxer d'« athées » les doctrines
en question, c'est le fait qu'elles dénient au Dieu Créateur,
seul vrai Dieu, la qualité de Dieu, puisqu'elles prétendent
découvrir au-dessus de lui un Dieu qui seul serait vraiment
transcendant, mais qui, en réalité, n'existe pas et ne peut
même pas exister.

P. 25, n. 2. — « fruit de déchéance », ὑστερήματος καρπός.
Sur cette expression, cf. F. SAGNARD, *La Gnose valentinienne* ..., p. 433-435. L'expression ὑστερήματος καρπός,
comme désignation du Démiurge, s'est rencontrée à deux
reprises dans la deuxième partie du Livre I, là où Irénée
expose les doctrines des Marcosiens (cf. I, 17, 2 ; I, 19, 1).
Le Démiurge est un « fruit de déchéance » en ce qu'il provient
de la Sagesse extérieure au Plérôme, laquelle provient

elle-même de la « passion de déchéance » (cf. I, 18, 4) survenue dans le 30e Éon du Plérome. L'expression ὑστερήματος
καρπός reviendra maintes fois sous la plume d'Irénée
(cf. II, 1, 1 ; II, 3, 2 ; II, 4, 3 ; II, 9, 2 ; II, 19, 9 ; II, 28, 4
[deux fois] ; III, 5, 1 ; III, 10, 1 ; III, 25, 5 ; IV, 33, 3).
L'expression se rencontre encore en IV, 18, 4, mais pour
désigner le pain et le vin de l'eucharistic, en lesquels les
hérétiques ne pouvaient voir que l'œuvre hylique, et donc
essentiellement mauvaise, de leur Démiurge.

P. 25, n. 3. — « Dans le présent livre — l'ensemble de
leur système », Ἐν δὲ ταύτῃ τῇ βίβλῳ πραγματευσόμεθα τὰ ἡμῖν
ἐπιτήδεια καθὰ ἐγχωρήσει ὁ χρόνος καὶ ἀνατρέψομεν κατὰ μεγάλα
κεφάλαια πᾶσαν αὐτῶν τὴν ὑπόθεσιν.
La restitution de la première moitié de cette phrase est
incertaine. Toutefois, le sens général de la phrase paraît
clair : Irénée veut dire qu'il ne s'enlisera pas dans une
réfutation sans fin et parfaitement inutile des moindres
détails du système valentinien, mais qu'il concentrera
l'effort de sa réfutation sur les points fondamentaux du
système, car il sait que, ceux-ci dûment réfutés, le système
entier s'effondrera de lui-même.

P. 25, n. 4. — « car il faut que soient réduites à néant —
et n'existe pas ». Le texte latin des manuscrits est corrompu,
et nous ne voyons pas la possibilité de le corriger de façon
entièrement satisfaisante. Faute de mieux, nous nous
rallions à l'avis de Grabe, qui propose de déplacer le mot
« Bythum » et de lire : « … euersionem dissoluere, et
Bythum, quoniam … ». Le latin « indicium » semble traduire
ici le grec ἔλεγχος : cette traduction ne se rencontre pas
ailleurs dans l'*Aduersus haereses,* mais elle est néanmoins
tout à fait normale (cf. *Thesaurus linguae latinae, s. v.*
« indicium »).

P. 27, n. 1. — « Il convient donc que nous commen-
cions — et donne l'être à tout », Καλῶς οὖν ἔχει ἀπὸ τοῦ
πρώτου καὶ μεγάλου κεφαλαίου ἄρξασθαι ἡμᾶς, ἀπὸ τοῦ Δημιουργοῦ
Θεοῦ τοῦ τὸν οὐρανὸν καὶ τὴν γῆν καὶ πάντα τὰ ἐν αὐτοῖς ποιήσαντος,
ὃν οὗτοι βλασφημοῦντες ὑστερήματος καρπὸν λέγουσι, καὶ ἐπιδεῖξαι
ὅτι οὔτε ὑπὲρ αὐτὸν οὔτε μετ' αὐτόν ἐστίν τι, καὶ οὐχ ὑπό τινος κινηθεὶς
ἀλλὰ κατ' ἰδίαν γνώμην καὶ ἐλευθέρως ἐποίησε τὰ πάντα, μόνος Θεὸς
ὢν καὶ μόνος Κύριος καὶ μόνος Κτίστης καὶ μόνος Πατὴρ καὶ μόνος
περιέχων τὰ πάντα καὶ τοῖς πᾶσι τὸ εἶναι παρέχων.

Nous avons ici une nouvelle formulation du premier
article de la « Règle de vérité » : un seul Dieu, Créateur de
toutes choses (cf. I, 10, 1 ; I, 22, 1). C'est cette affirmation
fondamentale de la foi que, d'entrée de jeu, Irénée oppose
à ce qu'il a reconnu comme la première et la plus fondamentale erreur des gnostiques, à savoir leur prétention à
dépasser le Dieu Créateur, en lequel ils ne veulent voir
qu'un « Démiurge » subalterne, et à découvrir au-dessus de
lui un « Plérôme » qui seul serait véritablement divin.

P. 27, n. 2. — « Comment, en effet, pourrait-il y avoir — et
ne soit contenu par rien ? », Πῶς γὰρ δυνήσεται ὑπὲρ τοῦτον
ἄλλο Πλήρωμα ἢ Ἀρχὴ ἢ Ἐξουσία ἢ ἄλλος Θεὸς εἶναι, ἐπεὶ δεῖ
τὸν Θεόν, τὸ τῶν πάντων Πλήρωμα, ἐν τῷ ἀπείρῳ τὰ πάντα περιέχειν
καὶ περιέχεσθαι ὑπὸ μηδενός ;

Pour être correctement comprise, la présente phrase
demande à être examinée avec attention, à la lumière du
contexte qui l'explique.

1. La répétition de l'adjectif ἄλλος suggère qu'Irénée vise
deux adversaires distincts : d'un côté, les Valentiniens
(ἄλλο Πλήρωμα ...) ; de l'autre, Marcion (ἄλλος Θεός). Et
c'est ce que confirme le restant du présent paragraphe,
comme suffit à le montrer le rapprochement des passages
suivants :

(a) ... alia *Plenitudo* aut Initium aut Potestas *(b)* aut
alius *Deus* ... (lignes 10-11).

(a) Deerit enim *Pleromati (b)* aut ei qui sit super omnia
Deo ... (lignes 15-16).

(a) Erit ◁igitur▷ secundum eos Pater omnium, quem
uidelicet et Proonta et Proarchen uocant, cum *Pleromate*
ipsorum, *(b)* et MARCIONIS bonus *Deus* ... (lignes 26-28).

Il est intéressant de constater la place que, dès les
premières lignes du Livre II, Marcion prend dans les préoccupations d'Irénée, place qu'il conservera jusqu'à la fin de
l'ouvrage. Non qu'Irénée confonde et mêle les doctrines, ou
qu'il simplifie indûment pour les besoins de la réfutation,
comme on l'a dit quelquefois. Mais il a parfaitement vu que,
à la base des doctrines valentinienne et marcionite, il y a
une commune répudiation du Dieu Créateur au bénéfice d'un
Dieu prétendument supérieur à celui-ci et sans rapport avec
notre monde. D'où son insistance à souligner que sa réfutation de la thèse fondamentale des Valentiniens vaut également contre celle des Marcionites.

2. Les manuscrits latins sont unanimes à avoir : « *horum omnium* Pleroma » (ligne 12). Il se peut que le traducteur ait lu τούτων pour τὸ τῶν. Quoi qu'il en soit, le pronom n'a pas de raison d'être à cet endroit, comme le montre la phrase qui suit immédiatement et dans laquelle sont repris les éléments de la présente phrase : « ... iam non *omnium* est *Pleroma* neque continet omnia ». De même encore quelques lignes plus loin : « ... hoc non est *omnium Pleroma* ».

3. Pour comprendre le raisonnement d'Irénée, il faut partir du fait que celui-ci se situe sur le terrain de l'adversaire et argumente « ad hominem ». La présente phrase peut, en effet, être paraphrasée de la manière suivante : « Comment pourrait-il y avoir, au-dessus *de Celui en qui les hérétiques ne veulent voir qu'un ' fruit de déchéance '*, un ' Plérôme ' qui serait le seul vrai monde divin (= les Valentiniens) ou un ' Dieu bon ' qui serait le seul vrai Dieu (= Marcion)? En effet, Celui, quel qu'il soit, à qui convient réellement le nom de Dieu, étant par définition même la Plénitude de toutes choses, doit contenir tout dans son immensité et n'être lui-même contenu par rien ». Or, va poursuivre aussitôt Irénée, ni le Plérôme des Valentiniens ni le Dieu de Marcion ne sont la Plénitude de toutes choses, puisque, de l'aveu même de leurs protagonistes, ils laissent totalement hors d'eux-mêmes et de la sphère de leur activité notre monde ainsi que le Démiurge, son Auteur. Pire encore : s'il y a de la sorte un dehors, non seulement le Plérôme des Valentiniens et le Dieu de Marcion ne contiendront plus toutes choses, mais ils seront eux-mêmes contenus par ce qui se trouve en dehors d'eux. Tel nous paraît être le raisonnement d'Irénée tout au long de II, 1, 2.

P. 29, n. 1. — « De plus, cet être aura un commencement — en dehors de lui », Καὶ ἀρχὴν δὲ καὶ μεσότητα καὶ τέλος ἕξει εἰς τὰ ἐκτὸς αὐτοῦ.

Il faut bien admettre qu'une distraction de copiste a fait substituer le mot « terminum » au mot « initium » : outre que le trinôme ἀρχή-μεσότης-τέλος va de soi, la présence du mot ἀρχή est confirmée par la phrase qui suit immédiatement : « Si <enim> finis est in ea quae sunt deorsum, *initium* est et in ea quae sunt sursum ». Même schéma de pensée au paragraphe suivant : « Si enim tertium hoc *initium* habebit in superiora et *finem* in inferiora... » (lignes 51-52).

D'autre part, on lit dans le latin : « ad *eos qui* sunt extra
eum ». Le traducteur aurait-il lu : εἰς τοὺς ἐκτὸς αὐτοῦ ?
Toujours est-il que le contexte fait attendre l'article pluriel
neutre, et non le masculin : l'opposition est entre le Plérôme
et *ce qui* se trouve en dehors de lui. Ce « dehors » n'est autre
chose que ce que la Grande Notice appelle les « lieux de
l'ombre et du vide », σκιᾶς καὶ κενώματος τόποι, en lesquels
Achamoth « bouillonna » après qu'elle eut été expulsée du
Plérôme (cf. I, 4, 1).

P. 29, n. 2. — « Ainsi donc leur prétendu ' Père de toutes
choses ' ... sera   contenu »,   Ἔσται οὖν ὁ κατ' αὐτοὺς Πατὴρ
τῶν πάντων ... περιεχόμενος.

Le *Claromontanus* a la leçon « erit enim », mais la logique
de la pensée fait plutôt attendre « erit igitur ». D'autre
part, la leçon « conditus » ne semble pas primitive. Sans
doute n'est-elle que la corruption de la leçon « contentus »,
comme le suggère l'ensemble du contexte : « Similiter autem
... necessitas est omnis ... et ab eis qui foris sunt *contineri*
et determinari et includi ... Erit <igitur> ... in aliquo
con<ten>tus et inclusus et a foris circumdatus ab altera
Principalitate ..., quoniam id quod *continet* eo quod *conti-
netur* maius est » (lignes 22-32).

P. 29, n. 3. — « Or ce qui est plus grand — sera Dieu »,
Τὸ δὲ μεῖζον, τοῦτο καὶ κυριώτερον, καὶ τὸ μεῖζον καὶ κυριώτερον,
τοῦτο ἔσται Θεός.

Le latin « firmius et magis dominus » n'est sans doute
qu'un doublet. Les comparatifs μείζων et κυριώτερος se
retrouvent, pareillement associés, en trois autres endroits
de l'*Aduersus haereses* : I, 13, 4 « quod enim iubet ... maius
est et dominantius » = τὸ γὰρ κελεῦον ... μεῖζόν τε καὶ
κυριώτερον (grec conservé par Épiphane) ; I, 13, 4 « erit
ille qui iubet maior et dominantior ... » = ἔσται ὁ κελεύων
μείζων τε καὶ κυριώτερος (id.) ; II, 5, 4 « alioquin necessi-
tatem maiorem et dominantiorem facient quam Deus » =
εἰ δὲ μή γε τὴν ἀνάγκην μείζονά τε καὶ κυριωτέραν ποιήσουσι τοῦ
Θεοῦ.

P. 29, n. 4. — « la Puissance d'en haut égarée », τὴν ἄνω
πεπλανημένην Δύναμιν.

Il s'agit de l'« Enthymésis » du 30e Éon du Plérôme,
Enthymésis qui fut expulsée du Plérôme et « erra » dans les

lieux de l'ombre et du vide. Cf. I, 8, 4 : **Καὶ ὅτι ἐπλανήθη ἡ Ἀχαμὼθ ἐκτὸς τοῦ Πληρώματος ..., μηνύειν αὐτὸν λέγουσιν ἐν τῷ εἰπεῖν αὐτὸν ἐληλυθέναι ἐπὶ τὸ πεπλανημένον πρόβατον.**

P. 33, n. 1. — « un autre Abîme ». Le latin a l'expression plutôt curieuse : « aliud pelagus Dei », « un autre océan de Dieu ». Ces mots seraient-ils une traduction large de ἄλλον Βυθόν ? Ou le mot « Dei » aurait-il été ajouté indûment au cours de la transmission du texte ?

P. 33, n. 2. — « se contentera de lui », καὶ αὐτῷ ἀρκεσθήσεται. Sur cette signification du latin « sufficiens » = « content de », « satisfait de », voir le Dictionnaire de Blaise.

P. 33, n. 3. — « chacun d'eux », Faut-il lire dans le latin « illos omnes » au lieu du peu intelligible « alios omnes » ?

P. 35, n. 1. — « Car à chacun fera défaut — de cette appellation même », Λείψει γὰρ ἑνὶ ἑκάστῳ αὐτῶν, μέρος λεπτότατον ἔχοντι πρὸς σύγκρισιν τῶν λοιπῶν ἁπάντων, καὶ λυθήσεται ἡ τοῦ Παντοκράτορος προσηγορία. Il faut, croyons-nous, considérer le substantif προσηγορία comme sujet commun des deux verbes λείψει et λυθήσεται.

P. 35, n. 2. — « Quant à ceux qui disent que le monde a été fait par des Anges ou par quelque autre Auteur du monde ... », Οἱ δὲ ὑπὸ Ἀγγέλων τὸν κόσμον λέγοντες δεδημιουργῆσθαι ἢ ὑπ' ἄλλου τινὸς Κοσμοποιοῦ ...
Après avoir évoqué les thèses valentinienne et marcionite tout au long du chap. 1, Irénée évoque ici celles des hérésiarques antérieurs. Il y a, d'une part, ceux qui attribuent la création du monde à des « Anges » : Simon le Magicien (I, 23, 2), Ménandre (I, 23, 5), Saturnin (I, 24, 1), Basilide (I, 24, 4). D'autre part, ceux qui l'attribuent à quelque autre « Auteur du monde » : ainsi Cérinthe (I, 26, 1), les Barbéliotes (I, 29, 4) ... On voit le souci d'Irénée de réfuter toutes les hérésies qui, de quelque manière que ce soit, ont en commun avec la gnose valentienienne d'attribuer la création de toutes choses à un autre qu'à l'unique vrai Dieu.

P. 37, n. 1. — « leur premier Dieu sera enfermé par cette réalité qui est en dehors de lui », καὶ ἐγκλεισθήσεται ὁ πρῶτος Θεὸς ὑπὸ τοῦ ἐκτὸς αὐτοῦ.

Les mots ὑπὸ τοῦ ἐκτὸς αὐτοῦ sont traduits de façon inexacte, le contexte indiquant suffisamment qu'il n'est pas question de celui qui (« ab eo qui … ») est en dehors du premier Dieu, mais de ce qui (« ab eo quod … ») est en dehors de lui. Par ailleurs, on notera que l'expression ὁ πρῶτος Θεός s'est rencontrée en I, 26, 1, c'est-à-dire dans l'exposé de la doctrine de Cérinthe.

P. 37, n. 2. — « car, si lui-même a fait cet Auteur du monde ou ces Anges … », Εἰ γὰρ τὸν Κοσμοποιὸν ἢ τοὺς Ἀγγέλους αὐτὸς ἐποίησεν …

Dans CV AQε, on lit : « Si enim mundi Fabricator est, Angelos ipse fecit … » Au lieu des mots « Fabricator est », S a la leçon « Fabricatorem ». On doit, sans hésiter, adopter la leçon de S, mais en acceptant de rétablir, entre les substantifs « Fabricatorem » et « Angelos », la conjonction « uel » qu'appelle le contexte. On observera en effet que, dans tout le présent chapitre, Irénée argumente contre « ceux qui disent que le monde a été fait *par des Anges ou par quelque autre Auteur du monde* ». La liste suivante montre comment ces expressions caractéristiques se retrouvent tout au long de l'argumentation :

a) Qui autem ab *Angelis* mundum dicunt fabricatum VEL ab alio quodam *mundi Fabricatore* … (lignes 1-2).

b) … ualde uanum erit praeter sententiam eius in eius propriis ab *Angelis* … qui sunt in potestate eius AUT ab *alio quodam* dicere fabricatum esse mundum (lignes 19-21).

c) Si autem non praeter uoluntatem eius …, iam non *Angeli* VEL *mundi Fabricator* causae erunt fabricationis istius … (lignes 24-27).

d) Si enim *mundi Fabricatorem* <VEL> *Angelos* ipse fecit …, et mundum ipse uidebitur fecisse, qui causas fabricationis eius praeparauit (lignes 27-30).

e) Licet per longam successionem deorsum *Angelos* dicant factos VEL *mundi Fabricatorem* a primo Patre …, nihilominus id quod est causa eorum quae facta sunt in illum qui prolator fuit talis successionis recurret … (lignes 30-34).

f) Sic igitur iuste … Pater omnium dicetur Fabricator huius mundi, et non *Angeli* neque alius quis *mundi Fabricator* … (lignes 43-45).

On notera que la 4e des phrases ci-dessus présente la
justification du contenu de la 3e, à laquelle elle se rattache
au moyen de la conjonction « enim ». Rien de plus normal
donc qu'aux mots « Angeli uel mundi Fabricator » de la 3e
fassent écho — non sans un chiasme, bien dans la manière
d'Irénée — les mots « mundi Fabricatorem <uel> Angelos »
de la 4e.

On notera également la correspondance totale existant
entre la 4e et la 5e phrase, si l'on accepte la restitution
proposée : la 4e phrase énonce alors un principe général,
que la 5e phrase ne fait que reprendre en l'appliquant au
cas particulier de Basilide.

P. 37, n. 3. — « ultérieurement », κάτω. Le latin « deorsum » (= « en bas ») est la traduction toute matérielle du
grec κάτω. Ce mot signifie habituellement « en bas », mais,
avec une idée de temps, comme c'est ici le cas, il peut également signifier « postérieurement », « ultérieurement ». La
même traduction de κάτω par « deorsum » se rencontre
une seconde fois dans le présent paragraphe, à la ligne 38.

P. 39, n. 1. — « Ainsi donc, c'est à juste titre — la cause
qui devait produire le monde », Οὕτως οὖν δικαίως, κατὰ
τὸν ἐκείνων λόγον, ὁ Πατὴρ τῶν πάντων ῥηθήσεται Δημιουργὸς
τοῦδε τοῦ κόσμου, καὶ οὐχὶ Ἄγγελοι οὐδὲ ἄλλος τις Κοσμοποιὸς
παρ' ἐκεῖνον τὸν προβολέα καὶ πρῶτον τῆς αἰτίας τῆς τοιαύτης
δημιουργίας ἑτοιμαστὴν ὑπάρχοντα.

La restitution des derniers mots de cette phrase fait
problème. On lit dans les manuscrits latins : « ... et primus
(var. prius) causa factionis huiusmodi praeparationis
exsistens ». Pour que ces mots offrent un semblant de sens,
on est contraint de rapporter « factionis » à « praeparationis »
et ce dernier mot à « causa », et l'on traduit alors :
« ... et qui, le premier, est *la cause de la préparation* d'une
telle production ».

Mais, ainsi compris, le passage cadre mal avec l'ensemble
de la démonstration qui le précède. Nulle part, en effet, il
n'est question en celle-ci de *causes qui préparent* une production ; en revanche, il y est fait mention à trois reprises de
causes qui sont préparées en vue d'un effet à produire. Voici
ces trois occurrences : « ... et mundum ipse (= primus
Deus) uidebitur fecisse, qui *causas* fabricationis eius
praeparauit » (lignes 29-30). « ... quemadmodum in regem

correctio belli refertur, qui *praeparauit* ea quae sunt *causa*
uictoriae, et conditio huius ciuitatis aut huius operis in
eum qui *praeparauit causas* ad perfectionem eorum quae
deorsum facta sunt » (lignes 35-38).

La difficulté relevée dans le texte latin s'explique dès lors,
semble-t-il, par une double altération accidentelle, et nous
proposons de rétablir comme suit l'ensemble du passage :
«... et non Angeli neque alius quis mundi Fabricator
praeter illum qui fuit prolator et primus causa <e> factionis huiusmodi praeparat <or> exsistens ». Tout devient
alors cohérent : en donnant le branle à la cascade des
émissions qui aboutissent aux Anges démiurges, le Dieu
suprême de Basilide est bien le « premier » et lointain
« préparateur de la cause » productrice du monde que sont
ces Anges.

P. 39, n. 2. — « Peut-être un tel discours serait-il de
nature à persuader — c'est par son infatigable Verbe qu'il
les a faites », Εἴη ἂν τάχα οὗτος ὁ λόγος πιθανὸς πρὸς τοὺς ἀγνοοῦντας
τὸν Θεὸν καὶ ἀνθρώποις ἐξομοιοῦντας αὐτὸν τοῖς ἀπόροις καὶ μὴ
δυναμένοις εὐθύς τι ἐξ ἑτοίμου κατασκευάσαι ἀλλὰ προσδεομένοις
πολλῶν ὀργάνων εἰς τὴν αὐτῶν κατασκευήν, οὐ πιθανὸς δὲ τὸ καθόλου
πρὸς τοὺς εἰδότας ὅτι ὁ τῶν ἁπάντων ἀπροσδεὴς Θεὸς τῷ Λόγῳ
ἔκτισε τὰ πάντα καὶ ἐποίησε, οὔτε Ἀγγέλων προσδεόμενος βοηθῶν
εἰς τὰ γινόμενα οὔτε Δυνάμεώς τινος πολὺ ὑποβεβηκυίας αὐτοῦ καὶ
ἀγνοούσης τὸν Πατέρα οὔτε τινὸς ὑστερήματος οὔτε ἀγνοίας ὅπως
ὁ μέλλων αὐτὸν γινώσκειν ἄνθρωπος γένηται, ἀλλὰ αὐτὸς ἐν ἑαυτῷ
κατὰ τὸ ἄρρητόν τε καὶ ἀνεννόητον ἡμῖν τὰ πάντα προορίσας ἐποίησε
καθὼς ἠθέλησε, τοῖς πᾶσι ῥυθμὸν καὶ τάξιν ἰδίαν καὶ ἀρχὴν κτίσεως
χαρισάμενος, τοῖς μὲν πνευματικοῖς πνευματικὴν καὶ ἀόρατον καὶ
τοῖς ὑπερουρανίοις ὑπερουράνιον καὶ τοῖς ἀγγέλοις ἀγγελικὴν καὶ
τοῖς ψυχικοῖς ψυχικὴν καὶ τοῖς νηκτοῖς ἔνυδρον καὶ τοῖς γηγενέσιν
γηγενῆ τοῖς τε πᾶσιν τὴν ἁρμόζουσαν παρασχὼν οὐσίαν, πάντα
δὲ τὰ γεγονότα τῷ ἀκαμάτῳ Λόγῳ ποιήσας.

On nous pardonnera d'avoir tenté, de cette phrase dense,
une rétroversion que nous croyons, dans son ensemble,
assez largement assurée. Mais il convient de revenir sur
quelques points plus particuliers.

1. « de nature à persuader », πιθανός. Le latin « suasorius siue seductorius » paraît bien n'être autre chose qu'un
doublet.

2. « Dieu, qui n'a nul besoin de quoi que ce soit », ὁ τῶν
ἁπάντων ἀπροσδεὴς Θεός. Sur cette expression en quelque

sorte consacrée par l'usage, voir SC 263, p. 280, note justif.
P. 309, n. 4.

3. « a créé et fait toutes choses », ἔκτισε τὰ πάντα καὶ ἐποίησε.
Cf. Pasteur d'Hermas, Mand. 1, 1 : ... εἷς ἐστὶν ὁ Θεός, ὁ τὰ
πάντα κτίσας ... καὶ ποιήσας ἐκ τοῦ μὴ ὄντος εἰς τὸ εἶναι τὰ
πάντα ...

4. « de quelque Puissance de beaucoup inférieure au
Père et ignorante de celui-ci », Δυνάμεώς τινος πολὺ ὑποβεβηκυίας
αὐτοῦ καὶ ἀγνοούσης τὸν Πατέρα : expressions pour ainsi dire
littéralement reprises de I, 25, 1 et de I, 26, 1. Irénée reste
dans l'optique de Carpocrate et de Cérinthe.

5. « après avoir prédéterminé toutes choses en lui-même...,
les a faites comme il l'a voulu », ἐν ἑαυτῷ ... τὰ πάντα
προορίσας ἐποίησε καθὼς ἠθέλησε. Nous croyons devoir rapporter le complément ἐν ἑαυτῷ au seul verbe προορίσας. Un
texte remarquablement parallèle à celui qui nous occupe se
lit un peu plus loin, en II, 3, 1 : « Si autem praesciens est
et mente contemplatus est (ἐνενοήθη) eam conditionem
quae in eo loco futura esset, ipse fecit eam, qui etiam
praeformauit eam in semetipso (αὐτὸς ἐποίησεν αὐτὴν ὁ καὶ
προτυπώσας αὐτὴν ἐν ἑαυτῷ) ».

6. « leur forme, leur ordonnance », ῥυθμὸν καὶ τάξιν ἰδίαν.
Le latin « consonantiam » traduit d'une façon toute matérielle et inexacte. Sur les différents sens possibles du mot
ῥυθμός, voir les dictionnaires. Ce mot signifie ici la « forme »
d'une chose, sa « configuration » (pratiquement synonyme
de σχῆμα). Même rapprochement de ῥυθμός et de τάξις en
IV, 38, 3 (grec conservé dans les Sacra Parallela), en V, 31, 1
et en V, 36, 2 (cf. SC 152, p. 335-336). Même traduction
de ῥυθμός par « consonantia » en II, 15, 3 (deux fois).

7. « aux êtres supracélestes une nature supracéleste »,
καὶ τοῖς ὑπερουρανίοις ὑπερουράνιον. Peut-être le latin avait-il
primitivement « et supercaelestibus <super>caelestem »,
comme le demande la correspondance des termes.

8. « procurant à tous les êtres la nature qui leur convenait », τοῖς τε πᾶσιν ἁρμόζουσαν παρασχὼν οὐσίαν. Les manuscrits latins ont « omnibus aptam aequalitatis (var. : qualitatis)
substantiam ». Leçons manifestement inacceptables. Pour
sortir de la difficulté, on a proposé de lire « qualitati » au
lieu de « qualitatis » (cf. S. LUNDSTRÖM, Neue Studien zur
lateinischen Irenäusübersetzung, Lund, 1948, p. 206). Cette
correction a peut-être l'avantage d'être économique. Mais,

outre que l'adjonction de « qualitati » à « aptam » a quelque
chose d'inutilement redondant — l'adjectif « aptam » seul
suffit pour la clarté de la pensée —, tout le membre de phrase
manque d'un verbe dont le substantif « substantiam »,
flanqué de tous les adjectif qui le précèdent, serait le complément direct. Aussi croyons-nous qu'une correction plus
profonde s'impose si l'on veut assurer à l'ensemble du
passage une structure cohérente. C'est cette structure,
simple et savante à la fois, que le tableau suivant voudrait
mettre en lumière :

τοῖς μὲν πνευματικοῖς	πνευματικὴν
	καὶ ἀόρατον
καὶ τοῖς ὑπερουρανίοις	ὑπερουράνιον
καὶ τοῖς ἀγγέλοις	ἀγγελικὴν
καὶ τοῖς ψυχικοῖς	ψυχικὴν
καὶ τοῖς νηκτοῖς	ἔνυδρον
καὶ τοῖς γηγενέσιν	γηγενῆ
τοῖς τε πᾶσιν	τὴν ἁρμόζουσαν

παρασχὼν οὐσίαν

Comme on le voit, moyennant la restitution d'un participe
dont le sens se laisse deviner sans peine — παρασχών ou un
autre verbe de signification pratiquement identique —,
cette partie de la phrase irénéenne retrouve une structure
aussi satisfaisante pour la forme que pour le contenu.
Est-il impossible que le latin ait eu primitivement, au lieu
de l'actuel « (ae)qualitatis », une forme telle que « praebens »
ou « praestans », traductions normales de παρασχών, ou
quelque autre participe de signification voisine ?

A titre de confirmation de notre hypothèse, nous voudrions relever à travers l'*Aduersus haereses*, quelques
spécimens de constructions de tout point semblables à celle
qui vient de nous occuper — on notera que, dans pas un
seul des cinq exemples qui suivent, l'adjectif « aptus » ne se
voit adjoindre un complément quelconque — : «... omni
conditioni congruentem et *aptam* legem conscribens » (IV,
14, 2) ; «... unus autem Deus praestans utrisque quae sunt
apta » (IV, 25, 3) ; « Deus ... utrique *aptas* praeparauit
habitationes » (IV, 39, 4) ; « Venit Verbum Dei, omnibus
aptam habitationem inferens » = Ἔρχεται ὁ Λόγος τοῦ
Θεοῦ, τοῖς πᾶσιν ἁρμόζουσαν οἴκησιν ἐπάγων (texte grec
conservé dans les *Sacra Parallela*) (V, 28, 1) ; « Omnia enim
Dei sunt, qui omnibus *aptam* habitationem praestat » =
Τὰ πάντα γὰρ τοῦ Θεοῦ, ὃς τοῖς πᾶσι τὴν ἁρμόζουσαν

οἴκησιν παρέχει (texte grec conservé dans les *Sacra Parallela*) (V, 36, 2).

P. 41, n. 1. — « son propre Verbe suffit pour la formation de toutes choses », καὶ ἱκανὸς πρὸς τὴν μόρφωσιν τῶν ἁπάντων ὁ ἴδιος αὐτοῦ Λόγος. Les adjectifs latins « idoneus ... et sufficiens » constituent un doublet transparent traduisant le grec ἱκανός.

P. 43, n. 1. — « Car que serait-ce si, délaissant les paroles des prophètes, du Seigneur et des apôtres, nous faisions fond sur ces gens qui ne disent rien de sensé ? », Ποῖον γάρ τι τὰς τῶν προφητῶν καὶ τοῦ Κυρίου καὶ τῶν ἀποστόλων καταλιπόντας ἡμᾶς φωνὰς προσσχεῖν τούτοις οὐδὲν ὑγιὲν λέγουσιν ; La traduction « Quale *sit* enim ... » aurait été plus correcte. Même pensée et expressions pratiquement identiques en II, 30, 6 : « ... nec *relinquentes nos* eloquia *Domini* et Moysen et reliquos *prophetas*, qui ueritatem praeconauerunt, *his* credere oportet, *sanum* quidem *nihil dicentibus*, instabilia autem delirantibus. »

P. 43, n. 2. — « Car ils doivent alors nécessairement admettre — ou l'ignorait-il ? », Δεῖ γὰρ αὐτοὺς ἀναγκαίως κενόν τι καὶ ἄμορφον ὁμολογῆσαι, ἐν ᾧ κατεσκευάσθη τόδε τὸ πᾶν, ἐντὸς τοῦ πνευματικοῦ Πληρώματος · καὶ τὸ ἄμορφον τοῦτο, πότερον προειδότος τοῦ Προπάτορος τὰ ἐν αὐτῷ γενησόμενα ἐξ ἐπιτηδεύσεως οὕτως καταλελοιπέναι, ἢ ἀγνοοῦντος ;

Le texte latin nous paraît refléter fidèlement l'original grec. L'extrême concision fait que les lois de la construction grammaticale sont ici particulièrement tendues, mais la pensée se laisse néanmoins saisir sans difficulté. Le raisonnement comporte trois temps, dont les deux derniers se trouvent imbriqués l'un dans l'autre dans la rédaction irénéenne : 1) Dans l'hypothèse d'une création réalisée à l'intérieur du Plérôme par un autre que le Dieu suprême, les hérétiques doivent admettre (ὁμολογῆσαι) l'existence, au sein du Plérôme, d'un lieu vide et informe susceptible de contenir, une fois le moment venu, l'univers ainsi produit. 2) De plus, ils doivent admettre (ὁμολογῆσαι) que, si un lieu vide et informe a pu exister au sein même du Plérôme, c'est parce que le Dieu suprême, auteur du Plérôme, l'a délibérément laissé tel quel (ἐξ ἐπιτηδεύσεως οὕτως καταλελοιπέναι). 3) Mais alors une question se pose : lorsqu'il

laissait un tel vide au sein de son Plérôme, le Dieu suprême
connaissait-il par avance la création qui viendrait le remplir,
ou l'ignorait-il?

P. 45, n. 1. — « ou, si l'on préfère, c'est que le Père a
voulu que le monde fût en sa présence tel exactement qu'il
l'avait conçu en son esprit, c'est-à-dire composé, changeant
et transitoire ». — Traduction tâtonnante d'un texte qui
paraît avoir souffert quelque peu des vicissitudes de la
transmission. Nous adoptons la leçon « uoluit », qui se lit
dans Érasme, de préférence à la leçon « uolunt » qui est
celle de tous les manuscrits : il semble plus normal que ce
soit le Dieu suprême qui, après avoir conçu le monde en son
esprit, « ait voulu » que ce monde existât tel exactement
qu'il l'avait ainsi conçu.

P. 45, n. 2. — « Il faut donc chercher la cause d'une telle
' économie ' de Dieu, mais il ne faut pas, pour autant,
mettre sur le compte d'un autre la production du monde »,
Ἡ οὖν αἰτία ζητητέα τῆς τοιαύτης τοῦ Θεοῦ οἰκονομίας, ἀλλ᾿ οὐχ ἡ
κατασκευὴ τοῦ κόσμου ἑτέρῳ προσγραπτέα. Irénée veut dire
qu'il faut chercher à savoir pour quelles raisons Dieu, qui
est parfait et éternel, a pu créer un monde imparfait et
transitoire, mais qu'il ne faut pas, sous prétexte que le monde
est imparfait, prétendre qu'il serait l'ouvrage de quelque
Démiurge subalterne et imparfait. Déjà en I, 22, 1, Irénée
a laissé entendre que, si Dieu a créé des choses vouées à ne
durer qu'un temps, c'est « propter quamdam *dispositionem* »,
« en vue d'un mystérieux dessein de salut » destiné à se
réaliser tout au long de l'histoire (cf. *SC* 263, p. 278, *note
justif. P. 309, n. 2*).

P. 47, n. 1. — « Au reste, d'où viendrait-il, ce vide? — avec
lesquels il a été émis », Ἐπεὶ πόθεν τὸ κένωμα ; Ζητηθήσεται
πότερον ὑπὸ τοῦ τῶν ὅλων κατ᾿ αὐτοὺς Πατρὸς καὶ προβολέως καὶ
αὐτὸ προεβλήθη ἰσότιμόν τε καὶ συγγενὲς τοῖς λοιποῖς Αἰῶσιν, ἴσως
δὲ καὶ ἀρχαιότερον αὐτῶν. Εἰ δὲ ὑπὸ τοῦ αὐτοῦ προεβλήθη, ὅμοιόν
ἐστι τῷ προβαλόντι καὶ οἷς συμπροεβλήθη.

C'est évidemment du « vide » (κένωμα) qu'il est question
dans tout ce passage. Oubliant sans doute qu'il a traduit
ce substantif neutre par le substantif féminin « uacuitas »,
le traducteur transpose tout bonnement en latin les formes
neutres qu'il lit dans le grec : « ... et ipsum prolatum et ...

aequale ... et cognatum ... et antiquius ... emissum ...
simile ...»
D'autre part, telle qu'elle se lit dans les manuscrits latins,
la deuxième des phrases ci-dessus présente une anomalie
qui la rend peu cohérente. Nous proposons de lire :
«... utrum ... et ipsum prolatum *est et* aequale honore et
cognatum reliquis Aeonibus ...»

P. 47, n. 2. — « Si, au contraire, ce ' vide ' n'a pas été
émis — le Père de toutes choses», Εἰ δὲ οὐ προεβλήθη,
αὐτοφυές ἐστι καὶ αὐτογενὲς καὶ ἰσόχρονον τῷ κατ᾽ αὐτοὺς Βυθῷ
καὶ τῶν ὅλων Πατρί · καὶ οὕτως ὁμοφυὲς καὶ ὁμότιμον ἔσται τὸ
κένωμα τῷ κατ᾽ αὐτοὺς τῶν ὅλων Πατρί. On notera les termes
propres à la langue grecque, parfaitement transparents
sous les traductions périphrastiques auxquelles se voit
contraint de recourir le latin.

P. 47, n. 3. — « il est donc plus vénérable — et de tous
ceux qui pensent comme eux», ἀρχαιότερον δὲ καὶ πολλῷ προϋπάρχον καὶ ἐντιμότερον τῶν λοιπῶν Αἰώνων αὐτοῦ τοῦ Πτολεμαίου καὶ
τοῦ Ἡρακλεώνος καὶ τῶν λοιπῶν πάντων τὰ αὐτὰ μυθευόντων.
Au lieu de considérer les mots τῶν λοιπῶν πάντων ...
μυθευόντων comme complément déterminatif de Αἰώνων au
même titre que τοῦ Πτολεμαίου et τοῦ Ἡρακλεώνος, le traducteur latin les a considérés comme une génitif de comparaison
dépendant de ἀρχαιότερον, προϋπάρχον et ἐντιμότερον. Il existe
plus d'un contresens de cette sorte dans la version latine de
l'*Aduersus haereses*.

P. 49, n. 1. — « Peut-être, embarrassés par ces difficultés
— sur un vêtement», Ἐὰν δὲ καὶ ἀπορήσαντες ἐν τούτοις ὁμολο-
γήσωσι περιέχειν τὰ πάντα τὸν Πατέρα τῶν ὅλων καὶ ἐκτὸς τοῦ
Πληρώματος εἶναι μηδέν — ἀνάγκη γὰρ πάντως ὁρίζεσθαι αὐτὸν
καὶ περιγράφεσθαι ὑπό τινος μείζονος — καὶ τὸ ἐκτὸς καὶ τὸ ἐντὸς
λέγειν αὐτοὺς κατὰ γνῶσιν καὶ ἄγνοιαν ἀλλὰ μὴ κατὰ τοπικὸν διάστημα,
ἐν δὲ τῷ Πληρώματι ἢ ἐν τοῖς ὑπὸ τοῦ Πατρὸς περιεχομένοις γεγονέναι
ὑπὸ τοῦ Δημιουργοῦ ἢ ὑπὸ τῶν Ἀγγέλων ὅσα καὶ γεγονότα οἴδαμεν
περιέχεσθαί <τε> ὑπὸ τοῦ ἀρρήτου Μεγέθους καθάπερ ἐν κύκλῳ τὸ
κέντρον ἢ καθάπερ ἐν χιτῶνι τὸν σπίλον, ...
Le latin paraît refléter fidèlement le grec perdu, à l'exception d'une conjonction requise pour relier les infinitifs
« facta (esse) » = γεγονέναι (ligne 33) et « contineri » =
περιέχεσθαι (ligne 34). Peut-être le latin avait-il primiti-

vement « contineri <que> » ou une expression équivalente.
A moins que la conjonction ne fût déjà absente dans le
texte grec que le traducteur latin eut sous les yeux.

P. 49, n. 2. — « Cela allait entraîner une flétrissure pour
le Plérôme entier », ῞Οπερ ἀπρέπειαν τῷ ὅλῳ Πληρώματι φέρειν
ἔμελλεν. Le présent emploi de « indecibilitas » — équivalent
de « indecentia » (= ἀπρέπεια) — est le seul que signale le
Thesaurus Linguae Latinae.

P. 49, n. 3. — « à la déchéance et aux émissions qui en
dériveraient », τὸ ὑστέρημα καὶ τὰς ἀπ᾽ αὐτοῦ ἀρχὴν λαβούσας
προβολάς. C'est avec raison, nous semble-t-il, que Harvey voit
dans le latin « et eas quae ab *eo* initium acceperunt » un
nouvel exemple de traduction toute matérielle du grec :
étant donné que ὑστέρημα a été traduit par le substantif
féminin « labem », il eût fallu traduire ἀπ᾽ αὐτοῦ par « ab
ea ».

P. 53, n. 1. — « par ce qui se trouve en dehors du Plérôme »,
ὑπὸ τοῦ ἐκτὸς τοῦ Πληρώματος. Ici encore, le traducteur latin
traduit d'une façon toute matérielle : il s'agit de *ce qui* se
trouve en dehors du Plérôme, et il eût fallu traduire par
« ab eo *quod* est extra Pleroma ». Cf. *supra*, p. 207, *note
justif. P. 37, n. 1.*

P. 53, n. 2. — « Tout le reste, qui appartient à la création,
ils l'incriminent comme étant temporel, terrestre et choïque »,
Καὶ ιοῖς λοιιοῖς, ιᾶσιν ὅσα ἐστὶ τῆς κιίσεως ἐγκαλοῦσιν ὡς προσκαίροις
γηίνοις τε καὶ χοικοῖς.
Le latin a : « quasi temporalia sint et *aeterna* (*aeterno* C)
choica ». Il est clair que l'adjectif « aeternus » n'est pas en
situation dans la phrase. Une solution radicale consisterait
à considérer « aeterna » comme indûment ajouté et à lire :
« quasi temporalia sint et choica », ce qui offre un sens
pleinement acceptable. Plus nuancé, Grabe a proposé de
voir dans « aeterna » la corruption de « ac terrena » et de
lire : « quasi temporalia sint *ac terrena et* choica ». Nous
nous rallions volontiers à cette conjecture de Grabe, car
elle peut se réclamer de ce passage parallèle de II, 8, 3
(lignes 46-48) : « Neque infra Pleroma ipsorum, cum sit
uniuersum spiritale, ea quae sunt *terrena et choica* possibile
facta esse ».

P. 55, n. 1. — « En effet, s'il faut les en croire — de la gnose », Ὡς γὰρ λέγουσιν, μορφώσας κατ' οὐσίαν τὴν Μητέρα αὐτῶν ἐξέβαλεν ἔξω τοῦ Πληρώματος, τουτέστιν ἐχώρισεν ἀπὸ τῆς γνώσεως. Par cette indication relative à la « formation selon la substance » — il s'agit d'une expression pour ainsi dire technique —, Irénée montre qu'il vise ici très précisément le système de Ptolémée (cf. I, 4, 1). Mais on doit alors comprendre les mots « foras proiecit extra Pleroma » d'une manière large. En effet, lorsque le « Christ » d'en haut s'étendait sur la « Croix-Limite » pour conférer à l'« Enthymésis » une formation selon la substance, cette Enthymésis se trouvait déjà à l'extérieur du Plérôme, expulsée qu'elle en avait été par « Limite » (cf. I, 2, 4). Le Christ ne pouvait donc plus, à proprement parler, l'expulser du Plérôme. Reste qu'il se contenta de lui donner une formation « selon la substance », à l'exclusion d'une formation « selon la gnose » qui ne devait être octroyée qu'ultérieurement à Achamoth par le « Sauveur » (cf. I, 4, 5). C'est ce refus de conférer une formation « selon la gnose » qui permet à Irénée de dire ici, dans un langage évidemment polémique, que le « Christ » rejette l'Enthymésis-Achamoth hors du Plérôme, identifié par les Ptoléméens eux-mêmes à la lumière et à la « gnose », et qu'il est ainsi cause pour elle d'ignorance et d'enténèbrement.

P. 55, n. 2. — « Comment donc le même Christ — et être cause d'ignorance pour la Mère ? », Πῶς οὖν ὁ αὐτὸς τοῖς μὲν λοιποῖς Αἰῶσι τοῖς αὐτοῦ προγενεστέροις παρασχεῖν τὴν γνῶσιν ἠδύνατο, τῇ δὲ Μητρὶ αἴτιος εἶναι τῆς ἀγνοίας ;

On lit dans le latin, aux lignes 24-25 : « Matri autem eius... » Faut-il mettre ce pronom sur le compte du traducteur, qui aurait explicité de la sorte ce qu'il croyait être le contenu du grec ? Ou le grec aurait-il eu primitivement τῇ δὲ Μητρὶ αὐτῶν (= la « Mère » des Valentiniens) et la leçon αὐτοῦ aurait-elle été substituée à la leçon αὐτῶν ? Toujours est-il qu'il ne peut absolument pas être question d'une Mère du « Christ ». On a vu en effet — voir la note précédente — qu'Irénée vise ici le système de Ptolémée exposé dans la « Grande Notice » du Livre I. Or, d'après ce système, celle que le « Christ » a formée d'une formation selon la substance est la Sagesse extérieure au Plérôme ou « Mère » des Valentiniens, appelée aussi le plus souvent « Mère » sans autre détermination.

P. 57, n. 1. — « puisqu'... ils sont sortis du Plérôme »,
ἐκτὸς τοῦ Πληρώματος ἐξελθόντες.

A parler strictement, le « Christ » n'est pas sorti du
Plérôme, mais il s'est « étendu sur la Croix » (I, 4, 1), la
Croix dont il s'agit n'étant autre chose que la « Limite »
séparant le Plérôme de ce qui se trouve au-dessous de lui.
Que ce « Christ » se soit de la sorte posé sur la Limite permet
à Irénée de dire — en langage polémique — qu'il a cessé
d'être à l'intérieur du Plérôme et s'est donc, de quelque
manière, trouvé lui aussi au dehors.

P. 57, n. 2. — « Car la critique qu'ils font à propos du
Démiurge — selon le bon plaisir du Père ? », Ὁ γὰρ ἔγκλημα
ποιοῦνται ὑπὲρ τοῦ Δημιουργοῦ καὶ τῶν γεγονότων ὑλικῶν καὶ
προσκαίρων ἐπανελεύσεται ἐπὶ τὸν Πατέρα, εἴπερ ὡς ἐν τῇ κοιλίᾳ
τοῦ Πληρώματος ἐγένετο τὰ μέλλοντα αὐτίκα δὴ μάλα καταλύεσθαι
κατὰ τὴν συγχώρησιν καὶ τὴν εὐδοκίαν τοῦ Πατρός.

Cette façon de comprendre la phrase est celle de Grabe
et de Harvey : elle considère « quemadmodum » comme un
adverbe relatif (= ὡς). Mais Massuet, suivi par Stieren,
a préféré voir dans « quemadmodum » un adverbe interro-
gatif (= πῶς). La phrase se comprend alors de la façon
suivante : « Car la critique qu'ils font à propos du Démiurge
et des créatures matérielles et temporelles retombera sur
le Père : comment, en effet, des choses vouées à disparaître
aussitôt ont-elles pu être faites au cœur du Plérôme avec la
permission et selon le bon plaisir du Père ? » Cette seconde
manière de comprendre la phrase nous semble moins naturelle. Toutefois elle ne diffère pas substantiellement de celle
que nous avons adoptée.

P. 59, n. 1. — « Mais alors, s'il ne pouvait l'empêcher,
il était sans force », Ἀλλ' εἰ μὲν οὐ δυνάμενος, ἀσθενής. Il
semble que le latin « inualidus et infirmus » soit un doublet
traduisant le seul adjectif ἀσθενής.

P. 61, n. 1. — « Car je te l'ai livrée volontairement, mais
non volontiers », Καὶ γὰρ ἐγώ σοι δῶκα ἑκών, ἀέκοντί γε θυμῷ
(*Iliade*, 4, 43).

Il s'agit de Zeus, contraint d'abandonner à la vindicte de
son épouse Héra la ville de Troie qu'il aimait plus que toutes
les autres villes et qu'il aurait voulu sauver.

P. 61, n. 2. — « Autre question : Comment se fait-il que
les Anges — Seigneur de toutes choses » Πῶς δὲ καὶ ἠγνόουν
ἤτοι οἱ Ἄγγελοι ἢ ὁ Κοσμοποιὸς τὸν πρῶτον Θεόν, ὅποτε ἐν τοῖς
ἰδίοις αὐτοῦ ἦσαν καὶ κτίσμα ὑπῆρχον αὐτοῦ καὶ περιέχοντο ὑπ᾽ αὐτοῦ ;
Ἀόρατος μὲν γὰρ ἠδύνατο εἶναι αὐτοῖς διὰ τὴν ὑπεροχήν, ἄγνωστος
δὲ οὐδαμῶς διὰ τὴν πρόνοιαν. Καὶ γὰρ εἰ πολὺ κατ᾽ ἐπιγονὴν κεχωρισμένοι ἦσαν ἀπ᾽ αὐτοῦ, καθὼς λέγουσιν, ἀλλά, τῆς κυρείας ἐπὶ
πάντας ἐκτεινομένης, ἔδει γινώσκειν τὸν κυριεύοντα αὐτῶν καὶ αὐτὸ
τοῦτο εἰδέναι ὅτι ὁ κτίσας αὐτούς ἐστιν Κύριος τῶν ἀπάντων. Τὸ
γὰρ ἀόρατον αὐτοῦ, δυνατὸν ὄν, μεγάλην ἔννοιάν τε καὶ αἴσθησιν
τοῖς πᾶσι παρέχει τῆς δυνατωτάτης καὶ παντοκράτορος ὑπεροχῆς.
Ὅθεν εἰ καὶ « οὐδεὶς γινώσκει τὸν Πατέρα εἰ μὴ ὁ Υἱὸς οὐδὲ τὸν
Υἱὸν εἰ μὴ ὁ Πατὴρ καὶ οἷς ἂν ὁ Υἱὸς ἀποκαλύψῃ », ἀλλὰ αὐτὸ τοῦτο
πάντα γινώσκει, ὅποτε ὁ Λόγος τοῖς νοῖς ἔμφυτος κινεῖ αὐτὰ καὶ
ἀποκαλύπτει αὐτοῖς, ὅτι ἐστὶν εἷς Θεός, τῶν ἀπάντων Κύριος.

Le texte latin de ce paragraphe semble refléter fidèlement
le grec sous-jacent, et la restitution de celui-ci nous paraît,
dans l'ensemble, largement assurée. Revenons sur quelques
points :

1. « du fait de leur venue ultérieure à l'existence », κατ᾽
ἐπιγονήν. Pour la justification de cette restitution, cf. *infra*,
p. 251, *note justif. P. 127, n. 1.* On sait que le verbe ἐπιγίνομαι
signifie « naître après », « venir ultérieurement à l'existence »,
« survenir »... Le substantif correspondant ἐπιγονή signifiera naturellement le fait de naître après, de venir ultérieurement à l'existence — et c'est ce sens qu'a ici le
substantif en question, dans l'expression κατ᾽ ἐπιγονήν —.
Le même substantif pourra désigner aussi, dans d'autres
contextes, le résultat de cette venue : la « progéniture »,
la « descendance », les « successeurs »...

2. « ils fussent considérablement séparés de lui », πολὺ ...
κεχωρισμένοι ἦσαν ἀπ᾽ αὐτοῦ. C'est là, note Irénée, l'expression
même dont se servent les hérétiques. De fait, on lit dans
I, 26, 1 : **Καὶ Κήρινθος δέ τις ... οὐχ ὑπὸ τοῦ πρώτου Θεοῦ
γεγονέναι τὸν κόσμον ἐδίδαξεν, ἀλλ᾽ ὑπὸ Δυνάμεώς τινος
πολὺ κεχωρισμένης καὶ διεστώσης τῆς ὑπὲρ τὰ ὅλα
Αὐθεντίας καὶ ἀγνοούσης τὸν ὑπὲρ πάντα Θεόν.**

3. « Car la Réalité invisible qu'est Dieu, étant puis-
sante... », Τὸ γὰρ ἀόρατον αὐτοῦ, δυνατὸν ὄν ... Nous consi-
dérons αὐτοῦ non comme un génitif objectif (« ce qu'il y a
d'invisible en Dieu »), mais comme un génitif subjectif ou
explicatif (« la Réalité invisible qu'est Dieu »). La pensée
est la suivante : Tout invisible et inaccessible qu'il soit

pour toute créature du fait de sa transcendance, Dieu,
parce qu'il est puissant, peut, s'il le veut, se faire connaître
de ses créatures ; et non seulement il le peut, mais, en fait,
il se donne à connaître, par l'entremise de son Verbe, à
toutes les créatures douées d'intelligence. Au prétendu Dieu
des gnostiques, prisonnier de sa transcendance et condamné
à ne jamais pouvoir être connu, Irénée oppose le vrai Dieu,
auquel sa toute-puissance permet de sortir de lui-même et
de se rendre accessible à ses créatures. Comparer avec
IV, 20, 5 : « Homo ... a se non uidebit Deum, ille autem
uolens uidebitur hominibus, quibus uult et quando uult et
quemadmodum uult : *potens* est enim in omnibus Deus ... »

4. « une grande intelligence et perception », μεγάλην
ἔννοιάν τε καὶ αἴσθησιν. Rapprochés de la sorte, les mots
ἔννοια et αἴσθησις constituent une sorte d'hendiadys : ils
désignent l'action de percevoir une chose par l'esprit,
l'« intelligence » de cette chose. Ces deux mêmes termes sont
semblablement rapprochés dans un passage de la *Lettre des
Églises de Vienne et de Lyon aux Églises d'Asie et de Phrygie*
(Eusèbe, *Hist. eccl.* V, 1, 48) : ... ἔμειναν δὲ ἔξω οἱ μηδὲ ἴχνος
πώποτε πίστεως μηδὲ αἴσθησιν ἐνδύματος νυμφικοῦ μηδὲ ἔννοιαν
φόβου Θεοῦ σχόντες, « Ceux qui restèrent en dehors, ce furent
ceux qui n'avaient jamais eu ni une trace de foi ni
l'*expérience* du vêtement nuptial ni la *pensée* de la crainte
de Dieu ».

5. « les aura révélés », ἀποκαλύψῃ. Littéralement : « aura
révélé », « aura octroyé sa révélation ». Le texte évangélique
ne précise pas l'objet de cette révélation. Nous avons
longuement montré que, tel que le comprend Irénée, ce
verset affirme une révélation faite par le Fils et portant
à la fois sur le Père et le Fils : le Fils se révèle et, dans cette
révélation même qu'il fait de lui-même, révèle le Père.
Cf. *SC* 263, p. 266, *note justif. P. 293, n. 3.*

6. « tous les êtres », πάντα. L'ensemble du contexte et, plus
particulièrement, la précision relative au « Verbe inhérent
aux *intelligences* » qui vient ensuite, montre qu'Irénée
n'envisage pas ici la totalité des êtres créés, mais qu'il
faut comprendre : « tous les êtres (doués d'intelligence) ».

7. « cette Réalité invisible elle-même qu'est Dieu »,
αὐτὸ τοῦτο. Le latin « hoc ipsum » peut, de prime abord,
étonner, car on voit mal, à ne considérer que ce qui précède
immédiatement ces pronoms neutres, quelle peut être la
portée de ceux-ci. Cependant il nous semble qu'ils peuvent

parfaitement se rapporter à l'« Inuisibile ... eius (= Dei) »,
c'est-à-dire à la « Réalité invisible qu'est (Dieu) », dont il
a été question d'un bout à l'autre de la phrase précédente.
Interprétés de la sorte, les pronoms « hoc ipsum » offrent
un sens on ne peut plus satisfaisant.

8. « le Verbe, inhérent aux intelligences », ὁ Λόγος τοῖς
νοῖς ἔμφυτος. On a voulu quelquefois comprendre : « la
raison (λόγος) dont sont douées les âmes ». Mais c'est là
faire violence au contexte : les présentes expressions sont
en effet un commentaire de la citation qui les précède, et
il saute aux yeux que les mots « ... Ratio ... reuelet » font
écho aux mots « ... Filius reuelauerit ». C'est donc, sans
conteste, du Verbe qu'il s'agit ici. La restitution ἔμφυτος,
déjà proposée par A. Houssiau (« L'exégèse de Matthieu XI,
27 B selon saint Irénée », dans Eph. Theol. Lov. 26, 1953,
p. 333), nous paraît la plus probable. Irénée considère les
êtres doués de raison (λογικοί) comme possédant en eux, en
vertu d'une certaine participation, le Verbe (Λόγος) même
de Dieu. Et ce Verbe, ainsi présent en eux, leur révèle le
Père. Irénée reviendra plus longuement sur l'universalité
de cette révélation du Père par le Verbe, lorsque, en IV,
6, 5-7, il verra dans cette universalité la condition *sine qua
non* d'un juste jugement de tous par Dieu, tous recevant
du Verbe la révélation du Père, mais tous n'accueillant pas
pour autant cette révélation dans la foi.

P. 63, n. 1. — « de Celui qui a fait et créé toutes choses »,
τοῦ τὰ πάντα ποιήσαντος καὶ κτίσαντος. Cf. Pasteur d'Hermas,
Mand. 1, 1 : ... εἷς ἐστιν ὁ Θεός, ὁ τὰ πάντα κτίσας καὶ ποιήσας ἐκ τοῦ μὴ ὄντος εἰς τὸ εἶναι τὰ πάντα ... Cf. *supra*, p. 209,
note justif. P. 39, n. 2.

P. 63, n. 2. — « plus déraisonnables que les animaux
sans raison », τῶν ἀλόγων ζῴων ἀλογωτέρους. Le mot ἄλογος
peut signifier « privé de parole », « muet » — ainsi traduit
le latin —. Il peut signifier aussi « privé de raison », et c'est
cette seconde signification qu'impose à l'évidence le présent
contexte.

P. 65, n. 1. — « gens vraiment dignes de pitié — en
l'honneur des réalités d'en haut », οὕς γε ὄντως ἔστιν ἐλεῆσαι ἐν
τῇ τοσαύτῃ ἀνοίᾳ λέγοντας μήτε τὴν Μητέρα ἐγνωκέναι αὐτὸν μήτε
τὸ σπέρμα αὐτῆς μήτε τὸ Πλήρωμα τῶν Αἰώνων μήτε τὸν Προπάτορα

μήτε τί ἦν ἃ κατεσκεύασεν, εἶναι δὲ εἰκόνας τῶν ἐντὸς τοῦ Πληρώματος, λεληθότως τοῦ Σωτῆρος ἐνεργήσαντος οὕτως γενέσθαι εἰς τιμὴν τῶν ἄνω.

En cette fin de chapitre, Irénée revient à la gnose ptoléméenne telle exactement qu'il l'a exposée dans la Grande Notice du Livre I. Voir, en particulier, I, 5, 1 : « ... car, pour ce qui est de tous les êtres venus après le (Démiurge), c'est celui-ci, disent-ils, qui les a formés, mû à son insu (λεληθότως) par la Mère ... Car cette Enthymésis, disent-ils, ayant résolu de faire toutes choses en l'honneur des Éons (εἰς τιμὴν τῶν Αἰώνων) fit des images (εἰκόνας) de ceux-ci, ou plutôt le Sauveur (τὸν Σωτῆρα) les fit par son entremise ... » Voir aussi I, 5, 3 : « Toutes ces créations, assurent-ils, le Démiurge s'imagina qu'il les produisait (κατασκευάζειν) de lui-même, mais en réalité il ne faisait que réaliser les productions d'Achamoth. Il fit un ciel sans connaître de Ciel, modela un homme sans connaître l'Homme, fit apparaître une terre sans connaître la Terre, et ainsi pour toutes choses : il ignora, disent-ils, les modèles des êtres qu'il faisait (τὰς ἰδέας ὧν ἐποίει). Il ignora jusqu'à la Mère elle-même (αὐτὴν τὴν Μητέρα).

P. 65, n. 2. — « Toutefois, s'il peut être agréable de les réfuter de toute part et de les convaincre de mensonge ... », Εἰ δὲ ἡδὺ πανταχόθεν ἀνατρέπειν αὐτοὺς καὶ ψευδεῖς ἐλέγχειν ... On aura noté, dans ces deux verbes, une allusion discrète au titre du grand ouvrage d'Irénée : Ἔλεγχος καὶ ἀνατροπὴ τῆς ψευδωνύμου γνώσεως.

P. 67, n. 1. — « Eh quoi ? Si leur Mère n'avait pleuré et ri — par quoi le Sauveur pût honorer le Pro-Père », Τί δέ ; Εἰ μὴ ἔκλαυσε καὶ ἐγέλασε καὶ διηπόρησεν ἡ Μήτηρ αὐτῶν, οὐκ ἂν ἔσχεν ὁ Σωτὴρ δι' ὧν τίμηση τὸ Πλήρωμα, τῆς ἐσχάτης ἀπορίας μὴ ἐχούσης ἰδίαν οὐσίαν δι' ἧς τίμηση τὸν Προπατόρα.

1. Les verbes ἔκλαυσε, ἐγέλασε et διηπόρησεν sont un écho direct de I, 4, 2 : « Tantôt ... elle pleurait (ἔκλαιε) ... de ce qu'elle avait été abandonnée, seule, dans les ténèbres et le vide ; tantôt, au souvenir de la lumière qui l'avait abandonnée, elle ... riait (ἐγέλα), ... tantôt, enfin, elle éprouvait de l'angoisse (διηπόρει) ... »

2. Les mots « extremae confusionis non habentis » sont, de prime abord, embarrassants. A la suite de Grabe et de Massuet, nous proposons d'y voir la transposition toute

matérielle d'un génétif absolu du grec. Ce génitif absolu
aura tout naturellement la valeur d'une causale : « ... le
Sauveur n'aurait pas eu de quoi honorer le Plérôme,
puisque ... »

3. Il semble que les mots « extremae confusionis » soient
la traduction de τῆς ἐσχάτης ἀπορίας. En I, 4, 1 ont été
décrites les passions d'Achamoth : tristesse (λύπη), crainte
(φόβος), angoisse (ἀπορία) et ignorance (ἄγνοια). C'est cette
troisième passion que retient ici Irénée. C'est elle qui,
solidifiée et comme cristallisée, est devenue la substance
matérielle dont est fait notre monde (cf. I, 4, 2 ; I, 4, 5 ;
I, 5, 4).

4. Cela étant, la pensée d'Irénée est tout à fait claire :
« Si la Mère n'avait pas été angoissée (διηπόρησεν), le Sauveur
n'aurait pas eu de quoi honorer le Plérôme, parce que, *dans
une telle hypothèse*, cette angoisse (ἀπορία) de la Mère n'aurait
pas été là pour constituer la matière même avec laquelle
le Sauveur pût faire des images des réalités intérieures au
Plérôme et honorer ainsi celui-ci ».

P. 69, n. 1. — « Vous me dites, par ailleurs, qu'a été
émise par l'Auteur du monde une Image du Monogène »,
Εἰκόνα μοι λέγετε προβεβλῆσθαι ὑπὸ τοῦ Κοσμοποιοῦ τοῦ Μονογενοῦς.
L'« Auteur du monde » dont il est ici question est le
« Sauveur » lui-même, comme l'indique à suffisance tout le
contenu de ce paragraphe et du paragraphe précédent.
Quant à l'« Image » du Monogène, c'est le Démiurge psychique. Tout cela correspond pleinement aux indications de
la « Grande Notice » du Livre I : ainsi, en I, 4, 5, on voit
le « Sauveur » faire, d'une manière virtuelle, œuvre de
Démiurge (δυνάμει ... δεδημιουργηκέναι) et, en I, 5, 1,
on voit ce même « Sauveur », œuvrant par l'entremise
d'Achamoth, faire, du « Démiurge », l'image du Fils Monogène. Sur tout le présent passage du Livre II, cf.
F. SAGNARD, *La Gnose Valentinienne* ..., p. 407-408.

P. 69, n. 2. — « selon un mode ' pneumatique ' », πνευματικῶς. Si une ignorance existe dans le Monogène, il faut bien
qu'elle y existe selon un mode « pneumatique », puisqu'il
s'agit d'un Éon d'essence « pneumatique ». Langage évidemment ironique, puisqu'une ignorance « pneumatique »
implique une contradiction dans les termes. Dans la phrase
qui suit se retrouvera le mot πνευματικῶς, mais au sens

ordinaire de ce terme, à savoir « d'une manière spirituelle, non matérielle ».

P. 71, n. 1. — « Qu'il y ait en effet trente Éons — c'est ce dont n'importe qui conviendra », "Οτι μὲν γὰρ ἐν τῷ Πληρώματι αὐτῶν τριάκοντα Αἰῶνές εἰσιν, αὐτοὶ μαρτυροῦσιν · ὅτι δὲ ἐν ἑνὶ μέρει τῶν εἰρημένων οὐ τριάκοντα ἀλλὰ πολλαὶ χιλιάδες εἰδῶν καταριθμεῖσθαι δύνανται, πᾶς ὅστις δηποτ' οὖν ὁμολογήσει. Le texte latin paraît avoir souffert des vicissitudes de la transmission. Le mot « Pleroma » étonne : ne faudrait-il pas lire plutôt « in Pleromate », en parallélisme avec les mots « in una parte » de la seconde proposition ? Surtout, les mots « esse adnumerant eos (*var.* adnumerantes) ostendere » n'offrent guère de sens : n'attendrait-on pas plutôt quelque chose comme « adnumerari possunt » ?

P. 71, n. 2. — « les êtres si nombreux de la création », τὰ οὕτως πολλὰ τῆς κτίσεως. La leçon « ea quae tam *multa* sunt conditionis » peut faire valoir en sa faveur une étroite ressemblance avec la première phrase de ce paragraphe, où se lit : « ... ea quae sunt creaturae sic uaria et *multa* et innumerabilia ... » Mêmes expressions en II, 8, 3 : « ... et ea quae sunt *multa* conditionis et contraria inuicem ... »

P. 75, n. 1. — « Ensuite, il existe une multitude innombrable — diversité de la création », Ἔπειτα δέ, πολλῶν ὄντων καὶ ἀναριθμήτων περὶ τὸν Ποιητὴν Ἀγγέλων, καθὼς πάντες ὁμολογοῦσι προφῆται μυρίας μυριάδας παρεστηκέναι αὐτῷ καὶ χιλίας χιλιάδας λειτουργεῖν αὐτῷ, καὶ οἱ κατ' αὐτοὺς τοῦ Πληρώματος Ἄγγελοι τοὺς Ἀγγέλους τοῦ Ποιητοῦ εἰκόνας ἕξουσιν, καὶ μενεῖ ἡ κτίσις ὁλόκληρος ἐν εἰκόνι τοῦ Πληρώματος, οὐκέτι συνεξακολουθούντων τῶν τριάκοντα Αἰώνων τῇ πολυμερεῖ τῆς κτίσεως ποικιλίᾳ.

Ces dernières lignes pouvant prêter à difficulté, nous croyons utile de reprendre toute l'argumentation — nous suivons l'interprétation de Massuet —. Pour échapper à l'objection d'après laquelle la multitude innombrable des êtres de ce monde ne peut être à l'image d'un Plérôme ne comprenant que trente Éons, l'hérétique fait valoir que le Plérôme contient aussi une multitude d'Anges : c'est à l'image de ce Plérôme intégral, Éons et Anges, qu'aurait été fait notre monde.

Irénée répond à cela deux choses :

1. D'abord, il faudrait qu'aux êtres de natures contraires qu'on voit dans notre monde correspondent des Anges de natures contraires, ce que ne peuvent évidemment admettre les gnostiques.

2. Autre difficulté plus grave : étant donné qu'il existe d'innombrables multitudes d'Anges auprès du Démiurge-Créateur, comme en témoigne l'Écriture, il va de soi que ce sont eux qui sont à l'image des Anges du Plérôme ; mais alors, pour servir d'archétypes à notre monde et à toute l'infinie diversité des êtres qu'il renferme, il ne peut plus y avoir que les trente Éons du Plérôme, et l'hérétique retombe ainsi dans les difficultés précédemment soulevées.

P. 77, n. 1. — « On permet à des hommes — l'ordonnance de l'univers », Ἡ ἀνθρώποις μέν τις ἐπιτρέπει ἀφ' ἑαυτῶν ὠφέλιμόν τι πρὸς τὴν ζωὴν ἐξευρηκέναι, Θεῷ δὲ τῷ τὸν κόσμον συντελήσαντι οὐκ ἐπιτρέπει ἀφ' ἑαυτοῦ πεποιηκέναι τὴν ἰδέαν τῶν γεγονότων καὶ τὴν εὕρεσιν τῆς διακοσμήσεως ;

On notera l'erreur de lecture par laquelle, au début de la phrase, le traducteur a lu la conjonction ἤ (= « aut ») au lieu de la particule interrogative ἦ (= « an »). D'autre part, le parallélisme des deux membres de la phrase ne ferait-il pas attendre « hominibus » plutôt que « de hominibus » ?

P. 77, n. 2. — « de même que les autres choses de ce genre » καὶ τὰ ἄλλα τοιαῦτα. Le latin « tanta » n'est guère en situation : sans doute le traducteur a-t-il lu τοσαῦτα pour τοιαῦτα — à moins que « tanta » ne soit la corruption de « talia ».

P. 77, n. 3. — « De même les choses corruptibles — fluides et insaisissables », Οὕτως οὐδὲ τὰ φθαρτὰ καὶ γήϊνα καὶ σύνθετα καὶ παράγοντα τῶν κατ' αὐτοὺς πνευματικῶν εἰκόνες ἔσονται, ἐὰν μὴ καὶ αὐτὰ σύνθετα καὶ ἐν περιγραφῇ καὶ ἐν σχήματι ὁμολογήσωσιν εἶναι καὶ μηκέτι πνευματικὰ καὶ κεχυμένα καὶ ἀκατάληπτα.

Le latin « effusa et locupletia » semble être un doublet, comme le suggère la comparaison avec la phrase qui vient ensuite et qui reprend les mêmes épithètes caractéristiques : « Si autem illa spiritalia et *effusa* et incomprehensibilia (πνευματικὰ καὶ κεχυμένα καὶ ἀκατάληπτα) dicunt ... »

P. 79, n. 1. — « de telle sorte qu'elles soient par là même leurs images », ὥστε κατὰ τοῦτο εἰκόνας εἶναι. On doit, avec Grabe, admettre que le latin « ut … esse » soit la transposition brutale de la tournure grecque ὥστε … εἶναι, ou on doit supposer que « ut » est l'altération de « et ». Le sens demeure pratiquement identique.

P. 81, n. 1. — « Mais cela revient à accuser de faiblesse — et de dissiper l'ombre », τῇ τοῦ πατρικοῦ φωτὸς αὐτῶν μικρότητι καὶ ἀσθενείᾳ ἐγκαλέσουσιν, ὡς μὴ καταντῶντος εἰς ταῦτα, ἀλλὰ ἀσθενοῦντος πληρῶσαι τὸ κένωμα καὶ ἐκλῦσαι τὴν σκιάν.
Le binôme κένωμα καὶ σκιά constitue une sorte d'expression technique par laquelle les Valentiniens désignaient l'« extérieur » du Plérôme. Cf. I, 4, 1 : « Lorsque l'Enthymésis de la Sagesse d'en haut … eut été séparée du Plérôme …, elle bouillonna, disent-ils, dans les lieux de l'ombre et du vide (ἐν σκιᾶς καὶ κενώματος τόποις) … » Le mot κένωμα est traduit en latin tantôt par « uacuum », tantôt par « uacuitas ».

P. 81, n. 2. — « par ce qui leur sera extérieur », ὑπὸ τοῦ ἐκτός. Ici encore, le traducteur a traduit d'une façon toute matérielle : au lieu de « ab eo *qui* est extra », il eût fallu « ab eo *quod* est extra ». Cf. *supra*, p. 207, *note justif. P. 37, n. 1* et p. 215, *note justif. P. 53, n. 1.*

P. 81, n. 3. — « Il ne peut non plus exister un vide ou une ombre », Οὐδὲ κένωμα εἶναι ἢ σκιὰν ἐνδέχεται. La traduction de l'impersonnel ἐνδέχεται (= il est permis, il est possible) par « capit » (cf. *Lc* 13, 33) est courante dans la version latine de l'*Aduersus haereses* (cf. II, 13, 1 ; 13, 3 ; 17, 9, etc.)

P. 83, n. 1. — « par les anciens », τῶν μὲν ἀρχαίων. Les manuscrits latins ont : « ueteribus quidem et in primis … » On voit mal la raison d'être des mots « et in primis ». Nous proposons de considérer « in » comme indûment ajouté par un scribe et de voir dans les mots « ueteribus … et primis » un doublet traduisant τῶν … ἀρχαίων. En V, 21, 2, en effet, on trouve « *antiquam* » illam *et primam* … inimicitiam » traduisant τὴν ἀρχαίαν ἐκείνην … ἔχθραν (l'arménien permet de considérer cette restitution comme certaine). De même, en V, 14, 2, on trouve « *primae* plasmationis » traduisant τῆς ἀρχαίας πλάσεως (ici encore, l'arménien permet de considérer cette restitution comme certaine, et, de surcroît, elle est confirmée par une phrase parallèle de I, 9, 3). Le même doublet se retrouvera, semble-t-il, en II, 24, 2 : « ... *antiquae et primae* Hebraeorum literae », traduisant : ... τὰ ἀρχαῖα τῶν Ἑϐραίων γράμματα.

P. 85, n. 1. — « car la création montre son Créateur, l'œuvre révèle son Ouvrier, le monde manifeste son Ordonnateur », ἡ γὰρ κτίσις δεικνύει τὸν κτίσαντα, καὶ τὸ ποίημα ὑποϐάλλει τὸν ποιήσαντα, καὶ ὁ κόσμος φανεροῖ τὸν κεκοσμηκότα.

Comparer avec IV, 6, 6 : Καὶ γὰρ διὰ τῆς κτίσεως ἀποκαλύπτει ὁ Λόγος τὸν ἐκτικότα Θεόν, καὶ διὰ τοῦ κόσμου τὸν κεκοσμηκότα Κύριον, καὶ διὰ τοῦ πλάσματος τὸν πεπλακότα Τεχνίτην ... (restitution assurée grâce aux indications conjuguées du latin et de l'arménien).

P. 87, n. 1. — « En imaginant, selon leur système, un être inexistant au-dessus de Celui qui est », Τὸν οὐκ ὄντα ὑπὲρ τοῦτον τὸν ὄντα πλάσσοντες κατὰ τὴν γνώμην αὐτῶν.

On lit dans les manuscrits latins : « eum qui non est super hunc *quod* sit fingentes ... » Est-il possible de rattacher « quod sit » à « fingentes » et de comprendre : « en imaginant qu'existe au-dessus de lui quelqu'un qui n'est pas » ? La chose semble malaisée, grammaticalement parlant, et il paraît plus simple de conjecturer une erreur de transmission ayant fait substituer « quod » à « qui ». On a alors une allusion transparente à la grande révélation faite par Dieu à Moïse en *Ex.* 3, 14.

P. 87, n. 2. — « Car jamais rien n'a été dit de ce Dieu — au Dieu inventé par eux », Ὅτι μὲν γὰρ διαρρήδην οὐδὲν εἴρηται περὶ αὐτοῦ, καὶ αὐτοὶ μαρτυροῦσιν · ὅτι δὲ παραϐολὰς τὰς ζητουμένας καὶ αὐτὰς πῶς εἴρηνται κακῶς πρὸς τὸν παρεπινενοημένον ὑπ' αὐτῶν μεθαρμόζοντες ἄλλον νῦν πρότερον οὐδέποτε ἐζητημένον ἐπιγεννῶνται, δῆλον.

Quelles sont ces « paraboles » dont parle ici Irénée ? L'ensemble du contexte montre qu'il ne s'agit pas de ce que nous désignons de ce nom lorsque nous parlons, par exemple, de la parabole de l'enfant prodigue ou des autres paraboles évangéliques. Le mot παραϐολή a ici un sens très général : il s'agit de tout fait ou événement rapporté par l'Écriture et susceptible de faire connaître, par-delà son contenu immédiatement perceptible, une réalité plus profonde qu'il

représente ou est censé représenter. Dans le paragraphe
suivant, Irénée va donner, comme exemple de « parabole »,
le baptême reçu par le Seigneur à l'âge de trente ans : dans
le fait que le Seigneur ait été baptisé précisément à cet
âge, les Valentiniens voient une révélation, de soi obscure
mais très claire aux yeux des initiés, des trente Éons de
leur Plérôme. D'autres exemples de « paraboles » figureront
en II, 20, 1 : ainsi le choix de douze apôtres, interprété par
les Valentiniens comme une révélation de la Dodécade,
et la guérison de l'hémorroïsse malade depuis douze ans,
comprise par eux comme symbolisant la guérison du douzième Éon de la Dodécade. Comme on le voit, les « paraboles »
dont il s'agit ici ne sont pas autre chose que certaines
données de l'Écriture en lesquelles les hérétiques se flattent
de découvrir des figures et des symboles révélateurs de
réalités supérieures à notre monde et à son Auteur.

P. 89, n. 1. — « Car, pour paraître savoir, sans l'avoir
appris — pour le salut des hommes », Ἵνα γὰρ δοκῶσιν αὐτὸ
εἰδέναι τὸ πάντως τριακονταέτη τὸν Κύριον ἐλθεῖν ἐπὶ τὸ βάπτισμα
τῆς ἀληθείας, τοῦτο μὴ μαθόντες, ...
Le latin « Vt enim *sciant* hoc ipsum scire ... » est sûrement
inacceptable. Tout semble indiquer que « sciant » est la
corruption d'un autre verbe. Nous proposons, à titre purement conjectural, de lire quelque chose comme : « Vt enim
uideantur hoc ipsum scire ... » Cette conjecture semble
pouvoir se réclamer du parallélisme étroit existant, de toute
évidence, entre la présente proposition et celle qui la suit :

(a) Vt enim ⟨*uideantur*⟩ *(b)* hoc ipsum scire quod ...
Dominus uenit ..., *(c)* hoc non discentes, *(d)* Deum Fabricatorem ... impie contemnunt ;

(a′) et ut *putentur (b′)* posse enarrare unde substantia
materiae, *(c′)* non credentes ..., *(d′)* sermones uanos colle-
gerunt ...

P. 89, n. 2. — « au lieu de croire que Dieu a fait de rien
toutes choses comme il l'a voulu, afin qu'elles soient, en se
servant de sa volonté et de sa puissance en guise de matière »,
οὐ πιστεύοντες ὅτι ὁ Θεὸς ἐξ οὐκ ὄντων, καθὼς ἠθέλησε, τὰ γεγονότα
εἰς τὸ εἶναι πάντα ἐποίησε, τῇ ἰδίᾳ βουλῇ καὶ δυνάμει οὐσίᾳ χρησά-
μενος. Nouvel écho de la phrase qui se lit dans le *Pasteur*
d'Hermas (*Mand.* 1, 1) et à laquelle Irénée a déjà fait

diversement allusion. Sur la portée des mots εἰς τὸ εἶναι,
qui viennent de *Sag.* 1, 14, voir *SC* 263, p. 276-278.

P. 89, n. 3. — « c'est ainsi que, ne croyant pas à ce qui est,
ils sont tombés dans ce qui n'est pas », ἐπείπερ, τοῖς οὖσιν οὐ
πιστεύσαντες, εἰς τὸ μὴ ὂν ἔπεσαν. L'absence de toute conjonction reliant les indicatifs « credunt » et « deciderunt » suggère
que, au lieu de la première de ces formes, le latin avait sans
doute primitivement le participe « credentes ».

P. 91, n. 1. — « Car, quand ils disent que des larmes
d'Achamoth — et vraiment ridicule », Τὸ γὰρ λέγειν αὐτοὺς
ἀπὸ τῶν δακρύων τῆς ᾿Αχαμώθ τὴν ἔνυγρον προεληλυθέναι οὐσίαν,
ἀπὸ δὲ τοῦ γέλωτος τὴν φωτεινήν, ἀπὸ δὲ τῆς λύπης τὴν στερεάν,
καὶ ἀπὸ τοῦ φόβου τὴν κινητήν, καὶ ἐν τούτοις ὑψηλοφρονεῖν καὶ
τετυφῶσθαι, πῶς ταῦτα οὐκ ἄξια χλεύης καὶ ἀληθῶς γελοῖα ;
On aura noté le changement de construction dans la phrase
latine : après avoir traduit τὸ ... λέγειν αὐτούς par « quod ...
dicunt », ce qui est conforme au génie du latin, le traducteur,
au lieu de traiter de la même manière les infinitifs ὑψηλοφρονεῖν et τετυφῶσθαι, se contente de les transposer tels quels
et de les traduire par les infinitifs « altum sapere » et
« inflatum esse » — noter que, pour le second de ces verbes,
il eût fallu la forme plurielle « inflatos esse » —. Ces sortes
de phénomènes ne sont pas rares dans la version latine de
l'*Aduersus haereses*.

P. 91, n. 2. — « Mais prétendre que la matière provien-
drait — impossible et incohérent », Τὸ δὲ λέγειν ἀπὸ τῆς
᾿Ενθυμήσεως τοῦ Αἰῶνος τοῦ πεπλανημένου προβεβλῆσθαι τὴν ὕλην,
καὶ μακρὰν μὲν τὸν Αἰῶνα ἀπὸ τῆς ᾿Ενθυμήσεως κεχωρίσθαι, ταύτης
δὲ πάλιν τὸ πάθος καὶ τὴν διάθεσιν ἐκτὸς αὐτῆς γενομένην εἶναι τὴν
ὕλην, ἄπιστόν τε καὶ μωρὸν καὶ ἀδύνατον καὶ ἀσύστατον.
Tous les manuscrits latins ont : « ... et huius rursus
passionem et adfectionem extra ipsam *quidem eius* esse
materiam ». Il saute aux yeux que les mots « quidem eius »
ne sont pas en situation. Nous savons, d'après I, 4, 5, que
le Sauveur a séparé d'Achamoth les diverses passions qui
étaient en elle, afin d'en faire la matière de notre monde.
D'autre part, en II, 20, 5, on lira cette phrase dont le contenu
est fort proche de celle qui nous occupe : « ... illic autem
Aeon periclitatus dissolui et perire dicitur, et Enthymesis,
et passio ... : et faciunt Aeonem quidem restitui, Enthy-

mesin autem formari, *passionem uero ab his separatam esse
materiam* (τὸ δὲ πάθος ἀπὸ τούτων χωρισθὲν εἶναι τὴν ὕλην) ».
Nous croyons donc pouvoir conjecturer que, dans le présent
passage, le texte grec devait porter ἐκτὸς αὐτῆς γενομένης
ou une formule similaire, et que le latin avait quelque chose
comme : « extra ipsam *factam* ».

P. 93, n. 1. — « à la façon d'un sage architecte », ὡς σοφὸς
ἀρχιτέκτων.
Expression courante que l'on trouve en *Is.* 3, 3, *I Cor.*
3, 10 et ailleurs. La σοφία dont il s'agit est le « savoir-faire »
de l'architecte, son « habileté » technique. L'expression a
ici une intention polémique : le « savoir-faire » du Dieu
Créateur est opposé à l'ignorance du Démiurge des hérétiques
sur laquelle Irénée est revenu à maintes reprises au cours
des chapitres précédents. Mais cette même expression a
pour nous un surcroît d'intérêt en ce qu'elle nous fait entrevoir la signification très concrète des phrases en lesquelles
Irénée dira que le Père a créé toutes choses par son Verbe
(Λόγος) et sa Sagesse (Σοφία) : Dieu, veut dire Irénée, n'a
besoin de rien pour créer, ni d'une matière quelconque, ni
de quelque intermédiaire que ce soit qui lui serait étranger,
Anges ou Puissance démiurgique, car il a depuis toujours
auprès de lui Celui qui est sa « Parole » toute-puissante,
à savoir son Fils, et Celui qui est son « Savoir-faire » infailliblement efficace, à savoir son Esprit.

P. 93, n. 2. — « nous avons jugé à propos de les interroger
d'abord à notre tour ... », καλῶς ἔχειν ὑπολάβομεν πρῶτον μὲν
ἀντεπερωτῆσαι αὐτούς ...
Dans le latin, on lit : « bene *haec* arbitrati sumus primo
interrogare eos e contrario ... » Le pronom « haec » ne paraît
guère en situation. Pour dissiper la difficulté, il suffit de
se reporter à une tournure strictement identique qui se
rencontre en I, 9, 5 : ... καλῶς ἔχειν ὑπελάβομεν ἐπιδεῖξαι
πρότερον ..., tournure que le latin rendait de la manière
suivante : « ... bene *habere* putauimus ostendere primo ... »
Il saute aux yeux que, dans notre passage du Livre II,
le latin devait avoir primitivement une tournure identique
et se présenter de la manière suivante : « bene *habere* arbitrati sumus primo ... »
On notera le coup d'œil rapide qu'Irénée jette ici sur
l'ensemble de sa réfutation et, plus précisément, sur ses

deux « moments » essentiels : 1. d'une part, la réfutation
négative commencée avec le Livre II et destinée à se poursuivre jusqu'à la fin du Livre : «... primo interrogare eos e
contrario de suis dogmatibus et quod non est uerisimile
ipsorum ostendere et temeritatem ipsorum excidere »
(lignes 21-23) ; 2. d'autre part, la démonstration positive
prenant appui sur les divines Écritures, démonstration
qui fera l'objet des trois derniers Livres : « post deinde
Domini sermones inferre » (lignes 23-24) — noter cette expression « Domini sermones » : non seulement les « paroles du
Seigneur » constituent le sommet des Écritures, mais, dans la
polémique anti-valentinienne, ce sont ces paroles mêmes du
Seigneur qui fourniront le témoignage décisif en faveur du
seul vrai Dieu, Créateur de toutes choses, ainsi qu'Irénée le
montrera dans la Préface et le chap. 1 du livre III —. De la
sorte, le présent passage est de ceux qui excluent par avance
la thèse selon laquelle les trois derniers Livres de l'Aduersus
haereses ne seraient que des rallonges successives greffées
sur un projet ne comportant primitivement que les Livres I
et II. Sur la continuité du dessein d'Irénée à travers tout son
grand ouvrage, cf. Ph. Bacq, De l'ancienne à la nouvelle
Alliance selon S. Irénée. Unité du Livre IV de l'Aduersus
haereses, Paris-Namur, 1978, p. 22-29.

P. 97, n. 1. — « Une fois celle-ci écroulée, il est clair que
c'en sera fait de la totalité de leur système », Ταύτης δὲ
διαπεπτωκυίας, φανερὰ ἔσται πάσης τῆς ὑποθέσεως αὐτῶν ἡ ἀνατροπή.
La leçon « haec ... dicente », adoptée par les éditeurs, est
inacceptable. La leçon « hac » (CAQ) doit être considérée
comme primitive, mais le contexte invite à voir dans
« dicente » (CVAQ) la corruption de « decidente ». On obtient
de la sorte un texte limpide à souhait, les mots « hac ...
decidente » faisant écho à la phrase précédente : «.... de
Triacontade ipsorum sic dicemus uniuersam eam utrinque
mire decidere ... »
Un raisonnement de tout point semblable s'est déjà
rencontré en I, 9, 3 : «... soluta est Octonationis illorum
compago. Hac autem soluta, decidit illorum omnis argumentatio ... », ... λέλυται ἡ τῆς Ὀγδοάδος αὐτῶν σκηνο-
πηγία. Ταύτης δὲ λελυμένης, διαπέπτωκεν αὐτῶν πᾶσα ἡ
ὑπόθεσις ... (grec conservé par Épiphane).

P. 97, n. 2. — « Or il est inadmissible que le Père de toutes
choses — avec ce qui a reçu une forme », Ὁ γὰρ Πατὴρ τῶν

πάντων συναριθμεῖσθαι οὐκ ὀφείλει τῇ λοιπῇ προβολῇ, ὁ ἀπρόβλητος τῇ προβληθείσῃ, ὁ ἀγέννητος τῇ γεννηθείσῃ, ὁ ἀχώρητος τῇ ὑπ' αὐτοῦ χωρουμένη, ὁ ἄμορφος τῇ μορφωθείσῃ.

1. Le latin « qui non est emissus » paraît traduire ὁ ἀπρόβλητος. Sans doute cette forme est-elle peu attestée (cf. Thesaurus Graecae Linguae), mais c'est elle que suggère le parallélisme avec les trois autres adjectifs ἀγέννητος, ἀχώρητος et ἄμορφος, et nous savons qu'Irénée pouvait employer quelquefois des mots rares, voire des mots qu'on ne trouve pas ailleurs que chez lui (cf. SC 100, p. 227, note justif. P. 493, n. 2).

2. En écrivant : ὁ ἀχώρητος τῇ ὑπ' αὐτοῦ χωρουμένη, Irénée pense sans doute à la phrase du Pasteur d'Hermas (Mand. 1, 1), en laquelle se lisent les mots : πάντα χωρῶν, μόνος δὲ ἀχώρητος ὤν. A cet endroit, le texte des manuscrits latins présente une anomalie, car, aux mots « et quem nemo capit cum ea quae ab eo capitur », traduction normale de ὁ ἀχώρητος τῇ ὑπ' αὐτοῦ χωρουμένη, il ajoute : « et propter hoc incapabilis ». Ces derniers mots, qui brisent la symétrie, paraissent n'être rien d'autre qu'une glose doublant les mots « quem nemo capit », les deux expressions supposant le même substrat grec ἀχώρητος.

P. 99, n. 1. — « Ensuite, en appelant la première émission Pensée ou Silence et en disant que d'elle ont été émis à leur tour l'Intellect et la Vérité, ils s'égarent doublement », Ἔπειτα τὴν πρώτην προβολὴν Ἔννοιαν ἢ Σιγὴν καλοῦντες, ἐξ ἧς πάλιν τὸν Νοῦν καὶ τὴν Ἀλήθειαν προβεβλῆσθαι λέγουσιν, ἐν ἀμφοτέροις ἀποπλανῶνται.

Telle qu'elle se lit dans les manuscrits latins, la phrase comporte une double anomalie :

1. D'abord, pour que la première proposition ait un sens, il faudrait lire : « primam emissionem Ennoiam uel Sigen uocantes ». Sans doute le traducteur a-t-il eu sous les yeux un texte grec en lequel ἢ s'était corrompu en ἦν. Une confirmation de la correction proposée est fournie par le début de la phrase suivante : « Impossibile est enim ennoeam alicuius aut silentium separatim intelligi ... »

2. De plus, tout indique qu'il faut lire dans la seconde proposition : « ex qua rursum <Nun> et Alethiam emissos dicunt ». Déjà le pluriel « emissos » suppose un premier sujet masculin. D'autre part, dans la suite du paragraphe, l'Intellect et la Vérité ne cesseront pas d'être unis.

P. 107, n. 1. — « Ce n'est pas tout : le Monogène, disent-ils, a encore émis Christ et Esprit Saint », "Ετι τε προβολὴν λέγουσι γεγονέναι ὑπὸ τοῦ Μονογενοῦς Χριστοῦ καὶ Πνεύματος ἁγίου.

Le sens de la phrase est clair : les génitifs Χριστοῦ et Πνεύματος ἁγίου ne peuvent se rapporter qu'à προβολήν. Voir I, 2, 5 : «... le Monogène émit encore un autre couple..., (à savoir) Christ et Esprit Saint ... », ... **τὸν Μονογενῆ πάλιν ἑτέραν προβαλέσθαι συζυγίαν ..., Χριστὸν καὶ Πνεῦμα ἅγιον** ... (texte grec conservé par Épiphane).

Le latin «... emissionem ... factam a Monogene Christo et Spiritu Sancto » est si manifestement incohérent que Massuet n'a pas hésité à corriger, dans son texte même, en : «... emissionem ... factam a Monogene Christum et Spiritum Sanctum ». Nous croyons cependant que la leçon « Christo et Spiritu Sancto », qu'attestent tous les manuscrits, est à mettre sur le compte du traducteur lui-même qui, traduisant mécaniquement et sans chercher à entrer dans la logique du raisonnement, a cru comprendre : «... une émission ... a été faite par le Monogène Christ et (par) l'Esprit Saint ». La version latine de l'*Aduersus haereses* offre d'autres exemples de contresens de cette sorte.

P. 107, n. 2. — « Limite, appelé aussi Croix », "Ορον, ὃν καὶ Σταυρὸν λέγουσιν.

Tous les manuscrits latins ont la leçon « Sotera ». Celle-ci ne peut refléter le grec d'Irénée, car à aucun endroit de l'*Aduersus haereses* les Valentiniens ne sont dits attribuer à « Limite » le nom de « Sauveur ». Par contre, ils lui attribuent couramment le nom de « Croix ». Aussi, avec Grabe, situerons-nous la source de l'erreur au niveau de la tradition grecque : l'impéritie d'un scribe aura substitué la leçon Σωτῆρα à la leçon Σταυρόν, les abréviations ayant pu faciliter l'erreur de lecture.

P. 107, n. 3. — « ou enlever à ces Éons-là l'honneur d'un tel nom », ἢ καὶ ἐκείνων τῶν Αἰώνων τὴν τιμὴν τῆς τοιαύτης προσηγορίας ἀφαιρεῖσθαι.

On aura noté la traduction toute matérielle du génitif ἐκείνων τῶν Αἰώνων par le génitif « illorum Aeonum ». En réalité, les mots ἐκείνων τῶν Αἰώνων dépendent, non de τιμήν, mais de ἀφαιρεῖσθαι, et il eût fallu traduire par « *ab illis Aeonibus* ... auferri ». Autre exemple de cette sorte de contresens en III, 25, 2 : « ... utrorumque (*pour* ab utrisque) auferentes sensum et iustitiam ... »

P. 109, n. 1. — « car si, dans le cas d'un nombre de cette sorte, un excédent ou un manque suffit à éliminer le nombre en question, combien plus le feront l'un et l'autre à la fois », ἐπὶ γὰρ τοιούτῳ ἀριθμῷ εἰ τὸ πλεῖον ἢ τὸ ἔλαττον ἀδόκιμον ποιήσει τὸν ἀριθμόν, πόσῳ μᾶλλον τὰ ἀμφότερα ; Restitution et interprétation incertaines. Nous sommes porté à croire que le mot « fuerit » (ligne 141) a été indûment ajouté au texte latin. D'autre part, le mot « tanta » (ligne 143) n'offre pas de sens acceptable, en dépit des notes des éditeurs. Ne faudrait-il pas lire « utraque » ou un terme équivalent ?

P. 111, n. 1. — « Montrons maintenant que la première de leurs émissions — qui est le père de la pensée », Καὶ τὴν μὲν πρώτην τάξιν τῆς προβολῆς αὐτῶν ἀδόκιμον οὖσαν οὕτως ἀποδεικνύομεν. Προβεβλῆσθαι γὰρ λέγουσιν ἐκ τοῦ Βυθοῦ καὶ τῆς τούτου 'Εννοίας Νοῦν καὶ 'Αλήθειαν, ὅπερ ἐναντίον φαίνεται. Νοῦς μὲν γάρ ἐστι τὸ ἡγεμονικὸν καὶ καθάπερ ἀρχὴ καὶ πηγὴ πάσης τῆς νοήσεως, ἔννοια δὲ ἡ ἀπὸ τούτου ποιὰ περί τινος γινομένη κίνησις. Οὐκ ἐνδέχεται οὖν ἐκ τοῦ Βυθοῦ καὶ τῆς 'Εννοίας προβεβλῆσθαι τὸν Νοῦν. Πιθανότερον γὰρ ἦν τὸ λέγειν αὐτοὺς ἐκ τοῦ Προπάτορος καὶ τοῦ Νοὸς προβεβλῆσθαι θυγατέρα τὴν "Εννοιαν · οὐ γὰρ ἡ ἔννοια μήτηρ ἐστὶ τοῦ νοός, καθὼς λέγουσιν, ἀλλ' ὁ νοῦς πατὴρ τῆς ἐννοίας.

En ce qui concerne le présent passage, on a vu plus haut (cf. p. 110-111) qu'aux lignes 4-7 du latin (Nus — motio) correspondent quelques lignes d'un fragment arabe. D'autre part, à partir de la ligne 8 du latin, nous disposons d'une série d'indications précieuses fournies par un fragment arménien.

Voici quelques précisions concernant certaines de nos restitutions :

1. « irrecevable », ἀδόκιμον. La restitution de ce mot ne fait pas difficulté. Elle est confirmée par la phrase « Quomodo *nullius momenti* ostenditur primus ordo emissionis ipsorum » qui se lit parmi les « capitula » (cf. T. II, p. 14). Le mot ἀδόκιμος signifie « qui ne peut être accepté », « de nulle valeur », « irrecevable », etc. Sur les occurrences de ce mot dans le Livre II et les différentes manières dont il est traduit dans le latin, voir l'Index des mots grecs.

2. « l'élément directeur », τὸ ἡγεμονικόν. A cette expression grecque correspond ici le doublet latin « ipsum quod est *principale* et *summum* ». A cette même expression correspondra, un peu plus loin (lignes 13-14), le latin « *principalem et primum* ... locum ». L'adjectif ἡγεμονικός signifie « propre à diriger », « qui dirige » (cf. *Ps.* 50, 14). On sait que l'expression τὸ ἡγεμονικόν était couramment employée par les Stoïciens pour désigner la partie supérieure de l'âme, la faculté directrice, la raison.

3. « un mouvement particulier ... relatif à un objet déterminé », ἡ ... ποιὰ περί τινος γινομένη κίνησις. On peut se demander si la conjonction « et » (ligne 7) n'a pas été ajoutée indûment dans le latin, car, un peu plus loin (lignes 17-18), la même formule est reproduite, terme pour terme, sans qu'y figure la conjonction : « de aliquo ... qualeslibet motiones » = περί τινος ... ποιαὶ κινήσεις. Pour l'intelligence correcte de la phrase qui nous occupe, précisons encore que, selon nous, la relative « quae ab hoc est » ne doit pas être rattachée au substantif « ennoia » qui la précède, mais au substantif « motio » qui la suit. A cette définition qu'Irénée donne ici de l'ἔννοια, on peut comparer, au point de vue des expressions utilisées, la définition suivante que Maxime le Confesseur donnera de la βούλησις (*PG* 91, 21 D) : Βούλησιν γὰρ εἶναί φασιν, οὐ τὴν ἁπλῶς φυσικήν, ἀλλὰ τὴν ποιάν, τουτέστιν τὴν περί τινος θέλησιν, « Car on dit que la βούλησις est, non le vouloir simplement naturel, mais tel vouloir particulier, c'est-à-dire portant sur un objet déterminé ». Il s'agit, on le voit, de formules plus ou moins stéréotypées qui ont toute chance de provenir d'écoles philosophiques.

P. 111, n. 2. — « Comment, d'autre part, l'Intellect aurait-il pu être émis — dont nous venons de parler », Πῶς δὲ καὶ προεβλήθη ὁ Νοῦς ὑπὸ τοῦ Προπάτορος, ὁ τὸ ἡγεμονικὸν τῆς ἐγκεκρυμμένης καὶ ἀοράτου διαθέσεως ἐπέχων, ἀφ' ἧς ἡ φρόνησις ἀπογεννᾶται καὶ ἡ ἔννοια καὶ ἡ ἐνθύμησις καὶ τὰ τοιαῦτα, ἅπερ οὐκ ἄλλα ἐστὶ παρὰ τὸν νοῦν, ἀλλ' αὐτοῦ ἐκείνου, καθὼς προέφαμεν, περί τινος ἐνδιάθετοι ποιαὶ κινήσεις, κατ' ἐπιμονὴν καὶ αὔξησιν ἀλλὰ μὴ καθ' ἑτεροίωσιν τὰς προσηγορίας ἐπιδεχόμεναι καὶ εἰς τὸν διαλογισμὸν συμπεραιούμεναι καὶ εἰς τὸν λόγον συμπροβαλλόμεναι, ἐμμένοντος τοῦ νοῦ καὶ κτίζοντος καὶ διέποντος αὐτεξουσίως, καθὼς καὶ βούλεται, τὰ προειρημένα ;

La restitution de cette longue phrase nous paraît largement

assurée, dans l'ensemble, grâce aux indications conjuguées du latin et de l'arménien. Donnons quelques indications plus détaillées :

1. « Comment, d'autre part, l'Intellect aurait-il pu être émis par le Pro-Père ? », Πῶς δὲ καὶ προεβλήθη ὁ Νοῦς ὑπὸ τοῦ Προπάτορος ; Quoique rien ne corresponde à ces mots dans le fragment arménien, ceux-ci n'en appartiennent pas moins de la façon la plus certaine au texte irénéen. En effet, dans la première moitié de II, 13, 1, Irénée vient de montrer que l'Intellect ne peut avoir été émis par la Pensée. Il commence ici une nouvelle argumentation qui se développera jusqu'à la fin de II, 13, 2 et qui tendra à montrer que l'Intellect ne peut davantage avoir été émis par le Pro-Père ou Abîme : de l'intellect procède, en effet, tout le mouvement de pensée aboutissant à l'émission de la parole extérieure, mais l'intellect lui-même ne procède pas de quelque chose qui lui serait antérieur. On notera ces mots par lesquels se termine le paragraphe II, 13, 2 : « Haec ... omnia ... Nus gubernat, ... a semetipso ... emittens uerbum, sed *non ipse ab alio emittitur* ». Ces mots sont un rappel de la phrase qui nous occupe et constituent avec elle une inclusion.

2. « Car l'intellect détient la direction du processus caché et invisible », ὁ τὸ ἡγεμονικὸν τῆς ἐγκεκρυμμένης καὶ ἀοράτου διαθέσεως ἐπέχων. Les mots « principalem et primum ... locum » sont une sorte de doublet traduisant τὸ ἡγεμονικόν. On notera la parfaite correspondance existant entre la formule rencontrée un peu plus haut : τὸ ἡγεμονικὸν ... πάσης τῆς νοήσεως, et la formule présente : τὸ ἡγεμονικὸν τῆς ἐγκεκρυμμένης καὶ ἀοράτου διαθέσεως ... La restitution τῆς ... διαθέσεως, autorisée par le latin « adfectionis », est imposée par l'arménien *ırıüßuınıpßıuüü*. Enfin, le participe ἐπέχων a son décalque dans l'arménien *կերուեելnıı*.

3. « d'où émanent la réflexion, la pensée, la considération », ἀφ' ἧς ἡ φρόνησις ἀπογεννᾶται καὶ ἡ ἔννοια καὶ ἡ ἐνθύμησις. La restitution φρόνησις (= latin « sensus ») est assurée grâce à l'arménien *խıuhıüıünıpβhıü* : plus précis que le latin, l'arménien utilise ici le mot même dont il se servira à deux reprises, dans le paragraphe suivant, pour rendre le grec **φρόνησις** (attesté par Maxime le Confesseur et Jean Damascène). Quant au verbe ἀπογεννᾶται, il trouve son décalque dans l'arménien *ի բաg ծüեıul լ(üüp*.

4. « immanents à cet intellect même », ἐνδιάθετοι. L'arménien n'offre ici aucune indication utile, mais le latin « *in*

cogitatu *dispositae* » est une traduction transparente du
grec ἐνδιάθετοι. Au paragraphe suivant, le même mot ἐνδιάθετος (conservé par Maxime le Confesseur et Jean Damascène) sera traduit par « in mente perseuerans » et par ртиŭ
ŀ ŭեŀρρu ぴηηηΙἔωŀ ωραψŭωηρἔωŀ.

5. « au discours intérieur », εἰς τὸν διαλογισμόν. On doit
adopter, sans hésiter, la leçon « in cogitationem », qui est
celle de S, plutôt que la leçon « in cognitionem », qui est
celle de tous les autres manuscrits et d'Érasme. Le mot
« cogitatio » est celui qu'on retrouvera au paragraphe suivant
comme traduction de διαλογισμός (terme conservé par
Maxime le Confesseur et Jean Damascène). L'arménien ne
nous est ici d'aucun secours, car il abrège et modifie.

6. « créant et gouvernant en toute indépendance »,
κτίζοντος καὶ διέποντος αὐτεξουσίως. Il semble que les participes
latins « administrante et gubernante » soient un doublet
traduisant διέποντος, car, d'une part, le verbe διέπω possède
ces deux significations et, d'autre part, lorsque Irénée rappellera un peu plus loin (ligne 45) cette fonction de « gouver-
nement » qui incombe à l'intellect, le latin ne comportera
que le seul verbe « gubernat », traduction probable de
διέπει. De même les expressions « libere et ex sua potestate »
paraissent n'être qu'un doublet traduisant le seul adverbe
αὐτεξουσίως.

P. 115, n. 1. — « En effet, le premier mouvement de
l'intellect — mais lui-même n'est pas émis par quelque
chose d'autre », Ἡ μὲν γὰρ πρώτη κίνησις αὐτοῦ περί τινος
ἔννοια καλεῖται · ἐπιμείνασα δὲ καὶ αὐξηθεῖσα καὶ ὅλην κατασχοῦσα
τὴν ψυχὴν ἐνθύμησις προσαγορεύεται · ἡ δὲ ἐνθύμησις
χρονίσασα ἐν τῷ αὐτῷ καὶ ὡς βασανισθεῖσα φρόνησις ὀνομά-
ζεται · ἡ δὲ φρόνησις πλατυνθεῖσα βουλὴ ἐγένετο · ἡ δὲ
αὔξησίς τε καὶ κίνησις πλατυνθεῖσα τῆς βουλῆς διαλογισμὸς
καλεῖται, ὁ καὶ ἐνδιάθετος λόγος ὀρθῶς ὀνομαζόμενος, ἐξ οὗ
ὁ προφορικὸς ἐκπέμπεται λόγος. Ἐν δὲ καὶ τὸ αὐτό ἐστι πάντα
τὰ προειρημένα, ἀπὸ τοῦ νοῦ τὴν ἀρχὴν λαβόντα καὶ κατ' αὔξησιν
ἐπιδεξάμενα τὰς προσηγορίας. Ὡς γὰρ καὶ τὸ σῶμα τοῦ ἀνθρώπου,
ποτὲ μὲν νέον, ποτὲ δὲ ἀνδρεῖον, ποτὲ δὲ γεραιόν, κατ' αὔξησιν καὶ
ἐπιμονὴν ἐπεδέξατο τὰς προσηγορίας, ἀλλ' οὐ κατ' οὐσίας ἑτεροίωσιν
οὐδὲ κατὰ σώματος ἀποβολήν, οὕτω δὴ καὶ ἐκεῖνα · περὶ οὗ γάρ
τις ἐννοεῖται, περὶ τούτου καὶ ἐνθυμεῖται, καὶ περὶ οὗ ἐνθυμεῖται,
περὶ τούτου καὶ φρονεῖ, καὶ περὶ οὗ φρονεῖ, περὶ τούτου καὶ βουλεύεται,
καὶ ὃ βουλεύεται, τοῦτο καὶ διαλογίζεται, καὶ ὃ διαλογίζεται, τοῦτο

καὶ λαλεῖ. Ταῦτα δὲ πάντα, καθὼς προέφαμεν, ὁ νοῦς διέπει, αὐτὸς ἀόρατος ὢν καὶ ἀφ' ἑαυτοῦ διὰ τῶν προειρημένων ὡς δι' ἀκτῖνος προβάλλων τὸν λόγον, ἀλλ' οὐκ αὐτὸς ὑπ' ἄλλου προβαλλόμενος.

Pour la restitution de ce paragraphe, nous avons les indications remarquablement complémentaires du latin et de l'arménien. De surcroît, pour la partie du texte correspondant aux lignes 24-33 du latin, nous disposons d'un bref passage qui se lit chez Maxime le Confesseur et chez Jean Damascène (pour plus de détails, cf. *infra*, Appendice II, p. 366-370). Sans être une citation, même purement implicite, du texte d'Irénée, le passage en question n'en présente pas moins une indéniable parenté avec ce texte ; il en conserve même quelques bribes éparses que, pour la commodité du lecteur, nous faisons figurer en caractères gras dans la restitution ci-dessus.

L'utilisation de ces différentes sources ne soulève aucune difficulté particulière et la restitution de l'ensemble du paragraphe peut être considérée comme largement assurée.

Précisons en particulier, que le texte irénéen mentionne, *cinq* mouvements immanents à l'intellect. Les anciens éditeurs du texte latin, égarés par une apparente symétrie des formules, ont été unanimes à ponctuer de la manière suivante les lignes 31-32 : « ... quae etiam in mente perseuerans, uerbum rectissime appellabitur ». De la sorte, ils ont fait du « uerbum » une sixième et dernière étape dans le déploiement de l'activité immanente à la pensée (on peut voir, à titre d'exemple, la note de Massuet relative à ce passage). Mais c'est là un contresens. L'arménien et le grec montrent qu'il faut rattacher la locution « in mente perseuerans » à « uerbum » et ne voir en elle rien d'autre que la traduction de l'adjectif ἐνδιάθετος. Et ainsi, sans aucun doute possible, le διαλογισμός et le ἐνδιάθετος λόγος sont une seule et même étape, la cinquième, désignée par deux expressions différentes.

En ce qui concerne la restitution des cinq substantifs exprimant les cinq étapes successives de l'activité intérieure à la pensée, un surcroît de certitude est apporté par la série des cinq verbes correspondant, terme pour terme, aux substantifs (lignes 40-44). Le tableau suivant rassemble ces substantifs et ces verbes. ainsi que leurs équivalents latins et arméniens.

ennoia	՝ ՝ ՝	ἔννοια
enthymesis		ἐνθύμησις
sensatio		φρόνησις
consilium		βουλή
cogitatio		διαλογισμός
contemplor		ἐννοέομαι
cogito		ἐνθυμέομαι
sapio		φρονέω
consilior		βουλεύομαι
animo tracto		διαλογίζομαι

Un simple coup d'œil sur ce tableau montre que, à
l'inverse du traducteur latin, le traducteur arménien a
été scrupuleusement fidèle à maintenir l'identité de radical
entre chaque substantif et le verbe qui lui correspond. On
dira, il est vrai, à la décharge du traducteur latin, que les
termes en question sont d'une traduction malaisée du fait
que, dans le langage courant, leurs significations se recou-
vrent plus ou moins les unes les autres : cela peut expliquer
le relatif flottement du vocabulaire latin. La traduction
française se heurte d'ailleurs à la même difficulté : il est
quasi impossible de trouver des termes qui correspondent
adéquatement à des mots grecs revêtant, dans le présent
contexte, une sorte de valeur technique.

Irénée a-t-il élaboré lui-même la série des cinq termes ?
Ou s'inspire-t-il d'un écrit philosophique en lequel les
termes en question étaient déjà l'objet d'explications plus
étendues ? Nous ne savons. Quoi qu'il en soit, nous sommes
tenté d'expliciter de la manière suivante ce qu'Irénée ne
fait que suggérer très brièvement.

1. Au point de départ de l'activité de l'intellect ou νοῦς,
activité que, dans le paragraphe précédent, Irénée a appelée
νόησις, il y a l'ἔννοια. Il s'agit de ce qui surgit dans l'esprit
(ἐννοέομαι, dérivé de ἐν et de νοῦς), autrement dit, de toute
pensée ou idée considérée en sa première apparition dans
notre esprit, quel que soit l'objet théorique ou pratique
sur lequel elle puisse porter.

2. Si, au lieu de traverser simplement l'esprit, cette pensée
perdure, elle ne peut que s'intensifier ; elle déborde alors de
quelque manière hors du νοῦς et gagne l'âme tout entière.
Elle n'est plus une simple ἔννοια, mais mérite le nom

d'ἐνθύμησις. Il s'agit de ce que l'on a *dans son âme* (le verbe ἐνθυμέομαι dérive de ἐν et de θυμός, et l'on sait que ce dernier vocable désigne d'abord l'âme en tant que principe des sentiments et des passions). Il s'agit donc toujours de la pensée, mais accompagnée de tout ce qu'elle est capable de faire naître en nous de sentiments, d'émotions, de désirs ou de craintes, d'enthousiasmes ou de répulsions, bref de la pensée en sa réalité vivante et concrète.

3. La troisième étape est désignée par Irénée du nom de φρόνησις. Le verbe φρονέω (dérivé de φρένες = siège de l'intelligence) signifie : « avoir de l'intelligence », « avoir sa raison », « être capable de jugement »… Dans le présent contexte, la φρόνησις s'interprétera tout naturellement comme étant l'activité par laquelle l'esprit se situe face à la pensée que nous avons vue surgir en lui et gagner l'âme entière ; cette pensée, il la pèse, l'examine et, selon l'expression même d'Irénée, la « met à l'épreuve » (βασανίζω, dérivé de βάσανος = pierre de touche) afin d'en vérifier le bien-fondé. Telle est cette activité réflexive de l'esprit à laquelle Irénée donne le nom de φρόνησις.

4. La réflexion dont il s'agit peut se prolonger et s'amplifier : elle devient alors ce qu'Irénée appelle une βουλή ou délibération intérieure. Le verbe βουλεύομαι définit cette activité de l'esprit qui « délibère » en lui-même, c'est-à-dire fait apparaître devant ses yeux toutes les raisons qui sont de nature à démontrer ou à infirmer le bien-fondé de la pensée soumise à sa judicature.

5. Lorsqu'elle s'amplifie encore, la délibération dont il s'agit mérite le nom de διαλογισμός, c'est-à-dire de « conversation » ou « discussion » (διαλογίζομαι = « s'entretenir », « discuter »). L'esprit se dédouble de quelque manière et entame une discussion avec lui-même comme il le ferait avec un interlocuteur distinct. Cette sorte d'entretien de l'esprit avec lui-même dans ce sanctuaire secret qu'il est à lui-même marque le sommet de son activité intérieure. Irénée va nous dire dans un instant qu'il n'est pas autre chose que ce que les philosophes appelaient λόγος ἐνδιάθετος ou « parole immanente (à l'esprit) » et qu'ils distinguaient du λόγος προφορικός ou « parole proférée (par les lèvres) ».

Telle nous paraît être la manière dont Irénée concevait les cinq étapes successives de l'activité immanente à l'esprit. A l'encontre de A. Orbe, *Hacia la primera teologia de la procesión del Verbo* (*Estudios Valentinianos*, vol. 1),

p. 366 et suiv., nous croyons qu'Irénée n'a pas exclusive-
ment en vue une activité *pratique* de l'intelligence ordonnée
à la production d'un effet extérieur, mais qu'il envisage
plutôt l'activité de l'intelligence prise dans toute son
ampleur : qu'il s'agisse d'une vérité d'ordre théorique ou
d'une vérité d'ordre pratique, toujours l'activité de cette
intelligence (νοῦς) culmine dans l'élaboration d'un discours
(λόγος) intérieur dont la parole extérieure est la manifestation.

Nous nous limitons ici à l'examen du texte et de la pensée
d'Irénée lui-même. Sur les modifications que subiront ce
texte et cette pensée en passant chez Maxime le Confesseur
et Jean Damascène, cf. *infra*, Appendice II.

P. 115, n. 2. — « Tout cela peut se dire des hommes, parce
qu'ils sont composés par nature, étant constitués d'un
corps et d'une âme », Καὶ ταῦτα μὲν ἐπὶ τῶν ἀνθρώπων ἐνδέχεται
λέγεσθαι ἅτε συνθέτων φύσει, ἐκ σώματός τε καὶ ψυχῆς συνεστηκότων.
Avec cette phrase s'achève le fragment arménien figurant
parmi les œuvres d'Évrage traduites en arménien. On notera,
en passant, la conception dichotomiste de l'homme formulée
ici avec une particulière clarté : pour Irénée, l'homme *comme
lel*, c'est-à-dire considéré dans les éléments constitutifs
de sa nature et indépendamment de ce qui distingue le juste
du pécheur, se compose de *deux* éléments, à savoir un corps
tiré de la terre et une âme douée de raison et de liberté.
C'est cette conception que nous retrouverons dans les
derniers chapitres de ce Livre II, non moins que dans toute
la suite de l'*Aduersus haereses*.

P. 115, n. 3. — « ce qui se passe en l'homme pour aboutir
à la parole, ils l'appliquent au Père de toutes choses »,
τὰ ἐπιγινόμενα τοῖς ἀνθρώποις πρὸς τὸ λαλεῖν αὐτοὺς προσοικειοῦσι
τῷ τῶν πάντων Πατρί.
Le latin « ad loquendum eos » — les variantes « eis » et
« ei » (voir l'apparat) sont sûrement à rejeter — ne laisse pas
de surprendre. Avec Grabe et Massuet, nous proposons d'y
voir la traduction toute matérielle et quelque peu insolite
du grec πρὸς τὸ λαλεῖν αὐτούς. Il n'existe pas, que nous
sachions, d'autre exemple d'une telle traduction dans la
version latine de l'*Aduersus haereses*.

P. 117, n. 1. — « Car le Père de toutes choses est à une
distance considérable — de parler de Dieu », Πολὺ γὰρ

ἀπέχει ὁ τῶν πάντων Πατὴρ τῶν ἐπιγινομένων τοῖς ἀνθρώποις διαθέσεων καὶ παθῶν, <ὃς> καὶ ἁπλοῦς καὶ ἀσύνθετος καὶ ὁμοιομελὴς καὶ ὅλος ἑαυτῷ ὅμοιός τε καὶ ἴσος ὑπάρχει, ὅλος νοῦς ὢν καὶ ὅλος πνεῦμα καὶ ὅλος νόησις καὶ ὅλος ἔννοια καὶ ὅλος λόγος καὶ ὅλος ἀκοὴ καὶ ὅλος ὀφθαλμὸς καὶ ὅλος φῶς καὶ ὅλος πηγὴ πάντων τῶν ἀγαθῶν, καθὼς πάρεστι τοῖς εὐσεβέσι λέγειν περὶ τοῦ Θεοῦ.

La restitution de ce passage paraît largement assurée. Il semble qu'un pronom relatif ait accidentellement disparu, peut-être déjà au niveau de la tradition grecque, et nous proposons de rétablir : <ὃς> καὶ ἁπλοῦς καὶ ἀσύνθετος ... D'autre part, le latin « religiosis ac piis » (ligne 71) n'est sans doute qu'un doublet traduisant τοῖς εὐσεβέσι.

La restitution de l'adjectif ὁμοιομελής peut paraître plus problématique. Ce vocable ne figure ni dans le *Thesaurus Graecae Linguae*, ni dans les dictionnaires de Liddell-Scott, de Bailly et de Lampe. On le rencontre cependant dans les écrits pseudo-macariens : cf. H. DÖRRIES, E. KLOSTERMANN, M. KROEGER, *Die 50 geistlichen Homilien des Makarios (PTS* 4), Berlin, 1964, Hom. 1, 2 (p. 2, 39) ; H. BERTHOLD, *Makarios/Symeon, Reden und Briefe (GCS)*, Bd. 2, Berlin, 1973, Logos 32, 7 (p. 23, 2). Dans la présente phrase d'Irénée, la restitution de ὁμοιομελής semble relativement assurée, car le néologisme latin « similimembrius », qu'on ne trouve nulle part ailleurs qu'ici, est le parfait décalque de cette forme grecque. Il s'agit d'un adjectif composé à partir du substantif μέλος, « membre », et dont la structure est de tout point comparable à celle de l'adjectif δωδεκαμελής, qu'on a rencontré sous la plume d'Irénée en I, 14, 9 (texte grec conservé par Épiphane). On pourra que le *Thesaurus* et Lampe mentionnent le vocable δωδεκαμελής, mais l'un et l'autre n'en signalent pas d'autre attestation en dehors de ce passage du Livre I de l'*Aduersus haereses*. Comme on le voit, tout en se servant d'une langue habituellement simple, Irénée ne recule pas, à l'occasion, devant l'emploi de mots rarement usités, sinon de mots qu'il crée peut-être lui-même (cf. *supra*, p. 230, *note justif. P. 97, n. 2*). Une confirmation de la restitution de ὁμοιομελής nous paraît fournie par la dernière phrase de II, 17, 2, en laquelle le latin « dissimiles membris suis » apparaît comme la traduction toute normale de ἀνομοιομελεῖς (cf. *infra*, p. 266, *note justif. P. 159, n. 1*).

Comment convient-il d'interpréter ce terme ὁμοιομελής, par lequel Irénée paraît attribuer des « membres » à Dieu ? L'ensemble de la phrase fournit, semble-t-il, toute la clarté

désirable. La question qui se pose, face à la thèse valentinienne relative aux diverses entités plérômatiques, est en
effet la suivante : Peut-on dire qu'il y a en Dieu un intellect
(νοῦς), une pensée (ἔννοια), une parole (λόγος), voire un œil
(ὀφθαλμός), une ouïe (ἀκοή) et d'autres choses du même genre ?
A cette question, Irénée répond : Oui, on le peut, sans
aucun doute, à la suite des divines Écritures elles-mêmes,
mais à la condition de se souvenir — ce qu'oublient les
hérétiques — que Dieu est tout entier Intellect, tout entier
Pensée, tout entier Parole, tout entier Œil, tout entier
Ouïe, autrement dit que, s'il contient en lui toute perfection
concevable, c'est dans l'absolue simplicité de son être infini
et éternel. Dans un tel contexte, le terme ὁμοιομελής
(= littér. « qui a les membres semblables ») revêt une
signification large : il ne fait qu'évoquer, d'une manière
imagée, cette absolue simplicité de l'être divin « tout entier
semblable et égal à lui-même », ὅλος ἑαυτῷ ὅμοιός τε καὶ ἴσος.

Cela étant dit, nous voudrions revenir brièvement sur la
question de l'origine de ces énumérations si caractéristiques ὅλος ..., ὅλος ..., ὅλος ..., que nous avons rencontrées
déjà en I, 12, 2 et que nous rencontrerons encore dans la
suite de l'œuvre d'Irénée, notamment en II, 13, 8, en II,
28, 4-5 et en IV, 11, 2. Précisons que tous ces passages
traitent de Dieu, dont Irénée entend affirmer l'infinie simplicité : Dieu est tout entier Intellect, tout entier Pensée,
tout entier Parole, tout entier Œil, tout entier Ouïe...,
bref, tout entier toute perfection concevable.

Ces passages d'Irénée ont été maintes fois déjà rapprochés
d'un vers de Xénophane : οὖλος ὁρᾷ, οὖλος δὲ νοεῖ, οὖλος δέ
τ' ἀκούει, « tout entier il voit, tout entier il pense, tout entier
il entend » (H. DIELS - W. KRANZ, Die Fragmente der
Vorsokratiker, I. Band, Zurich-Berlin, 1964[11], p. 135). Dans
la brève note que nous avons consacrée à la question à l'occasion de I, 12, 2 (cf. SC 263, p. 237-238), nous avons cru
devoir écarter une dépendance directe d'Irénée à l'égard de
Xénophane. Sans doute y a-t-il, de part et d'autre, la
même succession ὅλος ..., ὅλος ..., ὅλος ... De plus, parmi
les substantifs qui reviennent avec le plus de régularité
sous la plume d'Irénée, on trouve ὀφθαλμός, νοῦς et ἀκοή,
c'est-à-dire les trois substantifs correspondant précisément
aux trois verbes utilisés par Xénophane. On peut penser
qu'il y a là plus qu'une coïncidence. Cependant le fait est
que, chez Irénée, les substantifs sont, systématiquement et
sans exception aucune, substitués aux verbes : cela met en

un relief bien plus vigoureux l'absolue simplicité de Dieu
et nous éloigne de Xénophane. Serait-il possible d'expliquer,
au moins dans une certaine mesure, ce passage des verbes
aux substantifs ?

Dans un article récent (« Place de Basilide dans la théologie chrétienne ancienne », dans *Rev. des Ét. Aug.* 25, 1979,
p. 201-216), R. M. GRANT a consacré quelques pages riche-
ment documentées (*ibid.*, p. 211-214) à suivre à la trace
l'affirmation de Xénophane telle qu'elle se retrouve, plus ou
moins modifiée et développée, chez différents écrivains
chrétiens de l'âge patristique : Irénée, Clément d'Alexandrie,
Cyrille de Jérusalem, Théodoret, Novatien, Hilaire de
Poitiers, Claudien Mamert, Victrice de Rouen. Il attire,
en passant, l'attention sur *I Cor.* 12, 17, suggérant que ce
verset paulinien lui-même pourrait contenir un « écho »
plus ou moins lointain de l'affirmation de Xénophane. Quoi
qu'il en soit, un rapprochement très significatif nous paraît
devoir être fait entre *I Cor.* 12, 17 et les textes irénéens.
On lit en effet dans saint Paul : « Si le corps était *tout entier*
œil (ὅλον ... ὀφθαλμός), où serait l'ouïe ? S'il était *tout entier*
ouïe (ὅλον ἀκοή), où serait l'odorat ? » D'autre part, on lit
chez Irénée, en I, 12, 2 : ... ὅλος ὀφθαλμός, ὅλος ἀκοή ...,
et en II, 13, 3 : ... ὅλος ἀκοὴ καὶ ὅλος ὀφθαλμός ... Comme
on le voit, le binôme ὀφθαλμός-ἀκοή (et non le binôme
ὀφθαλμός-οὖς, qui serait plus normal) est commun à Paul et
à Irénée. Saint Paul ne serait-il pas pour quelque chose,
à la fois dans la forme que revêt la pensée d'Irénée et, plus
profondément, dans cette pensée même ? Cette pensée
serait celle-ci : ce qui est impossible dans le cas du corps
humain, parce que celui-ci est matériel et composé de
membres nécessairement distincts les uns des autres, se
trouve réalisé en Dieu, car Dieu est tout entier œil (ὀφθαλμός)
et tout entier ouïe (ἀκοή), comme il est également, par ailleurs,
tout entier Intelligence, tout entier Pensée, tout entier
Parole et tout entier toute perfection. Mais ce n'est pas
tout : le terme ὁμοιομελής, qui se rencontre assez curieuse-
ment en II, 13, 3, ne pourrait-il avoir été inspiré à Irénée par ce
qui suit immédiatement le verset paulinien précité : « En
fait, Dieu a placé les *membres* (τὰ μέλη), un chacun, dans
le corps, comme il l'a voulu. S'ils étaient tous un seul
membre (ἓν μέλος), où serait le corps ? En fait, il y a plusieurs
membres (πολλὰ ... μέλη), mais un seul corps » (*I Cor.* 12,
18-20) ? Quand on sait à quel point la pensée d'Irénée
puise son inspiration dans l'Écriture, la question d'un

lien entre les pages d'Irénée qui nous occupent et l'allégorie
paulinienne du corps et des membres nous paraît devoir
se poser, sans que nous songions, pour autant, à nier une
dépendance plus ou moins indirecte et lointaine d'Irénée à
l'égard de Xénophane.

Signalons, pour terminer, qu'au dossier de textes et de
références donné par R. M. Grant dans son article, on
pourrait ajouter :

— Hippolyte de Rome, *Commentaire sur Daniel*, I, 33
(*SC* 14, p. 126) : « Dieu est tout entier œil (ὅλος ὀφθαλμός),
et rien ne lui échappe de ce qui se fait dans le monde. »

— Pseudo-Macaire, *Les 50 Homélies spirituelles*, I, 2
(éd. Dorries-Klostermann-Kroeger, p. 2, 41-46) :
« L'âme qui a été saisie parfaitement par l'inexprimable
beauté de la gloire de la lumière de la face du Christ, qui a
participé à l'Esprit Saint parfaitement et qui a été jugée
digne de devenir l'habitacle et le trône de Dieu, cette âme
devient tout entière œil (ὅλη ὀφθαλμός), tout entière lumière
(ὅλη φῶς), tout entière face (ὅλη πρόσωπον), tout entière
gloire (ὅλη δόξα) et tout entière Esprit (ὅλη Πνεῦμα) ... »
On notera que ce passage du Pseudo-Macaire se présente
comme un commentaire de la vision d'Ézéchiel, en laquelle
celui-ci vit quatre Chérubins dont le dos, les mains et les
ailes étaient « remplis d'yeux », πλήρεις ὀφθαλμῶν (*Éz.* 10, 12).

— *Apophtegmata Patrum, Bessarion* 11 (*PG* 65, 141 D) :
« L'abbé Bessarion, sur le point de mourir, disait : Le moine
doit être, comme les Chérubins et les Séraphins, tout entier
œil (ὅλος ὀφθαλμός) ».

P. 117, n. 2. — « Et de même pour tout le reste — au-dessus
d'elles par sa grandeur », Οὕτω δὲ καὶ ἐν τοῖς λοιποῖς πᾶσιν
οὐδὲν ὅμοιος ἔσται ὁ τῶν πάντων Πατὴρ τῇ τῶν ἀνθρώπων μικρότητι · καὶ λέγεται μὲν κατὰ ταῦτα διὰ τὴν ἀγάπην, νοεῖται δὲ ὑπὲρ
ταῦτα κατὰ τὸ μέγεθος.

Les mots λέγεται ... κατὰ ταῦτα διὰ τὴν ἀγάπην se traduiraient littéralement : « il est dit selon ces choses à cause de
son amour ». Il s'agit de toutes les choses créées, et plus
particulièrement de l'intellect, de la pensée, de la parole,
de la lumière et de toutes les autres choses de ce genre
dont il a été question à la fin du paragraphe précédent,
Toutes ces choses appartiennent à la création et, par là,
font partie de cette première révélation de lui-même que,
dans son amour, διὰ τὴν ἀγάπην, Dieu a faite aux hommes

par son Verbe. Nous pouvons donc légitimement attribuer
à Dieu toutes les perfections que nous découvrons dans notre
univers créé, car elles sont un authentique reflet de la
perfection de Dieu. Mais cette attribution ne demeure valable
que si, en même temps, nous comprenons que toutes les perfections en question existent en Dieu selon un mode différent,
trancendant tout mode créé. Autrement dit, Dieu est réellement « intellect », « pensée », « lumière », etc., mais il est
en même temps infiniment au-dessus de ce que nous
nommons de la sorte. Dans un langage simple et très concret,
Irénée esquisse ici ce qu'une systématisation ultérieure
connaîtra sous le nom de « doctrine de l'analogie ».

P. 119, n. 1. — « D'ailleurs où et d'où aurait-il été émis ?
— qui le contienne et lui soit antérieur », Ποῦ δὲ καὶ πόθεν
προεβλήθη ; Τὸ γὰρ ὑπό τινος προβαλλόμενον εἴς τι ὑποκείμενον
προβάλλεται. Τί δὲ ὑπέκειτο ἀρχαιότερον τοῦ Νοὸς τοῦ Θεοῦ, εἰς
ὃ προεβεβλῆσθαι λέγουσιν αὐτόν ; Πηλίκος δὲ καὶ ἦν ὁ τόπος, πρὸς
τὸ ὑποδέξασθαι καὶ χωρῆσαι τὸν τοῦ Θεοῦ Νοῦν ; Ἐὰν δὲ καθάπερ
ὑπὸ τοῦ ἡλίου τὴν ἀκτῖνα εἴπωσιν, ὡς ὑπόκειται ὁ ἀὴρ ἐνταῦθα
δεκτικὸς καὶ ἀρχαιότερος αὐτῆς τῆς ἀκτῖνος, καὶ ἐκεῖ δειξάτωσαν
ὑποκείμενόν τι, εἰς ὃ προεβλήθη ὁ Νοῦς τοῦ Θεοῦ, δεκτικὸν αὐτοῦ
καὶ ἀρχαιότερον.

A la ligne 97 du texte latin, on doit opter sans hésiter
pour la leçon « susceptor » que le manuscrit S est seul à
présenter, car « susceptor et antiquior » (δεκτικὸς καὶ ἀρχαιότερος) correspondent manifestement à « capabile ... et antiquius » (δεκτικὸν ... καὶ ἀρχαιότερον) qui se lisent à la fin de
cette même phrase. D'autre part, il semble que rien, dans
le grec, ne devait correspondre au latin « erit » (ligne 38) :
ou ce terme a été indûment ajouté par un copiste, ou, s'il
émane du traducteur lui-même, il n'est qu'une explicitation
maladroite de ce que celui-ci a cru trouver dans le grec ;
en fait, le génitif αὐτῆς se rapporte à la fois à δεκτικός (génitif
d'objet) et à ἀρχαιότερος (génitif de comparaison).

P. 119, n. 2. — « ils ne le connaîtront pas de moins en
moins à mesure qu'on progressera d'émission en émission »,
οὐδὲ κατὰ τὴν ἐπιγονὴν τῶν προβολῶν ἧσσόν τις γνώσεται αὐτόν.
Sur la traduction de ἐπιγονή par « descensio », cf. *infra*,
p. 251, *note justif. P. 127, n. 1.*

P. 121, n. 1. — « A moins peut-être qu'ils ne comparent leur Père — aurait ignoré le Pro-Père », Εἰ μὴ ἄρα, ὡς ἐν κύκλῳ μεγάλῳ μικρότερος περιέχεται κύκλος καὶ ἐντὸς τούτου πάλιν ἄλλος μικρότερος, ἢ ὡς σφαίρας ὁμοιότητι ἢ τετραγώνου τὸν Πατέρα ἐροῦσιν ἐντὸς ἑαυτοῦ πανταχόθεν περιέχειν σφαιροειδῆ ἢ τετραγωνιαίαν τὴν λοιπὴν τῶν Αἰώνων προβολήν, ἑνὸς ἑκάστου αὐτῶν κυκλουμένου ὑπὸ τοῦ ὑπὲρ αὐτὸν μείζονος καὶ κυκλοῦντος τὸν μετὰ αὐτὸν μικρότερον, καὶ διὰ τοῦτο τὸν μικρότερον καὶ τελευταῖον πάντων ἐν μέσῳ γενόμενον καὶ πολὺ ἀπὸ τοῦ Πατρὸς χωρισθέντα ἠγνοηκέναι τὸν Προπάτορα.

S'il fallait traduire les lignes 122-123 telles qu'elles figurent dans les manuscrits latins, on devrait écrire : « A moins ... qu'ils ne disent que le Père contient au-dedans de lui-même *la ressemblance d'une sphère* (« spherae similitudinem ») ou, constitués chacun en forme de carré, tous les autres Éons émis (à partir de lui)... » Il est clair qu'une telle phrase est inacceptable. Pour lui rendre sa cohérence, il s'impose, croyons-nous, de considérer les mots « spherae (= génitif) similitudinem » comme la corruption de « spherae (= datif) similem » et de voir dans cette dernière expression la traduction d'une forme grecque telle que σφαιροειδῆ. De la sorte, les mots : « spherae similem uel quadratam » (σφαιροειδῆ ἢ τετραγωνιαίαν) redeviennent le pendant exact des mots « spherae (σφαίρας) ... aut tetragoni (τετραγώνου) de la ligne 121. Et le sens obtenu est le suivant : « A moins ... qu'ils ne disent que, *à la ressemblance d'une sphère ou d'un carré*, le Père contient au-dedans de lui, *constitués eux-mêmes chacun en forme de sphère ou de carré*, tous les autres Éons émis (à partir de lui) ... »

P. 121, n. 2. — « De plus, de deux choses l'une : ou ils avoueront que leur Père est vide, ou tout ce qui se trouve au-dedans du Père participera pareillement au Père », Ἔτι τε ἢ κενὸν εἶναι αὐτὸν ὁμολογήσουσιν, ἢ πᾶν τὸ ἐντὸς αὐτοῦ ὁμοίως μεθέξει τοῦ Πατρός.

Le texte latin des manuscrits est altéré. Nous proposons de lire : « ... aut omne quod est intra eum similiter participabit de Patre ». On pourrait lire également : « aut qui sunt intra eum omnes similiter participabunt de Patre » (voir les lignes 142-143 du texte latin). De toute manière, le sens de la phrase demeure substantiellement identique.

P. 123, n. 1. — « Car où serait l'ignorance, lorsque le Père remplit tout ? Si le Père remplit un lieu, l'ignorance

ne pourra s'y trouver », Ποῦ γὰρ ἡ ἄγνοια, τοῦ Πατρὸς πληρώσαντος ; Εἰ γὰρ ἐπλήρωσεν, ἐκεῖ καὶ ἡ ἄγνοια οὐκ ἔσται.
Ici encore, le texte latin est altéré. Sauf avis meilleur, nous proposons de lire : « Vbi enim *ignorantia, Patre adimplente*? Si *enim* adimpleuit, illic ignorantia non erit. »

1. Le mot « participatio » n'est pas en situation. C'est le mot « ignorantia » qui s'impose, si l'on veut que la phrase se relie à ce qui la précède et à ce qui la suit. Sans doute l'introduction du mot « participatio » est-elle due à la présence, dans la phrase précédente, des mots « participabunt de Patre ».

2. Si les mots « Patris adimplentis » sont le fait du traducteur lui-même, ils ne peuvent être que la traduction toute matérielle et inexacte d'un génitif absolu.

3. Dans la seconde phrase, le mot « autem », qui figure dans tous les manuscrits, a toutes chances d'être la corruption de « enim ». Très nombreux exemples de cette confusion dans les manuscrits.

P. 123, n. 2. — « Ce qui vient d'être dit de l'émission de l'Intellect — dans notre premier livre », Ταῦτα δὲ τὰ περὶ τῆς τοῦ Νοὸς προβολῆς εἰρημένα ὁμοίως καὶ πρὸς τοὺς ἀπὸ Βασιλίδου ἁρμόζει καὶ πρὸς τοὺς λοιποὺς Γνωστικούς, ἀφ' ὧν καὶ οὗτοι τὰς ἀρχὰς τῶν προβολῶν εἰληφότες ἠλέγχθησαν ἐν τῇ πρώτῃ βίϐλῳ.

On aura noté la tournure grecque εἰληφότες ἠλέγχθησαν, servilement rendue par le latin « accipientes conuicti sunt ». Le grec se traduira par « ils ont été convaincus d'avoir reçu ... », ou « la preuve a été faite qu'ils ont reçu ... »

Reste la question de savoir comment il convient de comprendre les mots καὶ πρὸς τοὺς λοιποὺς Γνωστικούς. Quelle est la portée de l'adjectif λοιποί dans le présent contexte? Si l'on prend ce mot dans son sens le plus courant et si l'on oublie la signification précise qu'Irénée a attachée au mot Γνωστικός dans le Livre I, on comprendra notre passage au sens de : « ... contre les disciples de Basilide et contre *tous les autres* Gnostiques » ; on considérera de la sorte les Gnostiques comme une vaste famille dont les disciples de Basilide feraient eux-mêmes partie. Or ce serait là commettre un contresens flagrant. En effet, dans notre texte même, Irénée précise que les « Gnostiques » dont il s'agit sont ceux dont il a montré, dans le Livre I, que c'est d'eux que les Valentiniens (οὗτοι) ont reçu les principes (ἀρχαί) des émissions. Irénée nous renvoie par là à I, 11, 1, où il a dit que Valentin, empruntant les principes (ἀρχαί) de la secte dite « gnostique », les a adaptés au caractère propre de son école. Il nous renvoie aussi à toute la section I, 29-30, en laquelle il a exposé en détail les doctrines particulières de ces hérétiques. Les « Gnostiques » dont il est question dans le présent passage sont donc ce groupement bien déterminé d'hérétiques qu'Irénée a distingué non seulement des Basilidiens, mais des Simoniens, Carpocratiens et autres sectes similaires : Irénée a vu en ces « Gnostiques » les ascendants immédiats ou « pères » des Valentiniens, tandis que Simon, Ménandre, Basilide et les autres n'ont été, à ses yeux, que leurs ascendants lointains ou « ancêtres » (cf. SC 263, p. 150-163 et 299-300). Dans le présent passage du Livre II, le mot λοιποί n'est donc pas à prendre en son acception stricte, mais en un sens plus large. On pourrait, en paraphrasant quelque peu, rendre comme suit la nuance renfermée en ce vocable : « Ce qui vient d'être dit ... vaut pareillement contre les Basilidiens et contre *toute cette autre famille d'hérétiques* que sont les ' Gnostiques ' ... » Dans la pratique, on traduira plus simplement : « ... et contre tous les ' Gnostiques ' ... »

Notons que cette signification élargie de l'adjectif λοιπός n'a rien que de normal dans la langue grecque. Nous n'en voulons pour preuve que les deux exemples suivants, tirés du présent Livre :

II, 12, 1 : « Pater enim omnium enumerari non debet cum *reliqua* emissione », Ὁ γὰρ Πατὴρ τῶν πάντων συναριθμεῖσθαι οὐκ ὀφείλει τῇ λοιπῇ προβολῇ. Traduire : « Le Père de toutes choses ne doit pas être compté avec tout le restant de l'émission ... » serait inexact, car cela supposerait que le Père fasse lui-même partie de l'émission. Si l'on veut à tout prix rendre la nuance introduite par l'adjectif λοιπῇ, il faut recourir à une paraphrase telle que : « Le Père de toutes choses ne doit pas être compté avec *tout le restant du Plérôme*, restant qui est le produit d'une émission ». Pratiquement, on traduira : « ... ne doit pas être compté avec tout ce qui est le produit d'une émission ».

II, 34, 3 : « Quemadmodum enim ... sol et luna et *reliquae* stellae ... », Ὡς γὰρ ... ὁ ἥλιος καὶ ἡ σελήνη καὶ οἱ λοιποὶ ἀστέρες ... Faut-il comprendre : « ... toutes les autres étoiles », comme si le soleil et la lune étaient eux-mêmes des étoiles ? Non, évidemment. Irénée veut dire : « ... le soleil, la lune et *tous les autres corps célestes* que sont les étoiles ».

Pour faire court, on traduira : « ... le soleil, la lune et toutes les étoiles ».

Cet emploi de λοιπός est comparable à celui — tout à fait classique, celui-là — que connaît le terme ἄλλος lorsqu'il est utilisé pléonastiquement. Ainsi, par exemple, lorsque Platon écrit : ζηλωτὸς ὢν καὶ εὐδαιμονιζόμενος ὑπὸ τῶν πολιτῶν καὶ τῶν ἄλλων ξένων, (*Gorgias*, 473 c), on se gardera évidemment de comprendre : « étant envié et proclamé bienheureux par les citoyens et par les autres étrangers » — comme si les citoyens eux-mêmes étaient déjà des étrangers ! —, mais on comprendra : « ... par les citoyens et par *les autres hommes*, à savoir les étrangers ». Dans la pratique, on traduira tout simplement : « ... par les citoyens et par les étrangers ».

Revenant à l'expression τοὺς λοιποὺς Γνωστικούς, nous pouvons donc formuler la double conclusion suivante : 1. d'une part, le contexte nous oblige à voir dans les « Gnostiques » dont il est ici question le groupement bien déterminé d'hérétiques dont Irénée a fait mention en I, 11, 1 et dont il a décrit les doctrines en I, 29-30 ; 2. d'autre part, la présence de l'adjectif λοιπούς ne s'oppose nullement à cette interprétation, car, conformément à une manière de dire propre au grec, l'expression οἱ λοιποὶ Γνωστικοί peut signifier et ne signifie ici rien d'autre que « tous ces autres (hérétiques que sont les) ' Gnostiques ' ».

Nous nous permettons d'insister sur la portée de cette double conclusion, car une interprétation correcte de la présente phrase éclaire par avance un certain nombre de passages ultérieurs de l'*Aduersus haereses* où reviendra l'expression οἱ λοιποὶ Γνωστικοί, passages dont une lecture insuffisamment attentive risquerait de fausser le sens.

P. 123, n. 3. — « Nous avons ainsi montré de façon évidente l'absurdité et l'impossibilité de la première de leurs émissions, qui est celle de l'Intellect », Καὶ ὅτι μὲν ἀδόκιμος καὶ ἀδύνατος ἡ πρώτη τοῦ Νοὸς αὐτῶν προβολή ἐστιν, φανερῶς ἐδείξαμεν.

Le latin « sed » semble être une altération de « et ». D'autre part, il saute aux yeux que les mots « Noos, id est Sensus » ne font que traduire le grec τοῦ Νοός.

P. 125, n. 1. — « Chacun sait assurément — avec l'ordre de succession qu'elle implique », Ὅπερ πάντες δηλονότι οἴδασιν

ὅτι ἐπὶ μὲν τῶν ἀνθρώπων εἰκότως ἂν λέγοιτο, ἐπὶ δὲ τοῦ ὑπὲρ πάντα
Θεοῦ, ὅλου Νοὸς καὶ ὅλου Λόγου ὄντος, καθὼς προέφαμεν, καὶ οὔτε
ἄλλο πρεσβύτερον οὔτε ἄλλο νεώτερον ἔχοντος ἐν ἑαυτῷ, ἀλλὰ ὅλου
ἴσου τε καὶ ὁμοίου καὶ ἑνὸς διαμένοντος, οὐκέτι ἡ τῆς τοιαύτης τάξεως
ἀκολουθήσει προβολή.

Le latin « et neque aliud antiquius neque posterius aut
aliud anterius (*var.* alterius) » fait difficulté. Sans doute le
texte primitif était-il quelque chose comme : « et neque
aliud antiquius (πρεσβύτερον) neque aliud posterius (νεώτερον) ».
Le sens ainsi obtenu est des plus cohérents, et l'opposition
« antiquius-posterius » peut se réclamer du parallélisme
avec une phrase qui se lit dans le paragraphe suivant :
« Et neque Sensus Vita *antiquiorem* aliquis potest dicere ...,
neque Vitam *posteriorem* a Sensu ... », Καὶ οὔτε τὸν Νοῦν τῆς
Ζωῆς πρεσβύτερόν τις δύναται λέγειν ..., οὔτε τὴν Ζωὴν νεωτέραν τοῦ Νοός ...

P. 125, n. 2. — « Tout comme on a raison de dire —
comme ils le feraient pour leur verbe à eux », Ὥσπερ
ὁ λέγων αὐτὸν ὅλον ὅρασιν καὶ ὅλον ἀκοήν — ἐν ᾧ γὰρ ὁρᾷ, ἐν τούτῳ
καὶ ἀκούει, καὶ ἐν ᾧ ἀκούει, ἐν τούτῳ καὶ ὁρᾷ — οὐχ ἁμαρτάνει,
οὕτως καὶ ὁ φὰς αὐτὸν ὅλον Νοῦν καὶ ὅλον Λόγον, καὶ ἐν ᾧ Νοῦς
ἐστιν, ἐν τούτῳ καὶ Λόγον εἶναι, καὶ Λόγον εἶναι αὐτοῦ τὸν Νοῦν,
ἐλάττονα μὲν ἔτι περὶ τοῦ Πατρὸς τῶν πάντων φρονήσει, εὐπρεπέστερα
δὲ μᾶλλον τούτων τῶν τὴν γέννησιν τοῦ προφορικοῦ τῶν ἀνθρώπων
λόγου μεταφερόντων εἰς τὸν τοῦ Θεοῦ αἰώνιον Λόγον καὶ προβολῆς
ἀρχὴν χαριζομένων καὶ γένεσιν, καθάπερ καὶ τῷ ἑαυτῶν λόγῳ.

A la ligne 173, le latin « autem » a toutes chances de
n'être qu'une corruption de « enim », car les lignes 173-174
sont, de toute évidence, une incise destinée à justifier
l'assertion qui les précède.

On notera que, dans cette phrase comme dans tout le
présent paragraphe, Irénée n'affirme, en fin de compte,
qu'*une seule chose* — tout à fait fondamentale, il est vrai,
dans sa réflexion sur le mystère de Dieu — : l'absolue
simplicité de la Réalité divine, en laquelle ne peut se rencontrer aucune des compositions qui affectent les êtres
créés. On n'en conclura pas, comme on l'a fait parfois,
qu'Irénée méconnaît ici la distinction de Dieu et de son
Verbe, du Père qui engendre et du Fils qui est engendré —
comment Irénée pourrait-il oublier une distinction qu'il
découvre d'un bout à l'autre de l'Écriture, ainsi qu'on le
verra par les Livres suivants? —, mais ce qu'Irénée suggère
implicitement dans le présent paragraphe, c'est que la

distinction de Dieu et de son Verbe doit être telle qu'elle
n'introduise aucune composition dans la Réalité divine
infiniment simple. Pour Irénée, donc, le Verbe ne saurait
être une sorte de second « Dieu » à la manière du Νοῦς des
Valentiniens, mais, sans se confondre si peu que ce soit
avec le Père, il ne peut être qu'un seul et même Dieu avec
lui.

P. 127, n. 1. — «... Dieu est Vie et Incorruptibilité et
Vérité — c'est-à-dire à Dieu », ... ὁ Θεὸς ζωὴ καὶ ἀφθαρσία
καὶ ἀλήθεια. Καὶ οὐ κατ' ἐπιγονὴν τὰ τοιαῦτα ἔλαβε τὰς προβολάς,
ἀλλὰ τῶν ἀεὶ συνουσῶν τῷ Θεῷ δυνάμεων προσηγορίαι εἰσίν, καθὼς
δυνατὸν καὶ ἄξιον ἀνθρώποις ἀκούειν καὶ λέγειν περὶ τοῦ Θεοῦ. Τῇ
γὰρ προσηγορίᾳ τοῦ Θεοῦ συνακούεται νοῦς καὶ λόγος καὶ ζωὴ καὶ
ἀφθαρσία καὶ ἀλήθεια καὶ σοφία καὶ ἀγαθότης καὶ πανθ᾽ ὅσα τοιαῦτα.
Καὶ οὔτε τὸν νοῦν τῆς ζωῆς πρεσβύτερόν τις δύναται λέγειν, αὐτὸς
γὰρ ὁ νοῦς ζωή ἐστιν, οὔτε τὴν ζωὴν νεωτέραν τοῦ νοός, ἵνα μὴ γένηται
ἄζωος ὁ τῶν ὅλων νοῦς, τουτέστιν ὁ Θεός.

Nous donnons la rétroversion de toute la partie du
présent paragraphe pour laquelle le témoignage du latin
est doublé par celui de l'arménien. Ce témoignage de l'arménien est particulièrement éclairant en ce qui concerne les
deux points suivants :

1. Aux lignes 188-189 du texte latin, tous les manuscrits portent : « et quae sunt talia ». Déjà Massuet proposait
de corriger « et » en « ea » ou de le supprimer. L'arménien
confirme cette conjecture de Massuet, car il n'a rien qui
corresponde au latin « et ».

2. A la ligne 188, on lit dans le latin : « secundum
descensionem ». Ces mots ont pour correspondant dans
l'arménien : րստ սկզբան լինելութեանն (= « secundum incrementum geneseos »). Il n'est pas malaisé de découvrir sous
les mots arméniens սկզբան լինելութեանն un essai de transposition des deux composantes du substantif grec ἐπι-γονή
(il s'agit là d'un procédé de traduction tout à fait courant
dans l'arménien de l'École dite « hellénistique »). Le verbe
ἐπιγίνομαι signifie « naître après », « arriver en outre »,
« s'ajouter » ... Le substantif correspondant ἐπιγονή, pris en
son sens abstrait, signifiera tout naturellement « développement », « croissance » ... Irénée veut dire que la Vie,
l'Incorruptibilité et la Vérité ne sont pas des entités qui
seraient issues de Dieu pour s'ajouter à lui, selon un processus
de croissance et de développement ; mais ce sont des

« puissances » qui sont depuis toujours en Dieu et qui
s'identifient avec lui. Quant au traducteur latin, il n'y a
pas lieu de croire qu'il ait eu sous les yeux autre chose que
ces mots κατ' ἐπιγονήν : il suffit de se souvenir que le verbe
« descendo » peut signifier « descendre de », « tirer son origine
de », « provenir de », et que le substantif correspondant
peut donc signifier « le fait de descendre, de tirer son origine
d'autre chose ». L'expression κατ' ἐπιγονήν s'est déjà rencontrée plus haut, en II, 6, 1 et en II, 13, 6 : cf. *supra*, p. 218,
note justif. P. 61, n. 2, et p. 245, *note justif. P. 119, n. 2.*

P. 129, n. 1. — « Pour ce qui concerne l'émission suivante
— le Dieu au-dessus de toutes choses », Περὶ δὲ τῆς ἐξῆς
προβολῆς τῆς τοῦ Ἀνθρώπου καὶ τῆς Ἐκκλησίας, αὐτοὶ οἱ πατέρες
αὐτῶν οἱ ψευδώνυμοι Γνωστικοὶ μάχονται πρὸς αὐτούς, τὰ ἴδια
σφετεριζόμενοι καὶ φαύλους κλέπτας αὐτοὺς ἐλέγχοντες, ἁρμόζον
εἶναι μᾶλλον τῇ προβολῇ λέγοντες καὶ πιθανὸν ἐξ Ἀνθρώπου τὸν
Λόγον, ἀλλὰ μὴ ἐκ τοῦ Λόγου τὸν Ἄνθρωπον προβεβλῆσθαι, καὶ
εἶναι τὸν Ἄνθρωπον τοῦ Λόγου προγενέστερον, καὶ τοῦτον εἶναι
τὸν ὑπὲρ πάντα Θεόν.

1. Le latin « ex his secunda » (ligne 206) ne traduit rien
d'autre que le grec ἐξῆς. On se souviendra que le sens premier
de l'adjectif « secundus » est : « qui suit », « suivant ».

2. Nous retrouvons ici (ligne 208) cette famille particulière
d'hérétiques que sont les « Gnostiques » (cf. *supra*, p. 247,
note justif. P. 123, n. 2). Irénée rappelle qu'ils sont les
« pères » ou ascendants immédiats des Valentiniens. Sur cette
expression, déjà rencontrée en I, 31, 3, cf. *SC* 263, p. 313-315.

3. D'après le latin « aduersus inuicem » (ligne 208), les
« Gnostiques » combattraient les uns contre les autres, mais
cela n'offre aucun sens acceptable. Sans doute le traducteur
a-t-il cru lire πρὸς αὐτούς (ou ἑαυτούς). En fait, le seul sens
acceptable est celui-ci : les Valentiniens sont contredits
par ceux-là mêmes auxquels ils ont emprunté les lignes
fondamentales de leur système, car les « Gnostiques »
avaient soin de faire dériver le « Logos » de l'« Homme »,
et non l'« Homme » du « Logos ». Le traducteur commet
un contresens identique à la ligne suivante en écrivant :
« et malos fures *semetipsos* conuincentes ». Ici encore le
traducteur paraît avoir lu αὐτούς (ou ἑαυτούς) pour αὐτούς.

4. A la ligne 210, au lieu du latin « aptabile ... magis ...,
ut uerisimile », peu naturel, nous proposons de lire :
« aptabile ... magis ... *et* uerisimile ».

5. Les derniers mots de la phrase rappellent que, dans le système des « Gnostiques », c'est l'« Homme » qui est conçu comme étant le Dieu suprême. Et c'est bien ce que nous trouvons chez les Ophites, qui posent comme Dieu suprême le « Premier Homme », père lui-même d'un « Second Homme » (cf. I, 30, 1-2. Voir aussi I, 12, 4, dernière phrase).

P. 129, n. 2. — « Telle est la manière spécieuse dont, jusqu'ici — au mépris de toute vraisemblance », Καὶ μέχρι μὲν τούτου ὃν τρόπον προειρήκαμεν πάσας ἀνθρώπων διαθέσεις καὶ κινήσεις νοὸς καὶ γενέσεις ἐνθυμήσεων καὶ προβολὰς λόγων καταστοχασάμενοι πιθανῶς, ἀπιθάνως ἐψεύσαντο κατὰ τοῦ Θεοῦ.

Nous avons traduit d'une manière large pour mieux rendre ce que nous croyons être la pensée d'Irénée. Plus littéralement : « (C'est) après avoir, jusqu'ici, conjecturé avec (quelque) vraisemblance de la manière que nous avons dite..., (que), sans (plus aucune) vraisemblance, ils ont (ensuite) menti contre Dieu. » La présente phrase doit s'éclairer, semble-t-il, par son rapprochement avec une phrase qui se lit en II, 14, 8, comme le montre le schéma suivant destiné à faire ressortir le parallélisme des deux phrases :

II, 13, 10	II, 14, 8
Et usque hoc quidem ...	Et usque hoc quidem ...
omnes hominum adfectiones ...	per humanas adfectiones
conicientes *uerisimiliter,*	*uerisimiliter* uisi sunt abstrahere quosdam ... ;
non uerisimiliter mentiti sunt aduersus Deum.	quae autem ex his, *non iam uerisimiliter* et sine ostensione omnia ex omnibus mentiti sunt.

Dans la présente phrase, comme dans celle du chapitre suivant, il semble qu'Irénée caractérise deux étapes bien distinctes dans la tactique dont se servent les hérétiques pour propager leurs idées : d'abord, ils tiennent des discours offrant quelque apparence de vérité (πιθανῶς) afin d'amadouer les simples ; ensuite, lorsqu'ils sentent que la place est prise, ils débitent, sans plus aucun souci de vraisemblance (ἀπιθάνως), les pires extravagances. La même opposition πιθανῶς-ἀπιθάνως s'est déjà rencontrée en I, Pr. 1 (cf. *SC* 263, p. 168-169).

254 ADVERSVS HAERESES II

P. 131, n. 1. — « puis », ἔπειτα. Le latin « si sunt » est une altération évidente : on attendrait quelque chose comme « deinde » ou « postea ». Quoi qu'il en soit, le sens du passage n'est pas douteux.

P. 131, n. 2. — « C'est avec bien plus de vraisemblance et d'élégance — dans une théogonie », Πολλῷ πιθανώτερον καὶ ἀστειότερον περὶ τῆς τῶν ὅλων γενέσεως εἴρηκεν εἷς τῶν παλαιῶν κωμικῶν, Ἀριστοφάνης, ἐν θεογονίᾳ.

Avec R. M. GRANT, « Early Christianity and Greek Comic Poetry », dans *Classical Philology* 60 (1965), p. 157-159, nous pensons que c'est par erreur que le texte latin porte le nom d'Antiphane et qu'il faut lire à sa place celui d'Aristophane, le grand Comique athénien du vᵉ siècle.

En effet, quelques lignes plus loin, Irénée mentionne une nouvelle fois ce même auteur comique dans les termes suivants : « ... et pro Cupidine, per quem ait comicus reliqua omnia disposita, hi Verbum adtraxerunt », ... καὶ ἀντὶ τοῦ Ἔρωτος, δι' οὖ φησιν ὁ κωμικὸς τὰ λοιπὰ πάντα διακεκοσμῆσθαι, οὗτοι τὸν Λόγον ἐπήγαγον. Déjà A. MEINEKE, dans ses *Fragmenta Comicorum Graecorum*, t. I, Berlin, 1839, p. 318-320, avait rapproché cette phrase d'Irénée de ces mots d'Aristophane (*Les oiseaux*, 700) : ... πρὶν Ἔρως ξυνέμιξεν ἅπαντα, « ... avant qu'Éros eût uni tous les éléments ».

Voici un large extrait de cette « théogonie » burlesque par laquelle les oiseaux entendent revendiquer leur antériorité par rapport aux dieux et, du même coup, leur supériorité sur eux : « Allons, hommes..., prêtez votre attention à nous, les immortels, toujours existants, exempts de vieillesse, occupés de pensers éternels, afin d'entendre de nous toute la vérité sur les choses célestes et de connaître à fond la nature des oiseaux, la genèse des dieux et des fleuves et de l'Érèbe et du Chaos... Au commencement était le Chaos (Χάος) et la Nuit (Νύξ) et le noir Érèbe (Ἔρεβος) et le vaste Tartare (Τάρταρος), mais ni la terre, ni l'air, ni le ciel n'existaient. Dans le sein infini de l'Érèbe, tout d'abord la Nuit aux ailes noires produit un œuf sans germe, d'où, dans le cours des saisons, naquit Éros (Ἔρως) le désiré au dos étincelant d'ailes d'or, Éros semblable aux rapides tourbillons du vent. C'est lui, qui, s'étant uni, la nuit, au Chaos ailé dans le vaste Tartare, fit éclore notre race et la fit paraître la première au jour. Jusqu'alors n'existait point

la race des immortels, avant qu'Éros eût uni tous les
éléments : à mesure qu'ils se mêlaient les uns aux autres,
naquit le Ciel et l'Océan et la Terre et toute la race impé-
rissable des dieux bienheureux. Ainsi nous sommes de
beaucoup les plus anciens de tous les bienheureux ... »
(*Les oiseaux*, 685-702, traduction de H. Van Daele avec
quelques légères modifications).

Entre le texte d'Aristophane et le bref schéma d'Irénée,
les ressemblances sont assez frappantes pour qu'on puisse
estimer que le second s'inspire du premier : Chaos, Nuit,
Éros, premiers dieux (= les oiseaux), seconds dieux
(= les dieux de la mythologie)... On fera naturellement
la part de la polémique : Irénée simplifie quelque peu pour
mieux assimiler le Logos gnostique, père des Éons et
d'Achamoth, à l'Éros de la comédie, père des oiseaux et
des dieux.

P. 131, n. 3. — « ont échafaudé leur traité d'histoire
naturelle », ἐφυσιολόγησαν.

C'est ce verbe grec que nous paraît traduire la périphrase
latine « quasi naturali disputatione commenti sunt ».
D'autres traductions du même genre se rencontrent dans
la version latine de l'*Aduersus haereses* : σκιαγραφέω =
« quasi per quamdam umbram pingo » (I, 17, 1) ; σκιαγραφέω
= « uelut umbrae cuiusdam descriptionem facio ... atque
delinio » (IV, 11, 4) ; μυθολογέω = « uelut fabulam narro »
(I, 2, 3) ; κυοφορέω = « uelut in utero gesto » (I, 5, 6), etc.

Employé intransitivement, comme c'est ici le cas, le
verbe φυσιολογέω signifie « disserter sur les choses de la
nature ». Irénée adresse aux Valentiniens la plus cinglante
des critiques : ils croient « disserter sur les choses divines »
(θεολογεῖν), mais en fait, en reprenant à leur compte la fable
d'Aristophane, ils ne font rien de plus que ce qu'avait fait
celui-ci, à savoir « disserter sur les choses de la nature »
(φυσιολογεῖν).

P. 133, n. 1. — « Le poète Homère a donné aux dieux
Océan pour principe et Téthys pour mère : les Valentiniens
en ont fait l'Abîme et le Silence », Ὅμηρος δὲ ὁ ποιητὴς
« Ὠκεανόν τε θεῶν γένεσιν καὶ μητέρα Τηθὺν » ἐδογμάτισεν · ἅπερ
οὗτοι εἰς Βυθὸν καὶ Σιγὴν μετήνεγκαν. On aura noté la citation
littérale de *Iliade* 14, 201.

P. 135, n. 1. — « Anaximandre a posé comme cause première — leur Abîme et leurs Éons », Ἀναξίμανδρος δὲ τὸ ἄπειρον πάντων ἀρχὴν ὑπέθετο σπερματικῶς ἔχον ἐν ἑαυτῷ τὴν τῶν πάντων γένεσιν, ἐξ οὗ ἀπείρους κόσμους συστῆναι ἔφησε · καὶ τοῦτο δὲ εἰς τὸν Βυθὸν καὶ τοὺς Αἰῶνας αὐτῶν μεθήρμοσαν. Cf. H. DIELS - W. KRANZ, Die Fragmente der Vorsokratiker, I. Band, Zürich-Berlin, 1964[11], p. 81 suiv.

P. 135, n. 2. — « Anaxagore, surnommé l'athée — les semences d'Anaxagore l'athée », Ἀναξαγόρας δέ, ὁ καὶ ἄθεος ἐπονομασθείς, ἐδογμάτισε γεγονέναι τὰ ζῷα ἐκ τῶν ἐκπεπτωκότων ἀπ' οὐρανοῦ εἰς γῆν σπερμάτων · ὅπερ καὶ οὗτοι εἰς τὸ τῆς Μητρὸς αὐτῶν μετήνεγκαν σπέρμα, καὶ εἶναι τοῦτο τὸ σπέρμα ἑαυτούς, εὐθὺς ὁμολογοῦντες παρὰ τοῖς νοῦν ἔχουσιν αὐτοὺς εἶναι τὰ Ἀναξαγόρου τοῦ ἀθέου σπέρματα. Cf. DIELS-KRANZ, Die Fragmente..., II, p. 5 suiv. A la ligne 46 du texte latin, il semble qu'une haplographie soit cause de la chute de la préposition « a » après « animalia ». A la ligne suivante, le pluriel « semina » paraît bien être la corruption du singulier « semen ». D'une part, en effet, les mots « hoc semen », qui viennent immédiatement après, postulent le singulier « semen » dont ils sont le rappel ; d'autre part, jamais, dans tout l'*Aduersus haereses*, ne se rencontre l'expression « les semences de la Mère », mais invariablement, « la semence de la Mère ».

P. 135, n. 3. — « Leur ombre et leur vide — dans un lieu qui n'existe pas », Τὴν δὲ σκιὰν καὶ τὸ κένωμα αὐτῶν ἀπὸ Δημοκρίτου καὶ Ἐπικούρου λαβόντες ἑαυτοῖς προσήρμοσαν, ἐκείνων πρῶτον πολὺν τὸν λόγον ποιησαμένων περὶ κενοῦ καὶ ἀτόμων, ὧν τὸ μὲν ὂν ἐκάλεσαν, τὸ δὲ μὴ ὂν προσηγόρευσαν, καθάπερ καὶ οὗτοι ὄντα μὲν ἐκεῖνα τὰ ἐντὸς τοῦ Πληρώματος καλοῦσιν, ὡς ἐκεῖνοι τὰς ἀτόμους, μὴ ὄντα δὲ ταῦτα τὰ ἐκτὸς τοῦ Πληρώματος, ὡς ἐκεῖνοι τὸ κενόν. Ἑαυτοὺς οὖν ἐν τούτῳ τῷ κόσμῳ ἐκτὸς ὄντας τοῦ Πληρώματος εἰς τόπον οὐκ ὄντα ἔταξαν.

Pour les restitutions ὂν et μὴ ὄν, cf. DIELS-KRANZ, Die Fragmente..., II, p. 94, 4-5 : Δημόκριτος ὁ Ἀβδηρίτης ἀρχὰς ἔθετο τὸ πλῆρες καὶ τὸ κενόν, ὧν τὸ μὲν ὄν, τὸ δὲ μὴ ὂν ἐκάλει. Voir également *ibid.*, p. 231, 17-20, et p. 234, 5-7. On aura noté la maladresse, voire l'inexactitude, avec laquelle les expressions ὂν, ὄντα et μὴ ὄντα sont rendues dans le latin. Il eût fallu quelque chose comme : « ... quorum alterum quidem *quod est* uocauerunt ..., quemadmodum et hi *entia*

quidem illa quae sunt intra Pleroma uocant ..., *non entia*
autem haec quae sunt extra Pleroma ... »

P. 137, n. 1. — « Par ailleurs, lorsqu'ils disent que les
choses de notre monde — de ce qui n'est qu'une fiction de
leur imagination », Τὸ δὲ λέγειν αὐτοὺς εἰκόνας εἶναι ταῦτα τῶν
ἄνω, φανερώτατα τὴν Δημοκρίτου καὶ Πλάτωνος γνώμην ἐκδιηγοῦνται ·
Δημόκριτος μὲν γὰρ πρῶτος ἔφη πολλὰ καὶ ποικίλα ἀπὸ τοῦ παντὸς
εἴδωλα κατεληλυθέναι εἰς τόνδε τὸν κόσμον, Πλάτων δὲ πάλιν ὕλην
λέγει καὶ παράδειγμα καὶ Θεόν · οἷς οὗτοι κατακολουθήσαντες τὰ
εἴδωλα ἐκεῖνα καὶ τὸ παράδειγμα εἰκόνας τῶν ἄνω ἐκάλεσαν, δι' ἀλλαγῆς
ὀνόματος ἑαυτοὺς εὑρετὰς καὶ ποιητὰς τῆς τοιαύτης εἰδωλοποιΐας
αὐχοῦντες.

1. A la ligne 64, l'expression latine « figuras expressas »
traduit certainement le grec εἴδωλα. C'est ce même mot
εἴδωλα que traduira, à la ligne 66, le latin « figuras ». Que ce
terme ait eu une valeur technique dans les écrits de Démocrite ressort de divers témoignages recueillis par DIELS-
KRANZ, *Die Fragmente...*, II, p. 81 suiv. Citons seulement
ces quelques lignes de Sextus Empiricus, *Aduersus mathe-
maticos* IX, 19 (o. c., p. 178, 5-12) : « Démocrite dit que
s'approchent des hommes des 'simulacres' (εἴδωλα) dont
les uns sont bienfaisants et les autres malfaisants — aussi
souhaitait-il rencontrer des 'simulacres' (εἰδώλων) porteurs
d'un sort heureux —. Ces ('simulacres') sont grands,
prodigieux, difficilement corruptibles, sans être incorruptibles pour autant ; ils annoncent par avance aux hommes
les choses futures, en se laissant contempler et en proférant
des paroles Aussi, pour avoir bénéficié de leur apparition,
les anciens supposèrent-ils qu'ils étaient Dieu et que rien
d'autre en dehors d'eux n'était le Dieu possédant une
nature incorruptible ». En son sens premier, le mot εἴδωλον
signifie « chose reproduisant les traits (d'un modèle) »,
« image ». Nous traduisons ici ce mot par « simulacre » (au
sens d'« image », que ce mot possède dans le français classique), pour pouvoir le distinguer du mot εἰκών. qui se rencontrera quelques lignes plus loin dans le texte irénéen et
que nous ne pourrons traduire autrement que par « image ».

2. En ce qui concerne la restitution de παράδειγμα, traduit
par « exemplum » aux lignes 66 et 67, on peut citer ce passage
d'Hippolyte, *Elenchos* I, 19 (Wendland, p. 19, 4-12) :
« Platon dit que les principes de l'univers sont Dieu, la
matière et l'exemplaire (ἀρχὰς εἶναι τοῦ παντὸς Θεὸν καὶ ὕλην

καὶ παράδειγμα) : Dieu est l'Auteur ... ; la matière sert de fondement à toutes choses ... ; quant à l'exemplaire (παράδειγμα), il est la pensée de Dieu, (pensée) que (Platon) appelle aussi ' idée ' (ἰδέαν) ... »

3. A la ligne 67, le pronom « illius » ne laisse pas d'étonner. Il ne peut évidemment se rapporter à « Deum » (ligne 66). Il ne peut non plus désigner Démocrite, semble-t-il, car il faudrait, en ce cas, que « exemplum » soit suivi, lui aussi, d'un pronom, en l'occurrence « huius », par lequel serait désigné Platon. La solution de la difficulté ne consisterait-elle pas à considérer « illius » comme la corruption de « illas » ?

P. 137, n. 2. — « Ils disent aussi que le Démiurge a tiré le monde — par la Mère des Valentiniens », Καὶ τὸ ἐξ ὑποκειμένης δὲ ὕλης λέγειν αὐτοὺς τὸν Δημιουργὸν πεποιηκέναι τὸν κόσμον, 'Αναξαγόρας τε καὶ 'Εμπεδοκλῆς καὶ Πλάτων πρώτως πρὸ τούτων εἰρήκασιν, ὡς εἰκὸς καὶ αὐτοὶ ὑπὸ τῆς Μητρὸς αὐτῶν ἐμπνευσθέντες.

Sur la traduction de εἰκός (ἐστιν), au sens de « il est probable », « il est vraisemblable », par le latin « datur intelligi », cf. I, 4, 5 et I, 13, 3.

P. 137, n. 3. — « Ils disent encore que tout être retourne nécessairement — retourne à ce qui lui est consubstantiel », Τὸ δὲ ἐξ ἀνάγκης ἓν ἕκαστον εἰς ἐκεῖνα χωρεῖν ὅθεν καὶ ἐγένετο λέγειν αὐτούς, καὶ ταύτης τῆς ἀνάγκης δοῦλον εἶναι τὸν Θεόν, ὥστε μὴ δύνασθαι τῷ θνητῷ ἀθανασίαν προσθεῖναι ἢ τῷ φθαρτῷ ἀφθαρσίαν δωρήσασθαι, ἀλλὰ χωρεῖν ἓν ἕκαστον εἰς τὴν ὁμοφυῆ αὐτῷ οὐσίαν, καὶ οἱ ἐκ τῆς στοᾶς Στωϊκοὶ καλούμενοι καὶ πάντες οἱ τὸν Θεὸν ἀγνοοῦντες ποιηταί τε καὶ συγγραφεῖς διαβεβαιοῦνται · οἱ τὴν αὐτὴν ἔχοντες ἀπιστίαν τοῖς μὲν πνευματικοῖς ἰδίαν χώραν ἀπέταξαν τὴν ἐντὸς τοῦ Πληρώματος, τοῖς δὲ ψυχικοῖς τὴν τῆς Μεσότητος, τοῖς δὲ σωματικοῖς τὸ χοϊκόν, καὶ παρὰ ταῦτα μηδὲν δύνασθαι τὸν Θεόν, ἀλλ' ἓν ἕκαστον τῶν προειρημένων εἰς τὰ ὁμοούσια χωρεῖν διαβεβαιοῦνται.

Aux lignes 74-76, la version latine présente une anomalie : au lieu de « Quod autem ex necessitate unumquidque in illa *secedit* ex quibus et factum *esse* dicunt ... », il faudrait : « Quod autem ex necessitate unumquidque in illa *secedere*, ex quibus et factum *est*, dicunt ... » Erreur de transmission, ou inadvertance du traducteur, ou corruption antécédente du texte grec ?

P. 139, n. 1. — « Lorsqu'ils disent que le Sauveur provient — ce qu'il avait de meilleur », Τὸ δὲ τὸν Σωτῆρα ἐκ πάντων γεγονέναι τῶν Αἰώνων λέγειν αὐτούς, πάντων εἰς αὐτὸν καταθεμένων καθάπερ τὸ ἄνθος αὐτῶν, οὐκ ἐκτὸς τῆς Ἡσιόδου Πανδώρας καινόν τι προσφέρουσιν · ἅπερ γὰρ ἐκεῖνός φησι περὶ ἐκείνης, ταῦτα οὗτοι περὶ τοῦ Σωτῆρος παρατίθενται, Πάνδωρον εἰσάγοντες αὐτόν, ὡς ἑνὸς ἑκάστου τῶν Αἰώνων ὃ εἶχε κάλλιστον δωρησαμένου αὐτῷ. Hésiode parle de Pandore dans la *Théogonie*, 561 suiv., et dans *Les travaux et les jours*, 60 suiv. Cf. M. Hofinger, « L'Ève grecque et le mythe de Pandore », dans *Mélanges de linguistique, de philologie et de méthodologie de l'enseignement des langues anciennes offerts à René Fohalle à l'occasion de son soixante-dixième anniversaire*, Gembloux, 1969, p. 205-217.

P. 139, n. 2. — « Leur opinion sur le caractère indifférent — puisqu'ils ont les mêmes opinions que ceux-ci », Τὴν δὲ περὶ τῶν ἐδωδίμων καὶ τῶν λοιπῶν πράξεων ἀδιάφορον γνώμην, καὶ τὸ νομίζειν αὐτοὺς ὑπὸ μηδενὸς τὸ καθόλου δύνασθαι μολυνθῆναι διὰ τὴν εὐγένειαν, κἂν ὅ τι δήποτε ἐσθίωσιν ἢ πράττωσιν, τῶν Κυνικῶν ἐκληρονόμησαν, ἅτε ὁμογνώμονες ὄντες αὐτοῖς.

Aux lignes 94-95, les génitifs « edulium et reliquarum operationum » supposent que le traducteur ait eu sous les yeux un texte grec dans lequel la préposition περὶ était accidentellement tombée ; nous rétablissons cette préposition, pour nous conformer aux exigences du grec.

A la ligne 98, il semble que « possederunt » traduise une forme de κληρονομέω. Ce verbe, traduit habituellement par « hereditate possideo », peut aussi se traduire par le simple « possideo » (nombreux exemples dans les Livres IV et V).

Enfin, aux lignes 98-99, l'expression « eiusdem testamenti », malgré les notes des éditeurs d'Irénée, ne paraît pas offrir de sens acceptable : sans doute n'est-elle que la déformation accidentelle d'une autre expression. Si l'on tient compte des habitudes du traducteur, on est amené à penser que le grec avait ici un adjectif composé à partir de ὁμο-, de même structure que, par exemple, ὁμογενής ou ὁμοούσιος, que la version latine traduisait respectivement par les expressions « eiusdem generis » et « eiusdem substantiae ». Parmi les adjectifs composés à partir de ὁμο- que signalent les dictionnaires, s'en trouve-t-il un qui satisfasse aux exigences du contexte ? Pour notre part, nous n'en voyons qu'un seul, ὁμογνώμων, dont la traduction toute normale

serait « eiusdem sententiae ». Si l'on accepte cet adjectif,
notre phrase apparaît comme une réflexion ironique
d'Irénée, qui ne veut dire rien d'autre que ceci : « Quand les
Valentiniens professent leur indifférentisme moral, on peut
estimer qu'ils sont les héritiers des Cyniques, *puisqu'ils
pensent tout à fait comme ceux-ci* ». Cette interprétation,
nous ne la présentons, il va de soi, que comme une pure
conjecture et « saluo meliore iudicio ».

P. 139, n. 3. — « Et elle est bien dans la manière d'Aristote,
la subtilité des recherches qu'ils tendent de dresser contre
la foi », Καὶ τὴν δὲ περὶ τὰς ζητήσεις λεπτολογίαν, Ἀριστοτελικὴν
οὖσαν, ἐπιφέρειν τῇ πίστει πειρῶνται.

Le latin « minutiloquium … et subtilitatem » est un doublet
traduisant le grec λεπτολογίαν. Le même doublet se retrouvera en II, 26, 1, où le latin « per quaestionum subtilitates
(*lire* : -tem ?) et minutiloquium » traduit διὰ τῆς τῶν ζητήσεων
λεπτολογίας (cf. *infra*, p. 304, *note justif. P. 259, n. 2*).

P. 139, n. 4. — « Ceux-ci, les premiers, ont posé les
nombres — est faite d'airain et d'une forme », Πρῶτον μὲν
γὰρ οὗτοι ἀρχὴν πάντων τοὺς ἀριθμοὺς ὑπεστήσαντο, καὶ ἀρχὴν
αὐτῶν τὸ ἄρτιον καὶ τὸ περιττόν, ἐξ ὧν τά τε αἰσθητὰ καὶ τὰ νοητὰ
ὑπέθεντο · καὶ ἄλλας μὲν ὑποστάσεως ἀρχὰς εἶναι, ἄλλας δὲ νοήσεως
καὶ οὐσίας, ἐξ ὧν ἀρχῶν πάντα κατηρτίσθαι λέγουσι καθάπερ τὸν
ἀνδριάντα ἐκ χαλκοῦ καὶ μορφῆς.

Cet essai de rétroversion ne saurait prétendre à une entière
certitude ; il voudrait seulement éclairer un peu, si possible,
un texte latin contenant plus d'une obscurité.

On sait que les Pythagoriciens faisaient tout dériver du
pair (τὸ ἄρτιον) et de l'impair (τὸ περιττόν). Au pair, ils rattachaient la matière (ὕλη), le sensible (τὸ αἰσθητόν), l'indéfini
(τὸ ἀόριστον) ; à l'impair, ils rattachaient la forme (εἶδος),
l'intelligible (τὸ νοητόν), ce qui définit (τὸ ὁρίζον). Voir
diverses citations dans F. Sagnard, *La Gnose valentinienne
et le témoignage de saint Irénée*, Paris, 1947, p. 352 suiv.
C'est ce jeu d'oppositions qui est ici repris, et c'est en
ayant les yeux fixés sur lui qu'il faut chercher à comprendre
la présente phrase.

A cette lumière, les termes clés de notre phrase se laissent sans peine regrouper de la manière suivante :

parem = τὸ ἄρτιον	imparem (= τὸ περιττόν)
sensibilia = τὰ αἰσθητά	[in]sensata = τὰ νοητά
substitutionis initia	sensationis et substantiae
= ὑποστάσεως ἀρχάς	(initia) = νοήσεως καὶ οὐσίας (ἀρχάς)
de aeramento = ἐκ χαλκοῦ	de formatione = ἐκ μορφῆς

Quelques précisions et justifications :

— A la ligne 105 du texte latin, le terme « insensata » fait difficulté. On a bien proposé d'y voir la traduction de ἀναίσθητα, mais on peut objecter à cela que, si le traducteur avait eu ce mot sous les yeux, il l'aurait traduit par « insensibilia », corrélatif tout indiqué de « sensibilia ». Ne faudrait-il donc pas plutôt considérer le terme « insensata » comme une correction bien intentionnée, mais maladroite, de « sensata » (= τὰ νοητά)? Ce qui nous incline à le penser, c'est que, à la ligne 106 du latin — et un peu plus loin encore, à la ligne 110 —, nous rencontrerons le substantif de même radical, à savoir « sensationis », traduction toute normale de νοήσεως.

— A la ligne 106, le terme « substitutionis » paraît être une sorte de décalque de ὑποστάσεως, au sens de « support », « fondement (matériel) ». A la ligne 107, le terme « substantiae » est la traduction toute normale de οὐσίας, au sens de « réalité substantielle », « substance ».

— A la ligne 107, le terme « primis » est énigmatique : sans doute n'est-il que la corruption de « principiis », seul en situation.

Si l'on accepte ces restitutions et corrections, notre phrase retrouve un contenu simple et cohérent, en accord avec les théories pythagoriciennes telles qu'elles nous sont connues par ailleurs. Nous ne croyons donc pas pouvoir souscrire à l'interprétation que le P. Sagnard (o. c., p. 353-354) donne des expressions « substitutionis », d'une part, et « sensationis et substantiae », d'autre part : comprenant en effet le terme « sensationis » au sens de « sensation », « perception du sensible » (αἴσθησις), le P. Sagnard est amené à bouleverser l'ordonnance harmonieuse de la pensée, en mettant les principes du substrat matériel à la place des principes de la substance intelligible et vice versa.

P. 139, n. 5. — « Cela, les Valentiniens l'ont accommodé aux réalités extérieures au Plérôme », Τοῦτο δὲ οὗτοι τοῖς ἐκτὸς τοῦ Πληρώματος προσήρμοσαν.

Le latin « his *qui* sunt extra Pleroma » est un contresens Il eût fallu traduire par « his *quae* sunt ... », car il s'agit des réalités extérieures au Plérôme. Dans le présent contexte, il s'agit plus précisément des destins parallèles de la Mère et de la semence de celle-ci, en ce que l'une et l'autre connaissent d'abord un état « informe », pour accéder ensuite, moyennant une « formation », à la perfection achevée de leur être et devenir ainsi aptes à réintégrer le Plérôme.

P. 139, n. 6. — « Par ailleurs, les Pythagoriciens disent que le principe de l'intellection réside en ce fait que l'esprit, ayant une certaine intuition de l'unité originelle, cherche jusqu'à ce que, lassé, il s'arrête à l'un et à l'indivisible ». Traduction tâtonnante d'une phrase irrémédiablement corrompue. Cf. F. SAGNARD, *La Gnose valentinienne ...*, p. 354.

P. 141, n. 1. — « leur Mère à eux ou la Semence du Père », τὴν δὲ Μητέρα αὐτῶν ἢ τὸ σπέρμα τὸ πατρικόν.

On doit sans hésiter adopter la suggestion de Grabe et de Massuet et lire dans le latin : « Matrem autem ipsorum <uel> semen paternale ... » On se reportera à I, 7, 3, où il est question des révélations qu'auraient faites, par l'entremise des prophètes et à l'insu du Démiurge, tantôt la Semence de la Mère, tantôt la Mère elle-même. Sans doute, dans le présent passage du Livre II, la Semence est-elle dite « Semence du Père » ; mais rien de plus normal, car la Semence issue de la « Mère » des Valentiniens ou Achamoth tire sa toute première origine du « Père » lui-même et peut donc, à juste titre, être également dite « Semence du Père ». Voir, dans le même sens, IV, 35, 1 : « ... a Summitate ... propter semen quod est inde ... » Voir encore II, 19, 3 : « Et si quidem spiritales esse, quoniam particula quaedam uniuersitatis Patris in anima ipsorum deposita est ... »

La correction proposée est d'ailleurs confirmée par ces deux phrases qui se lisent dans la suite du présent paragraphe : « post deinde, uel Mater *uel* semen si cognoscebant et enarrabant ea quae erant ueritatis ... » ; « si enim cognitus est (Pater) uel a Matre *uel* a semine eius ... »

P. 143, n. 1. — « ou par sa Semence à lui », ἢ ὑπὸ τοῦ σπέρματος αὐτοῦ.

Si on lit distraitement le latin « uel a Matre uel a semine eius », on traduira spontanément : « par la Mère ou par la Semence de celle-ci ». Ainsi F. Sagnard, *La Gnose valentinienne* ..., p. 272. Mais qu'avait le grec : αὐτῆς ou αὐτοῦ ? Étant donné que l'expression « semen paternale » s'est rencontrée quelques lignes plus haut et que c'est le Père qui est le centre d'intérêt de toute la fin du paragraphe, nous croyons la restitution αὐτοῦ plus probable.

P. 143, n. 2. — « jusqu'à leur doctrine concernant les Éons », εἰς τὸν περὶ τῶν ὅλων λόγον. On sait que les expressions τὰ ὅλα et τὰ πάντα se rencontrent sous la plume des écrivains gnostiques pour désigner les Éons de leur Plérôme.

P. 145, n. 1. — « Ainsi font ces gens-là — dénuées de logique et de vraisemblance », Οὕτω δὴ καὶ οὗτοι, ἠρέμα τοῖς εἰθισμένοις πείσαντες κατὰ πιθανολογίαν παραδέξασθαι τὰς προειρημένας προβολάς, ἐπάγουσι τὰ μήτε κατάλληλα μήτε εἰκότα τῶν λοιπῶν προβολῶν εἴδη.

A la ligne 165, nous proposons de voir dans le latin « mansueti dissuadentes » la déformation de « adsuetis suadentes ». Irénée veut dire que les hérétiques s'efforcent d'abord de « persuader » (πείσαντες) leurs auditeurs « à l'aide de notions qui leur sont familières » (τοῖς εἰθισμένοις). Le mot « adsuetis » ne fait que reprendre les expressions déjà rencontrées dans ce paragraphe même : « per ea quae adsueti sunt » (ligne 155), « adsuetae .... » (ligne 160) et « per adsueta pabula » (ligne 162).

A la ligne 166, la logique de la pensée demande qu'on lise « praedictas emissiones » au lieu de « praedictam emissionem ». Il s'agit en effet des trois premières émissions, qu'Irénée a longuement critiquées au chapitre précédent, à savoir celle de l'Intellect et de la Vérité (cf. II, 13, 1-7), celle du Logos et de la Vie (cf. II, 13, 8-9) et celle de l'Homme et de l'Église (cf. II, 13, 10).

Enfin, les lignes 166-167 offrent un curieux exemple de traduction toute matérielle, telle qu'on ne peut s'empêcher de se demander si les anciens traducteurs ne traduisaient pas quelquefois des mots plus que des phrases. De toute évidence, en effet, il eût fallu comprendre : « ... neque *congruentes* neque opinatas ... species ». Mais, s'étant arrêté

aux mots τὰ μὴ κατάλληλα et n'ayant pas lu plus avant,
le traducteur a cru voir dans la forme κατάλληλα un adjectif
employé substantivement et il l'a rendu par le neutre
pluriel « congruentia » ; après quoi, il a traduit fort sagement
la suite du membre de phrase, sans paraître se rendre
compte du peu de cohérence de sa traduction. On a rencontré
déjà plus d'une traduction du même genre dans la version
latine de l'*Aduersus haereses*.

P. 147, n. 1. — « Tout d'abord, qu'ils nous disent la cause
d'une telle émission des Éons sans faire appel aux êtres de
la création », Καὶ πρῶτον μὲν λεγέτωσαν ἡμῖν τὴν αἰτίαν τῆς
τοιαύτης προβολῆς τῶν Αἰώνων, ὥστε μηδὲν ἅπτεσθαι τῶν τῆς
κτίσεως.

Littéralement : « Et d'abord, qu'ils nous disent la cause
d'une telle émission des Éons (c'est-à-dire la cause pour
laquelle cette émission a été faite telle, et non différente),
et qu'ils nous la disent de telle manière qu'ils ne touchent
pas aux choses de la création (c'est-à-dire sans traiter des
choses de la création, sans faire appel à elles) ». Les hérétiques
disent, par exemple, qu'il y a trente jours dans le mois parce
qu'il y a trente Éons dans le Plérôme. Mais pourquoi, leur
demande Irénée, y a-t-il trente Éons dans le Plérôme,
plutôt que tout autre nombre ? Irénée veut que les hérétiques
répondent sans faire appel aux trente jours du mois, ce qui
constituerait évidemment un cercle vicieux.

P. 149, n. 1. — « Et qu'ils nous disent tout cela sans faire
appel aux nombres qui se rencontrent dans la création », μὴ
ἁπτόμενοι τῶν ἐν τῇ κτίσει ἀριθμῶν.

Pour comprendre la fonction des mots « nihil tangentes... »,
il faut les remettre à la place qui est la leur dans la longue
phrase dont ils sont la finale (lignes 6-25). Voici donc comment s'ordonne cette phrase :

Quemadmodum igitur imaginum causam REDDUNT, dicentes ...,

nunc DICANT nobis causam istam Aeonum emissionis,

quid quia facta est talis,

propter quid autem ... Octonatio emissa est, et non Quinio ...,

et quid quia ... X emissi sunt Aeones, et non plures...,

uniuersum quoque Pleroma quid utique tripartitum est in Octonationem ...,

et diuisio autem ipsa quid utique in tres, et non in ... alterum quendam facta est numerum,

nihil TANGENTES eorum numerorum qui sunt conditionis.

Comme on le voit, le participe « tangentes » se rattache, par-delà toute la cascade des interrogations indirectes, au verbe « dicant ».

L'intelligence du dernier membre de cette phrase devient impossible si, comme l'ont fait tous les éditeurs d'Irénée, on érige chacune des interrogations indirectes en une phrase indépendante. Ajoutons que Massuet a encore aggravé la situation, en faisant commencer un nouveau paragraphe, au beau milieu de la phrase en question.

P. 149, n. 2. — « elles doivent donc posséder leur propre cause explicative, antérieure à la création, et non relative à cette création », καὶ δεῖ αὐτὰ ἰδίαν ἔχειν αἰτίαν, τὴν πρὸ τῆς κτίσεως, ἀλλ' οὐχὶ τὴν κατὰ τὴν κτίσιν.

A la suite de cela figurent, dans le latin, ces mots énigmatiques : « consentientes ad consonantionem ». Nous ne les avons pas traduits, faute de pouvoir leur trouver un sens satisfaisant. On notera d'ailleurs la curieuse ressemblance des mots « constitutionem », « consentientes » et « consonantionem ». Les deux derniers vocables ne seraient-ils pas une glose marginale indûment introduite dans le texte ? Au surplus, les mots « Quam quidem nos de conditione enuntiantes ... », par lesquels débute le paragraphe suivant, ne peuvent se rattacher qu'aux mots « propriam ... rationem » : n'y aurait-il pas là un nouvel indice contre l'authenticité des mots « consentientes ad consonantionem » ?

P. 151, n. 1. — « S'ils rejettent tout cela — selon laquelle aura été formé ce Plérôme », Ἐὰν δὲ μηδενὶ τούτων πεισθῆναι βουληθῶσι, διὰ τὸ ἐλέγχεσθαι ὑφ' ἡμῶν οὐκ ἔχοντας ἀποδοῦναι τὴν αἰτίαν τῆς τοιαύτης προβολῆς τοῦ Πληρώματος αὐτῶν, ἀναγκασθήσονται ὁμολογῆσαι ὑπὲρ τὸ Πλήρωμα ἄλλην τινὰ εἶναι πραγματείαν πνευματικωτέραν καὶ κυριωτέραν, καθ' ἣν ἐξετυπώθη τὸ Πλήρωμα αὐτῶν.

Aux lignes 3-4, le latin « cogebuntur *concludi ut confiteantur* » n'est guère naturel. N'y aurait-il pas là une sorte de dittographie, et ne faudrait-il pas lire simplement : « cogebuntur *confiteri* »? Il s'agit, en effet, d'une expression plus ou moins stéréotypée et revenant fréquemment sous la plume d'Irénée, comme suffisent à le montrer les exemples suivants, empruntés au seul Livre II : « et cogentur aut omnia lucida ... ea quae sunt intra Patrem *confiteri*, aut paternum lumen accusare ... » (II, 5, 1) ; « cogentur enim et extra illum *confiteri* esse aliquid ... » (II, 13, 6) ; « quam ... cogi aliquando in aliquo uno statuere sensum et ex eo figurationem factorum *confiteri*? » (II, 16, 3) ; « et hoc ... cogentur sinistrae, id est corruptionis, *confiteri* ... » (II, 24, 6) ; « et omnia omnino ... corruptibilia .. esse *confiteri* cogentur » (*ibid.*).

P. 157, n. 1. — « Tâche d'ailleurs nécessaire — de réfuter les hérétiques », ἀναγκαίως καὶ τοῦτο ποιοῦντες, ὅτι ἡ τούτου τοῦ πράγματος ἐπιστεύθη ἡμῖν ἐπιμέλεια τοῖς καὶ θέλουσι πάντας ἀνθρώπους εἰς ἐπίγνωσιν ἀληθείας ἐλθεῖν, καὶ ὅτι σὺ αὐτὸς ἀπήτησας λαβεῖν παρ' ἡμῶν πολλὰς καὶ πάσας τὰς τῆς ἀνατροπῆς αὐτῶν ἀφορμάς.

Aux lignes 6-7, le latin « nobis ... *et qui* uelimus » ne paraît guère acceptable, car le terme « et », au sens adverbial, ne peut s'intercaler entre le relatif et son antécédent. Sans doute faut-il lire : « nobis ... *qui et uelimus* », traduction toute normale de ἡμῖν ... τοῖς καὶ θέλουσι.

P. 159, n. 1. — « Il s'agit donc de savoir comment ont été émis — constitués de membres dissemblables », Ζητηθήσεται οὖν πῶς προεβλήθησαν οἱ λοιποὶ Αἰῶνες. Πότερον ἡνωμένοι τῷ προβαλόντι, καθάπερ ἀπὸ τοῦ ἡλίου αἱ ἀκτῖνες, ἢ ἀποτελεστικῶς καὶ μεριστῶς, ὥστε εἶναι ἕνα ἕκαστον αὐτῶν χωρὶς καὶ ἰδίαν μορφὴν ἔχοντα, καθάπερ ἀπ' ἀνθρώπου ἄνθρωπος καὶ ἀπὸ κτήνους κτῆνος, ἢ κατὰ βλάστησιν, καθάπερ ἀπὸ τοῦ δένδρου οἱ κλάδοι ; Καὶ πότερον ὁμοούσιοι ὑπῆρχον τοῖς προβαλοῦσιν αὐτούς, ἢ ἐξ ἄλλης τινὸς οὐσίας σύστασιν ἔχοντες ; Καὶ πότερον ἐν τῷ αὐτῷ προεβλήθησαν, ὥστε

ὁμοχρόνους εἶναι ἀλλήλοις, ἢ κατὰ τάξιν τινά, ὥστε τοὺς μὲν πρεσϐυ-
τέρους, τοὺς δὲ νεωτέρους εἶναι ; Καὶ πότερον ἀπλοῖ καὶ μονοειδεῖς
καὶ πανταχόθεν ἑαυτοῖς ἴσοι τε καὶ ὅμοιοι, καθάπερ τὰ πνεύματα
καὶ τὰ φῶτα προεϐλήθη, ἢ σύνθετοι καὶ διάφοροι καὶ ἀνομοιομελεῖς ;

A la ligne 13, le latin « efficabiliter » paraît traduire
ἀποτελεστικῶς, qui peut signifier, selon les cas, « à la manière
dont une cause produit un effet en le menant jusqu'à son
terme (ἀποτελέω) », ou « à la manière dont un effet est mené
jusqu'à son terme par la cause qui le produit ». C'est naturellement cette seconde signification qu'impose ici le contexte :
il s'agit de savoir si les Éons sont produits d'une manière
comparable à celle dont un être humain est produit par un
autre être humain, c'est-à-dire s'ils sont constitués dans une
existence distincte qui leur appartienne en propre et les
mette à même d'agir à titre autonome. L'adverbe ἀποτελεστικῶς se retrouvera en II, 28, 3, aisément reconnaissable
sous la transcription latine « apotelesticos », avec une
signification de tout point identique à celle qu'il a dans le
présent passage.

A la ligne 17, la restitution ὁμοούσιοι (= « eiusdem
substantiae ») est tout à fait assurée : cf. I, 5, 3 (deux fois) ;
I, 5, 5 ; I, 5, 6 ; I, 11, 3, etc.

Enfin, à la ligne 25, la restitution ἀνομοιομελεῖς (= « dissimiles membris suis ») ne paraît pas douteuse : à des êtres
simples (ἀπλοῖ), n'offrant qu'un aspect unique (μονοειδεῖς),
de toute part égaux et semblables à eux-mêmes (ἑαυτοῖς
ἴσοι τε καὶ ὅμοιοι), ne peuvent s'opposer que des êtres
composés de parties (σύνθε⸗οι), offrant en eux-mêmes de la
diversité (διάφοροι), constitués de membres dissemblables
(ἀνομοιομελεῖς). On se souvient que, en II, 13, 8, l'adjourir
« similimembrius » (ὁμοιομελής) était rapproché des expressions « simplex » (ἀπλοῦς) et « totus ipse sibimetipsi similis
et aequalis » (ὅλος ἑαυτῷ ὅμοιός τε καὶ ἴσος) pour illustrer
l'absolue simplicité de l'Être divin.

Sur l'ensemble de ce paragraphe, cf. F. SAGNARD, La
Gnose valentinienne ..., p. 97-98.

P. 161, n. 1. — « De plus, selon cette hypothèse — non
des esprits », Ἔτι τε κατὰ τοῦτον τὸν λόγον εἷς ἕκαστος αὐτῶν
κεχωρισμένος ἀπ' ἄλλου νοηθήσεται, καθάπερ ἄνθρωποι, οὐ συγκεκρα-
μένος οὐδὲ ἡνωμένος ἄλλος ἄλλῳ, ἀλλὰ σχήματι διακεκριμένος καὶ
περιγραφῇ διωρισμένος καὶ μεγέθους ποσότητι εἷς ἕκαστος αὐτῶν
ἐκτετυπωμένος, ἅπερ ἴδια τῶν σωμάτων καὶ οὐχὶ τοῦ πνεύματος.

Aux lignes 39-40, il paraît impossible d'accepter le latin
tel qu'il se lit dans les manuscrits. Nous proposons de lire :
« ... sed [in] figuratione discret<us> et circumscriptione
definit <us > ... » On peut penser que, selon un mécanisme
d'erreur fréquemment observé chez les copistes, les féminins
« figuratione » et « circumscriptione » ont entraîné comme
automatiquement les féminins « discreta » et « definita ».

P. 161, n. 2. — « C'est pourquoi toutes leurs lumières,
rassemblées en un, reviennent par récurrence à l'unité
originelle, car elles donnent une seule lumière, celle qui
existait dès le principe », Διὸ καὶ τὰ φῶτα αὐτῶν συντιθέμενα
εἰς ἓν πρὸς τὴν ἀρχέγονον ἕνωσιν ἐπανατρέχει, ἑνὸς γινομένου φωτὸς
τοῦ καὶ ἀπ' ἀρχῆς. Sur II, 17, 4-5, cf. F. Sagnard, *La Gnose valentinienne ...*,
p. 322-323.

P. 169, n. 1. — « En fait, ils n'ont même jamais, que nous
sachions, mis en avant quelque autre espèce d'émission,
bien que nous les ayons très longuement interrogés au sujet
de ces diverses espèces d'émission ». Traduction tâtonnante
d'un texte abîmé. Le contexte ferait attendre quelque chose
comme : « sed ne ipsi quidem alteram quandam *speciem
emissionis* reddentes aliquando cogniti sunt nobis ... »

P. 169, n. 2. — « ils s'éloignent de la droite raison,
aveugles qu'ils sont à l'égard de la vérité », μακρύνουσιν
ἑαυτοὺς ἀπὸ τοῦ ὀρθοῦ λόγου, τυφλώττοντες περὶ τὴν ἀλήθειαν.
Tout d'abord, la tradition manuscrite latine présente la
variante « caecutientes » (AQSε) - « circumeuntes » (CV).
Massuet a cru devoir adopter la seconde de ces leçons, qu'il
déclare meilleure sans justifier son affirmation. Il semble
cependant que la première soit préférable. Irénée redira à
plusieurs reprises que les hérétiques sont aveugles : « uere
caecutientes » (II, 22, 1) ; « caecutiunt oculos » (II, 27, 2) ;
« caecutiunt enim » (III, 24, 2). Dans un passage du Livre V,
nous retrouverons même l'expression dont se sert ici Irénée :
« ... inscii eius quae est secundum hominem dispensationis,
quippe caecutientes circa ueritatem » (V, 19, 2). Dans le
présent passage du Livre II, la leçon « caecutientes » est, de
surcroît, confirmée par la suite du paragraphe, où Irénée
évoque l'épisode de l'aveugle-né (cf. *Jn* 9, 1-41) en lequel
les hérétiques voient la figure du Logos ignorant le Père

aussi longtemps qu'il n'a pas été, en même temps que tous
les autres Éons, formé selon la gnose par le Christ et l'Esprit
Saint : de toute évidence, Irénée met en parallèle, de façon
ironique, la cécité des hérétiques et celle du Logos et des
autres Éons.

Plus délicat est le problème soulevé par les mots « obliga-
buntur et a recta ratione ». On voit mal la signification que
peut avoir le verbe « obligare » dans l'ensemble de notre
passage : sans doute sommes-nous en présence d'une altération. La suite de la pensée semble demander quelque chose
comme : « En quelque direction qu'ils s'avancent, ils
s'éloignent de la droite raison, aveugles qu'ils sont à l'égard
de la vérité ... » Le latin aurait-il eu primitivement une leçon
telle que « elongantur » ou « elongant se » ... ?

P. 171, n. 1. — « Sophistes admirables — ignorant le Père
qui l'a émis », Θαυμαστοὶ σοφισταί, τά τε βάθη ἐξιχνιάζοντες
τοῦ ἀγνώστου Πατρὸς καὶ τὰ ἐπουράνια μυστήρια ἐξηγούμενοι « εἰς
ἃ ἐπιθυμοῦσιν οἱ ἄγγελοι παρακῦψαι », ἵνα μάθωσιν ὅτι ὁ ἀπὸ τοῦ
Νοῦ τοῦ ὑπὲρ πάντα Πατρὸς προβληθεὶς Λόγος τυφλὸς προεβλήθη,
ἀγνοῶν τὸν προβαλόντα Πατέρα.

Les lignes 164-166 du latin offrent un exemple de texte
passablement embrouillé du fait que font défaut au latin
certaines ressources de la langue grecque ; mais, rendue à
sa langue originale, la phrase retrouve une parfaite clarté.

P. 175, n. 1. — « Car, si celui-ci était ignoré — était
insaisissable et incompréhensible », Εἰ γὰρ διὰ τὸ ἀμέτρητον
μέγεθος ἠγνοεῖτο, καὶ διὰ τὴν ὑπερβάλλουσαν ἀγάπην ἀπαθεῖς ὤφειλε
τηρῆσαι τοὺς ἐξ αὐτοῦ γεννηθέντας, ἐπειδὴ οὐδὲν ἐκώλυε, μᾶλλον δὲ
συμφέρον ἦν ἀπ᾽ ἀρχῆς ἐγνωκέναι αὐτοὺς ὅτι ἀχώρητος καὶ ἀκατά-
ληπτός ἐστιν ὁ Πατήρ.

Nous retrouvons ici l'affirmation des deux traits complémentaires qui caractérisent le vrai Dieu aux yeux d'Irénée :
une *grandeur* qui le situe à une infinie distance de tout ce
qui n'est pas lui et le rende naturellement inaccessible aux
prises de toute créature ; un « surabondant *amour* » (cf.
Éphés. 3, 19) qui lui permette de sortir librement de lui-
même en quelque manière et de se donner à connaître aux
créatures sorties de ses mains. Cf. *supra*, p. 244, *note justif.*
P. 117, n. 2.

P. 175, n. 2. — « là où est l'inintelligence et l'ignorance, là n'est pas la Sagesse », ὅπου γὰρ ἀσυνεσία καὶ ἄγνοια, ἐκεῖ Σοφία οὐκ ἔστιν.

Tous les manuscrits latins ont la leçon « improuidentia » (ἀπρονοησία), sauf S, qui présente la leçon « imprudentia » (ἀσυνεσία). On voit mal ce que vient faire ici le « manque de prévoyance », mais il saute aux yeux que le « manque d'intelligence » est pleinement en situation.

Autre difficulté : tous les manuscrits latins ont : « ignorantia utilitatis ». Le second de ces substantifs n'offre pas de sens acceptable et pourrait n'être qu'une glose indûment entrée dans le texte. Nous le négligeons donc.

P. 177, n. 1. — « Car une ʻ tendance ʼ ne se conçoit que comme inhérente à un sujet et ne saurait avoir d'existence à part », Ἐνθύμησις γὰρ εἶναι νοεῖται περί τινα, αὐτὴ δὲ κατ᾽ ἰδίαν οὐδέποτε γένοιτο.

Irénée argumente à partir de la signification du mot Ἐνθύμησις (= désir, intention, tendance …), tout comme, au paragraphe précédent, il argumentait à partir de la signification du mot Σοφία. Sur cette Enthymésis et la passion qui lui était inhérente, cf. I, 2, 2 ; 2, 4 ; 4, 1, etc.

P. 179, n. 1. — « Comme si Dieu n'était pas lumière, et comme si n'était pas avec nous un Verbe capable de les démasquer et de réfuter leur perversité », ὡς μὴ ὄντος φωτὸς τοῦ Θεοῦ μηδὲ συμπαρόντος Λόγου τοῦ δυναμένου αὐτοὺς ἐλέγξαι καὶ ἀνατραπεῖν τὴν πανουργίαν αὐτῶν.

On aura reconnu au passage les deux verbes caractéristiques qui évoquent le titre de l'ouvrage d'Irénée : Ἔλεγχος καὶ ἀνατροπὴ τῆς ψευδωνύμου γνώσεως.

Quel est le « Sermo » en question ? Le parallélisme avec « Deus » invite à y voir le « Verbe » du Père : d'une part, « Dieu » (= le Père) est lumière ; d'autre part, le « Verbe » du Père est présent, accordant son aide — c'est le sens de συμπάρειμι — pour démasquer et réfuter les hérétiques.

P. 179, n. 2. — « Car tout ce que l'Éon ressentait comme désir — le système des hérétiques est renversé », Πάντως γὰρ ὅ τι ἐνεθυμεῖτο ὁ Αἰών, τοῦτο καὶ ἔπασχε, καὶ ὃ ἔπασχε, τοῦτο καὶ ἐνεθυμεῖτο · καὶ οὐκ ἄλλο ἦν ἡ παρ᾽ αὐτοῖς Ἐνθύμησις αὐτοῦ εἰ μὴ τὸ πάθος τοῦ τὸν ἀκατάληπτον καταλαβεῖν διανοηθέντος, καὶ τὸ πάθος ἡ Ἐνθύμησις · ἀδύνατα γὰρ ἐνεθυμεῖτο. Πῶς οὖν ἠδύνατο ἡ διάθεσις καὶ τὸ πάθος ἀπὸ τῆς Ἐνθυμήσεως χωρισθῆναι καὶ οὐσία τοσαύτης ὕλης γενέσθαι, ὁπότε αὐτὴ ἡ Ἐνθύμησις τὸ πάθος ἦν, καὶ τὸ πάθος ἡ Ἐνθύμησις ; Οὔτε οὖν ἡ Ἐνθύμησις χωρὶς τοῦ Αἰῶνος οὔτε αἱ διαθέσεις χωρὶς τῆς Ἐνθυμήσεως κατ᾽ ἰδίαν ἔχειν δύνανται σύστασιν, καὶ λέλυται καὶ ὧδε πάλιν ἡ ὑπόθεσις αὐτῶν.

Dans le latin se rencontre, par trois fois, la forme « sentiebat » (lignes 48, 49 et 52). A ne considérer que cette forme, on pourrait être tenté d'y voir la traduction du grec ἐφρόνει. Cependant l'ensemble du contexte paraît postuler plutôt ἐνεθυμεῖτο, car, de toute évidence, Irénée veut montrer que le « désir » (ἐνθύμησις) et la « passion » (πάθος) de Sagesse ne sont pas deux choses distinctes et séparables, mais une seule et même chose, la « passion » n'étant rien d'autre que le « désir » lui-même en ce qu'il a de désordonné. C'est précisément ce qu'exprime déjà Irénée, lorsqu'il dit que « ce que l'Éon ressentait comme désir (ὅ τι ἐνεθυμεῖτο), cela même il l'éprouvait aussi comme passion (τοῦτο καὶ ἔπασχε) », et réciproquement.

P. 181, n. 1. — « car ils disent que l'Abîme est l'image de leur Père », « etenim Bythum imaginem Patris sui dicunt ». Phrase qui paraît altérée, mais que, faute de pouvoir la rectifier avec quelque certitude, nous traduisons telle quelle.

Si l'on accepte comme authentique le terme « Bythum », on est forcément amené à voir dans le « Père » des hérétiques cet « Éon tombé en passion » dont il est question d'un bout à l'autre du présent paragraphe, autrement dit Sagesse, le 30e Éon du Plérôme. Cette interprétation du mot « Patris » a déjà été proposée par Massuet. Elle n'a rien d'inacceptable *a priori*, reconnaissons-le, car, un peu plus loin, en II, 18, 7, Irénée appellera ironiquement Sagesse le « grand-père » (« auus ») des hérétiques, en tant qu'elle est le « père » (« pater ») de leur Mère. Mais, si l'expression « Patris sui » peut recevoir un sens acceptable, il n'en va pas de même du mot « imaginem » : comment concevoir que l'Abîme puisse être l'« image » du 30e Éon du Plérôme? Massuet nous dit bien que ce terme est employé ici « minus proprie » : l'Abîme serait l'image de Sagesse parce que ces deux Éons sont semblables l'un à l'autre. Mais c'est là une échappatoire plus qu'une explication. En fait, dans la conception valentinienne, les Éons issus de l'Abîme peuvent bien être conçus comme les images de cet Abîme — images d'ailleurs de plus en plus dégradées à mesure que l'on s'éloigne de l'Éon primordial —, mais l'inverse est catégoriquement exclu :

l'Abîme peut être celui à l'image de qui les Éons ont été
émis, mais il ne peut être leur image. Si donc on accepte
comme authentiques les expressions « Bythum » et « Patris
sui », on devra admettre que le mot « imaginem » n'est pas
en situation.

Mais doit-on nécessairement maintenir cette authenticité ?
Ne pourrait-on concevoir, à titre d'hypothèse, que le texte
primitif ait été quelque chose comme : « etenim *Sophiam
imaginem Patris sui esse dicunt* » ? Le terme « Pater »
pourrait alors retrouver son sens normal : le « Père » des
hérétiques ne serait autre que l'Abîme lui-même. La phrase
signifierait simplement : « car ils disent que Sagesse est une
image de leur Père ». L'ennui est que, nulle part dans
l'*Aduersus haereses*, Irénée ne met explicitement sur le
compte des Valentiniens l'assertion selon laquelle les Éons
émis seraient les « images » de l'Abîme dont ils procèdent.

Comme on le voit, notre phrase demeure, en fin de compte,
énigmatique. Tout donne à penser qu'elle est altérée, mais,
comme il ne paraît pas possible de retrouver avec quelque
certitude sa teneur primitive, nous nous résignons à la
traduire telle quelle.

P. 181, n. 2. — « La crainte, le saisissement, la passion
— par des maux de cette sorte », Φόβος γὰρ καὶ ἔκπληξις καὶ
πάθος καὶ ἀνάλυσις καὶ τὰ τοιαῦτα ἐπὶ μὲν τῶν καθ᾽ ἡμᾶς καὶ σωματικῶν ἴσως ἂν γίνοιτο ἀπὸ τῶν ἐναντίων, ἐπὶ δὲ τῶν πνευματικῶν καὶ
κεχυμένον ἐχόντων τὸ φῶς οὐκέτι αἱ τοιαῦται ἀκολουθήσουσι μοχθηρίαι.

Comme il a été dit dans l'Introduction (cf. *supra*, p. 108),
la présente phrase figure dans un fragment arménien du
« Sceau de la foi ». La confrontation du latin et de l'arménien
donne lieu aux observations suivantes :

1. Les mots « et dissolutio » (ligne 79) n'ont rien qui
leur corresponde dans l'arménien. Rien d'étonnant à cela :
dans la perspective christologique qui est la sienne, l'auteur
du centon n'a que faire de cette « dissolution » (ἀνάλυσις)
dans laquelle fut sur le point de tomber le 30e Éon du Plérôme (cf. I, 2, 2), et il la passe délibérément sous silence.

2. Au latin « in his quidem quae sunt secundum nos et
corporalibus fortassis fiant a contrariis » (lignes 80-81)
correspond, dans l'arménien, ༁ սկզ ༁ ༁, ༁ ༁
(= « secundum nos fiunt, secundum corporalia »). Il est
sans doute délicat de comparer un texte d'aussi excellente
venue que le latin, à cet endroit, avec l'abrégé plus que

maladroit qui lui correspond dans l'arménien. Cependant on peut considérer comme significatif, semble-t-il, le fait que, dans l'arménien, rien ne corresponde à la conjonction « et » précédant « corporalibus ». Cette constatation devient plus significative encore, si l'on observe que, dans le second membre de la phrase, manifestement parallèle au premier, l'arménien n'a rien non plus qui corresponde à la conjonction « et » précédant « diffusum » (lignes 81-82). L'explication de ce fait nous paraît résider dans une divergence au niveau de la tradition grecque. Le latin suppose en effet un substrat grec tel que : ... ἐπὶ μὲν τῶν καθ' ἡμᾶς καὶ σωματικῶν ..., ἐπὶ δὲ τῶν πνευματικῶν καὶ κεχυμένον ἐχόντων ... De son côté, l'arménien paraît supposer : ... ἐπὶ μὲν τῶν καθ' ἡμᾶς σωματικῶν ..., ἐπὶ δὲ τῶν πνευματικῶν τῶν κεχυμένον ἐχόντων ... Laquelle des deux traditions remonte à Irénée? Nous avouons notre embarras. N'était l'extrême prudence avec laquelle il convient d'utiliser les centons du « Sceau de la foi » (cf. *supra*, p. 109), nous ferions volontiers pencher la balance en faveur de la tradition sous-jacente à l'arménien. Nous nous rangeons donc, en fin de compte, au latin, mais en laissant la question ouverte.

3. Dernière opposition du latin et de l'arménien : tandis que tous les manuscrits latins ont le présent « consequuntur » (ligne 82), l'arménien a le futur *Հետևելուցին* (= « sequentur »). Laquelle des deux formes reflète l'original irénéen? Question à laquelle il serait sans doute impossible de répondre avec certitude, si nous n'avions la bonne fortune de rencontrer, quelques chapitres plus haut, dans ce même Livre II, une phrase qui est, au point de vue de sa structure, l'exacte réplique de celle qui nous occupe présentement. Pour mieux faire saisir cette totale identité de structure, nous disposons les deux phrases en colonnes parallèles :

II, 13, 8	II, 18, 5
Quod quidem omnes uidelicet sciunt, quoniam	Timor enim et expauescentia ... et talia
in hominibus *quidem* consequenter DICATUR,	*in* his *quidem* quae sunt secundum nos ... fortassis FIANT ...,
in eo *autem* qui sit super omnes Deus ... *iam non talis* huius ordinationis SEQUETUR emissio	*in* spiritalibus *autem* ... *iam non tales* CONSEQU<E>NTUR calamitates.

La similitude des deux phrases est telle qu'on ne peut
raisonnablement douter qu'il ne s'agisse d'une structure
très précise clairement présente dans l'esprit d'Irénée. On
verra donc dans la forme « sequetur » de II, 13, 8 une confirmation certaine de la leçon *Հետեւելոցին* de l'arménien en II,
18, 5, et l'on restituera sans hésiter le grec comme suit :
οὐκέτι αἱ τοιαῦται ἀκολουθήσουσι μοχθηρίαι. Sans doute faut-il
aller plus loin encore et admettre, comme plus probable,
que la forme « consequuntur » n'est qu'une corruption
accidentelle de la forme primitive « consequentur ».

On nous pardonnera cette longue note, en laquelle nous
avons tenu à souligner l'intérêt réel d'un fragment arménien
que sa brièveté, non moins que l'état précaire en lequel il
se présente, nous porterait à considérer comme négligeable.

P. 185, n. 1. — « Ainsi, pour les petits-fils — la substance
de la matière », Καὶ τοῖς μὲν ἐκγόνοις ἡ ζήτησις τοῦ Πατρὸς ἀλήθειαν
καὶ τελείωσιν καὶ στηριγμὸν χυλισμόν τε ἐκ τῆς ῥευστῆς ὕλης ἐμποιεῖ,
ὡς φάσκουσιν, καὶ καταλλαγὴν πρὸς τὸν Πατέρα, τῷ δὲ πάππῳ
αὐτῶν ἡ αὐτὴ ζήτησις ἄγνοιαν καὶ πάθος καὶ ἔκπληξιν καὶ φόβον
καὶ ἀπορίαν ἐνεποίησεν, ἐξ ὧν καὶ τὴν οὐσίαν τῆς ὕλης γεγονέναι
λέγουσιν.

Le mot χυλισμός signifie l'action d'extraire le suc d'une
plante ; par la gnose, le moi pneumatique des gnostiques
est comme extrait et dégagé de la matière en laquelle il
était jusque là enseveli.

P. 187, n. 1. — « Et que vaut le propos qu'ils tiennent —
perfection et formation ? » Ποῖος δὲ καὶ ὁ περὶ τοῦ σπέρματος
αὐτῶν λόγος, συνειλῆφθαι μὲν αὐτὸ κατὰ τὴν ἰδέαν τῶν περὶ τὸν
Σωτῆρα Ἀγγέλων ὑπὸ τῆς Μητρὸς ἄμορφον καὶ ἀνείδεον καὶ ἀτελῆ,
κατατεθεῖσθαι δὲ εἰς τὸν Δημιουργόν, μὴ εἰδότος αὐτοῦ, ἵνα, δι' αὐτοῦ
εἰς τὴν ἀπ' αὐτοῦ ψυχὴν σπαρέν, τελείωσιν καὶ μόρφωσιν ἀπολάβῃ ;
Simple reprise, souvent littérale, d'expressions figurant
en I, 4, 5 et I, 5, 6.

P. 187, n. 2. — « Comment aurait-il ignoré cette semence —
puisqu'elle n'est qu'un pur néant », Πῶς γὰρ ἠγνόησεν
αὐτό, εἰ οὐσίαν τινὰ καὶ ποιότητα ἰδίαν ἔσχε τὸ σπέρμα ; Εἰ δὲ ἀνούσιον
καὶ ἄποιον καὶ οὐδὲν ὑπῆρχεν, εἰκότως ἠγνόησεν αὐτό. Τὰ γὰρ ἰδίαν
τινὰ πρᾶξιν καὶ ποιότητα ἤτοι θερμότητος ἢ ὠκύτητος ἢ γλυκύτητος
ἔχοντα ἢ λαμπρότητός τινος διαφορὰν οὐκ ἂν οὐδὲ τοὺς ἀνθρώπους
λανθάνοι, ἀνθρώπους ὄντας, μήτι γε τὸν Δημιουργὸν τοῦδε τοῦ παντὸς

Θεόν, παρ' ᾧ δικαίως οὐκ ἔστιν ἐγνωσμένον τὸ σπέρμα αὐτῶν, ἅτε ἄποιον πάσης ὠφελείας καὶ ἀνούσιον πάσης πράξεως καὶ τὸ καθόλου μηδὲν ὑπάρχον.

La restitution de ce passage pose plusieurs problèmes :

1. Que peut signifier le latin « motionem » (ligne 19) ? Ne serait-il pas la corruption de « actionem » ? Voir quelques lignes plus loin, à la fin de cette même phrase : « ... cum sit sine *qualitate* uniuersae utilitatis et sine substantia omnis *actionis* ... »

2. Les mots « cum sint cum hominibus » font difficulté. On peut traduire, non sans d'ailleurs solliciter quelque peu le texte : « puisque tout cela se trouve au niveau des hommes », mais, même interprétée de la sorte, cette incise ne satisfait pas pleinement. Ne faudrait-il pas supposer une corruption textuelle et restituer : « cum sint tantum homines », ou, tout simplement : « cum sint homines » ? Voir II, 18, 6 : « Nec enim ipsi, *cum sint homines*, ... dicunt... » C'est cette correction que fait implicitement le P. Sagnard, lorsqu'il traduit par : « ... bien qu'ils ne soient que des hommes » (*La Gnose valentinienne* ..., p. 272).

3. Les mots « in tantum abest ut » semblent traduire l'expression μήτι γε, qui signifie « combien plus », « à plus forte raison ». Traduction maladroite, certes, à moins que nous n'ayons affaire à une nouvelle corruption et qu'il faille lire « <qu>ant<o> ma<gi>s ». Voir une phrase analogue à la nôtre en II, 2, 1 : « hoc autem ne homini quidem sollerti applicet quis, *quanto magis* Deo », avec note très pertinente de Harvey signalant ce texte d'Épiphane : Τοῦτο γὰρ οὐκ ἂν οὐδὲ ἐπὶ ἀνθρώπου λαμβάνοιτο παρά τινι τῶν ἐχόντων ἐρρωμένην τὴν διάνοιαν, μήτι γε ἐπὶ Θεοῦ, « Car un tel langage ne pourrait être accepté, même s'il s'agissait d'un homme, par quelqu'un de ceux qui ont l'esprit solide, à plus forte raison s'il s'agit de Dieu » (*Panarion*, haer. 33, 2. Holl, p. 449, 7-9).

P. 189, n. 1. — « Ils vont en effet jusqu'à prétendre — des enseignements sensibles », ... τοσοῦτον ὥστε ἑαυτοὺς λέγειν διὰ τὴν τοῦ σπέρματος οὐσίαν γινώσκειν τὸ πνευματικὸν Πλήρωμα, τοῦ ἔσω ἀνθρώπου δεικνύντος αὐτοῖς τὸν ἀληθινὸν Πατέρα · δεῖν γὰρ τῷ ψυχικῷ αἰσθητῶν παιδευμάτων.

L'expression ὁ ἔσω ἄνθρωπος est paulinienne (cf. *Rom.* 7, 22 ; *Éphés.* 3, 16). Elle est reprise par les Marcosiens pour désigner l'élément pneumatique qu'ils se flattent de posséder

en eux et qu'ils considèrent comme constituant leur être
véritable, les éléments psychique et hylique n'étant que des
enveloppes provisoires et destinées à être abandonnées au
moment de la rentrée dans le Plérôme (cf. I, 13, 2 ; I, 21, 4 ;
I, 21, 5). En plus du présent passage, la même expression
paulinienne, entendue au sens gnostique qui vient d'être
dit, reviendra encore en II, 30, 7 (deux fois), en V, 19, 2
et en V, 31, 2.

Sur la nécessité d'un enseignement sensible pour les
« psychiques », cf. I, 6, 1 : ἔδει γὰρ τῷ ψυχικῷ καὶ αἰσθητῶν
παιδευμάτων (pour la correction τῷ ψυχικῷ, cf. SC 263, p. 201-
204). Dans le présent passage, le raisonnement d'Irénée
doit se comprendre de la manière suivante : « S'il faut en
croire les hérétiques, eux-mêmes n'ont besoin, pour connaître
le Père transcendant, que de leur ' homme intérieur ',
autrement dit de l'étincelle pneumatique qui constitue leur
vrai moi ; *mais il en va tout autrement pour les ' psychiques '*,
CAR, pour atteindre au seul salut dont ils sont capables,
ils ont besoin d'un enseignement sensible et extérieur. »

P. 191, n. 1. — « Tout aussi inconsistante est l'assertion —
que ne fut leur lumière paternelle », "Ετι τε ματαιότατον
τὸ λέγειν αὐτοὺς ἐν ταύτῃ τῇ καταθέσει μορφοῦσθαι αὐτὸ καὶ αὔξεσθαι
καὶ ἕτοιμον γίνεσθαι εἰς ὑποδοχὴν τοῦ τελείου Λόγου. "Εσται γὰρ
αὐτῷ ἡ τῆς ὕλης προσπλοκή, ἣν ἐξ ἀγνοίας καὶ ὑστερήματος θέλουσιν
ἐσχηκέναι σύστασιν, χρησιμωτέρα τοῦ πατρικοῦ φωτὸς αὐτῶν, εἴπερ
τὸ κατὰ τὴν ἐκείνου θεωρίαν γεννηθὲν ἄμορφον καὶ ἀνείδεον ἐγένετο.
ἐκ δὲ ταύτης μόρφωσιν καὶ εἶδος καὶ αὔξησιν καὶ τελείωσιν προσέλαβεν,
Εἰ γὰρ τὸ ἀπὸ τοῦ Πληρώματος φῶς αἴτιον ἐγένετο τῷ πνευματικῷ
τοῦ μήτε μορφὴν μήτε εἶδος μήτε μέγεθος ἔχειν ἴδιον, ἡ δὲ ὧδε κάθοδος
ταῦτα πάντα προσέθηκεν αὐτῷ καὶ εἰς τελείωσιν ἤγαγεν, πολλῷ
χρησιμωτέρα φανήσεται ἡ ἐνθάδε ἀναστροφή, ἣν καὶ σκότος λέγουσιν,
τοῦ πατρικοῦ φωτὸς αὐτῶν.

Pour l'intelligence de ce passage, voir le Livre I, notamment I, 5, 6, dont Irénée reprend nombre d'expressions
caractéristiques.

Un problème est soulevé par les mots « multo operabilior
et utilior uidebitur » (lignes 65-66 du texte latin). Le mot
« operabilior » figure dans tous les manuscrits latins, mais
le parallélisme manifestement intentionnel avec les mots
« aptior et utilior » qui se lisent dans la phrase précédente
(ligne 57) invite à considérer « operabilior » comme la corruption de « aptabilior ».

On peut faire un pas de plus, semble-t-il, et considérer les expressions parallèles « aptior et utilior » et « <apt>abilior et utilior » comme deux doublets traduisant le grec χρησιμωτέρα. C'est ce que donne à penser la comparaison avec deux passages ultérieurs de la version latine pour lesquels la confrontation du latin et de l'arménien permet une rétroversion sûre. En effet, en IV, 13, 3, le latin « aptum te in omnibus et utilem proximo praestans » traduit ἐν πᾶσι χρησιμεύων τῷ πλησίον, et, en V, 29, 1, les mots « in tantum utiles et aptabiles iustis » sont la traduction de τοσοῦτον χρησιμεύοντα τοῖς δικαίοις. Cf. SC 152, p. 330, note justif. P. 365, n. 1.

P. 193, n. 1. — « N'aurait-il pas eu l'heur de lui plaire, et serait-ce pour ce motif qu'elle n'est pas devenue grosse à sa vue ? », Μὴ οὐκ ἤρεσεν αὐτῇ οὗτος, καὶ διὰ τοῦτο οὐκ ἐνεκίσσησεν εἰς αὐτόν ;

En écrivant ces derniers mots, Irénée ne fait que reprendre l'expression même dont il s'est servi en I, 4, 5 : Τὴν δὲ Ἀχαμὼθ ... συλλαβοῦσαν τῇ χαρᾷ τῶν σὺν αὐτῷ φώτων τὴν θεωρίαν ... καὶ ἐγκισσήσασαν εἰς αὐτούς, κεκυηκέναι καρποὺς κατὰ τὴν ἐκείνων εἰκόνα ..., « Quant à Achamoth..., ayant conçu, de joie, la vision des Lumières qui étaient avec le (Sauveur) ... et étant devenue grosse à leur vue, elle enfanta des fruits à l'image de ces (Anges) ... » Cf. SC 263, p. 193-194.

P. 195, n. 1. — « Pourquoi encore, alors qu'elle était pneumatique — mais lui qui nous rend meilleurs », Τί δέ, πνευματικὸν ὑπάρχον, χρείαν ἔσχεν εἰς τὴν σάρκα κατελθεῖν ; Ἡ γὰρ σὰρξ προσδεῖται τοῦ πνευματικοῦ, εἴ γε μελλήσει σῴζεσθαι, ἵνα ἐν αὐτῷ ἁγιασθῇ καὶ δοξασθῇ καὶ καταποθῇ τὸ θνητὸν ὑπὸ τῆς ἀθανασίας, τὸ δὲ πνευματικὸν τὸ καθόλου οὐ χρείαν ἔχει τῶν ἐνθάδε · οὐ γὰρ ἡμεῖς ἐκεῖνο, ἀλλ' ἐκεῖνο ἡμᾶς βελτίους ποιεῖ.

La portée de ce passage ne se révèle pleinement que si on le rapproche des pages du Livre V en lesquelles Irénée rétablira, à l'encontre des déformations gnostiques, la vraie nature de l'Esprit : non on ne sait quelle parcelle de divinité momentanément égarée dans un monde de matière et constituant le véritable « moi » d'un petit lot de privilégiés assurés automatiquement de leur salut, mais le don de l'Esprit Saint lui-même gratuitement offert à la libre acceptation de tous les hommes pour être en eux, plus intime à eux qu'eux-mêmes, le principe d'une vie nouvelle,

sainte et incorruptible, vie qui est une réelle communion
à celle de Dieu lui-même et dont la plus éclatante manifestation ici-bas est l'acte par lequel les martyrs endurent les
souffrances et la mort pour demeurer fidèles à Dieu (cf.
V, 6, 1 ; V, 9, 1-2 …). Ce que, dans le présent passage du
Livre II, Irénée appelle « l'élément pneumatique », τὸ
πνευματικόν, c'est ce que, en V, 9, 1, il présentera comme
la troisième « composante » de l'homme parfait et spirituel,
à savoir l'Esprit Saint lui-même, les deux premières composantes étant la chair et l'âme. Les rôles respectifs de l'élément spirituel et de l'élément charnel sont déjà ici ce qu'ils
seront au cours du Livre V : l'Esprit communique ce qui
lui appartient en propre, vie, sainteté et gloire, tandis que
la chair, qui n'a par elle-même rien de toutes ces choses,
ne peut que les recevoir de la libéralité de l'Esprit.

Ainsi, parmi les longues argumentations « ad hominem »
dans lesquelles il souligne impitoyablement les contradictions et les incohérences des théories hérétiques, Irénée ne
peut s'empêcher, dirait-on, d'esquisser de-ci de-là comme de
fugitives anticipations de la doctrine qu'il exposera *ex pro-
fesso* dans les Livres suivants.

P. 195, n. 2. — « La fausseté de leur doctrine sur la
semence — des rois et des prêtres », Ἔτι δὲ φανερώτερον ὁ
περὶ τοῦ σπέρματος αὐτῶν λόγος ἐλέγχεται ψευδής, <ὡς> καὶ ὑπὸ
τοῦ τυχόντος καθορᾶσθαι δύναται, ἐν τῷ λέγειν αὐτοὺς τὰς ἐσχηκυίας
ἀπὸ τῆς Μητρὸς τὸ σπέρμα ψυχὰς ἀμείνους τῶν λοιπῶν γεγονέναι,
διὸ καὶ τετιμῆσθαι ὑπὸ τοῦ Δημιουργοῦ καὶ <εἰς> ἄρχοντας καὶ
βασιλεῖς καὶ ἱερεῖς τετάχθαι.

Sur ce point particulier de la doctrine hérétique, cf. I, 7, 3.
Sans doute faut-il corriger le texte latin à la ligne 125 et
lire : « et <in> principes et reges et sacerdotes ordinatas
esse », conformément à la phrase parallèle qui se lit en I, 7, 3 :
« Quapropter et *in* prophetas, aiunt, distribuebat eas et
sacerdotes et reges », Διὸ καὶ εἰς προφήτας, φασίν, ἔτασσεν
αὐτὰς καὶ ἱερεῖς καὶ βασιλεῖς.

P. 197, n. 1. — « C'est de la même manière que nous
avons procédé — le caractère inconsistant de leur voie »,
τὸν αὐτὸν τρόπον καὶ ἡμεῖς, οὐκ ἐλάχιστον μέρος ἀλλὰ τὰ συνεκτικώτατα
τῆς ὑποθέσεως αὐτῶν διαλύσαντες κεφάλαια, πᾶσι τοῖς μὴ ἀπατηθῆναι
εἰδότως βουλομένοις τὸ πονηρὸν καὶ δόλιον καὶ πλάνον καὶ βλαβερὸν
τῆς τῶν ἀπὸ Οὐαλεντίνου σχολῆς καὶ τῶν λοιπῶν αἱρετικῶν τῶν τὸν

Δημιουργὸν καὶ Ποιητὴν τοῦδε τοῦ παντὸς μόνον ὄντα Θεὸν κακου-
χουμένων ἐπεδείξαμεν, διαλυτὴν αὐτῶν τὴν ὁδὸν φανερώσαντες.

Avec Billius, nous croyons qu'il convient de lire, aux lignes
150-152, « ea quae sunt *maxime* continentia ... capitula »,
traduction transparente de τὰ συνεκτικώτατα ... κεφάλαια.
Il semble également que, à la ligne 152, il faille lire
« scienter » (= εἰδότως) plutôt que « scientes ». On notera
enfin, aux lignes 155-156, les mots « Demiurgum, id est
Fabricatorem », doublet traduisant τὸν Δημιουργόν.

P. 199, n. 1. — « autre enfin le Sauveur — à cause de
cette déchéance », καὶ ἄλλον τὸν Σωτῆρα, ὃν οὐδὲ ὑπὸ τοῦ Πατρὸς
τῶν ὅλων, ἀλλ' ὑπὸ τῶν ἐν ὑστερήματι γενομένων Αἰώνων συνηρανίσθαι
λέγουσι καὶ ἀναγκαίως διὰ τὸ ὑστέρημα προβεβλῆσθαι.
Le latin « collatum et congestum » est un doublet traduisant συνηρανίσθαι. Cf. I, 2, 6 : ... καὶ ... ἕνα ἕκαστον
τῶν Αἰώνων ὅπερ εἶχεν ἐν ἑαυτῷ κάλλιστον καὶ ἀνθηρότατον
συνενεγκαμένους καὶ συνερανισαμένους ... προβαλέσθαι ...
τέλειον καρπὸν τὸν Ἰησοῦν ... Le verbe συνερανίζω signifie
« rassembler au moyen d'une quête ou d'une cotisation ».
L'expression veut souligner le caractère quelque peu
burlesque que revêt, aux yeux d'Irénée, la production du
« Sauveur » gnostique. Cf. également *infra*, II, 21, 2.

P. 199, n. 2. — « l'univers eût été dépourvu de ces si grands
biens », ἀλλ' ἐγένετο τὰ πάντα ἔρημα τῶν τοσούτων ἀγαθῶν. Le
latin « deserta ac destituta » est un doublet traduisant
ἔρημα.

P. 201, n. 1. — « au moyen des paraboles et des actions
du Seigneur », τάς τε παραβολὰς καὶ τὰς πράξεις τοῦ Κυρίου.
L'expression τάς τε παραβολὰς καὶ τὰς πράξεις est un
hendiadys : il s'agit des « *actions* du Seigneur ayant une
valeur de *paraboles* », c'est-à-dire susceptibles de faire
connaître, à travers et au-delà de leur aspect visible, une
réalité invisible qu'elles représentent de quelque façon
(cf. *supra*, p. 226, *note justif. P. 87, n. 2*). Ainsi, selon les
Valentiniens, lorsque le Seigneur laisse s'écouler trente
années avant de venir au baptême du Jourdain, il accomplit
une parabole en acte : il pose un geste symbolique sous lequel
les initiés peuvent reconnaître une manifestation des trente
Éons de leur Plérôme. De même, lorsque le Seigneur choisit
douze apôtres, il accomplit une nouvelle parabole en acte,
par laquelle il révèle obscurément la Dodécade.

Mais — notons-le dès à présent pour la clarté — il n'y
aura pas que des actes du Christ à être désignés du nom de
paraboles dans la suite de cette troisième partie, car, selon
les Marcosiens, le monde créé contient, lui aussi, des « paraboles » au sens tout à fait général qui vient d'être dit.

Ainsi
le fait que l'année compte douze mois et le fait que le mois
compte trente jours sont pour eux des paraboles : lorsque,
par l'entremise du Démiurge, la Mère faisait en sorte que la
durée du monde fût structurée de cette manière-là, elle
ménageait, à l'intention de ceux qui seraient capables de
la percevoir, une mystérieuse révélation de la Dodécade et
de la Triacontade.

Sur cette signification du terme παραβολή, voir I, 3, 6 :
... ἀλλὰ καὶ ἐκ νόμου καὶ προφητῶν, ἄτε πολλῶν παραβολῶν καὶ ἀλληγοριῶν εἰρημένων ... (cf. note justif. i.h.l.) ;
voir aussi II, 22, 1 : «... prophetae in parabolis et allegoriis et
non secundum sonum ipsarum dictionum plurima dixe-
runt ... »

P. 201, n. 2. — « Ils tentent, en effet, de prouver — après
son baptême », ῝Ο γὰρ περὶ τὸν δωδέκατον Αἰῶνα λέγουσι γεγονέναι
πάθος πειρῶνται ἀποδεῖξαι τῷ τὸ τοῦ Σωτῆρος πάθος ὑπὸ τοῦ δωδε-
κάτου τῶν ἀποστόλων γενέσθαι καὶ ἐν τῷ δωδεκάτῳ μηνί · ἐνιαυτῷ
γὰρ ἑνὶ βούλονται αὐτὸν μετὰ τὸ βάπτισμα κεκηρυχέναι. Reprise,
souvent littérale, du début de I, 3, 3.

P. 201, n. 3. — « Mais c'est aussi dans la femme qui
souffrait — et se dégagea de la passion », Ἀλλὰ καὶ ἐπὶ
ἐκείνης τῆς αἱμορροούσης σαφῶς λέγουσι δεδηλῶσθαι · δώδεκα γὰρ
ἔτη ἔπαθεν ἡ γυνή, καὶ ἁψαμένη τοῦ κρασπέδου τοῦ Σωτῆρος ἐθερα-
πεύθη ὑπὸ τῆς ἐξελθούσης τοῦ Σωτῆρος Δυνάμεως, ἣν προϋπάρχειν
λέγουσιν · ἡ γὰρ παθοῦσα Δύναμις, ἐκτεινομένη καὶ εἰς ἄπειρον
ῥέουσα ὥστε κινδυνεύειν εἰς τὴν ὅλην οὐσίαν ἀναλυθῆναι, μετὰ τὸ
ψαῦσαι τῆς πρώτης Τετράδος, ἥτις διὰ τοῦ κρασπέδου μηνύεται,
ἔστη καὶ τοῦ πάθους ἐπαύσατο.

Reprise, le plus souvent littérale, de la deuxième partie
de I, 3, 3. On notera l'ambivalence du terme Δύναμις
dans le présent passage et déjà en I, 3, 3 : d'une part, la
« Puissance » sortie du Sauveur et préexistante à celui-ci est
« Limite », qui, comme il est dit en I, 3, 3, opéra la guérison
de « Sagesse » ; d'autre part, la « Puissance » tombée en
passion est « Sagesse » elle-même, le 30e Éon du Plérôme.

P. 203, n. 1. — « Car l'Éon prétendument représenté par Judas, une fois séparée de lui son Enthymésis, a été rétabli dans son rang », Ὁ γὰρ Αἰών, οὗ τύπον τὸν Ἰούδαν λέγουσιν εἶναι, χωρισθείσης αὐτοῦ τῆς Ἐνθυμήσεως, ἀποκατεστάθη. Les mots « restituta est siue reuocata » constituent un doublet traduisant ἀποκατεστάθη. Cf. I, 2, 4 : ... φασὶ κεκαθάρθαι ... τὴν Σοφίαν καὶ ἀποκατασταθῆναι τῇ συζυγίᾳ = «... dicunt mundatam ... Sophiam et *restitutam* coniug<ation>i ; I, 2, 5 : ... τήν τε Μητέρα αὐτῆς ἀποκατασταθῆναι τῇ ἰδίᾳ συζυγίᾳ = «... et Mater eius *redintegrata* suae coniugationi ». Voir aussi SC 152, p. 341, *note justif. P. 421, n. 1.*
Noter la curieuse traduction de Ὁ ... Αἰὼν ... ἀποκατεστάθη par « Aeon ... *restituta* est siue *reuocata* ». Sans doute les féminins peuvent-ils s'expliquer par un accord avec l'idée, le mot « Aeon » désignant ici Sophia ; mais ce même mot « Aeon » revient à de multiples reprises dans le présent paragraphe et, quoique désignant toujours Sophia, voit maintenus au masculin tous les mots se rapportant à lui.

P. 203, n. 2. — « a été émis », προβεβλῆσθαι. Le latin « prolatum siue emissum » est encore un doublet.

P. 203, n. 3. — « Au reste, de leur propre aveu — eux-mêmes le reconnaissent », Ἔτι τε αὐτὸν μὲν τὸν Αἰῶνα πεπονθέναι λέγουσιν, Ἰούδαν δὲ γεγονέναι προδότην · ὅτι γὰρ ὁ Χριστὸς ἦλθεν ἐπὶ τὸ πάθος, καὶ οὐχὶ Ἰούδας, καὶ αὐτοὶ ὁμολογοῦσιν.
Comme en maint autre endroit, le latin « autem » (ligne 30) ne peut être que la corruption de « enim », car la phrase en question fournit la justification de ce qui la précède immédiatement. Mais le mot « patiens » (même ligne) n'est pas davantage en situation. En effet, s'il faut en croire le texte des manuscrits, « c'est *en souffrant la Passion* que le Christ est venu à la Passion ». Peut-on raisonnablement mettre cette ineptie sur le compte d'Irénée ? On lira donc sans hésiter : « *quoniam* enim Christus uenit ad passionem ..., et ipsi confitentur », ce qui donne une proposition aussi simple qu'impeccablement construite.

P. 205, n. 1. — « notre Seigneur le Christ, au contraire — à l'incorruptibilité », ὁ δὲ Κύριος ἡμῶν Χριστὸς ἔπαθε πάθος στερεὸν καὶ ἀνένδοτον, οὐ μόνον αὐτὸς οὐ κινδυνεύσας διαφθαρῆναι, ἀλλὰ καὶ τὸν διαφθαρέντα ἄνθρωπον στερεώσας τῇ ἰσχύϊ αὐτοῦ καὶ εἰς ἀφθαρσίαν ἀναγαγών.

Les mots πάθος στερεὸν καὶ ἀνένδοτον pourraient n'être pas sans rapport avec un passage des *Extraits de Théodote*, en lequel Clément d'Alexandrie montre comment les Valentiniens se contredisent eux-mêmes en introduisant la « passion » dans une nature qu'ils prétendent « solide et sans fléchissement » : Ὁ γὰρ συνεπάθησεν ὁ Πατήρ, « στερεὸς ὢν τῇ φύσει », φησὶν ὁ Θεόδοτος, « καὶ ἀνένδοτος », ἐνδόσιμον ἑαυτὸν παρασχών, ἵνα ἡ Σιγὴ τοῦτο καταλάβη, πάθος ἐστίν (*Extraits...*, 30, 1. Éd. Sagnard, *SC* 23, p. 124). Tentons une traduction littérale : « Ce que le Père a éprouvé comme ' com-passion ' — alors qu'il est, dit Théodote, ' *ferme* par nature et *sans fléchissement* ' —, en s'infléchissant lui-même pour que Silence saisisse ce (qu'elle a saisi), c'est une ' passion ' ».

Les mêmes expressions évoquent aussi ce passage de la « Lettre des Églises de Vienne et de Lyon aux Églises d'Asie et de Phrygie » : « Les (lames rougies au feu) brûlaient, mais (Sanctus) demeurait inflexible et *inébranlable*, *ferme* pour confesser sa foi (ἀνεπίκαμπτος καὶ ἀνένδοτος, στερρὸς πρὸς τὴν ὁμολογίαν)... » (Eusèbe, *Hist. eccl.*, V, 1, 22).

P. 205, n. 2. — « un fruit... faible », καρπὸν ... ἀσθενῆ. Le latin « inualidum et infirmum » est un doublet. Le même doublet s'est déjà rencontré en II, 5, 3.

Cf. I, 2, 4 : **Καὶ διὰ τοῦτο καρπὸν ἀσθενῆ καὶ θῆλυν αὐτὴν λέγουσιν.** Latin : « Et propter hoc fructum eius infirmum et femineum dicunt ».

P. 207, n. 1. — « être unie selon la syzygie », ἐνωθῆναι κατὰ συζυγίαν. On lira, dans le latin, « coniugationem » plutôt que « coniugationes ». L'expression κατὰ συζυγίαν est courante en langage gnostique pour exprimer la manière dont sont unis un Éon mâle et l'Éon femelle qui lui correspond. Cf., par exemple, I, 1, 1 : **πρῶτον τὸν Προπάτορα ἡνῶσθαι κατὰ συζυγίαν τῇ ἑαυτοῦ Ἐννοίᾳ** = « initio Propatorem illum coisse *secundum coniugationem* suae Ennoeae ».

P. 209, n. 1. — « Et s'ils disent que Judas figure — ne peuvent les figurer », Εἰ δὲ οὐ τῆς χωρισθείσης ἀπὸ τοῦ Αἰῶνος Ἐνθυμήσεως λέγουσιν Ἰούδαν εἶναι τύπον, ἀλλὰ τοῦ ἐπιπλεκομένου αὐτῇ πάθους, οὐδ' οὕτως οἱ δύο τῶν τριῶν δύνανται εἶναι τύπος.

Ἐνταῦθα γὰρ Ἰούδας ἐξεβλήθη καὶ Ματθίας ἀντὶ αὐτοῦ ἐτάχθη, ἐκεῖ δὲ Αἰὼν κινδυνεύσας ἀναλυθῆναι καὶ ἀπολέσθαι λέγεται καὶ Ἐνθύμησις καὶ πάθος · χωρὶς γὰρ καὶ τὴν Ἐνθύμησιν ἀπὸ τοῦ πάθους διακρίνουσιν, καὶ ποιοῦσι τὸν μὲν Αἰῶνα ἀποκατασταθῆναι, τὴν δὲ Ἐνθύμησιν μορφωθῆναι, τὸ δὲ πάθος ἀπὸ τούτων χωρισθὲν εἶναι τὴν ὕλην. Τριῶν οὖν ὄντων τούτων, Αἰῶνός τε καὶ Ἐνθυμήσεως καὶ πάθους, Ἰούδας καὶ Ματθίας, δύο ὄντες, οὐ δύνανται τύπος εἶναι.

A la ligne 93 du texte latin, tous les manuscrits ont la leçon « duodecim ». Erreur de transmission dans le grec, ou distraction du traducteur, ou bévue d'un copiste latin ? Toujours est-il que la cohérence du raisonnement nécessite la restitution δύο. Voir notamment la dernière phrase du paragraphe, par laquelle se conclut l'argumentation : « Tribus ITAQUE exsistentibus his, Aeone et Enthymesi et passione, Iudas et Matthias, *duo* exsistentes, non possunt typus esse ». Chose curieuse, les éditeurs ne paraissent pas avoir remarqué l'anomalie.

Par ailleurs, il semble que les mots « numerus duo [ ] numero trium » n'aient d'autre substrat grec que οἱ δύο τῶν τριῶν. On peut voir, en I, 14, 5, ὁ τῶν ἑπτά traduit par « is qui est *numeri* VII », et, en I, 14, 7, μέσος τῶν ἑπτά traduit par « medium *numeri* VII ».

P. 209, n. 2. — « Le Sauveur pouvait cependant — par le nombre des apôtres pris comme figure », ... δυναμένου τοῦ Σωτῆρος, εἴ γε τοὺς ἀποστόλους διὰ τοῦτο ἐξελέξατο ἵνα δι' αὐτῶν δείξῃ τοὺς ἐν τῷ Πληρώματι Αἰῶνας, καὶ ἄλλους δέκα ἀποστόλους ἐκλέξασθαι, ἵνα δείξῃ τὴν δευτέραν Δεκάδα, καὶ πρὸ τούτων καὶ ἄλλους ὀκτώ, ἵνα τὴν ἀρχέγονον καὶ πρώτην δείξῃ Ὀγδοάδα διὰ τοῦ τῶν ἀποστόλων ἀριθμοῦ τύπου γινυμένου.

La fin de la phrase latine (lignes 13-14) comporte ces mots manifestement aberrants : « possint ostendere neque secundae Decade ». Reprenant, en la modifiant, une hypothèse de Massuet, nous proposons d'y voir un membre de phrase accidentellement déplacé et quelque peu altéré. Nous proposons de reconstituer la phrase comme suit : « ... cum possit Saluator ... et alios decem apostolos eligere, <ut> ostend<at> secunda<m> Decade<m>, et ante hos quoque alios octo, ut illam principalem et primam ostendat Ogdoadem per apostolorum numerum typum factum ».

P. 211, n. 1. — « Nous ne pouvons non plus passer Paul sous silence — a été rassemblé en lui », Ἀλλ' οὐδὲ περὶ

Παύλου σιωπητέον, ἀλλ᾿ ἀπαιτητέον παρὰ τούτων εἰς τίνος Αἰῶνος
τύπον ὁ Ἀπόστολος ἡμῖν παρεδόθη, εἰ μήτι εἰς τὸν τοῦ συνθέτου αὐτῶν
Σωτῆρος τοῦ καὶ ἐκ πάντων συνηρανισμένου, ὃν καὶ Πάντα καλοῦσι
διὰ τὸ ἀπὸ πάντων εἶναι, περὶ οὗ καὶ Ἡσίοδος ὁ ποιητὴς λαμπρῶς
ἐμήνυσε, Πανδώραν ὀνομάσας αὐτὸν διὰ τὸ ἐκ πάντων κάλλιστον
δῶρον ἐν αὐτῷ συνενηνέχθαι.

Pour plus de détails sur la formation du « Sauveur »
valentinien, cf. I, 2, 6. Les mots « id est omnium munus »
(lignes 35-36) sont évidemment une glose du traducteur
destinée à faire connaître à des lecteurs latins la signification
étymologique du mot Πανδώρα.

P. 213, n. 1. — « Et c'est bien à propos des hérétiques —
des démangeaisons d'oreille », Ἐφ᾿ ὧν ὁ λόγος οὗτος · « Ἑρμῆς
αἱμυλίους τε λόγους καὶ ἐπίκλοπον ἦθος ἐς αὐτοὺς κάθετο », πρὸς
τὸ ἐξαπατῆσαι τοὺς μωροὺς τῶν ἀνθρώπων, ἵνα πιστεύσωσι τοῖς
πλάσμασιν αὐτῶν. Ἡ γὰρ Μήτηρ, τουτέστι Λητώ, λεληθότως ἐκίνησεν
αὐτούς, μὴ εἰδότος τοῦ Δημιουργοῦ, τοῦ ἐξαγγεῖλαι τὰ βαθέα καὶ
ἄρρητα μυστήρια τοῖς κνηθομένοις τὴν ἀκοήν.

On aura noté la phrase latine inintelligible : « In quibus
ratio haec est » (lignes 37-38). Il suffit de replacer les mots
grecs sous le latin pour que tout s'éclaire : Ἐφ᾿ ὧν ὁ λόγος
οὗτος, « C'est à leur propos que cette parole (a été dite) ».
Par ailleurs, comme l'ont fait remarquer déjà les éditeurs
antérieurs, le traducteur latin a quelque peu glosé le texte
qu'il traduisait : il est clair, par exemple, qu'Irénée n'avait
aucune raison d'expliquer à des lecteurs grecs la signification
étymologique qu'il rattachait au mot Λητώ (lignes 44-46),
la simple juxtaposition des mots Λητώ et λεληθότως suffisant
à leur faire tout comprendre. Signalons encore le doublet
« fraudulentiae siue seductionis » (lignes 40-41) traduisant le
mot αἱμυλίους.

P. 213, n. 2. — « Et ce n'est pas seulement par l'entremise
d'Hésiode — et du même esprit qu'eux », Καὶ οὐ μόνον
δι᾿ Ἡσιόδου τοῦτο ἐνήργησεν ἡ Μήτηρ αὐτῶν τὸ μυστήριον λεχθῆναι,
ἀλλὰ καὶ ἐν τοῖς Πινδάρου λυρικοῖς, σοφῶς σφόδρα, ἵνα κρύψῃ ἀπὸ τοῦ
Δημιουργοῦ, ἐπὶ Πέλοπος, οὗ ἡ σὰρξ εἰς μέρη ὑπὸ τοῦ πατρὸς διῃρέθη
καί, ὑπὸ πάντων τῶν θεῶν συναχθεῖσά τε καὶ κομισθεῖσα καὶ συμπα-
γεῖσα, τὴν Πανδώραν τούτῳ τῷ τρόπῳ ἐμήνυσεν · ἀφ᾿ ἧς καὶ οὗτοι
κατεστιγμένοι, τὰ αὐτὰ κατ᾿ αὐτοὺς λέγοντες, τοῦ αὐτοῦ γένους καὶ
πνεύματός εἰσιν αὐτοῖς.

Tous les éditeurs antérieurs ont adopté la leçon « ... sed et
Pindari lyrici » (ligne 49), qui est celle de tous les manuscrits,

sauf A. Ils voient dans « Pindari » la transposition brutale
d'un génitif grec dépendant de διά et comprennent :
«… non seulement par Hésiode …, mais aussi par le poète
lyrique Pindare ». Cette hypothèse offre un sens excellent,
certes. Cependant elle se heurte à la difficulté suivante :
si le substrat grec était οὐ μόνον δι᾽ Ἡσιόδου …, ἀλλὰ καὶ
διὰ Πινδάρου τοῦ λυρικοῦ — car, aussi bien en grec qu'en
français, la répétition de la préposition s'imposait —, on
voit mal comment le traducteur aurait pu traduire autrement que par « non solum per Hesiodum …, sed et per
Pindarum lyricum ». Le génitif « Pindari » ne pouvait que
faire l'effet d'un monstre grammatical et devait être inintelligible pour des oreilles latines.

Pour cette raison, nous n'hésitons pas à nous ranger à
la proposition de Löfstedt, reprise par Lundström (Studien …,
I, p. 52). Il s'agit d'adopter la leçon de A, sauf à y introduire
une légère correction, ce qui donne : «… sed et in Pindari
lyricis », «… mais aussi dans les poèmes lyriques de Pindare ».
Le sens ainsi obtenu est tout aussi excellent, sinon davantage.
Noter la tournure très grecque ἐν τοῖς Πινδάρου λυρικοῖς …
ἐπὶ Πέλοπος …, « dans les poèmes lyriques de Pindare…,
à l'épisode de Pélops »). Cf. Mc 12, 26 : ἐν τῇ βίβλῳ
Μωϋσέως, ἐπὶ τοῦ βάτου, « dans le livre de Moïse, à l'histoire
du Buisson ».

Autre problème : la relative « ex qua et isti compuncti … »
semble, de prime abord, se rapporter à « Pandora » qui
précède immédiatement. Mais Lundström (op. cit.) croit
devoir la rattacher, par-delà toutes les subordonnées, à
« Mater », sujet de la phrase principale dominant toute la
période ; « compungere » équivaudrait ici à « stimulare »
ou « commouere ». On doit donner raison à cette vue de
Lundström : c'est parce qu'ils sont poussés, inspirés par la
« Mère », que les hérétiques ne font que reprendre l'histoire
de Pandore, emboîtant ainsi le pas à ces deux poètes qui
parlaient déjà sous l'inspiration de cette même « Mère ».

P. 221, n. 1. — « Au surplus, s'il n'avait que trente ans —
il le paraissait aussi », Τριακονταέτης μὲν τυγχάνων ὅτε ἦλθε
ἐπὶ τὸ βάπτισμα, ἔπειτα τὴν τοῦ διδασκάλου ἡλικίαν τελείαν ἔχων
ἦλθεν εἰς Ἰερουσαλήμ, ὥστε ὑπὸ πάντων εἰκότως ἀκούειν διδάσκαλον ·
οὐ γὰρ ἄλλο ἐφαίνετο καὶ ἄλλο ἦν, ὥς φασιν οἱ τὴν δόκησιν εἰσάγοντες,
ἀλλ᾽ ὅπερ ἦν, τοῦτο καὶ ἐφαίνετο.
Le latin « ut … audiret magister » n'est rien d'autre qu'une
traduction servile du grec ὥστε … ἀκούειν διδάσκαλον. L'ex-

pression ἀκούω διδάσκαλος est courante en grec pour signifier :
« je m'entends appeler maître », « je passe pour un maître »,
« j'ai la réputation d'un maître »...

P. 221, n. 2. — « Étant donc maître — par la ressemblance
que nous avons avec lui », Διδάσκαλος οὖν ὤν, καὶ τὴν τοῦ διδασκάλου εἶχεν ἡλικίαν, μὴ ἀποβάλλων μηδὲ ὑπερβαίνων τὸν ἄνθρωπον μηδὲ
λύων τὸν θεσμὸν ἐν ἑαυτῷ τῆς ἀνθρωπότητος, ἀλλὰ πᾶσαν ἡλικίαν
ἁγιάζων διὰ τῆς πρὸς αὐτὸν ὁμοιότητος.
Comparer avec IV, 38, 4 : «... nolentes primo esse hoc
quod et facti sunt ..., sed supergredientes legem humani
generis ... », οὐ θέλοντες πρῶτον εἶναι τοῦθ' ὅπερ καὶ γεγόνασιν ...,
ἀλλ' ὑπερβαίνοντες τὸν θεσμὸν τῆς ἀνθρωπότητος ... Irénée oppose
à l'orgueil des gnostiques l'humilité du Fils de Dieu.

P. 221, n. 3. — « C'est, en effet, tous les hommes — jeunes
hommes, hommes d'âge », Πάντας γὰρ ἦλθε δι' ἑαυτοῦ σῶσαι,
πάντας, φημί, τοὺς δι' αὐτοῦ ἀναγεννωμένους εἰς τὸν Θεόν, βρέφη
τε καὶ νηπίους καὶ παῖδας καὶ νεανίας καὶ πρεσβυτέρους.
Les cinq étapes de la vie humaine présentées ici par
Irénée se retrouveront telles quelles en II, 24, 4. Quelles
sont ces étapes ? La restitution des termes grecs ne peut être
considérée comme de tout point certaine : βρέφος (ou
νήπιος ?), νήπιος (ou παιδίον ?), παῖς, νεανίας, πρεσβύτερος. Mais
cette relative incertitude est sans importance pour le sens
général de la phrase. De toute façon, Irénée entend englober
tout le déroulement de la vie humaine, de la naissance à la
mort : «... per *omnem* uenit *aetatem* ... ». La première étape
(βρέφος) ne peut donc être que le tout premier début de cette
vie humaine : naissance et premières années. La deuxième
sera l'enfance (νήπιος), dont Irénée laisse entrevoir, quelques
lignes plus loin, qu'elle a pour caractéristiques « la piété,
la justice et la soumission ». La troisième étape est celle
du « jeune garçon » (παῖς) : on peut y voir ce que nous appelle-
rions l'adolescence, c'est-à-dire toute cette portion de la vie
humaine séparant l'enfant de l'homme fait. La quatrième
étape est définie comme celle du « jeune homme » (νεανίας),
c'est-à-dire de l'homme dans la plénitude de sa vigueur ;
Irénée précisera au paragraphe suivant que cet âge se
prolonge au moins jusqu'à la quarantaine. Enfin la cinquième
étape est celle de l'homme déjà avancé en âge (πρεσβύτερος) :
c'est celle de la diminution des forces physiques et de la
« descente vers la vieillesse », celle aussi où l'être humain

est riche de cette expérience qui permet de donner aux autres d'authentiques leçons de vie.

La présente phrase contient une formule riche de sens sur laquelle on nous permettra, après d'autres, d'attirer l'attention. Irénée ne dit pas que le Fils de Dieu est venu sauver tous les êtres humains sans plus, mais qu'il est venu sauver tous les êtres humains « qui par lui renaissent en Dieu », πάντας ... τοὺς δι' αὐτοῦ ἀναγεννωμένους εἰς τὸν Θεόν. Et il précise aussitôt quels sont tous ces êtres humains qui renaissent de la sorte en Dieu : nouveau-nés, enfants, adolescents, jeunes hommes, hommes avancés en âge. Quelle est cette nouvelle naissance qui les fait renaître en Dieu ? Le baptême, incontestablement : cf. I, 21, 1 ; III, 17, 1 ; V, 15, 3, etc. On n'a donc pas tort, croyons-nous, de considérer Irénée comme un témoin de la pratique du baptême des petits enfants dans l'Église de son temps. Cf. Th.-A. AUDET, « Orientations théologiques chez saint Irénée. Le contexte mental d'une γνῶσις ἀληθής », dans *Traditio* 1 (1943), p. 17-19.

P. 223, n. 1. — « Ce faisant, à l'encontre de leur propre doctrine — par son enseignement », καθ' ἑαυτῶν λελήθασι λύοντες αὐτοῦ πᾶσαν τὴν πραγματείαν καὶ τὴν ἀναγκαιοτέραν καὶ ἐντιμοτέραν ἡλικίαν αὐτοῦ ἀφαιροῦντες, ἐκείνην, φημί, τὴν πρεσβυτέραν, ἐν ᾗ καὶ διδάσκων ἡγεῖτο πάντων.

Le latin « obliti sunt soluentes ... et ... auferentes » est un exemple caractéristique de décalque servile du grec. On ne peut comprendre qu'en replaçant les mots grecs sous le texte latin. Noter, d'autre part, la traduction inexacte « et magis necessariam ... aetatem *eius auferentes* ». Le pronom αὐτοῦ se rapportant à ἀφαιροῦντες, il eût fallu traduire : « et magis necessariam ... aetatem *ab eo* auferentes ».

P. 225, n. 1. — « S'il a prêché pendant une seule année — et n'avait pas encore atteint un âge avancé », Εἰ ἀπὸ τοῦ βαπτίσματος ἑνὶ μόνον ἐνιαυτῷ ἐκήρυξε, πληρώσας τὸν τριακόσιον ἔτος ἔπαθεν, ἔτι νεανίας τυγχάνων καὶ οὐδέπω πρεσβυτέραν ἔχων τὴν ἡλικίαν.

Le texte latin des manuscrits est incohérent : il fait dire à Irénée que le Christ n'aurait prêché que durant une seule année (« ... et a baptismate uno tantum anno praedicauit »), alors qu'Irénée s'acharne à démontrer le contraire. Pour que tout redevienne cohérent, il suffit de faire de cette

phrase principale une conditionnelle se rattachant à la
phrase principale qui vient ensuite : « Si, (comme le veulent
les hérétiques), le Seigneur a prêché pendant une seule
année ... » Il faut donc supposer que l'impéritie d'un scribe
a substitué « et » à « si » — à moins que, antérieurement au
traducteur, καί n'ait déjà été accidentellement substitué à εἰ.

P. 225, n. 2. — « Car, tout le monde en convient, l'âge de
trente ans est celui d'un homme encore jeune, et cette
jeunesse s'étend jusqu'à la quarantième année. »

Le sens général de la phrase est clair : aux yeux d'Irénée
— comme, d'ailleurs, des anciens —, on était un homme
jeune (νεανίας) jusqu'à quarante ans, voire jusqu'à cinquante,
comme il le dira dans la phrase suivante. Mais la phrase
latine est partiellement altérée : s'il est aisé de corriger
« autem » en « enim », nous ne voyons, par contre, ni quel
sens acceptable donner aux mots « prima indolis », ni
comment les corriger de façon plausible.

P. 225, n. 3. — « et tous les presbytres d'Asie — jusqu'aux
temps de Trajan », καὶ πάντες οἱ πρεσβύτεροι μαρτυροῦσιν
οἱ κατὰ τὴν Ἀσίαν Ἰωάννῃ τῷ τοῦ Κυρίου μαθητῇ συμβεβληκότες τὸ αὐτὸ παραδεδωκέναι αὐτοῖς τὸν Ἰωάννην · παρέμεινε
γὰρ αὐτοῖς μέχρι τῶν Τραϊανοῦ χρόνων.

Citation d'Eusèbe, *Hist. eccl.*, III, 23, 3. Trois remarques :

1. Au lieu de συμβεβληκότες, le traducteur latin a lu
συμβεβηκότες. C'est Eusèbe qui a conservé la leçon primitive,
comme le montre un passage similaire qui se lit en III, 3, 3 :
« ... Clemens, qui et uidit ipsos apostolos et contulit cum
eis » = ... Κλήμης, ὁ καὶ ἑωρακὼς τοὺς μακαρίους ἀποστόλους καὶ συμβεβληκὼς αὐτοῖς (texte grec conservé par
Eusèbe).

2. En revanche, Eusèbe a laissé tomber les mots τὸ αὐτό
(= « id ipsum »), nécessaires pour le sens, ainsi que le
mot αὐτοῖς (= « eis »).

3. Tous les manuscrits latins ont : « permansit *autem*... »,
là où le texte grec et la logique de la pensée feraient attendre : « permansit *enim*... »

P. 231, n. 1. — « La figure et l'image diffèrent quelquefois
— ce qui n'est pas présent », Τύπος γὰρ καὶ εἰκὼν κατὰ τὴν ὕλην
ποτὲ τῆς ἀληθείας διενήνοχε, κατὰ δὲ τὸ σχῆμα ὀφείλει τηρεῖν τὴν
ὁμοιότητα καὶ ὁμοίως ὑποδεικνύειν διὰ τῶν παρόντων τὰ μὴ παρόντα.

Les expressions « secundum materiam et secundum substantiam » et « habitum et liniamentum » sont des doublets.

P. 233, n. 1. — « une telle façon de faire montre clairement l'indigence et l'inconsistance de leur ' gnose ' ainsi que son caractère artificiel », σαφέστατα τὸ ἄπορον καὶ τὸ ἀσύστατον τῆς γνώσεως αὐτῶν καὶ τὸ βεβιασμένον δείκνυσιν.

Le latin « consternationem siue confusionem » (ligne 7) constitue un doublet traduisant τὸ ἄπορον.

Par ailleurs, le latin « demonstrat » (ligne 8), attesté par tous les manuscrits latins, fait problème : quel est le sujet de ce verbe ? De même l'absence de toute conjonction reliant cette phrase à la précédente. De même encore la curieuse identité de termes que l'on observe dans les deux phrases : « ... demonstrat ... instabile ... » (lignes 1-2), d'une part ; « ... instabilitatem ... demonstrat ... » (lignes 8-9), d'autre part. Nous nous demandons s'il ne faudrait pas reconstituer comme suit le début du paragraphe : « Adhuc autem et [ ] hoc ipsum quod per numeros ... temptant inferre probationes apertissime consternationem ... et instabilitatem scientiae eorum et extortum demonstrat ». Nous nous bornons à poser la question. Faute de pouvoir arriver à une certitude suffisante, nous nous en tenons, pour notre traduction, au texte latin des manuscrits.

P. 235, n. 1. — « Dépourvue de vérité est donc la prétendue série d'événements qui se serait déroulée dans leur Plérôme », Οὐκουν ἀληθὴς ἡ ὑπ' αὐτῶν ἐν τῷ Πληρώματι λεγομένη πραγματεία.

Comparer avec I, 3, 1 : **Αὕτη μὲν οὖν ἐστιν ἡ ἐντὸς Πληρώματος ὑπ' αὐτῶν λεγομένη πραγματεία.** Il s'agit de la constitution du Plérôme par les émissions successives d'Éons, puis de la passion survenue en Sophia et des émissions nouvelles grâce auxquelles l'ordre put être rétabli dans le Plérôme.

P. 235, n. 2. — « Quant au nom de ' Jésus ', suivant la langue hébraïque — et ' ciel et terre ', šamaim wa'arets », Καὶ τὸ « Ἰησοῦς » δὲ ὄνομα κατὰ τὴν ἰδίαν τῶν Ἑβραίων γλῶσσαν γραμμάτων ἐστὶ δύο καὶ ἡμίσους, καθὼς οἱ ἔμπειροι αὐτῶν λέγουσι, σημαῖνον Κύριον τὸν κατέχοντα οὐρανὸν καὶ γῆν, ὅτι « Κύριος » μὲν Ἰαω κατὰ τὴν ἀρχαίαν Ἑβραϊκὴν γλῶσσαν, « οὐρανὸς καὶ γῆ » δὲ πάλιν σαμαιμ οὐααρες λέγεται.

Sans vouloir entrer dans le détail des explications longues
et pas toujours des plus claires dont les éditeurs successifs
d'Irénée ont agrémenté ce texte, nous croyons pouvoir
retenir de celles-ci que, selon Irénée, les trois lettres
hébraïques dont se compose le nom de « Jésus », à savoir I,
š et w, pouvaient être considérées comme les initiales des
trois vocables signifiant respectivement « Seigneur » (Iah),
« ciel » (šamaim), « et terre » (wa'arets). Contenant ainsi
virtuellement ces trois mots, le nom de « Jésus » signifiait
donc « Seigneur du ciel et de la terre ». Le texte latin serait,
dès lors, à reconstituer de la manière suivante : « ... significans
Dominum eum qui continet caelum et terram, quia ' Dominus ' *Iah* secundum antiquam hebraicam linguam, ' caelum
et terra ' autem iterum *samaim uaarets* dicitur ». Le mot
« sura » des manuscrits latins serait la corruption de « sma »
(= « samaim ») ; le mot « usser » serait la corruption de
« uers » (= uaarets »). Notons que, si pleinement cohérente
qu'elle puisse paraître, cette reconstitution du texte d'Irénée
par les éditeurs demeure conjecturale.

Signalons encore que, en III, 9, 3 (lignes 77-78 du texte
latin), Irénée rappellera cette signification du mot « Iesus »
qu'il vient d'exposer dans le présent passage du Livre II :
cf. *SC* 210, p. 267, *note justif. P. 109, n. 2.*

P. 235, n. 3. — Les deux phrases en question (lignes 40-46)
se traduiraient, littéralement, de la manière suivante :
« Car les lettres primitives des Hébreux, appelées aussi
sacerdotales, sont au nombre de dix, mais elles sont écrites
chacune par quinze, la dernière lettre étant jointe à la
première : et pour ce motif ils écrivent tantôt à la suite,
de la même manière que nous, tantôt en ramenant les
lettres en arrière, de la droite vers la gauche ».

Grabe avouait : « Haec quid sibi uelint, diu multumque
cogitaui, sed excogitare haud potui ». Force nous est de
faire le même aveu. Ajoutons toutefois que les deux phrases
ci-dessus paraissent pouvoir être négligées sans que rien
d'essentiel ne soit soustrait au développement de la pensée.
Et, si l'on observe le caractère plutôt insolite du passage,
on se demandera même s'il ne s'agirait pas d'une glose
primitivement marginale qui, par la suite, aurait été indûment introduite dans le texte lui-même. Pour les explications
aussi ingénieuses que peu convaincantes proposées jusqu'ici,
nous renvoyons aux éditions antérieures.

P. 237, n. 1. — « et avant tout l'arche de l'alliance, pour laquelle fut édifié tout le tabernacle du témoignage », καὶ μάλιστα δὲ ἐν αὐτῇ τῇ κιβωτῷ τῆς διαθήκης, δι' ἣν καὶ πᾶσα ἡ σκηνὴ τοῦ μαρτυρίου κατεσκευάσθη.

Au lieu de δι' ἥν, le traducteur latin a-t-il lu δι' ἧς ? Ou un accident de transmission a-t-il fait substituer le « per » qui se lit dans tous les manuscrits à un « propter » primitif ?

P. 239, n. 1. — « Or cette arche reçut deux coudées et demie de longueur, une coudée et demie de largeur et une coudée et demie de hauteur », Ἐγένετο δὲ αὕτη τὸ μὲν μῆκος αὐτῆς δύο πήχεων καὶ ἡμίσους, τὸ δὲ πλάτος αὐτῆς πήχεος καὶ ἡμίσους, καὶ τὸ ὕψος πήχεος καὶ ἡμίσους.

On aura remarqué la façon toute matérielle dont le traducteur latin a rendu les mots μῆκος, πλάτος et ὕψος. Ces mots ne sont pas des nominatifs, mais des accusatifs déterminatifs. On est tenté de se demander si le traducteur en a eu conscience. La même façon de traduire va se retrouver un peu plus loin, aux lignes 75-76 du texte latin.

P. 239, n. 2. — « Quant à la table de proposition — ou le restant de leur Plérôme », Ἔτι δὲ καὶ ἡ τράπεζα τῆς προθέσεως δύο πήχεων τὸ μῆκος καὶ πήχεος τὸ εὖρος, τὸ δὲ ὕψος αὐτῆς πήχεος καὶ ἡμίσους · δι' ὧν οὐδὲ μία ποσότης ἀριθμοῦ τὴν μήνυσιν τῆς Τετράδος ἢ τῆς Ὀγδοάδος ἢ τοῦ λοιποῦ Πληρώματος αὐτῶν περιέχει.

Entre les deux parties de cette phrase, le latin intercale les mots « haec autem sancta sanctorum ». Ces mots, qui séparent malencontreusement la relative « per quae ... » de la principale dont elle dépend, ne sont sans doute rien d'autre qu'une glose marginale indûment introduite dans le texte.

P. 239, n. 3. — « Les dix tentures du tabernacle, ils les ont soigneusement dénombrées », Τὰς δὲ αὐλαίας δέκα οὔσας ἀκριβῶς ἠρίθμησαν.

Comme en I, 18, 2 et en I, 18, 3, le traducteur a lu αὐλάς au lieu de αὐλαίας (cf. *SC* 263, p. 262, *note justif. P. 277, n. 1*). Le Dictionnaire de Blaise, au mot « atrium », cite cette phrase de saint Augustin : « Non decem atria fieri iussit, sicut quidam neglegenter interpretati sunt : non enim αὐλάς sed αὐλαίας dixit » (*Quaest. Exod. 177, 2*). Ce texte d'Augustin donne à entendre que la confusion en question a dû être relativement fréquente. Mais l'origine n'en aurait-elle pas été une altération survenue au niveau de la tradition grecque, plutôt qu'une inadvertance des traducteurs latins ?

P. 241, n. 1. — « C'est pour cela que celui-ci est en désaccord — de ces cinq ingrédients », Ὅθεν καὶ διαφωνεῖ πρὸς τὸ Πλήρωμα αὐτῶν, σμύρνης μὲν ἔχον σίκλους πεντακοσίους καὶ ἴρεως πεντακοσίους καὶ κινναμώμου διακοσίους πεντήκοντα καὶ καλάμου διακοσίους πεντήκοντα καὶ πρὸς τούτοις τὸ ἔλαιον, ὥστε ἐκ πέντε συμμίκτων ὑφεστάναι.
La leçon « calamisci » (ligne 100), qui se lit dans tous les manuscrits latins, ne paraît guère acceptable. Sans doute faut-il lire « calami », traduction normale de καλάμου (*Ex.* 30, 23). Faudrait-il attribuer l'erreur au fait que la forme « calamiscos » s'est rencontrée un peu plus haut, dans ce paragraphe même, aux lignes 81 et 82 ?

P. 241, n. 2. — « Il en va de même de l'encens, qui se composait de résine, d'ongle odorant, de galbanum, de menthe et de grains d'encens ... », Καὶ τὸ θυμίαμα δὲ ὁμοίως ἐκ στακτῆς καὶ ὄνυχος καὶ χαλβάνης καὶ ἡδυόσμου καὶ λιβάνου ...
Dans le verset de l'Exode (30, 34) auquel se réfère ici Irénée, le texte de la Septante mentionne seulement quatre ingrédients : résine (στακτήν), ongle odorant (ὄνυχα), galbanum d'agrément (χαλβάνην ἡδυσμοῦ) et encens pur (λίβανον διαφανῆ). Sans doute, dans le texte biblique qu'il avait sous les yeux, Irénée lisait-il ἡδύοσμον (= « menthe ») au lieu de ἡδυσμοῦ (= « d'agrément »).

P. 243, n. 1. — « De même encore, c'est après être entré le cinquième — et la mère de la jeune fille », Πέμπτος δὲ εἰσελθὼν ὁ Κύριος πρὸς τὴν τεθνηκυῖαν παῖδα ἤγειρεν αὐτήν · « οὐδένα » γάρ, φησίν, « ἀφῆκεν εἰσελθεῖν εἰ μὴ Πέτρον καὶ Ἰάκωβον καὶ τὸν πατέρα τῆς παιδὸς καὶ τὴν μητέρα ».
Le manuscrit S a : « ... nisi Petrum et Iacobum et Iohannem ». On peut se demander si le texte primitif n'était pas : « cum quinque autem ingressus ... », « ... c'est après être entré *avec cinq personnes* ... »
Ce serait d'autant plus plausible que, en III, 12, 15, Irénée affirme la présence continuelle des trois apôtres auprès de Jésus : « ubique enim simul cum eo assistentes inueniuntur Petrus et Iacobus et Iohannes ... »

P. 243, n. 2. — « La structure de la croix présente cinq extrémités … », Καὶ αὐτὸ τὸ σχῆμα τοῦ σταυροῦ ἄκρα ἔχει πέντε … Les mots « fines et summitates » sont un doublet traduisant le seul substantif grec ἄκρα.

P. 245, n. 1. — « L'autel des holocaustes avait cinq coudées de largeur », Καὶ τὸ τοῦ ὁλοκαυτώματος δὲ θυσιαστήριον τὸ εὖρος αὐτοῦ ἦν πέντε πήχεων. D'après *Ex.* 27, 1, c'est la largeur de l'autel qui était de cinq coudées, tandis que sa hauteur était de trois coudées seulement. Sans doute faut-il restituer la leçon « latitudo » dans le latin, au lieu de la leçon « altitudo » qui est celle des manuscrits, les deux leçons ayant pu facilement être prises l'une pour l'autre.

P. 249, n. 1. — « Ce n'est pas tout — qu'elles ne sont pas des brebis de salut », Ἔτι δὲ τὰ ὑλικὰ ἀριστερὰν καλοῦντας, καὶ ἐξ ἀνάγκης τὰ τῆς ἀριστερᾶς εἰς φθορὰν χωρεῖν λέγοντας, καὶ τὸν Σωτῆρα ἐληλυθέναι πρὸς τὸ πρόβατον τὸ ἀπολωλὸς ἵνα αὐτὸ μεταστήσῃ εἰς τὴν δεξιάν, τουτέστιν εἰς τὰ τῆς σωτηρίας ἐνενήκοντα ἐννέα πρόβατα τὰ οὐκ ἀπολωλότα ἀλλ᾽ ἐν τῷ ποιμνίῳ παραμεμενηκότα, τὰ τῆς ἀριστερᾶς χειρὸς ὑπάρχοντα μὴ εἶναι τῆς σωτηρίας ὁμολογεῖν αὐτοὺς ἀνάγκη.

Dans cette phrase, les mots « sinistrae manus exsistentes leuamen » (lignes 203-204) font difficulté : quelle peut être la raison d'être et la signification du mot « leuamen »? La même expression « sinistrae manus leuamen » se retrouvera un peu plus loin dans ce même paragraphe (lignes 209-210).

Sans doute les éditeurs ont-ils bien dégagé le sens global de ce passage : Irénée fait incontestablement allusion à la coutume qu'avaient les anciens de compter de la main gauche jusqu'à 99 et de passer à la droite à partir de 100. Déjà en I, 16, 2, Irénée avait fait allusion à cette manière de faire.

Mais quelle est la fonction précise du mot « leuamen », c'est ce que tous les auteurs expliquent à leur manière et que personne n'explique de façon satisfaisante. A titre d'hypothèse et faute de mieux, nous nous demandons si l'on ne pourrait pas considérer « leuamen » comme une déformation de « laeva manus » ou de « laevae manus » : ces mots ne seraient rien d'autre qu'une glose marginale indûment introduite dans le texte. De toute façon, on notera que la présence du mot « leuamen » est superflue dans la

présente phrase, les mots « sinistrae manus » pouvant être
considérés comme un génitif d'appartenance se rapportant
à « exsistentes » : les 99 brebis, du fait que leur nombre
n'atteint pas 100, « appartiennent à la main gauche »,
« relèvent de la main gauche ».

En faveur du maintien du terme « leuamen », on pourra
faire valoir le titre qui figure, en CV, immédiatement avant
la présente phrase et dans lequel on lit : « De amen et de
XCIX ouibus ... » (cf. apparat) : les mots « de amen » ne
seraient-ils pas une déformation évidente de « leuamen »?
Mais la question nous semble plus complexe. On sait que des
listes d'« argumenta » précédant les quatre premiers Livres,
sans être l'œuvre d'Irénée lui-même, ont pourtant existé
déjà dans la tradition grecque. On peut supposer que, dans
un des « argumenta » précédant le Livre II figuraient les mots
Περὶ τῆς ἀριστερᾶς χειρός ... Ces mots ont été traduits par :
« De laeua manu ... » Ces derniers mots ont été déformés
en « De amen ... » et, ainsi déformés, ont été ensuite introduits
à l'intérieur du Livre. Tout cela, bien entendu, à titre d'hypothèse explicative. Rappelons que l'énigme posée par le
terme « leuamen » n'empêche pas le sens global du passage
de se dégager en toute certitude.

Pour plus de détails sur le comput digital tel qu'il était
pratiqué dans l'Antiquité, cf. P.-H. POIRIER, « L'Évangile
de Vérité, Éphrem le Syrien et le comput digital », dans
Rev. des Ét. August., 25 (1979), p. 27-34.

P. 253, n. 1. — « Quelqu'un objectera peut-être — car
toutes choses sont issues d'un seul et même Dieu », Εἰ δέ
τις πρὸς ταῦτα λέγοι · Τί οὖν ; Μὴ εἰκῇ καὶ ὡς ἔτυχεν ὀνομάτων τε
θέσεις καὶ ἀποστόλων ἐκλογὴ καὶ Κυρίου πραγματεία καὶ γεγονότων
κατασκευή ; — ἐροῦμεν αὐτῷ · Οὐ μὴν ἀλλὰ μετὰ μεγάλης σοφίας
καὶ ἀκριβείας εὔρυθμα καὶ ἐγκατάσκευα πάντα ὑπὸ τοῦ Θεοῦ ἐγένετο,
τά τε ἀρχαῖα καὶ τὰ ὅσα ἐν ἐσχάτοις καιροῖς ὁ Λόγος αὐτοῦ ἔπραξεν ·
ὀφείλουσι δὲ αὐτὰ μὴ τῷ ἀριθμῷ τῶν τριάκοντα, ἀλλὰ τῇ ὑποκειμένῃ
συνάπτειν ὑποθέσει τῆς ἀληθείας, μηδὲ περὶ τοῦ Θεοῦ ζήτησιν ἐξ
ἀριθμῶν καὶ συλλαβῶν καὶ γραμμάτων ἀναδέχεσθαι — ἀσθενὲς γὰρ
τοῦτο διὰ τὸ πολυμερὲς καὶ πολυποίκιλον αὐτῶν καὶ τὸ δύνασθαι πᾶσαν
ὑπόθεσιν καὶ σήμερον παρεπινοουμένην ὑπό τινος ἀναλήθεις ἐξ αὐτῶν
λαμβάνειν μαρτυρίας ἅτε εἰς πολλὰ μεθαρμόζεσθαι δυναμένων —,
ἀλλ᾽ αὐτοὺς τοὺς ἀριθμοὺς καὶ τὰ γεγονότα ἐφαρμόζειν ὀφείλουσι τῇ
ὑποκειμένῃ τῆς ἀληθείας ὑποθέσει. Οὐ γὰρ ὑπόθεσις ἐξ ἀριθμῶν,
ἀλλ᾽ ἀριθμοὶ ἐξ ὑποθέσεως, οὐδὲ Θεὸς ἐκ γεγονότων, ἀλλὰ γεγονότα
ἐκ Θεοῦ · πάντα γὰρ ἐξ ἑνὸς καὶ τοῦ αὐτοῦ Θεοῦ.

La restitution de cette page paraît assez largement
assurée en dépit de plusieurs accidents survenus dans la
transmission du texte latin. Les indications suivantes voudraient justifier certaines corrections ou éclairer certaines
obscurités.

1. A la ligne 2 du texte latin, on doit probablement lire
« uan <e> et ut prouenit », traduction normale de εἰκῇ
καὶ ὡς ἔτυχεν (voir le 42e « argumentum », qui concerne le
présent paragraphe : « Ostensio quoniam neque secundum
formam Pleromatis eorum facta sunt quae facta sunt, neque
rursus *uane et prout euenit* »). Cette expression quasi stéréotypée revient à plusieurs reprises sous la plume d'Irénée.
En V, 9, 4, εἰκῇ ... καὶ ὡς ἔτυχε (grec conservé dans le
Papyrus d'Iéna) est traduit par « uane ... et prout euenit ».
L'expression εἰκῇ καὶ ὡς ἔτυχε est traduite par « frustra et
prout euenit » en II, 14, 8, et par « frustra <e>t ut obuenit »
en IV, 32, 2. Enfin, l'expression οὐκ εἰκῇ καὶ ὡς ἔτυχε est
traduite par « neque uane neque ut prouenit » en II, 26, 3,
et par « neque uane neque prout euenit » en V, 15, 2.

2. Pour saisir la portée des expressions qui viennent
ensuite (lignes 2-4), on doit se reporter aux quatre chapitres
qui précèdent. « Nominum positiones » : rappel de II, 24, 1-2,
où Irénée a montré le caractère fantaisiste des spéculations
marcosiennes sur le nom Ἰησοῦς. « Apostolorum electio » :
rappel de II, 20-21, où Irénée a réfuté la prétention des
Valentiniens à voir, dans la défection du 12e apôtre, une
figure révélatrice de la chute du 12e Éon de la Dodécade.
« Domini operatio » : rappel de II, 22-23, où Irénée a réfuté
la prétention des mêmes Valentiniens à voir, dans divers
actes posés par le Christ (baptême reçu à l'âge de 30 ans,
Passion prétendument soufferte le 12e mois, hémorroïsse
guérie après 12 ans de souffrance), autant de révélations sur
la constitution du Plérôme et les événements survenus en
celui-ci. « Eorum quae facta sunt compositio » : rappel de
II, 24, 5, où Irénée a montré ce qu'ont d'arbitraire les
spéculations marcosiennes sur des données affectant la
structure de notre monde, telles que la division de l'année
en 12 mois et celle du mois en 30 jours.

En somme, donc, Valentiniens et Marcosiens prétendaient
découvrir, dans les Écritures et dans la constitution de
notre monde, des indications relatives à un Plérôme divin
supérieur à l'Auteur de notre monde. Cette prétention,
Irénée l'a repoussée tout au long des quatre chapitres

précédents. D'où l'objection des hérétiques : Si ni les Écritures ni le monde ne contiennent d'indications relatives à un Plérôme réellement divin, réellement coupé de tout lien avec notre monde mauvais, tout, aussi bien dans la constitution du monde que dans le déroulement de son histoire, ne serait-il donc que le fruit du hasard et de l'arbitraire ?

3. A la ligne 4, il convient sans doute de lire « dicemus *ei* », en corrélation avec les mots « Si *quis* autem ad haec dixerit » de la ligne 1.

4. Aux lignes 5-6, les mots « cum … diligentia ad liquidum » paraissent constituer un doublet traduisant μετὰ … ἀκριβείας. Comparer avec IV, 26, 1 : τῆς ἀκριβεστάτης … ἐξηγήσεως (grec conservé dans une Chaîne) = « liquidam et certam expositionem » ; II, 4, 1 : τὸ ἀκριβές = « quod certum et <ue>re liquidum est » ; I, 30, 4 : τὸ ἀκριβές = « quod liquidum est » ; V, 16, 1 : ἀκριβῶς = « uere liquido ».

5. A la ligne 8, la logique de l'argumentation ferait attendre, au lieu de « Et debent », quelque chose comme « Debent autem », ou « Debent tamen ». La pensée se développe en effet comme suit : C'est assurément avec une sagesse parfaite et en ne laissant pas le plus petit détail au hasard que le Créateur a conçu l'ordonnance de notre monde et réglé tout le déroulement de l'histoire du salut ; MAIS nous n'avons pas, pour autant, le droit de nous braquer sur telles données de l'Écriture ou sur telles caractéristiques de notre univers comme s'il s'agissait là d'obscurs reflets émanés, à l'insu du Créateur lui-même, d'un monde divin supérieur à ce Créateur : par exemple, de ce que le nombre trente est celui des années vécues par le Seigneur avant son baptême au Jourdain, nous n'avons pas le droit de conclure qu'il existe, au-dessus du Dieu Créateur, un Plérôme de trente Éons qui serait le seul vrai monde divin.

6. Aux lignes 8-9, nous proposons de lire, avec Grabe, « numero XXX » plutôt que « numero XX », leçon de tous les manuscrits : de la sorte, Irénée fait clairement allusion au Plérôme des trente Éons décrit dans la « Grande Notice » du Livre I, tout comme, aux lignes 10-11, les mots « ex numeris et syllabis et litteris » seront un rappel clair de l'arithmologie de Marc le Magicien exposée dans la deuxième partie du Livre I.

7. A la ligne 9, les manuscrits sont pratiquement unanimes à avoir les mots « subiacenti … argumento *siue rationi* ».

Mais le parallélisme on ne peut plus étroit qui s'observe entre les lignes 8-9, d'une part, et les lignes 15-17, où se lisent les mots « subiacenti *ueritatis* argumento », d'autre part, invite à considérer les mots « siue rationi », dont on voit d'ailleurs mal la raison d'être, comme la corruption de la leçon primitive « ueritatis ». Le substrat grec va alors de soi : τῇ ὑποκειμένῃ ... ὑποθέσει τῆς ἀληθείας. Il s'agit de la doctrine fondamentale sur laquelle repose tout le corps de la vérité. Cette doctrine fondamentale, qu'Irénée n'a cessé et ne cessera de rappeler à travers tout l'*Aduersus haereses*, n'est autre que le premier article de la règle de vérité : il n'y a qu'un seul Dieu, le Père tout-puissant, qui a créé toutes choses par son Verbe. La pensée d'Irénée apparaît, dès lors, comme fort simple sous son expression condensée à l'excès : Irénée ne nie pas que les textes de l'Écriture ou les réalités du monde visible puissent faire naître de multiples interrogations ; il ne nie pas davantage qu'il soit légitime de chercher des réponses à ces interrogations ; mais, et c'est ce qu'il affirme ici, ces recherches devront, pour demeurer légitimes, refuser de mettre jamais en question, sous quelque prétexte que ce soit, la foi en un seul Dieu Créateur de toutes choses, car ce serait là rejeter le fondement même de tout l'édifice de la vérité.

Il serait difficile, croyons-nous, de surestimer l'importance de cette affirmation posée par Irénée au seuil de la section que constituent les chapitres 25 à 28. Aussi voudrions-nous revenir avec quelque détail sur l'expression ἡ ὑπόθεσις τῆς ἀληθείας et, d'abord, sur le terme ὑπόθεσις, pour tenter d'en dégager la signification précise. A cette fin, on ne saurait mieux faire, nous semble-t-il, que de se reporter aux chapitres 9 et 10 du Livre I, avec lesquels le présent passage du Livre II ne laisse pas d'avoir de très profondes affinités.

Tout d'abord, donc, quel contenu Irénée met-il dans le terme ὑπόθεσις ? Irénée lui-même le précise avec toute la clarté désirable en I, 9, 4, lorsqu'il évoque ces auteurs qui, après avoir imaginé « n'importe quels *sujets* » (ὑποθέσεις τὰς τυχούσας) de poèmes, s'emploient à les traiter au moyen de vers qu'ils tirent de-ci de-là des œuvres d'Homère et qu'ils mettent bout à bout dans une succession nouvelle. Celui, dit Irénée, qui est au courant du « *sujet* traité par Homère » (τῆς Ὁμερικῆς ὑποθέσεως) pourra bien alors reconnaître les vers comme étant effectivement ceux d'Homère, mais il lui sera impossible de reconnaître le « *sujet* » (τὴν ... ὑπόθεσιν) nouveau comme étant celui qu'avait traité Homère. Dans ces exemples, le mot ὑπόθεσις est employé par Irénée selon une de ses acceptions les plus classiques, à savoir : « ce qui se trouve ' placé sous ' (les mots d'un poème, d'un discours …) », le « *sujet* (de ce poème, de ce discours …) » Noter que, par lui-même, le mot ὑπόθεσις ne désigne rien de plus que le « sujet » en question envisagé d'une manière toute générale. Ce n'est en effet que grâce à des adjectifs ou des compléments que le même vocable pourra désigner tour à tour l'authentique sujet des poèmes homériques (ἡ Ὁμηρικὴ ὑπόθεσις) ou tel sujet fictif que d'aucuns voudraient faire passer pour homérique, sous prétexte que les vers sont d'Homère, mais qui, en réalité n'a rien à voir avec le sujet traité par Homère (ὑπόθεσις ἡ τυχοῦσα, ἡ ἐξ ὑπογυίου μεμελετημένη ὑπόθεσις, αὕτη ἡ ὑπόθεσις…). Sous la plume d'Irénée, le terme ὑπόθεσις comporte donc une ambivalence, au sens qui vient d'être précisé.

Or, par cette comparaison avec le travail des auteurs de centons homériques, Irénée entend illustrer le comportement des Valentiniens à l'égard de l'enseignement de l'Église et, plus précisément, à l'égard du contenu des Écritures : les Valentiniens gardent tels quels les mots et les phrases, dit en substance Irénée, mais, par le fait même qu'ils les insèrent dans un contexte nouveau qui leur est étranger, ils modifient radicalement leur contenu de signification ; autrement dit, sous le déguisement de formules demeurant plus ou moins identiques, la « *doctrine* de la vérité », ἡ τῆς ἀληθείας ὑπόθεσις (I, 10, 3) est, en réalité, travestie par les Valentiniens en une « *doctrine* de blasphème », βλάσφημος ὑπόθεσις (I, 9, 4). Car c'est bien là le reproche fondamental qu'Irénée fait aux Valentiniens en I, 10, 3 : au lieu de résoudre les difficultés et les questions à la lumière de la « doctrine de la vérité » et dans un respect inconditionné de cette doctrine, ils ne craignent pas de « changer la doctrine elle-même (τὴν ὑπόθεσιν αὐτὴν ἀλλάσσειν) », en imaginant faussement un autre Dieu au-dessus de Celui qui a créé toutes choses par son Verbe. Comme on le voit, le mot ὑπόθεσις garde le sens fondamental que nous lui avons reconnu à propos des poèmes homériques : il s'agit toujours de « ce qui se trouve ' placé sous ' (les mots et les formules) », mais, comme le contenu est ici doctrinal, nous comprenons tout naturellement le mot ὑπόθεσις au sens de « pensée », « système doctrinal », « doctrine ». Et ici également, selon les déterminations qu'apportera le contexte, cette « doctrine » pourra être tour à tour l'authentique doctrine prêchée par l'Église, la « doctrine de la vérité », ἡ τῆς ἀληθείας ὑπόθεσις, ou ce qu'Irénée appellera assez habituellement, non sans une nuance dépréciative, ἡ ὑπόθεσις αὐτῶν, c'est-à-dire la « doctrine » ou le « système » forgé de toutes pièces par les hérétiques.

Telle nous paraît être la signification précise du terme ὑπόθεσις dans le contexte doctrinal qui est habituellement le sien chez Irénée. C'est très précisément cette signification que possède le terme ὑπόθεσις en II, 25, 1 et que nous lui retrouverons encore dans la suite de la présente section. On notera que, en II, 25, 1, se retrouve jusqu'à la sorte d'ambivalence que nous avons reconnue au terme en question : en effet, aux lignes 9 et 17, il s'agit de la « doctrine de la vérité », tandis qu'à la ligne 13 le contexte précise amplement qu'il s'agit d'un quelconque « système » forgé de toutes pièces par le premier venu.

8. Aux lignes 17-18 apparaît le terme latin « regula ». Cette modification de vocabulaire ne doit pas donner le change, car le vocable grec sous-jacent à « regula » ne peut être ici que ὑπόθεσις, ce mot même qui, aux lignes précédentes, était traduit par « argumentum ». Ce que, concrètement, Irénée veut dire dans ce passage quelque peu sibyllin, pourrait être ainsi formulé : ce n'est pas parce qu'il y a trente années de vie cachée du Seigneur qu'il existe un Plérôme de trente Éons (« non enim regula ex numeris ... ») ; ce n'est pas non plus parce qu'il existe diverses étapes dans le déroulement de l'histoire du salut, notamment l'Ancien Testament et le Nouveau, qu'il existe deux « Dieux » différents (« nec Deus ex factis ... »).

P. 255, n. 1. — « Diverses et multiples n'en sont pas moins — ni blasphémer notre Créateur », Ὅτι δὲ ποικίλα καὶ πολλὰ τὰ γεγονότα, ὡς μὲν πρὸς πᾶν τὸ ποίημα εὔρυθμα καὶ εὐμελῆ, ὡς δὲ πρὸς ἓν ἕκαστον αὐτῶν ἀλλήλοις ἐναντία καὶ ἀνάρμοστα, καθάπερ οἱ τῆς κιθάρας φθόγγοι διὰ τῆς ἑνὸς ἑκάστου διαστάσεως ἓν σύμφωνον μέλος ἀπεργάζονται ἐκ πολλῶν καὶ ἐναντίων φθόγγων συνιστάμενον. Ὀφείλει οὖν ὁ φιλαλήθης μὴ περιφέρεσθαι τῇ διαστάσει ἑνὸς ἑκάστου φθόγγου μηδὲ ἄλλον μὲν τούτου, ἄλλον δὲ ἐκείνου Τεχνίτην ὑπολαμβάνειν καὶ Ποιητήν, μηδὲ ἄλλον μὲν τοὺς ὀξυτέρους, ἄλλον δὲ τοὺς βαρυτέρους, ἄλλον δὲ τοὺς μέσους κατεσκευακέναι, ἀλλ᾽ ἕνα καὶ τὸν αὐτόν, εἰς παντὸς τοῦ ἔργου σοφίας ἐπίδειξιν καὶ δικαιοσύνης καὶ ἀγαθότητος καὶ μεγαλοδωρίας. Οἱ δὲ ἀκούοντες τὸ μέλος ὀφείλουσιν αἰνεῖν καὶ δοξάζειν τὸν Τεχνίτην, καὶ τῶν μὲν τὴν ἐπίτασιν θαυμάζειν, τῶν δὲ τῇ ἀνέσει προσέχειν, τῶν δὲ τὴν ἀνὰ μέσον ἀμφοτέρων σύγκρασιν ἐπακούειν, τῶν δὲ τὸν τύπον κατανοεῖν καὶ εἰς τί ἓν ἕκαστον ἀναφέρει καὶ αὐτῶν τὴν αἰτίαν ζητεῖν, μηδέποτε παραφέροντες τὴν ὑπόθεσιν μηδὲ πλανώμενοι ἀπὸ τοῦ Τεχνίτου μηδὲ ἀποβάλλοντες τὴν εἰς ἕνα Θεὸν τὸν πεποιηκότα τὰ πάντα πίστιν μηδὲ βλασφημοῦντες τὸν ἡμῶν αὐτῶν Κτίστην.

La rétroversion de cette page ne peut être considérée comme également assurée en tous ses éléments.

1. Nous comprenons le début (= lignes 20-24 du texte latin) de la façon suivante : « Mais, parce que diverses et multiples (sont) les choses qui ont été faites : d'une part, à considérer l'œuvre entière, elles (sont) proportionnées et harmonieuses ; d'autre part, à considérer chacune d'entre elles, elles (sont) mutuellement contraires et discordantes ». Nous proposons donc de considérer le premier « et » de la ligne 21 comme indûment ajouté au texte latin primitif et de lire : « [et] ad omnem quidem ... »

2. Pour comprendre le bien-fondé de l'assimilation de l'œuvre de Dieu à une mélodie une et harmonieuse quoique composée de notes diverses, voire situées aux antipodes les unes des autres, il ne faut pas oublier que si, pour Irénée, cette œuvre de Dieu est assurément notre univers créé avec toute la diversité des êtres qui le composent, elle est bien davantage encore l'histoire du salut avec tout le déroulement concret des interventions divines en faveur de l'humanité. De la diversité de ces interventions, les gnostiques concluaient à une diversité de « Dieux ». Irénée, quant à lui, ne se lassera pas de montrer comment un seul et même Dieu a pu concevoir un unique plan de salut, mais destiné à se réaliser, telle une mélodie savamment composée, à travers une succession ordonnée d'étapes diverses. Cette comparaison de la mélodie, appliquée au déroulement de l'histoire du salut, reviendra sous la plume d'Irénée en IV, 20, 7.

3. A la ligne 32 du texte latin, le mot « muneris » fait problème : quelle peut être la raison d'être de ce substantif ainsi juxtaposé à « sapientiae », « iustitiae » et « bonitatis » ? Nous proposons de lire « munificentiae » au lieu de « muneris », mais sans nous dissimuler le caractère aléatoire de cette correction et avec le sentiment que le texte pourrait être plus profondément corrompu qu'il ne paraît.

4. Aux lignes 38-39 se lisent les mots « nusquam trans-

ferentes regulam ». Le mot « regulam » nous paraît ne pouvoir traduire ici autre chose que τὴν ὑπόθεσιν : il s'agit de la « doctrine » de la vérité, qui s'est trouvée au cœur du paragraphe précédent et qui demeure à l'horizon de la pensée irénéenne tout au long de ce développement. Quant au participe « transferentes », il traduit probablement παραφέροντες, le verbe παραφέρω signifiant, dans le cas présent : « détourner de son sens authentique », « interpréter faussement », « dénaturer », « altérer »... Quoi qu'il en soit de la relative incertitude affectant la restitution de ce dernier vocable, l'expression « nusquam transferentes regulam » nous paraît susceptible de recevoir un remarquable supplément de lumière, si l'on rapproche la fin du présent paragraphe des premières lignes de I, 10, 3 conformément au schéma suivant :

I, 10, 3	II, 25, 2
Plus autem aut minus secundum prudentiam nosse quosdam	
non in eo quod argumentum <ipsum> immutetur (ἐν τῷ τὴν ὑπόθεσιν αὐτὴν ἀλλάσσειν) efficitur.	... nusquam transferentes regulam (μηδέποτε παραφέροντες τὴν ὑπόθεσιν),
et alius Deus excogitetur praeter Fabricatorem et Factorem et Nutritorem huius uniuersitatis ...	neque errantes ab Artifice neque abicientes fidem quae est in unum Deum qui fecit omnia neque blasphemantes nostrum Conditorem.

Comme on le voit, le mouvement de la pensée est rigoureusement identique de part et d'autre : non content d'évoquer le fait de l'altération de la « doctrine » par les hérétiques, Irénée précise aussitôt en quoi consiste cette altération. Or, du même coup, c'est la « doctrine » même qu'il définit équivalemment : professer celle-ci, c'est professer qu'il n'existe qu'un seul Dieu qui a créé toutes choses et qui est sans cesse présent à sa création.

P. 255, n. 2. — « Et si quelqu'un n'arrive pas à trouver — les ʽ économies ʼ du Dieu qui t'a fait », Ἐὰν δὲ καί τις μὴ εὕρῃ τὴν αἰτίαν πάντων τῶν ζητουμένων, ἐννοηθήτω ὅτι ἄνθρωπός

ἐστιν εἰς ἄπειρον ὑστερούμενος τοῦ Θεοῦ καὶ ἐκ μέρους εἰληφὼς τὴν
χάριν καὶ οὐδέπω ἴσος ἢ ὅμοιος ὢν τῷ πεποιηκότι καὶ τὴν τῶν ἁπάντων
πεῖραν καὶ γνῶσιν ἔχειν οὐ δυνάμενος ὡς ὁ Θεός · ἀλλά, ὅσον ὑστερεῖται
τοῦ ἀγενήτου καὶ ἀεὶ κατὰ τὰ αὐτὰ ὄντος ὁ σήμερον γενόμενος καὶ
ἀρχὴν γενέσεως λαβών, τοσοῦτον κατὰ γνῶσιν καὶ πρὸς τὸ ἐξιχνιάζειν
τὰς αἰτίας τῶν ἁπάντων ὑστερεῖσθαι τοῦ πεποιηκότος. Οὐ γὰρ ἀγένητος
εἶ, ὦ ἄνθρωπε, οὐδὲ ἀεὶ συνυπῆρχες τῷ Θεῷ ὡς ὁ ἴδιος αὐτοῦ Λόγος,
ἀλλὰ διὰ τὴν ὑπερβάλλουσαν αὐτοῦ ἀγαθότητα νῦν ἀρχὴν γενέσεως
λαβών, ἠρέμα πως μανθάνεις παρὰ τοῦ Λόγου τὰς οἰκονομίας τοῦ
πεποιηκότος Θεοῦ.

La restitution de cette page nous paraît très largement
assurée, grâce à des passages parallèles, notamment IV, 38, 1
(texte grec conservé dans les *Sacra Parallela*), avec lequel
le présent passage a en commun nombre d'idées et d'expressions caractéristiques.

Le texte latin ne pose qu'un seul problème : il semble
qu'il faille lire, à la ligne 46, « cognitionem » plutôt que
« cogitationem », leçon de tous les manuscrits. En effet,
d'une part, les deux formes sont aisément confondues, comme
il résulte des deux exemples suivants tirés de la version
latine de l'*Aduersus haereses* : en II, 13, 1 (ligne 20), l'arménien ﬔﬔﬔﬔﬔ invite à donner raison à S contre tous les
autres manuscrits : « et in cogitationem (cognitionem CV
AQε) conterminatae ... » ; en IV, 39, 1 (ligne 31), l'arménien
ﬔﬔﬔﬔﬔﬔﬔ invite à donner raison à QS contre tous les
autres manuscrits : « ... et duplices sensus cogitationis
(cognitionis CV Aε) ... » D'autre part, dans notre passage,
le contexte impose la leçon « cognitionem », car non seulement
γνῶσις (= « cognitio ») va de pair avec πεῖρα (= « experientia »), mais aux mots « et qui omnium ... *cog <ni >tionem*
habere non possit ut Deus » font manifestement écho les
mots « in tantum secundum *scientiam* (γνῶσιν) ... minorem
esse eo qui fecit » (lignes 49-51), et « Ordinem ergo serua
tuae *scientiae* (γνώσεως) ... » (ligne 56).

On aura noté, à la ligne 45 du texte latin, une expression
étonnante de hardiesse : « ... et qui *nondum* aequalis uel
similis sit Factori (καὶ οὐδέπω ἴσος ἢ ὅμοιος ὢν τῷ πεποιηκότι) ... ». Le lecteur pourra se demander si une telle expression doit être prise à la lettre, voire si elle est authentiquement
irénéenne, car dire que l'homme n'est *point encore* égal à
Dieu, c'est sous-entendre qu'il est appelé à l'être un jour.
En fait, la présente expression n'est pas isolée dans l'œuvre
d'Irénée et elle trouve même un écho direct dans ce passage
de II, 28, 7 : « Similiter autem et causam propter quam ...

quaedam ... transgressa sunt ... cedere oportet Deo et Verbo eius, cui et solo dixit : Sede a dextris meis ... Nos autem, adhuc in terra conuersantes, *nondum* adsidentes throno eius (οὐδέπω ἐπικαθήμενοι τῷ θρόνῳ αὐτοῦ)». Ce langage est assurément très fort, car, en disant que nous ne sommes *point encore* assis sur le trône du Verbe, à la droite même du Père, Irénée sous-entend que nous sommes appelés à y être assis un jour. Cependant, si hardi soit-il, un tel langage ne fait que reprendre la parole même que l'Apocalypse met dans la bouche du Christ de gloire : «A celui qui sera vainqueur, je donnerai de s'asseoir avec moi sur mon trône, comme moi-même j'ai été vainqueur et me suis assis avec mon Père sur son trône» (*Apoc.* 3, 21). Qu'est-ce à dire, sinon qu'Irénée croit à la grandeur infinie de la vocation chrétienne? Pour lui, en effet, l'homme est un être que Dieu fait surgir du pur néant pour que, dans le Christ, au terme d'une croissance venant elle-même de Dieu, il parvienne à une véritable égalité de grâce avec Celui qui n'en demeure pas moins à jamais infiniment au-dessus de lui par nature (cf. IV, 38, 1-4).

P. 259, n. 1. — « Il est donc meilleur et plus utile — tandis que la charité édifie », Ἄμεινον οὖν καὶ συμφερώτερον ἰδιώτας καὶ ὀλιγομαθεῖς ὑπάρχειν καὶ διὰ τῆς ἀγάπης πλησίον γενέσθαι τοῦ Θεοῦ, ἢ πολυμαθεῖς καὶ ἐμπείρους δοκοῦντας εἶναι βλασφήμους εἰς τὸν ἑαυτῶν εὑρίσκεσθαι Δεσπότην, ἄλλον Θεὸν Πατέρα κατασκευάζοντας. Καὶ διὰ τοῦτο Παῦλός φησιν · « Ἡ γνῶσις φυσιοῖ, ἡ δὲ ἀγάπη οἰκοδομεῖ », οὐ τὴν ἀληθῆ περὶ τοῦ Θεοῦ γνῶσιν μεμφόμενος, ἐπεὶ ἑαυτοῦ πρῶτον κατηγόρει · ἀλλ' ὅτι ᾔδει τινὰς προφάσει γνώσεως ἐπαιρομένους ἀφιστᾶσθαι τῆς ἀγάπης τοῦ Θεοῦ καὶ διὰ τοῦτο οἴεσθαι ἑαυτοὺς εἶναι τελείους, ἀτελῆ τὸν Δημιουργὸν εἰσάγοντας, ἀποκόπτων αὐτῶν τὸν διὰ τῆς τοιαύτης γνώσεως τῦφον, φησίν · « Ἡ γνῶσις φυσιοῖ, ἡ δὲ ἀγάπη οἰκοδομεῖ ».

Restitution basée sur le latin et l'arménien (fragment 9 du *Galata 54*) complétés par l'apport d'un fragment grec des *Sacra Parallela* (mots en caractère gras). La comparaison de ces différents témoins permet les observations suivantes :

1. A la ligne 2 du texte latin, le mot « proximum » fait supposer que le traducteur voit en πλησίον l'accusatif singulier de l'adjectif πλησίος. En fait πλησίον est ici une forme adverbiale employée en manière de préposition. Il eût fallu traduire par « prope fieri Deum », ou, en continuité avec les pluriels « idiotas » et « scientes », par « proximos fieri Deo ».

2. A la ligne 3, les mots « putare multum scire et multa expertos », s'ils remontent au traducteur latin lui-même, contrastent par leur maladresse avec la rigoureuse fidélité de la traduction arménienne à cet endroit. Noter que les mots ἢ πολυμαθεῖς καὶ ἐμπείρους δοκοῦντας εἶναι pourraient se traduire également par « ... que de *passer pour* savant et habile ».

3. A la ligne 5, nous donnons raison à l'arménien ասէ (= dicit », « ait ») plutôt qu'au latin « clamauit ». Dans une phrase toute semblable qui se lit en III, 16, 8, alors que le latin a : « Propter quod rursus in epistola *clamat* », le grec, que confirme un fragment arménien, a : Διὸ πάλιν ἐν τῇ ἐπιστολῇ φησιν (grec conservé par Théodoret).

4. Aux lignes 6-7, on ne manquera pas de relever l'expression « ueram de Deo scientiam » τὴν ἀληθῆ περὶ τοῦ Θεοῦ γνῶσιν. Dans cette page même où Irénée s'élève avec tant de sévérité contre la vaine science des gnostiques, au point de paraître répudier — à la suite, d'ailleurs, de saint Paul — toute forme de connaissance au bénéfice exclusif de l'amour, il ne manque pas de rappeler d'un mot que, s'il existe une ψευδώνυμος γνῶσις qu'il combat, il existe aussi une γνῶσις ἀληθής, une authentique connaissance du Père par le Fils dans l'Esprit, dont il reparlera notamment en IV, 33, 7-8.

P. 259, n. 2. — « Car il n'y a pas de plus grand orgueil — dans la négation de Dieu », Μείζων γὰρ ταύτης οὐκ ἔστιν ἄλλη φυσίωσις ἵνα οἰηθῇ τις ἑαυτὸν βελτίω καὶ τελειότερον εἶναι τοῦ ποιήσαντος καὶ πλάσαντος καὶ πνοὴν ζωῆς δόντος καὶ αὐτὸ τὸ εἶναι παρασχόντος. Ἄμεινον οὖν, καθὼς προέφαμεν, μηδὲν ὅλως εἰδότας τινάς, μηδὲ μίαν αἰτίαν τινὸς τῶν γεγονότων τί ὅτι ἐγένετο, πιστεύειν τῷ Θεῷ καὶ προσμένειν αὐτοῦ τῇ ἀγάπῃ, ἢ διὰ τῆς τοιαύτης γνώσεως φυσιουμένους ἐκπίπτειν τῆς ἀγάπης τῆς τὸν ἄνθρωπον ζωοποιούσης, μηδὲ ἄλλο τι ζητεῖν εἰδέναι εἰ μὴ Ἰησοῦν Χριστὸν τὸν Υἱὸν τοῦ Θεοῦ τὸν ὑπὲρ ἡμῶν ἐσταυρωμένον, ἢ διὰ τῆς τῶν ζητήσεων λεπτολογίας εἰς ἀθεότητα ἐμπίπτειν.

Rétroversion basée sur le latin et également, à partir des mots Ἄμεινον οὖν ..., sur le syriaque.

A la ligne 13, la logique du raisonnement invite à considérer la leçon « autem » des manuscrits latins comme une corruption probable de « enim ».

A la ligne 17, les mots « scientem quempiam », que confirme le syriaque, font supposer que l'un et l'autre traducteur lisait dans le grec les mots εἰδότα τινά. Cependant ces deux formes singulières font difficulté, car, à la ligne 20, se rencontrera la forme plurielle « inflatos » (φυσιουμένους), confirmée par le syriaque. Comme un tel saut du singulier au pluriel ne paraît guère possible à l'intérieur d'une même phrase, nous proposons de voir dans εἰδότα τινά une corruption très ancienne de εἰδότας τινάς, corruption facilitée peut-être par la présence du singulier τις dans la phrase précédente. A titre de confirmation de notre hypothèse, nous pouvons faire valoir que, jusque dans sa structure, notre phrase ne fait que reprendre la première phrase du présent paragraphe — ce qu'Irénée lui-même indique d'ailleurs expressément par les mots « sicut praedixi <mus> » (ligne 16) —. Or, d'un bout à l'autre de cette phrase, Irénée n'utilise que des formes plurielles : ἰδιώτας, ὀλιγομαθεῖς, πολυμαθεῖς, ἐμπείρους δοκοῦντας, βλασφήμους, ἑαυτῶν, κατασκευάζοντας. N'est-il pas, dès lors, probable a priori qu'Irénée ait fait de même, d'une manière toute spontanée, dans la phrase qui nous occupe?

A la ligne 19, le texte latin pose un délicat problème de critique textuelle. Tous les manuscrits ont « perseuerare eos in dilectione », sauf S qui omet « eos » ; de son côté, Érasme, avec lequel concorde le syriaque, a « perseuerare in eius dilectione ». Il serait évidemment tentant d'adopter cette dernière leçon dans l'établissement du texte latin, car elle paraît cautionnée par deux témoins indépendants et elle est, de surcroît, comme on va le voir, celle qui satisfait davantage pour le sens. Cependant ce serait là, croyons-nous, aller un peu vite en besogne. D'une part, en effet, la présence massive de la leçon « eos in » dans la tradition latine invite à considérer cette leçon comme ayant toute chance de remonter au traducteur lui-même ; d'autre part, les leçons divergentes de S et d'Érasme s'expliquent très naturellement comme des corrections faites par des lecteurs ayant pris conscience que le pluriel « eos » ne pouvait coexister avec les singuliers « scientem quempiam » de la ligne précédente. Restent donc en présence, en fin de compte, deux leçons seulement : « eos in » (latin) et « in eius » (syriaque). Comment expliquer cette divergence, et quelle leçon choisir? La divergence s'explique le plus simplement du monde par une variante au niveau de la tradition grecque : là où le traducteur latin lisait προσμένειν αὐτοὺς τῇ ἀγάπῃ, le traducteur syriaque a lu προσμένειν αὐτοῦ τῇ ἀγάπῃ. Et c'est à cette dernière leçon que l'on donnera la préférence, car c'est elle qui correspond à la manière dont s'exprime habituellement

Irénée. En effet, en dehors du présent passage, l'idée de la
persévérance dans l'ἀγάπη se rencontre à trois autres reprises
dans l'*Aduersus haereses* et Irénée ne manque pas une
seule fois d'ajouter le complément déterminatif αὐτοῦ :
« praecepta eius seruantibus et in dilectione *eius* perseueran-
tibus » (I, 10, 1) ; « et manens in dilectione *eius* et subiec-
tione ... » (III, 20, 2) ; « et perseuerans in ... *eius* dilectione »
(IV, 37, 7).

A cette même ligne 19, on relève l'étonnant contresens
fait par le traducteur latin lorsqu'il traduit Ἄμεινον ... ἤ
par « Melius ... *aut* », alors qu'il eût fallu traduire par
« Melius ... *quam* ». Il faut reconnaître le même contresens
à la ligne 23 et considérer comme primitive la leçon « aut »
(CV AQε) plutôt que la leçon « quam » (S), cette dernière
n'étant vraisemblablement qu'une correction d'humaniste.
Une confusion analogue s'est déjà rencontrée sous la plume
du traducteur en I, 7, 4, où les mots ἤ τὸ πνεῦμα (grec
conservé par Épiphane) sont traduits par « *quam* spiritus »,
alors qu'il eût fallu traduire par « *siue* spiritus ».

Dans le dernier membre de phrase, la restitution ἀθεότητα
est certaine grâce au syriaque, plus précis que le latin.
Quant à la restitution διὰ τῆς τῶν ζητήσεων λεπτολογίας, elle
est des plus probables, car tout semble indiquer que le mot
λεπτολογία a été rendu par un doublet tant dans le syriaque
que dans le latin. Le substantif λεπτολογία se laisse repérer
quatre fois dans l'*Aduersus haereses* : en II, 14, 2 (ligne 30),
τῇ λεπτολογίᾳ = « subtili eloquio » ; en II, 14, 5 (ligne 99),
τὴν ... λεπτολογίαν = « minutiloquium ... et subtilitatem » ;
en II, 26, 1 (ligne 23), διὰ τῆς ... λεπτολογίας = « per ... subtilitates (lire : subtilitatem ?) et minutiloquium » ; en III, 14, 4
(ligne 136), τῆς λεπτολογίας = « subtililoquii ».

P. 263, n. 1. — « nous accorderons », ἡμῶν τε ὁμολογησάντων.
Le latin « consentientibus et confitentibus » est un doublet
manifeste : traduit le plus souvent par « confiteor », le verbe
ὁμολογέω l'est aussi plusieurs fois par « consentio » dans la
version latine de l'*Aduersus haereses*. Cf. I, 26, 2 : Οἱ δὲ
λεγόμενοι Ἐβιωναῖοι ὁμολογοῦσι μὲν τὸν κόσμον ὑπὸ τοῦ
ὄντος Θεοῦ γεγονέναι ... (texte grec conservé par Hippolyte) = « Qui autem dicuntur Ebionaei *consentiunt* quidem
mundum a Deo factum ... » Même traduction de ὁμολογέω
par « consentio » en V, 26, 1, en V, 26, 2, en V, 33, 4 ...

P. 263, n. 2. — « avec une profonde harmonie et un art sublime », μετὰ μεγάλης ἁρμονίας καὶ ῥυθμοῦ ὑψηλοῦ. L'association des termes ἁρμονία et ῥυθμός est courante dans la littérature grecque. Pour Platon, cf. le *Lexique* d'É. DES PLACES *(Coll. des Univ. de France)*, Paris, 1970.

P. 263, n. 3. — « un Logos admirable et vraiment divin », θαυμαστὸν Λόγον καὶ ὄντως θεῖον. Il semble bien que, dans la pensée d'Irénée, il soit ici question du Verbe éternel. Selon la double acception du mot λόγος, le Verbe est à la fois « Raison » qui conçoit et la « Parole » qui crée. C'est plutôt sous le premier de ces aspects que le Logos divin semble être ici envisagé : Irénée se représente le Verbe comme la « Raison » souveraine par laquelle le Père a conçu à la fois l'infinie diversité des créatures et l'ordre harmonieux grâce auquel elles ne font qu'un tout unique.

P. 265, n. 1. — « Ces choses, ce sont, pour une part — dans les Écritures », Ἔστι δὲ ταῦτα τά τε ὑπ' ὄψιν πίπτοντα τὴν ἡμετέραν καὶ ὅσα φανερῶς καὶ ἀναμφιβόλως αὐτολεξεὶ κεῖται ἐν ταῖς γραφαῖς.

Au plan textuel, cette phrase ne pose qu'un seul problème : au lieu de κεῖται ἐν ταῖς γραφαῖς, que suppose le latin « posita sunt in Scripturis », les manuscrits des *Sacra Parallela* ont ἐν ταῖς θείαις γραφαῖς λέλεκται. Quelle que soit la manière dont on puisse tenter d'expliquer la leçon des *Sacra Parallela*, on devra donner raison à la leçon sous-jacente au latin, car il s'agit d'une tournure pour ainsi dire stéréotypée et revenant à de multiples reprises à travers l'*Adversus haereses*, comme il ressort des exemples suivants : I, 10, 3 : « quaecumque posita sunt in Scripturis » = ὅσα τε κεῖται ἐν ταῖς γραφαῖς (texte grec conservé par Épiphane) ; I, 18, 2 : « et si qua <e> omnino talia sunt posita in Scripturis » = καὶ εἴ τινα ἁπλῶς τοιαῦτα κεῖται ἐν ταῖς γραφαῖς (texte grec conservé par Épiphane) ; II, 24, 3 : « cum omnis numerus multifarie in Scripturis sit positus » ; II, 35, 3 : « Si autem quidam ... dictiones positas in Scripturis opponant ... » ; IV, 31, 1 : « ... quacumque inaccusabilia posita sunt in Scripturis » ; IV, 35, 1 : « quaedam eorum quae sunt in Scripturis posita ... »

On aura remarqué la netteté avec laquelle Irénée définit ce que nous pouvons appeler le double livre de la révélation divine, à savoir le monde qui nous entoure, d'une part, et les saintes Écritures, d'autre part. Cette distinction tient

à cœur à Irénée, car il va la reprendre jusqu'à deux fois
dans la suite de ce chapitre, d'abord aux lignes 13-14, puis,
d'une façon beaucoup plus développée, aux lignes 29-43.
Telle qu'elle ressort de cet ensemble, la pensée d'Irénée
peut se formuler ainsi : Ce qu'un homme sain d'esprit
s'efforce de connaître d'une connaissance sans cesse approfondie, c'est, en fin de compte, qu'il existe un seul Dieu
qui a créé toutes choses par sa Parole toute-puissante ;
cette vérité fondamentale, un homme sain d'esprit la trouve
énoncée en toutes lettres dans les textes clairs de l'Écriture,
mais déjà il peut la lire dans le spectacle que lui offre l'univers
visible dont il fait partie.

P. 265, n. 2. — « Voilà pourquoi les paraboles — et
exempt de dislocation », Καὶ διὰ τοῦτο αἱ παραβολαὶ ὀφείλουσι
τοῖς ἀναμφιβόλοις προσαρμόζεσθαι · οὕτως γὰρ καὶ ὁ ἐπιλύων ἀκινδύ-
νως ἐπιλύσει, καὶ αἱ παραβολαὶ ἀπὸ πάντων ὁμοίως τὴν ἐπίλυσιν
λήψονται, καὶ τὸ τῆς ἀληθείας σῶμα ὁλόκληρον καὶ ὁμοιομελὲς καὶ
ἀσάλευτον παραμενεῖ.

1. Sur la signification du terme « parabolae » (ligne 8),
cf. *supra*, p. 226, *note justif. P. 87, n. 2*, et p. 279, *note justif.
P. 201, n. 1.* Rappelons que, si les Valentiniens prétendaient
découvrir des « paraboles » dans l'Écriture (p. ex., les trente
années de la vie cachée du Christ, symbole du Plérôme des
trente Éons, ou l'apostasie de Judas, le douzième apôtre,
symbole de la chute du douzième Éon de la Dodécade ...),
les Marcosiens en découvraient aussi dans notre univers créé
(p. ex., les douze mois de l'année, symbole de la Dodécade ...).
Irénée ne nie pas l'existence de « paraboles » de cette sorte,
soit dans l'Écriture, soit dans l'univers créé, mais ce qu'il
rejette catégoriquement, c'est une interprétation de celles-ci
qui contredirait la vérité fondamentale clairement attestée
à la fois par l'Écriture et par l'univers lui-même : qu'il n'y a
qu'un seul Dieu Créateur de toutes choses. C'est en ce sens
qu'il dit que les « paraboles » doivent « être ajustées »
(προσαρμόζεσθαι) aux choses non ambiguës, c'est-à-dire
confrontées avec elles et interprétées à leur lumière.

2. A la ligne 11, les manuscrits latins ont les mots
« a ueritate corpus », auxquels il est malaisé de trouver un
sens acceptable. Sans doute faut-il lire « *ueritatis* corpus ». On
rapprochera cette expression de I, 9, 4 : « Vnumquemque
autem sermonum reddens suo ordini et aptans *ueritatis
corpusculo*, denudabit et insubstantiuum ostendet figmen-

tum ipsorum » = ἓν ἕκαστον δὲ τῶν εἰρημένων ἀποδοὺς τῇ
ἰδίᾳ τάξει καὶ προσαρμόσας τῷ τῆς ἀληθείας σωματίῳ,
γυμνώσει καὶ ἀνυπόστατον ἐπιδείξει τὸ πλάσμα αὐτῶν
(texte grec conservé par Épiphane). On observera cependant
que, dans le présent passage, l'expression « ueritatis corpus »
a un contenu plus large : en effet, tandis que, en I, 9, 4, il
est question des saintes Écritures, il s'agit ici de ce tout
organique que constitue la vérité reçue de Dieu tant par le
canal des Écritures que par le témoignage de l'univers créé.

3. A la ligne 12, les mots « simili aptatione membrorum »
paraissent traduire le mot grec composé ὁμοιομελές, car le
mouvement de la phrase appelle une suite de trois adjectifs,
en l'occurrence ὁλόκληρον, ὁμοιομελές (sur l'emploi de ce
terme par Irénée, cf. *supra*, p. 240, *note justif. P. 117, n. 1*)
et ἀσάλευτον (ou un autre adjectif de sens identique.

P. 267, n. 1. — « Par contre, rattacher des choses non
clairement exprimées — par les philosophes païens », Ἀλλὰ
τὰ μὴ φανερῶς εἰρημένα μηδὲ ὑπ' ὄψιν πίπτοντα συνάπτειν ταῖς
ἐπιλύσεσι τῶν παραβολῶν, ἃς εἷς ἕκαστος καθὼς βούλεται παρεπινοεῖ,
<ἄλογον> · οὕτως γὰρ παρ' οὐδενὶ ἔσται ὁ κανὼν τῆς ἀληθείας,
ἀλλ' ὅσοι γενήσονται οἱ ἐπιλύοντες τὰς παραβολάς, τοσαῦται ὀφθή-
σονται ἀλήθειαι μαχόμεναι πρὸς ἀλλήλας καὶ ἀνθιστάμενα ἀλλήλοις
δόγματα, καθάπερ καὶ τὰ τῶν ἐθνικῶν φιλοσόφων ζητήματα.

1. A la ligne 15, un ou plusieurs mots paraissent être
tombés accidentellement, car, telle qu'elle se lit dans les
manuscrits latins, la phrase reste inachevée. Nous proposons
de lire quelque chose comme : « Sed quae non aperte dicta
sunt ... copulare absolutionibus parabolarum, quas unus-
quisque prout uult adinuenit, <irrationabile est> : sic
enim ... » Quelque peu paraphrasée, la pensée revient à
ceci : « Par contre, tabler sur des ' paraboles ' susceptibles
d'être interprétées de toutes les manières possibles et
prétendre conclure, à partir d'elles, à l'existence de réalités
telles qu'un Plérôme de trente Éons, réalités qui ne sont
nulle part clairement affirmées dans l'Écriture et qui ne
tombent pas davantage sous notre regard, *c'est là chose
déraisonnable* : de la sorte, en effet, ... » Une idée de tout
point semblable se retrouvera un peu plus loin, dans ce même
chapitre (lignes 53-57) : « Quia autem parabolae possunt
multas recipere absolutiones, ex ipsis de inquisitione Dei
adfirmare, relinquentes quod certum et indubitatum et
uerum est, *ualde praecipitantium se in periculum et irrationa-
bilium esse* quis non amantium ueritatem confitebitur? »

2. A la ligne 16 se lit l'expression « regula ueritatis ».
Quel substrat grec se dissimule sous ces mots ? Les historiens
des doctrines qui se sont penchés sur le présent texte sont
unanimes à voir, dans cette « regula ueritatis », la « règle de
la vérité », ὁ κανὼν τῆς ἀληθείας, dont il a été question pour
la première fois en I, 9, 4. A cet endroit, Irénée a précisé
qu'on reçoit cette « règle » lors du baptême et que celui qui
la garde inflexiblement en lui-même peut distinguer sans
peine l'authentique enseignement des Écritures de ce que
les hérétiques voudraient frauduleusement faire passer pour
tel. Nous voulons bien faire nôtre cette vue de nos prédécesseurs, non, toutefois, sans attirer l'attention sur le fait
que, dans l'*Aduersus haereses*, « regula » traduit fréquemment ὑπόθεσις et qu'il n'est peut-être pas impossible que,
ici même, « regula ueritatis » soit la traduction de ἡ ὑπόθεσις
τῆς ἀληθείας : il s'agirait alors de la « doctrine de la
vérité » dont il a été question en I, 10, 3 et, au début de cette
section même, en II, 25, 1. Hâtons-nous de dire que la question ne nous paraît pas d'une importance primordiale, car,
ainsi qu'on l'a déjà vu, le contenu *concret* de la « doctrine de
la vérité » n'est pas autre que celui de la « règle de la vérité »
et, quelle que soit celle de ces deux expressions à laquelle
on s'arrête, la pensée d'Irénée demeure substantiellement
identique. En effet, dans le passage qui va de la ligne 8 à
la ligne 20, Irénée campe en face l'un de l'autre deux comportements diamétralement opposés : 1. d'un côté, on part de
la vérité clairement attestée de l'existence d'un seul Dieu
qui a créé toutes choses par son Verbe et l'on interprète les
« paraboles » à la lumière de cette vérité fondamentale : en
ce cas, le corps de la vérité ne peut que demeurer intact,
puisqu'on part précisément de lui et qu'on refuse de le
mettre en question de quelque manière que ce soit (lignes
8-13) ; 2. de l'autre côté, on tourne le dos à la vérité fondamentale susdite et on prend pour point de départ les
« paraboles », dont on entend tirer toutes sortes d'indications
relatives à un monde divin supérieur au Dieu Créateur :
en ce cas, il n'y aura plus de « règle de la vérité » (ou de
« doctrine de la vérité ») chez personne, puisqu'on aura
commencé par tourner le dos à cette vérité, mais il y aura
autant de prétendues « vérités » contradictoires les unes des
autres qu'il y aura de gens à interpréter les « paraboles »,
puisque chacun mettra son point d'honneur à les interpréter
à sa façon (lignes 13-20).

3. Aux lignes 18-19, les mots « contraria sibimet dogmata statuentes » font problème, car « statuentes » ne peut se rapporter qu'au mot « ueritates » de la ligne 17 et le latin devrait se traduire : « … autant on verra apparaître de vérités luttant les unes contre les autres et *dressant des opinions contraires à elles-mêmes* ». Ce n'est guère satisfaisant. Mais l'étrangeté du latin s'explique, croyons-nous, par un banal accident survenu dans la transmission du texte grec : le traducteur a lu la forme ἀνθιστάμεναι, ce qui l'a obligé à faire de δόγματα le complément direct de ce participe, alors que le texte primitif comportait la forme intransitive ἀνθιστάμενα se rapportant à δόγματα. Le sens est alors : « … autant on verra apparaître … *d'opinions s'opposant les unes aux autres* ».

P. 267, n. 2. — « Dans une telle perspective — la méthode même qui lui eût permis de trouver », Κατὰ τοῦτον οὖν τὸν λόγον ὁ μὲν ἄνθρωπος ἀεὶ ζητήσει, οὐδέποτε δὲ εὑρήσει διὰ τὸ αὐτὴν τὴν τῆς εὑρέσεως ἀποβεβληκέναι ἀγωγήν.

Sur la possibilité de la traduction de ἀγωγή par « disciplina », voir IV, 38, 1 : « inexercitata ad perfectam disciplinam » = ἀγύμναστα πρὸς τὴν τελείαν ἀγωγήν (texte grec conservé dans les *Sacra Parallela*). Le mot ἀγωγή peut signifier : « manière de traiter une question », « méthode ». Cette même signification peut aussi être celle du terme latin « disciplina ».

P. 267, n. 3. — « Ainsi donc toutes les Écritures — s'imaginent avoir trouvé chacun son propre Dieu », Πασῶν οὖν τῶν γραφῶν τῶν τε προφητικῶν καὶ τῶν εὐαγγελικῶν φανερῶς καὶ ἀναμφιβόλως — ὡς ὁμοίως ὑπὸ πάντων ἀκούεσθαι δύνανται, εἰ καὶ οὐ πάντες πιστεύουσιν — ἕνα καὶ μόνον Θεὸν παρὰ τοὺς ἄλλους κηρυσσουσῶν τὰ πάντα πεποιηκέναι διὰ τοῦ Λόγου αὐτοῦ, εἴτε ὁρατὰ εἴτε ἀόρατα, εἴτε οὐράνια εἴτε ἐπίγεια, εἴτε ἔνυδρα εἴτε ὑπόγεια, καθὼς ἐπεδείξαμεν ἐξ αὐτῶν τῶν γραφικῶν λέξεων, καὶ αὐτῆς δὲ τῆς καθ' ἡμᾶς κτίσεως διὰ τῶν εἰς ὄψιν ἡκόντων αὐτὸ τοῦτο μαρτυρούσης ἕνα εἶναι τὸν αὐτὸν πεποιηκότα καὶ διέποντα, πάνυ κωφοὶ φανήσονται οἱ πρὸς τὴν οὕτως φωτεινὴν ἐπιφάνειαν τυφλώττοντες τοὺς ὀφθαλμοὺς καὶ μὴ θέλοντες ἰδεῖν τὸ φῶς τοῦ κηρύγματος, ἀλλὰ σφίγγοντες ἑαυτοὺς καὶ σκοτειναῖς παραβολῶν ἐπιλύσεσιν εἷς ἕκαστος αὐτῶν ἴδιον δοκοῦντες ἐξευρηκέναι Θεόν.

1. La logique de la phrase demande qu'on lise aux lignes 30-31 : « <u >t similiter ab omnibus audiri poss<u >nt … »

Il s'agit d'une incise, en laquelle Irénée dit à propos des hérétiques ce qu'il redira en IV, 6, 6 à propos du peuple juif : « Sed per legem et prophetas similiter et Verbum et Patrem praedicabat : et audiuit quidem uniuersus populus similiter, non similiter autem omnes crediderunt ».

2. A la ligne 35 du texte latin se rencontre une variante notable : « demonstrauimus » (AQSε) — « demonstrabimus » (CV). Nous optons pour la première leçon, car, à deux reprises déjà, Irénée a démontré par des textes prophétiques et évangéliques qu'un seul Dieu a fait toutes choses par son Verbe : en I, 22, 1, il a cité *Ps.* 32, 6 et *Jn* 1, 3 ; en II, 2, 5, il a cité *Gen.* 1, 1, *Ps.* 32, 9 et *Jn* 1, 3. On peut noter que, en III, 8, 3, Irénée reviendra encore sur la création de toutes choses choses par l'entremise du Verbe ; il citera alors *Jn* 1, 3, *Ps.* 32, 9, *Ps.* 32, 6 et *Ps.* 113, 11. On pourrait arguer de ce passage du Livre III pour appuyer la leçon « demonstrabimus ». Toutefois il semble plus naturel et plus conforme aux exigence d'une polémique intelligente qu'Irénée fasse appel à une démonstration déjà présentée — et à deux reprises ! — plutôt qu'à une démonstration encore à venir et qui, pour une part, reprendra les textes déjà cités.

3. Les mots « ad tam lucidam *adapertionem* » (ligne 39) pourraient se comprendre au sens de : « en présence d'une explication aussi claire ». Mais l'« explication » en question cadre mal avec le contexte. On n'est pas « aveugle des yeux » en présence d'une explication, mais en présence d'un objet qui se manifeste, qui apparaît. Dès lors on se demandera si « adapertionem » ne serait pas la corruption de « adpari-tionem ». Le grec serait alors : πρὸς τὴν οὕτως φωτεινὴν ἐπιφάνειαν, et il faudrait comprendre : « en présence d'une *manifestation* aussi claire ». Il s'agit de la manifestation, tant par les divines Écritures que par le monde dont nous sommes, de cette vérité fondamentale selon laquelle un seul Dieu tout-puissant a créé toutes choses par son Verbe.

P. 269, n. 1. — « Car, en ce qui concerne le Père — à savoir le Père », Ὅτι γὰρ περὶ τοῦ παρεπινενοημένου ὑπὸ τῶν ἀντιδοξούντων Πατρὸς οὐδὲν φανερῶς οὐδὲ αὐτολεξεὶ οὐδὲ ἀναμφισβη-τήτως ἐν οὐδεμίᾳ τὸ καθόλου εἴρηται γραφῇ, καὶ αὐτοὶ μαρτυροῦσι λέγοντες ἐν κρυπτῷ ταῦτα τὸν Σωτῆρα δεδιδαχέναι οὐ πάντας, ἀλλά τινας τῶν μαθητῶν τοὺς δυναμένους χωρεῖν καὶ τὰ δι' αἰνιγμάτων καὶ παραβολῶν ὑπ' αὐτοῦ μηνυόμενα συνίοντας. Ἤκουσι δὲ ἐπὶ τοῦτο ὥστε λέγειν ἄλλον μὲν εἶναι τὸν κηρυσσόμενον Θεόν, ἄλλον δὲ τὸν διὰ τῶν παραβολῶν καὶ αἰνιγμάτων μηνυόμενον Πατέρα.

Aux lignes 48-49, le latin a trois termes : « per argumenta et aenigmata et parabolas ». Mais on ne voit pas ce que peut signifier ici le premier de ces termes, et l'on se demandera s'il ne serait pas le résultat d'une dittographie. Cette hypothèse serait d'autant plus plausible que, dans la phrase suivante, ne figurent plus que les deux derniers termes : « et alium ... qui per *parabolas* et *aenigmata* significatur Pater ». Ajoutons que le binôme en question se retrouvera en III, 5, 1, dans un contexte de tout point identique : « ... his uero qui innominabilem Patrem capiunt, per *parabolas* et *aenigmata* inenarrabile <dixi>sse mysterium ».

Aux lignes 51-52, on constate le redoublement manifestement aberrant « Patrem ... Pater ». Sans doute faut-il lire, parallèlement aux lignes 50-51 : « et alium qui per parabolas et aenigmata significatur Pater ».

P. 271, n. 1. — « Ainsi donc, puisque nous possédons — et préparé le grenier », Ἔχοντες οὖν τὸν κανόνα αὐτὸν τῆς ἀληθείας καὶ τὴν ἐν φανερῷ κειμένην περὶ τοῦ Θεοῦ μαρτυρίαν, οὐκ ὀφείλομεν, εἰς ἄλλας καὶ ἄλλας τῶν ζητημάτων ἐκκλίνοντες ἐπιλύσεις, ἐκβάλλειν τὴν βεβαίαν καὶ ἀληθῆ περὶ τοῦ Θεοῦ γνῶσιν · μᾶλλον δέ, τὴν ἐπίλυσιν τῶν ζητημάτων εἰς τοῦτον τὸν χαρακτῆρα εὐθύνοντας, ἀπκεῖσθαι μὲν προσήκει διὰ τῆς ζητήσεως τοῦ τε μυστηρίου καὶ τῆς οἰκονομίας τοῦ ὄντος Θεοῦ, αὐξάνεσθαι δὲ ἐν τῇ ἀγάπῃ τοῦ τοσαῦτα δι᾽ ἡμᾶς ποιήσαντος καὶ ποιοῦντος, μηδέποτε δὲ ἐκπίπτειν τῆς πεισμόνης ᾗ φανερώτατα κηρύσσεται ὅτι οὗτος μόνος ὄντως ἐστὶ Θεὸς καὶ Πατὴρ ὁ καὶ τόνδε τὸν κόσμον ποιήσας καὶ τὸν ἄνθρωπον πλάσας καὶ τῷ ἰδίῳ κτίσματι δωρησάμενος τὴν αὔξησιν καὶ ἐκ τῶν ἐλαττόνων αὐτοῦ πρὸς τὰ παρ᾽ αὐτῷ μείζονα καλέσας, καθάπερ τὸ μὲν βρέφος ἐν μήτρᾳ συλληφθὲν ἐξάγει εἰς τὸ φῶς τοῦ ἡλίου καὶ τὸν σῖτον μετὰ τὸ ἐν καλάμῃ κραταιῶσαι συνάγει εἰς τὴν ἀποθήκην, εἷς δὲ καὶ ὁ αὐτὸς Δημιουργὸς ὃς καὶ τὴν μήτραν ἔπλασε καὶ τὸν ἥλιον ἔκτισε, καὶ εἷς καὶ ὁ αὐτὸς Κύριος ὃς καὶ τὴν καλάμην ἐξήγαγε καὶ τὸν σῖτον αὐξήσας ἐπλήθυνε καὶ τὴν ἀποθήκην ἡτοίμασε.

1. A la ligne 1, les mots « habentes itaque regulam ipsam ueritatem » font problème. Le latin ne peut se traduire autrement que par : « Ayant donc pour règle la vérité elle-même », mais on voit mal ce que cela peut signifier dans le présent contexte. Par ailleurs, la conjonction « itaque » indique que, par les mots « habentes ... *regulam* ... et ... de Deo *testimonium* », Irénée entend se référer au contenu du chapitre précédent. Que visent donc les deux substantifs en question ? De toute évidence, les mots « de Deo testimonium » renvoient

aux lignes 29-38 (le participe « testante » se lit même à la
ligne 38). Quant au terme « regula », comment douter qu'il
ne fasse écho à la ligne 16, où se lit l'expression « regula
ueritatis » ? Mais, s'il en est ainsi, n'y a-t-il pas tout lieu
de croire que, à la première ligne du chapitre 28, il convienne
de lire de même l'expression « regulam ... ueritat <is> »
plutôt que le peu compréhensible « regulam ... ueritatem » ?
L'altération peut en effet s'expliquer sans peine : dans une
lecture quelque peu mécanique telle qu'était le plus souvent
celle des copistes, il était presque fatal que le pronom
« ipsam » fût rattaché au substantif qui le suivait et que,
du même coup, celui-ci passât du génitif à l'accusatif. Si
l'on accepte de rectifier de la sorte le latin, on posera comme
substrat grec : Ἔχοντες οὖν τὸν κανόνα αὐτὸν τῆς ἀληθείας ...,
et l'on traduira : « Possédant donc la règle même de la
vérité ... » Peut-être la restitution Ἔχοντες οὖν τὴν ὑπόθεσιν
αὐτὴν τῆς ἀληθείας ... serait-elle également possible (cf.
supra, p. 309, *note justif., P. 267, n. 1*) ; on traduirait alors :
« Possédant donc la doctrine même de la vérité ... » Mais,
quel que soit celui des deux termes grecs qui puisse se
dissimuler sous le latin « regulam », le sens du passage ne
sera pas substantiellement différent, puisque, comme nous
l'avons dit plus haut, le contenu *concret* de la « règle de la
vérité » est identique à celui de la « doctrine de la vérité ».

2. Aux lignes 3-4, le texte latin ne peut être accepté tel
quel, car on y cherche vainement un substantif qui se
rapporterait à la préposition « per ». Si l'on considère l'expression « absolutionem quaestionum » qui se lit à la ligne 5,
on se demandera si un déplacement accidentel de mots ne
serait pas à l'origine du texte actuel des manuscrits. Nous
proposons donc, à titre d'hypothèse, de reconstituer le texte
latin comme suit : « [per] in alias atque alias quaestionum
declinantes absolutiones ... » Le sens ainsi obtenu s'harmonise
pleinement avec le contexte, car le déroulement de la pensée
est le suivant : « Puisque nous possédons la règle même de
la vérité et un clair témoignage sur le seul vrai Dieu, il ne
peut être question pour nous de faire comme les Valentiniens, qui, tournant le dos à cette règle et à ce témoignage,
cherchent dans une autre direction — entendons : dans
l'affirmation d'un monde divin supérieur au Dieu Créateur —
toutes sortes de réponses divergentes et contradictoires
aux questions que posent à l'intelligence croyante les textes
de l'Écriture ou les réalités de notre monde visible ».

3. A la ligne 12, nous ne voyons pas comment comprendre les mots « in sua creatura ». Sans doute faut-il lire : « ... et *suae creaturae* dedit incrementum ... » Nous voudrions, en passant, attirer l'attention sur l'importance de ce passage, et même de tout le présent paragraphe, pour une intelligence correcte de la théologie d'Irénée. En effet, dans cette page où il rappelle une fois de plus la vérité fondamentale qu'un croyant ne pourra jamais mettre en question sous quelque prétexte que ce soit, à savoir qu'il existe un seul Dieu Créateur de toutes choses (lignes 10-12), Irénée précise la manière dont il convient de comprendre cette création de toutes choses par Dieu : non le simple modelage de l'homme au sein d'un monde préalablement fait pour lui (lignes 11-12), mais aussi cela même en vue de quoi l'homme est ainsi modelé, à savoir le don d'une croissance progressive de cet homme (ligne 12), croissance appelée à s'achever dans une possession et une jouissance des biens propres à Dieu (ligne 13). Est-il besoin de dire que, comprise de la sorte, l'affirmation de la création de toutes choses par Dieu implique la totalité concrète de l'histoire du salut ?

P. 271, n. 2. — « Nous devons abandonner de telles questions — des mystères de Dieu », Παραχωρεῖν δὲ τὰ τοιαῦτα ὀφείλομεν τῷ καὶ ἡμᾶς πεποιηκότι Θεῷ, ὀρθῶς εἰδότες ὅτι αἱ μὲν γραφαὶ τέλειαί εἰσιν, ἅτε ἀπὸ τοῦ Λόγου τοῦ Θεοῦ καὶ τοῦ Πνεύματος αὐτοῦ δεδομέναι, ἡμεῖς δέ, καθ' ὃ ὑστερούμεθα τοῦ Λόγου τοῦ Θεοῦ καὶ τοῦ Πνεύματος αὐτοῦ, κατὰ τοῦτο καὶ τῆς γνώσεως τῶν μυστηρίων αὐτοῦ προσδεόμεθα.

Aux lignes 25-27, le texte des manuscrits est le suivant : « ... Scripturae quidem perfectae sunt, quippe a Verbo Dei et Spiritu eius *dictae* ». Cette dernière forme est étrange : qu'est-ce que des « Écritures » qui sont « dites » ? En fait, il s'agit d'une corruption de la forme « *datae* », comme le montre la comparaison avec ces mots de II, 28, 3 : « ... et omnis Scriptura a Deo nobis *data* ... » = καὶ πᾶσα γραφὴ δεδομένη ἡμῖν ἀπὸ Θεοῦ (texte grec conservé dans les *Sacra Parallela*). Noter que, pour ce dernier passage, les leçons des manuscrits se présentent comme suit : « data » C AQSε, « dicta » V (les deux formes sont, paléographiquement parlant, fort proches et la confusion est facile).

Aux lignes 27-28, les mots « minores sumus et nouissimi » semblent bien n'être autre chose qu'un doublet traduisant ὑστερούμεθα. Cf. IV, 38, 1 : « Quae autem facta sunt ... minora esse oportuit eo qui se fecerit » = Τὰ δὲ γεγονότα ...

ὑστερεῖσθαι ἔδει τοῦ αὐτὰ **πεποιηκότος** (texte conservé dans les *Sacra Parallela*).

P. 273, n. 1. — « mais seul Celui qui les a faites, c'est-à-dire Dieu, sera véridique », ὁ δὲ πεποιηκὼς μόνος Θεὸς ἀψευδής. Sur la question de savoir si Irénée utilise un matériel doxographique dans ce paragraphe, cf. W. R. SCHOEDEL, « Philosophy and Rhetoric in the Adv. haer. of Irenaeus », dans *Vig. Christ.* 13 (1959), p. 23 suiv.

P. 275, n. 1. — « mais qu'il y en ait aussi que nous abandonnions à Dieu », ἔνια δὲ ἀνατίθεμεν τῷ Θεῷ.

Le texte grec de ce passage est conservé dans les *Sacra Parallela*, mais, au lieu de ἀνατίθεμεν, sous-jacent au latin « commendamus », le texte grec a la leçon ἀνακείσεται. La leçon ἀνατίθεμεν est plus naturelle, les expressions parallèles ἔνια μέν et ἔνια δέ ayant alors toutes deux la fonction de complément direct. D'autre part, c'est ce même verbe ἀνατίθημι que l'on retrouve quelques lignes plus loin, dans une phrase renvoyant manifestement à celle qui fait l'objet de la présente note : Εἰ οὖν καθ᾽ ὃν εἰρήκαμεν τρόπον ἔνια τῶν ζητημάτων ἀναθήσομεν τῷ Θεῷ...

P. 277, n. 1. — « Car, selon le mot de l'Apôtre — et sa science, sans mesure », Καθὼς καὶ ὁ Ἀπόστολος εἴρηκε, τῶν λοιπῶν μερικῶν καταργηθέντων, ταῦτα τότε μένειν, πίστιν, ἐλπίδα, ἀγάπην · ἀεὶ γὰρ ἡ πρὸς τὸν ἡμέτερον διδάσκαλον πίστις μενεῖ ἑδραία, διαβεβαιουμένη ἡμῖν ὅτι μόνος ὄντως Θεός, ἵνα καὶ ἀγαπῶμεν αὐτὸν ἀεί, ὅτι αὐτὸς μόνος Πατήρ, καὶ ἐλπίζωμεν πάντοτε πλεῖόν τι δέχεσθαι καὶ μανθάνειν παρὰ τοῦ Θεοῦ, ὅτι ἀγαθὸς καὶ πλοῦτος ἔχων ἀπέραντον καὶ βασιλείαν ἀτελεύτητον καὶ ἐπιστήμην ἀμέτρητον.

1. A la ligne 66, la leçon « reliquis *partibus* destructis » des manuscrits latins n'est guère intelligible. De toute évidence, Irénée fait allusion à *I Cor.*, 13, 9-10 : « C'est partiellement (ἐκ μέρους) que nous connaissons, et partiellement (ἐκ μέρους) que nous prophétisons : mais, quand sera arrivé ce qui est parfait, ce qui est partiel (τὸ ἐκ μέρους) sera aboli ». Il semble donc qu'Irénée ait dû écrire : τῶν λοιπῶν μερικῶν καταργηθέντων. Le traducteur latin a-t-il eu sous les yeux un texte en lequel μερικῶν s'était corrompu en μερῶν ? Ou le texte latin avait-il primitivement une leçon telle que « parti <ali >bus » ou « parti <culari >bus », traductions

possibles de μερικῶν ? Sur l'emploi de μερικός en relation
avec *I Cor.*, 13, 9-10, on peut citer cette phrase de Jean
Chrysostome : οὐκ ἄρα ἡ γνῶσις καταργεῖται, ἀλλὰ τὸ μερικὴ
εἶναι γνῶσις (*In I Cor., hom.* 34, 1. *PG* 61, 287).
A la ligne 69, les mots « et ut » s'intègrent mal dans la
structure de la phrase. Ne conviendrait-il pas de lire plutôt :
« *ut et* diligamus ... et speremus ... » ? Enfin, à la ligne 71,
le mot « subinde » ne laisse pas d'étonner, car, d'après ce qui
précède immédiatement le passage qui fait l'objet de cette
note, ce que les élus espèrent de Dieu au ciel, ce n'est pas de
recevoir « de temps en temps », voire « souvent », quelque
chose de plus, mais d'apprendre *toujours* davantage de
Celui qui est bon et infiniment riche : « ... ut semper (ἀεί)
quidem Deus doceat, homo autem semper (διὰ παντός)
discat quae sunt a Deo » (lignes 64-65).

2. On n'a pas manqué d'attirer l'attention sur la manière
dont Irénée interprète ici *I Cor.* 13, 13 : s'appuyant en
effet sur ce verset paulinien, il affirme que demeureront dans
la vie éternelle, non seulement la charité, mais aussi la foi
et l'espérance (cf. F. Lacan, « Les trois qui demeurent », dans
Rech. de Sc. Rel., 46, 1958, p. 330, note 8). Cette interprétation particulière de *I Cor.* 13, 13, Irénée ne la jette pas
comme en passant et d'une plume distraite, car nous la
verrons reparaître en IV, 12, 2 : « ... et omnibus caeteris
euacuatis, manere fidem, spem, dilectionem, maiorem
autem esse omnium dilectionem ... »
Il convient, cependant, de ne pas simplifier indûment la
pensée d'Irénée sur ce point de doctrine. En effet, dans ce
Livre même, en II, 22, 2, expliquant ce qu'est l'« année de
grâce du Seigneur » dont il est question en *Is.* 61, 2, il
écrivait : « ... ita et illic annus non qui est ex duodecim
mensibus dicitur, sed *omne fidei tempus* (ὁ πᾶς τῆς πίστεως
χρόνος) in quo audientes praedicationem credunt homines
et acceptabiles Domino fiunt qui se ei copulant ». Et la
même expression caractéristique se retrouvera en IV, 16, 1,
à propos de *Ps.* 43, 22 cité par Paul : « Aestimati enim
sumus, ait apostolus Paulus, tota die ut oues occisionis,
scilicet consecrati et ministrantes *omni tempore fidei nostrae*
(τὸν πάντα χρόνον τῆς πίστεως ἡμῶν) ... » Peut-être, pour le
dire en passant, Irénée reçoit-il cette expression de la *Didachè*
(16, 2) : « Car tout le temps de votre foi (ὁ πᾶς χρόνος τῆς
πίστεως ὑμῶν) ne vous servira pas, si, au dernier moment,
vous n'avez pas été rendus parfaits ». De toute façon, il
résulte des deux derniers textes cités que, pour Irénée,

la foi doit aussi, du moins dans un certain sens, n'avoir qu'un temps.

Ainsi, en ce qui concerne le point qui nous occupe, la pensée d'Irénée apparaît comme plus nuancée qu'on ne l'a parfois laissé entendre. Elle ne fait d'ailleurs que refléter la manière dont il se représente, à travers toute son œuvre, la vie éternelle des élus auprès de Dieu. D'une part, en effet, la vie du ciel ne peut être pour Irénée qu'éternelle « nouveauté » (cf. V, 36, 1) dans l'union aimante des élus à Celui dont la richesse est sans limites et dont la grandeur demeure à jamais incirconscriptible : en ce sens, Irénée peut affirmer, avec ce qu'il estime être la pensée de Paul, une véritable permanence de la foi et de l'espérance jusque dans la vie éternelle. Mais, d'autre part, en accord avec l'enseignement de l'Écriture, Irénée maintient la différence radicale existant entre le terme et le cheminement, entre la « maturité » et la « croissance » (cf. IV, 11, 1-2), entre la vision de Dieu face à face, qui est l'apanage de la vie céleste, et la foi et l'espérance, par lesquelles nous progressons vers Dieu à travers les obscurités de la vie présente : en ce sens-là, il est clair que la foi et l'espérance ne peuvent avoir qu'un temps et que, parvenus « près de Dieu » (cf. IV, 38, 3), nous n'aurons même plus la possibilité de cheminer encore, par une telle foi et une telle espérance, vers Celui dont plus rien ne nous séparera. Telle nous paraît être, pour l'essentiel, la très riche pensée d'Irénée sur une certaine permanence de la foi et de l'espérance dans la vie céleste.

P. 277, n. 2. — « à travers la polyphonie des textes — le Dieu qui a fait toutes choses », καὶ διὰ τῆς τῶν λέξεων πολυφωνίας ἓν σύμφωνον μέλος ἐν ἡμῖν ᾀσθήσεται ὑμνοῦν τὸν τὰ πάντα πεποιηκότα Θεόν.

Au lieu de ᾀσθήσεται (futur passif de ᾄδω = « chanter »), le traducteur latin a lu αἰσθήσεται (futur de αἰσθάνομαι = « sentir »), et il a considéré les mots ἓν σύμφωνον μέλος... ὑμνοῦν comme des accusatifs.

P. 277, n. 3. — « Si, par exemple, on nous demande — nulle Écriture ne nous l'indique », Οἷον ἐάν τις ἐπερωτᾷ · Πρὸ τοῦ τὸν κόσμον ποιῆσαι τὸν Θεόν, τί ἔπρασσεν ; ἐροῦμεν ὅτι αὕτη ἡ ἀπόκρισις ἀνάκειται τῷ Θεῷ. Ὅτι μὲν γὰρ ὅδε ὁ κόσμος ἐγένετο ἀποτελεστικῶς ὑπὸ τοῦ Θεοῦ, χρονικὴν ἀρχὴν λαβών, αἱ γραφαὶ ἡμᾶς διδάσκουσιν · τί δὲ πρὸ τούτου ὁ Θεὸς ἔπραξεν, οὐδεμία γραφὴ μηνύει.

A la ligne 84, l'enchaînement logique des propositions demande qu'on lise « enim » au lieu de « autem ». A la ligne suivante, l'adverbe ἀποτελεστικῶς nous a été conservé dans la version latine elle-même. Le contexte lève toute ambiguïté sur la signification de ce terme. Dire que l'univers procède de Dieu ἀποτελεστικῶς, c'est dire qu'il procède de lui, non par émanation naturelle et nécessaire, à la manière dont les rayons lumineux émanent du soleil — le monde serait alors éternel comme Dieu lui-même —, mais par production contingente et libre, *à la manière dont un effet est produit par sa cause* et reçoit d'elle une existence distincte et autonome — le monde a nécessairement alors un commencement d'existence —. Le terme ἀποτελεστικῶς s'est déjà rencontré en II, 17, 2 et II, 17, 3 (cf. *supra*, p. 266 *note justif. P. 159, n. 1*).

P. 279, n. 1. — « ainsi que nous le montrerons par ses propres paroles », ἐκ τῶν λόγων αὐτοῦ ἐπιδείξομεν. On doit donner raison à la leçon « ostendemus » (AQS) contre la leçon « ostendimus » (CVε), car c'est seulement au Livre IV qu'Irénée prouvera, à partir des paroles mêmes du Christ, que celui-ci reconnaît pour seul Père le Dieu Créateur (cf. notamment IV, 2, 2, où Irénée cite *Matth.* 11, 25 : « Confiteor tibi, Pater, Domine caeli et terrae »).

P. 279, n. 2. — « Vous paraissez d'abord dire avec gravité — en qui vous dites que vous croyez », Σεμνῶς μὲν φαίνεσθε λέγειν ὑμᾶς εἰς τὸν Θεὸν πιστεύειν · ἔπειτα, ἄλλον Θεὸν μὴ δυνάμενοι ἐπιδεῖξαι, τοῦτον αὐτὸν εἰς ὃν πιστεύειν ὑμᾶς λέγετε ὑστερήματος καρπὸν καὶ ἀγωνίας, ηιριβηλόλιν βλασφημεῖνεσθε.

Les termes latins « grauiter ... et honeste » constituent un doublet traduisant le grec σεμνῶς. Un doublet de tout point semblable s'est rencontré en I, 15, 1, où l'on a vu Marc le Magicien nommer « avec gravité » (σεμνῶς, traduit par « cum grauitate et honore ») les Éons de sa première Tétrade.

L'attitude que dénonce ici Irénée est celle des Valentiniens et, plus particulièrement, des Marcosiens — l'expression ὑστερήματος καρπός s'est rencontrée à plusieurs reprises, dans le Livre I, précisément dans les chapitres consacrés à Marc et à ses disciples —. Irénée reviendra encore dans la suite sur cette attitude de duplicité des Valentiniens, notamment en III, 12, 12, où il l'opposera à l'attitude des Marcionites qui, à défaut d'une doctrine moins inacceptable, ont du moins le mérite d'une plus grande franchise.

P. 281, n. 1. — « Vous ne comprenez pas que, dans le cas
de l'homme — ne sauraient exister en lui », Καὶ οὐ συνίετε
ὅτι ἐπὶ μὲν τοῦ ἀνθρώπου, ὅς ἐστι σύνθετον ζῷον, ἐνδέχεται τὰ τοιαῦτα
λέγειν, καθὼς προειρήκαμεν νοῦν ἀνθρώπου καὶ ἔννοιαν ἀνθρώπου,
καὶ ὅτι ἐκ τοῦ νοῦ ἡ ἔννοια, ἐκ δὲ τῆς ἐννοίας ἡ ἐνθύμησις, ἐκ δὲ
τῆς ἐνθυμήσεως ὁ λόγος — ἄλλο μὲν γὰρ κατὰ τοὺς Ἕλληνας τὸ
ἡγεμονικὸν ὃ διανοεῖται, ἄλλο δὲ τὸ ὄργανον δι' οὗ ἐκπέμπεται ὁ
λόγος, καὶ ποτὲ μὲν ἡσυχάζειν καὶ σιωπᾶν τὸν ἄνθρωπον, ποτὲ δὲ
λαλεῖν καὶ ἐργάζεσθαι —, τοῦ δὲ Θεοῦ ὅλου νοῦ ὄντος καὶ ὅλου λόγου
καὶ ὅλου πνεύματος ἐργαζομένου καὶ ὅλου φωτὸς καὶ ἀεὶ κατὰ τὰ
αὐτὰ καὶ ὁμοίως ὑπάρχοντος, ὡς καὶ συμφέρον ἡμῖν φρονεῖν περὶ
τοῦ Θεοῦ καὶ ὡς ἀπὸ τῶν γραφῶν μανθάνομεν, οὐκέτι αἱ τοιαῦται διαθέσεις καὶ διαιρέσεις εὐαρμόστως πρὸς αὐτὸν κατακολουθήσουσιν.

Aux lignes 114-115, la malencontreuse intervention d'un
glossateur ou d'un correcteur a rendu le texte incompréhensible en essayant d'y introduire de force la distinction entre
λόγος ἐνδιάθετος et λόγος προφορικός, distinction qui est ici en
dehors des perspectives d'Irénée. Par bonheur, la maladresse
même de l'intervention en question permet de la déceler
sans trop de peine et d'y remédier en toute sûreté. Nous
croyons devoir rétablir comme suit le texte : « ... et quia ex
sensu ennoea, de ennoea autem enthymesis, de enthymesi
autem logos — [quem autem logon] aliud enim est secundum
Graecos [logos] quod est principale quod excogitat, aliud
organum per quod emittitur logos ... »

Il saute en effet aux yeux que les mots « logos, quod est
principale, quod excogitat » renferment une incohérence de
taille : la faculté directrice (τὸ ἡγεμονικόν) de laquelle procède
la pensée (ὃ διανοεῖται) n'est évidemment pas la « parole »
(λόγος), mais l'« intellect » (νοῦς), ainsi qu'Irénée l'a d'ailleurs
dit de la façon la plus explicite en II, 13, 1 et qu'il le redira
au paragraphe suivant. De plus, l'ensemble du contexte
montre à l'évidence que ce qu'entend opposer ici Irénée,
c'est, d'une part, l'« intellect » avec l'activité de pensée et
de réflexion qui lui est intérieure et, d'autre part, la « parole »
dont la langue est l'organe : l'intellect, dira Irénée quelques
lignes plus loin, est une faculté « spirituelle » qui conçoit la
pensée instantanément et d'un seul coup, tandis que la
langue, qui est « charnelle », est incapable de traduire cette
pensée avec des mots autrement que par parties et successivement. Il faut donc éliminer le mot « logos » à la ligne 115
et lire : « aliud enim est ... quod est principale (τὸ
ἡγεμονικόν) ..., aliud organum per quod emittitur verbum ».
On supprimera également les mots « quem autem logon »

de la ligne 114, qui sentent la glose d'une lieue, de telle
sorte que la parenthèse qui vient ensuite retrouve son
rattachement normal à ce qui la précède.

P. 281, n. 2. — « par contre, Dieu étant tout entier
Intellect — n'est autre que le Père lui-même), ὁ δὲ Θεός,
ὅλος νοῦς ὢν καὶ ὅλος ὑπάρχων λόγος, ὃ ἐννοεῖται, τοῦτο καὶ λαλεῖ,
καὶ ὃ λαλεῖ, τοῦτο καὶ ἐννοεῖται · ὁ γὰρ νοῦς αὐτοῦ λόγος, καὶ ὁ
λόγος νοῦς, καὶ ὁ πάντα συγκλείων νοῦς αὐτός ἐστιν ὁ Πατήρ.
Le latin « Cogitatio enim eius Logos, et Logos Mens » ne
laisse pas d'être déroutant, car la logique du raisonnement
ferait attendre plutôt : « Mens ... Logos, et Logos Mens ».
Le mot « Cogitatio » aurait-il été substitué au mot « Mens »
sous l'influence du verbe « cogitat » qui le précède immédiatement ? Quoi qu'il en soit, l'« argumentum » correspondant
à ce passage enlève toute hésitation sur la teneur du texte
irénéen, car il est intitulé : « Ostensio quoniam *Nus* Logos
et Logos Nus et Nus ipse est Pater omnium ».

P. 285, n. 1. — « C'est pourquoi, si quelqu'un nous
demande — et le Fils qui est né », Ἐάν τις οὖν ἡμῖν εἴπη ·
Πῶς ἄρα ὁ Υἱὸς προεβλήθη ὑπὸ τοῦ Πατρός ; ἐροῦμεν αὐτῷ ὅτι τὴν
προβολὴν ταύτην ἢ γέννησιν ἢ ἐκφώνησιν ἢ ἔκφανσιν ᾧ ἄν τις ὀνόματι
καλέσειε τὴν γενεὰν αὐτοῦ ἀδιήγητον ὑπάρχουσαν, οὐδεὶς οἶδεν, οὐδὲ
Οὐαλεντῖνος οὐδὲ Μαρκίων οὐδὲ Σατορνῖνος οὐδὲ Βασιλίδης οὐδὲ
ἄγγελοι οὐδὲ ἀρχάγγελοι οὐδὲ ἀρχαὶ οὐδὲ ἐξουσίαι, εἰ μὴ μόνος ὁ
γεννήσας Πατὴρ καὶ ὁ γεννηθεὶς Υἱός.
Aux lignes 156-157, la restitution des quatre substantifs
grecs proposés un degré très inégal de certitude. La restitution προβολήν (= « prolationem ») est certaine : il s'agit du
terme le plus couramment employé par les hérétiques pour
désigner l'acte par lequel un Éon émet un autre Éon. La
restitution γέννησιν (= « generationem ») paraît également
certaine : c'est le terme désignant l'acte par lequel un père
« engendre » un fils. La restitution ἐκφώνησιν ne peut être
considérée comme certaine ; elle nous paraît néanmoins
probable, car, outre que ce vocable peut correspondre au
latin « nuncupationem », il est employé à plusieurs reprises
en I, 14, 1-2, en même temps que le verbe ἐκφωνέω, pour
désigner l'« énonciation » du Nom par le Père lorsque celui-ci
« ouvrit la bouche et proféra une Parole semblable à lui ».
Quant à la restitution ἔκφανσιν, elle est tout à fait incertaine :
du moins fournit-elle un quatrième terme susceptible

d'exprimer l'acte par lequel le Père « fait apparaître au jour »
un autre être qu'il tire de lui-même (faudrait-il lire
« adparitionem » au lieu de « adapertionem » ?).

2. La présente phrase a été maintes fois citée pour
prouver la défiance, voire la fin de non-recevoir, d'Irénée
à l'égard de toute spéculation relative au mystère trinitaire.
Sans vouloir ici discuter la chose, on peut constater que,
dans un de ses discours théologiques, Grégoire de Nazianze
reprendra la pensée et jusqu'aux termes mêmes d'Irénée :
« Comment le Fils a-t-il donc été engendré ? Sa génération
ne serait pas une grande chose si elle était compréhensible
pour toi, qui ne connais même pas la tienne ... Comment a-t-il
été engendré ? Encore une fois je m'écrierai avec indignation :
que la génération de Dieu soit honorée en silence ! C'est
une grande chose pour toi de savoir qu'il a été engendré.
Le comment, reconnaissons que les anges ne le conçoivent pas,
et toi encore moins. Veux-tu que je t'explique le
comment ? C'est *comme le Père qui a engendré et
le Fils qui a été engendré* (ὡς οἶδεν ὁ γεννήσας Πατὴρ καὶ ὁ
γεννηθεὶς Υἱός) ; ce qui est au-dessus de cela est caché par une
nuée et se dérobe à tes faibles regards » (*Or.* 29, 8. Traduction
P. Gallay, *SC* 250, p. 190-193).

P. 285, n. 2. — « Ils n'ont donc rien trouvé de bien grand
— au verbe que profèrent les hommes », Οὔκουν μέγα τι
εὑρήκασιν οἱ τὰς προβολὰς ἐπινοήσαντες οὐδὲ ἀπόκρυφον μυστήριον,
εἰ τὸ ὑπὸ πάντων νοούμενον μετήνεγκαν εἰς τὸν μονογενῆ τοῦ Θεοῦ
Λόγον, καὶ ὃν ἄρρητον καὶ ἀνονόμαστον καλοῦσι, τοῦτον ‹ὀνομάζουσι
καὶ ἐξηγοῦνται, καί›, ὡς αὐτοὶ μαιωσάμενοι, τὴν ἀρχέγονον αὐτοῦ
προβολὴν καὶ γέννησιν ἐξαγγέλλουσιν, ὁμοιοῦντες αὐτὸν ἀνθρώπων
λόγῳ τῷ προφορικῷ.

Quoique le sens général de tout ce passage se laisse saisir
de façon certaine, les lignes 171-173 n'en font pas moins
problème.

1. Tout d'abord, on cherche vainement un verbe dont
l'accusatif « hunc » serait le complément direct. Il est clair,
en effet, que ce verbe ne saurait être « obsetricauerint »,
car le verbe μαιόομαι, lorsqu'il est employé transitivement,
ne peut signifier autre chose que « faire accoucher (une
femme) ». Il semble donc que plusieurs mots soient tombés
accidentellement dans le latin, et peut-être déjà dans le
grec, et nous proposons de lire : « et quem inenarrabilem et
innominabilem uocant, hunc ‹nominant et enarrant, et›

quasi ipsi obsetricauerint ...» De la sorte, Irénée ne ferait
que reprendre, terme pour terme, un reproche qu'il a déjà
adressé à Marc le Magicien en I, 15, 5 : « Qui supportera ton
si bavard Silence, qui nomme l'Innommable, décrit l'Inexprimable (ὁ τὸν ἀνονόμαστον ὀνομάζει καὶ τὸν ἄρρητον
ἐξηγεῖται) ...?» De plus, corrigé de la sorte, notre texte
ferait simplement écho à des expressions déjà rencontrées
dans ce paragraphe même (lignes 163-166) : «... quicumque
nituntur generationes et prolationes enarrare non sunt
compotes sui, ea quae inenarrabilia sunt enarrare promit-
tentes». Inutile de dire que, si satisfaisant que puisse
être le sens ainsi obtenu, notre correction demeure purement
conjecturale.

2. Les mots « primae generationis ... prolationem et
generationem» font également problème. Les mots « prolationem et generationem» ne peuvent traduire que τὴν ...
προβολὴν καὶ γέννησιν. Mais quel substrat grec se dissimule
sous les mots « primae generationis »? Pour sortir d'embarras,
nous proposons de voir dans ces mots une traduction
quelque peu maladroite de l'adjectif ἀρχέγονον — à moins
que l'on ne préfère y voir la déformation de l'adjectif
« primogenitam », leçon qui rendrait le latin autrement
acceptable —. Quoi qu'il en soit, le terme ἀρχέγονος se
rencontre à de multiples reprises dans les Livres I et II :
accolé aux substantifs Τετράς ou Ὀγδοάς, il y caractérise la
Tétrade (ou l'Ogdoade) « originaire », « primordiale », « fondamentale». Il s'agirait donc ici de l'émission et de la
génération « primordiale » du Logos, antérieure à toutes les
autres émissions et générations et source de celles-ci.

P. 289, n. 1. — « Aussi faut-il laisser à Dieu cette connaissance — à la fable que l'on a échafaudée», Ἀνατιθέναι
οὖν δεῖ τὴν γνῶσιν ταύτην τῷ Θεῷ, καθὼς καὶ ὁ Κύριος τὴν τῆς
ὥρας καὶ τῆς ἡμέρας, μηδὲ τοσοῦτον κινδυνεύειν ὥστε τῷ μὲν Θεῷ
παραχωρεῖν μηδὲν καί γε ἐκ μέρους λαβόντας τὴν χάριν, ἐν δὲ τῷ
ζητεῖν τὰ ὑπὲρ ἡμᾶς καὶ ἀνέφικτα ἡμῖν νῦν εἰς τοσαύτην τόλμαν
ἔρχεσθαι ὥστε διανοίγειν τὸν Θεὸν καί, τὰ μηδέπω εὑρημένα ὡς
ἤδη εὑρηκότας, διὰ τῆς τῶν προβολῶν ματαιολογίαν αὐτὸν τὸν τῶν
ἁπάντων ποιητὴν Θεὸν ἐξ ὑστερήματος καὶ ἀγνοίας διαβεβαιοῦσθαι
σύστασιν ἐσχηκέναι καὶ οὕτως ἀσεβῆ κατὰ τοῦ Θεοῦ πλάσσειν ὑπόθεσιν,
μετὰ δὲ ταῦτα, μηδεμίαν ἔχοντας μαρτυρίαν τοῦ νεωστὶ ὑπ' αὐτῶν
ἐπινενοημένου πλάσματος, ποτὲ μὲν δι' ἀριθμῶν τῶν τυχόντων, ποτὲ
δὲ διὰ συλλαβῶν, ποτὲ δὲ καὶ δι' ὀνομάτων, ποτὲ δὲ καὶ διὰ τῶν ἐν

γράμμασι στοιχείων, ποτὲ δὲ καὶ διὰ παραβολῶν οὐκ ὀρθῶς ἐπι-
λυομένων ἢ διὰ ὑπολήψεών τινων συνιστάνειν πειρᾶσθαι τὴν ὑπ' αὐτῶν
παρεπινενοημένην μυθολογίαν.

Cette longue phrase est de celles qu'il est impossible de
comprendre correctement si, par-delà la version latine, on
ne tente de retrouver le substrat grec : non que le texte
latin soit particulièrement altéré — nous ne proposerons
d'autre correction que celle de « habent » en « habentes » à
la ligne 219 —, mais les nombreuses maladresses et inexacti-
tudes de la traduction rendent le texte incompréhensible
pour quiconque prétendrait l'aborder à l'aide des seules
règles de la syntaxe latine, tandis que la structure et le sens
de la phrase s'éclairent dès que l'on rétablit les formes
grecques.

Tentons d'abord de rendre cette structure plus aisément
perceptible au moyen du schéma suivant :

δεῖ { ἀνατιθέναι ... τῷ Θεῷ ...
      μηδὲ τοσοῦτον κινδυνεύειν

    ὥστε { τῷ μὲν Θεῷ παραχωρεῖν μηδέν ...
           ἐν δὲ τῷ ζητεῖν ... εἰς τοσαύτην τόλμαν ἔρχεσθαι

    ὥστε { διανοίγειν τὸν Θεὸν
           καὶ ... τὸν ... Θεὸν ... διαβεβαιοῦσθαι σύστασιν
               ἐσχηκέναι,
           καὶ οὕτως ἀσεβῆ ... πλάσσειν ὑπόθεσιν,
           μετὰ δὲ ταῦτα, μηδεμίαν ἔχοντας μαρτυρίαν ...,
           ... συνιστάνειν πειρᾶσθαι ...

Le développement de la pensée apparaît d'une grande
simplicité malgré la complexité des articulations :

1. Ce qu'il faut faire : réserver à Dieu, comme l'a fait le
Seigneur, la connaissance des choses qui nous dépassent.

2. Ce qu'il ne faut pas faire : courir — sous-entendu :
comme le font les hérétiques — l'extrême péril de ne rien
réserver à Dieu et d'en venir à un tel excès d'audace

a) qu'on dissèque la divinité, en faisant du Dieu Créateur
de l'univers un produit de déchéance et d'ignorance et en
prétendant atteindre à un Dieu supérieur et sans rapport
avec notre monde de matière ;

b) qu'après avoir forgé de toutes pièces cette théorie,
on tente de l'étayer par toutes sortes de spéculations fantaisistes sur les noms et les nombres figurant dans l'Écriture
ou par des paraboles interprétées d'une manière arbitraire.

Irénée nous apparaît de la sorte comme exprimant une fois de plus et avec toute la clarté désirable le double grief qu'il ne cesse de formuler contre les gnostiques : invention d'un système n'ayant aucun rapport avec la vérité révélée par Dieu et enseignée par l'Église ; volonté d'accommoder après coup les Écritures à ce système grâce à des exégèses faisant violence au sens obvie des textes. Sur ce double aspect de la gnose hérétique, voir notamment I, 1, 3 ; 3, 6 ; 8, 1 ; 9, 1-4, etc.

La structure et le contenu de la phrase étant précisés de la sorte, il est aisé de relever les bévues du traducteur latin. Celui-ci, reconnaissons-le, était aux prises avec un texte particulièrement malaisé à rendre dans sa langue, car, pour traduire ὥστε suivi de l'infinitif, mode impersonnel, le latin ne dispose que de la conjonction « ut » suivi du mode personnel qu'est le subjonctif. L'embarras du traducteur se marque dès la ligne 211, lorsqu'il traduit ὥστε ... παραχωρεῖν par « uti ... concedamus » : l'emploi de la première personne introduit une précision que ne comporte pas l'infinitif grec et fausse la pensée. Il eût fallu traduire par la troisième personne du pluriel au sens indéfini : « ... nec in tantum periclitari uti Deo quidem *concedant* nihil », « ... et ne pas tomber dans un si grand danger que l'*on* ne réserve rien à Dieu ... » Même remarque à la ligne 212 : il eût fallu traduire ἐν δὲ τῷ ζητεῖν par « in eo autem cum *quaerunt* », « tandis que l'*on* cherche ». A la ligne 214, ayant sans doute perdu le fil de la structure de la phrase, le traducteur rend l'infinitif ἔρχεσθαι par l'infinitif « uenire », qu'il est impossible de rattacher à quoi que ce soit : il eût fallu le traduire par « ueniant », « que l'on en vient. » Des remarques identiques peuvent être faites à propos de tout le reste de la phrase. Disons seulement, pour faire bref, qu'il eût fallu traduire : « pandant » (ligne 214), « inuenerint » (ligne 215), « adserant » (ligne 217), « fingant » (ligne 218) et « conentur » (ligne 225). A la ligne 219 se rencontre la forme « habent », à laquelle il est impossible d'assigner une fonction dans la phrase, mais tout indique qu'elle n'est que le résultat d'une banale altération et que le traducteur avait dû écrire « habentes », traduction de ἔχοντας.

Telle est cette phrase difficile qui paraît avoir quelque peu déconcerté les éditeurs, si l'on songe qu'un Massuet — à la suite d'ailleurs de Feuardent — a cru devoir commencer au beau milieu d'elle un nouveau paragraphe. Notre traduction

a dû la morceler, mais elle en respecte, croyons-nous, le
contenu et le mouvement.

P. 297, n. 1. — « Mais alors, si la justice est capable de
sauver les âmes — à la corruption », Εἰ δὲ τὰς ψυχὰς τὰς
ἀπολλύσθαι μελλούσας ἐὰν μὴ δίκαιαι γένωνται ἡ δικαιοσύνη δύναται
σῴζειν, καὶ τὰ σώματα τί ἄρα οὐ σώσει τὰ καὶ αὐτὰ μετασχόντα
τῆς δικαιοσύνης ; Εἰ μὲν γὰρ φύσις καὶ οὐσία σῴζει, πᾶσαι σωθήσονται
ψυχαί · εἰ δὲ δικαιοσύνη καὶ πίστις, τί οὐ σῴζοι τὰ ὁμοίως ταῖς ψυχαῖς
εἰς φθορὰν χωρεῖν μέλλοντα σώματα ;

Conformément à une suggestion de Massuet, nous recti-
fions le latin de la manière suivante : « Si autem anima <s>,
quae peri <re> inciperent nisi iustae fuissent, iustitia
potens est saluare, et corpora quid utique non saluabit,
quae et ipsa participauerunt iustitiae? » Pour la construction
« et corpora quid ...? », comparer avec II, 29, 3 (ligne 57) :
« animale quare ...? »

Est-il besoin de dire que, lorsque Irénée écrit que les corps
sont voués « tout autant que les âmes » à la corruption, il
n'entend pas affirmer que l'âme soit corruptible, mais il se
situe simplement dans la perspective de l'adversaire qui
affirme cette corruptibilité. Il suffit de situer la présente
phrase dans l'ensemble du paragraphe pour qu'il soit clair
qu'Irénée ne fait rien de plus qu'argumenter « ad hominem ».
C'est ailleurs qu'il faut chercher la pensée d'Irénée lui-même
sur l'immortalité de l'âme.

P. 299, n. 1. — « et la doctrine relative à la résurrection
des corps — incorruptibles et immortels », καὶ ἀληθὴς καὶ
βέβαιος ἐπιφανήσεται ὁ περὶ τῆς ἀναστάσεως τῶν σωμάτων λόγος ·
ὅνπερ πιστεύομεν ἡμεῖς, ὅτι καὶ τὰ θνητὰ σώματα ἡμῶν τὰ φυλάξαντα
τὴν δικαιοσύνην ἀναστήσας ὁ Θεὸς ἄφθαρτα καὶ ἀθάνατα ἀπεργάσεται.

Brève annonce de ce qui sera longuement développé dans
la première partie du Livre V et plus particulièrement en
V, 7, 1, où sera cité et commenté *Rom.* 8, 11 auquel il n'est
fait ici qu'une rapide allusion.

Trois choses nous paraissent devoir être notées à propos
du présent passage :

1. La résurrection est présentée par Irénée comme une
vérité appartenant au dépôt de la foi : « ... sermo, quem
quidem *credimus* nos ... »

2. Ce sont nos corps qui sont concernés par cette résurrec-

tion, tout comme ce sont nos corps qui, selon l'expression
même reprise par Irénée à saint Paul, sont concernés par la
mort : « ... de *resurrectione corporum* sermo ..., quoniam
et *mortalia corpora* nostra ... resuscitans Deus ... » Une telle
façon de parler donne à entendre que nos âmes ne meurent
ni ne ressuscitent. Sans doute cela n'est-il pas dit explicitement ici, mais, en V, 7, 1, dans le commentaire qu'il
fera de *Rom.* 8, 11, Irénée le dira avec toute la clarté souhaitable.

3. Conformément au vocabulaire habituel à saint Paul,
la résurrection qu'évoque ici Irénée est celle qui mérite
par excellence ce nom, c'est-à-dire celle des élus — une
éventuelle résurrection corporelle des réprouvés est hors
des perspectives du présent passage — : « ... mortalia corpora
nostra *custodientia iustitiam* resuscitans Deus *incorrupta et
immortalia* faciet ».

P. 299, n. 2. — « Ils disent en effet que trois sortes de
natures ou substances — où ils envoient aussi le
Démiurge ? », Φύσει γὰρ καὶ κατ᾽ οὐσίαν προβεβλῆσθαι τρία γένη
λέγουσιν ὑπὸ τῆς Μητρός, τὸ μὲν ἐκ τῆς ἀπορίας καὶ τῆς λύπης καὶ
τοῦ φόβου, ὅ ἐστιν ὕλη, τὸ δὲ ἐκ τῆς ὁρμῆς, ὅ ἐστι τὸ ψυχικόν, τὸ δὲ
ὃ ἀπεκύησε κατὰ τὴν θεωρίαν τῶν περὶ τὸν Χριστὸν ᾿Αγγέλων,
τουτέστι τὸ πνευματικόν. Εἰ οὖν ὃ ἀπεκύησε πάντη τε καὶ πάντως
ἐντὸς τοῦ Πληρώματος εἰσέρχεται ὅτι πνευματικόν, τὸ δὲ ὑλικὸν
ἀπόκειται κάτω ὅτι ὑλικὸν καὶ ἐξαφθέντος τοῦ ἐν αὐτῷ πυρὸς ἀναλω-
θήσεται εἰς τὸ παντελές, τὸ ψυχικὸν διὰ τί οὐχ ὅλον εἰς τὸν τῆς
Μεσότητος τόπον χωρήσει, εἰς ὃν καὶ τὸν Δημιουργὸν πέμπουσιν ;

Rétroversion largement assurée grâce aux nombreuses
expressions reprises pour ainsi dire telles quelles par Irénée
aux exposés du Livre I (cf. I, 4, 5 ; 5, 1 ; 7, 1 ...).

Une expression fait cependant problème : « alterum autem
de *impetu*, quod est animale ». Sans doute est-il dit, en
I, 4, 1, que Sophia-Achamoth, abandonnée hors du Plérôme
par le « Christ » après avoir été formée par lui selon la
substance, « s'élance (ὁρμῆσαι) à la recherche de la Lumière
qui vient de l'abandonner ». Mais jamais, ni dans le Livre I
ni ailleurs, la substance psychique n'est dite provenir de
cet « élan » ; l'origine de la substance psychique est invariablement rattachée à la « conversion » (ἐπιστροφή) d'Achamoth,
conversion postérieure aux « passions » (πάθη), elles-mêmes
postérieures à l'« élan » dont nous venons de parler (cf. I,
4, 2 ; 4, 5 ; 5, 1 ...) Ne voyant pas comment expliquer une

erreur du grec ou du latin dans le présent passage, nous nous résignons à poser comme substrat grec : τὸ δὲ ἐκ τῆς ὁρμῆς …, sauf à traduire en glosant quelque peu : « celle qui provient de l'élan de la conversion … » ; mais, compte tenu du soin avec lequel Irénée reproduit habituellement les termes mêmes qu'utilisaient les gnostiques, nous nous demandons s'il n'eût pas été préférable de restituer catégoriquement : τὸ δὲ ἐκ τῆς ἐπιστροφῆς …, et de traduire : « celle qui provient de la conversion … »

A la phrase suivante (lignes 53-54 du texte latin), nous réparons comme suit l'étourderie des copistes : « Si igitur *illud* quod enixa est omni modo intra Pleroma *ingreditur*, quoniam spiritale est … »

Signalons encore, à la ligne 52, la leçon « Christum ». Cette leçon est aberrante, car c'est le « Sauveur », et non le « Christ », qui est sorti du Plérôme avec une escorte d'« Anges» pour conférer à Achamoth une « formation selon la gnose » (cf. I, 4, 5). Distraction d'Irénée, ou bévue de copiste? Comme la leçon « Christum » figure dans tous les manuscrits latins, nous alignons sur elle, quoique non sans hésitation, la rétroversion grecque et la traduction française.

P. 301, n. 1. — « Car l'intellect de l'homme — qui n'ont pas d'existence en dehors de l'âme», Ὁ γὰρ νοῦς τοῦ ἀνθρώπου καὶ ἡ ἔννοια καὶ ἡ ἐνθύμησις καὶ τὰ τοιαῦτα οὐκ ἄλλο τι παρὰ τὴν ψυχήν ἐστιν, ἀλλ' αὐτῆς τῆς ψυχῆς κινήσεις καὶ ἐνέργειαι μηδεμίαν χωρὶς τῆς ψυχῆς ἔχουσαι ὑπόστασιν.

La restitution des termes νοῦς, ἔννοια et ἐνθύμησις est certaine. On aura noté l'insistance avec laquelle Irénée souligne que l'homme comme tel, tout homme, est constitué de deux éléments et de deux seulement : l'âme et le corps. Voir déjà II, 13, 3 : « Et haec quidem in hominibus capit dici, cum sint compositi natura et ex corpore et anima subsistentes … » Cette prise de position exempte d'équivoque prépare par avance à l'intelligence correcte de passages ultérieurs où Irénée affirmera l'existence d'une troisième « composante » dans l'homme habité par l'Esprit de Dieu.

P. 303, n. 1. — « frappés véritablement de la foudre », ὡς ἀληθῶς ἐμβεβροντημένοι. Noter la servilité — voire l'inexactitude — de la traduction latine « *uelut* uere de tonitruo percussi ». L'adverbe ὡς n'a pas ici une valeur comparative, mais il s'agit de l'expression courante ὡς ἀληθῶς dans laquelle ὡς renforce seulement l'adverbe ἀληθῶς.

P. 303, n. 2. — « Celui qui est supérieur doit en effet se montrer tel par ses œuvres », Τὸν γὰρ κρείττονα ἐκ τῶν πράξεων δεῖ φαίνεσθαι. Cf. *infra*, p. 330, *note justif. P. 311, n. 1.*

P. 303, n. 3. — « pour dénoncer et réfuter leur folie », ἐλέγχοντες καὶ ἀνατρέποντες τὴν ἐκείνων μανίαν. On reconnaît, une fois encore, les deux verbes en lesquels s'exprime le double objectif poursuivi par Irénée dans tout son grand ouvrage. Cf. *supra*, p. 199, *note justif. P. 23, n. 2.*

P. 305, n. 1. — « Quel ouvrage montreront-ils donc — l'Ordonnateur de l'univers ? », Τί οὖν ἔργον δείξουσι δι' αὐτῶν ὑπὸ τοῦ Σωτῆρος ἢ ὑπὸ τῆς Μητρὸς αὐτῶν γενόμενον, ἢ μεῖζον ἢ λαμπρότερον ἢ ἀξιολογώτερον τῶν γενομένων ὑπὸ τοῦ ταῦτα πάντα διακεκοσμηκότος ; Le terme « rationabilius », qui se lit à la ligne 41 du texte latin, détonne quelque peu. Le mystère se dissipe si l'on se reporte aux lignes 113-114 de ce même chapitre, où une pensée de tout point semblable se retrouve sous la plume d'Irénée et où les mots « per semetipsos autem nihil *dignum ratione* factum ostendere habentes » laissent clairement transparaître le substrat grec δι' ἑαυτῶν δὲ μηδὲν ἀξιόλογον γενόμενον δεῖξαι ἔχοντες. Ces traductions de la version latine sont quelque peu matérielles, voire inexactes, car l'adjectif ἀξιόλογος signifie : « digne d'être rapporté », « mémorable », « remarquable » ...

P. 307, n. 1. — « Car eux-mêmes étaient alors — rangés autour de Pandore », Ἐτύγχανον γὰρ καὶ αὐτοὶ τότε, φησίν, λέγουσι, κύημα πνευματικὸν κατὰ τὴν θεωρίαν <γεγονὸς> τῶν περὶ Πανδώραν δορυφόρων. Sur cette désignation ironique du Sauveur par le nom de « Pandore », cf. *supra*, p. 259, *note justif. P. 139, n. 1.* L'expression **κύημα πνευματικόν** (texte grec conservé par Épiphane) s'est rencontrée en I, 4, 5.

P. 307, n. 2. — « Or ils demeuraient inoccupés — comme ayant été fait par leur entremise », Καὶ οὗτοι μὲν ἀργοὶ ἔμενον, μηδὲν δι' αὐτῶν ἐπιτελησάσης τῆς Μητρὸς ἢ τοῦ Σωτῆρος · ἀχρεῖον κύημα καὶ πρὸς οὐδὲν ἐπιτήδειον, οὐδὲν γὰρ δι' αὐτῶν φαίνεται γενόμενον. Le texte latin doit se lire : « nihil per eos perficiente Matre uel *Saluatore* ... » Il s'agit en effet d'un rappel manifeste de

ce qu'Irénée écrivait à la fin du paragraphe précédent
(lignes 64 et suiv.) : « Siue enim *Saluator siue Mater* ipsorum ... usa est hoc (= Demiurgo) ... ad faciendam imaginem
eorum quae intra Pleroma sunt ... » On sait en effet que,
d'après les Ptoléméens, le Démiurge était mû à son insu par
la « Mère » de manière à ce que les choses produites par lui
fussent des images des réalités du Plérôme pneumatique ;
mais déjà la Mère elle-même agissait en cela sous la motion
du « Sauveur », en sorte que, à travers elle, c'était lui qui
réglait l'ordonnance de l'univers et qui, en ce sens, était le
vrai « Démiurge ». Cf. *supra*, p. 222, *note justif. P. 69, n. 1.*

P. 309, n. 1. — « les images des Éons », τὰς τῶν ὅλων εἰκόνας.
Littéralement : « les images de toutes choses ». Expression
familière aux gnostiques pour désigner leurs Éons. Rapprocher de ces mots du paragraphe précédent (lignes 67-68) :
« ... ad faciendam imaginem *eorum quae intra Pleroma
sunt ... »*

P. 311, n. 1. — « Pourtant, celui qui est supérieur apparaît
tel par ses œuvres », Ὁ γὰρ κρείττων ἐκ τῶν πράξεων φαίνεται.
Phrase qui se lit textuellement dans Justin, *I Apol.* 22, 4.
Elle s'est déjà rencontrée sous la plume d'Irénée, à une
légère variante près, en II, 30, 2 et elle se retrouvera telle
quelle en III, 12, 11. Voir la note justificative consacrée à
ce dernier passage, *SC* 210, p. 301.

P. 313, n. 1. — « précisant qu'il a été emporté dans le
paradis », καὶ πάλιν ἐνηνέχθαι εἰς τὸν παράδεισον. Nous comprenons le texte comme suit : « usque ad tertium caelum raptum
se esse significans, et rursum (significans) delatum (se) esse
in paradisum et audisse uerba inenarrabilia ... » Pour Irénée,
il ne s'agit pas de deux ravissements distincts dont Paul
aurait été le bénéficiaire, et le « paradis » dont il est ici
question n'est pas autre chose que le « troisième ciel ». La
preuve en est que, quelques lignes plus loin, Irénée souligne
expressément que, pour s'élever jusqu'au Démiurge, Paul
avait encore, à partir du point où il était parvenu, quatre
cieux à traverser.

P. 315, n. 1. — « selon leur doctrine, en effet, il lui
restait encore quatre cieux à traverser pour parvenir au

Démiurge », ὑπελείποντο γὰρ αὐτῷ ἔτι κατὰ τὸν ἐκείνων λόγον τέσσαρες οὐρανοὶ πρὸς τὸ ἐγγίσαι τῷ Δημιουργῷ.

On lira dans le latin, conformément à une suggestion présentée déjà par Massuet : « *restabant* enim ei adhuc ... *quattuor caeli* uti appropinquaret Demiurgo ... » On notera que la leçon « restabant » est celle de C avant correction, ainsi que de AQ : survivance de la leçon primitive?

P. 315, n. 2. — « son homme intérieur », ὁ ἔσω ἄνθρωπος αὐτοῦ. Sur la façon dont les Marcosiens comprenaient cette expression paulinienne, cf. *supra*, p. 275, *note justif. P. 189, n. 1.*

P. 317, n. 1. — « Et c'est pourquoi Paul ajoute — et qui l'a placé dans le paradis », Καὶ διὰ τοῦτο ἐπήνεγκεν · « εἴτε ἐν σώματι, εἴτε ἐκτὸς τοῦ σώματος, ὁ Θεὸς οἶδεν », ἵνα μήτε τὸ σῶμα ἡμοιρηκέναι νομίζηται τῆς ὁράσεως αὐτοῦ, ἅτε δὴ καὶ αὐτὸ μεθέξον ὧν εἶδε καὶ ἤκουσε, μήτε πάλιν διὰ τὸ βάρος τοῦ σώματος λέγῃ τις αὐτὸν ἐπὶ πλεῖον μὴ ἀνειλῆφθαι, ἀλλὰ μέχρις ἐκεῖσε ἐᾶται καὶ χωρὶς τοῦ σώματος τὰ μυστήρια κατιδεῖν τὰ πνευματικὰ <καὶ> τῶν τοῦ Θεοῦ ἐνεργημάτων τοῦ ποιήσαντος οὐρανοὺς καὶ γῆν καὶ πλάσαντος τὸν ἄνθρωπον καὶ θεμένου ἐν τῷ παραδείσῳ ἐπόπτας γενέσθαι τοὺς ὁμοίως τῷ Ἀποστόλῳ πάνυ τετελειωμένους ἐν τῇ ἀγάπῃ τοῦ Θεοῦ.

Si le sens général de cette phrase nous paraît assuré, il s'en faut de beaucoup que sa restitution soit assurée jusque dans le détail.

1. La difficulté majeure vient sans doute de la variante « non particeps » (CV AE) « particeps » (Qe) qui se rencontre à la ligne 176. Malgré le témoignage des manuscrits les meilleurs et les plus nombreux, Massuet rejette catégoriquement la leçon « non particeps ». Son argument principal est qu'on ne peut prêter à Irénée, « homme au jugement très pénétrant », cette idée absurde d'après laquelle les sens pourraient percevoir des réalités spirituelles. Mais est-ce bien de cela qu'il s'agit? Ne s'agirait-il pas plutôt d'une association ou participation du corps à la grâce qui est faite à l'âme, sorte d'anticipation de la spiritualisation du corps ressuscité? En fin de compte, la pensée d'Irénée serait la suivante : on ne peut *NI* nier une participation du corps au rapt dont Paul a été le bénéficiaire (puisque, une fois ressuscité, le corps partagera les privilèges de l'âme, celle-ci étant elle-même rendue vivante de la vie de Dieu par la

puissance de l'Esprit), *NI* affirmer la participation du corps
à ce rapt (car une vision des réalités spirituelles par l'âme,
sans le corps, est parfaitement possible, et rien n'empêche
que Dieu ne l'accorde à des hommes en qui l'amour de Dieu
a atteint sa perfection). Ce n'est qu'en comprenant de cette
façon la phrase d'Irénée, nous semble-t-il, qu'on peut la faire
cadrer avec la citation paulinienne qui l'introduit et dont
elle n'est que le simple écho.

2. Le texte latin des lignes 180-184 est sûrement perturbé.
On voit mal la raison d'être du mot « ideo » à la ligne 180 :
faudrait-il lire « a Deo » ? Surtout, le mot « speculatores », à
la ligne 183, réclame un complément déterminatif que l'on
cherche vainement (comparer avec le début du paragraphe
suivant : «... *quorum* ... speculator factus est Apostolus ... »).
Nous proposons, sous toutes réserves, de lire quelque chose
comme : «... sed ... usque illuc permittatur ... sacramenta
perspicere spiritalia *et* Dei *operationum* ... speculatores fieri
eos qui ... sunt perfecti in dilectione Dei ».

P. 317, n. 2. — « le Dieu Esprit », Πνεῦμα Θεοῦ. Traduction
large. Plus littéralement : « l'Esprit de Dieu », c'est-à-dire
« l'Esprit qui est Dieu » (génitif explicatif). De toute façon,
le sens de la phrase est clair : le Dieu qui a créé des êtres
spirituels ne peut être de nature « psychique », il ne peut
être que de nature « pneumatique » ou « spirituelle ».
L'allusion à *Jn* 4, 24 semble probable. Sur ce sens du terme
Πνεῦμα, cf. *SC* 152, p. 202, *note justif. P. 23, n. 1.*

P. 321, n. 1. — « C'est donc à juste titre qu'ils seront
convaincus — ne peut être contenu par quoi que ce soit »,
Δικαίως οὖν ὑφ' ἡμῶν ἐλεγχθήσονται πόρρω καὶ μακρὰν ἐκκλίναντες
ἀπὸ τῆς ἀληθείας. Εἰ μὲν γὰρ δι' ἐκείνου τὰ γεγονότα ἐποίησεν ὁ
Σωτήρ, οὐχ ἥττων αὐτῶν ἀλλὰ κρείττων εἶναι δείκνυται, ὅποτε καὶ
τούτων αὐτῶν εὑρίσκεται Ποιητής · καὶ γὰρ καὶ αὐτοὶ ἐκ τῶν γεγονότων · πῶς οὖν εἰκὸς τούτους μὲν πνευματικοὺς ὑπάρχειν, ἐκεῖνον
δέ, δι' οὗ καὶ ἐγένοντο, ψυχικόν ; Εἰ δέ — ὃ καὶ μόνον ἐστὶν ἀληθές,
ὃ καὶ διὰ πολλῶν ἐδείξαμεν ὡς ἀκριβεστάταις ἀποδείξεσιν — αὐτὸς
ἀφ' ἑαυτοῦ ἐποίησεν ἐλευθέρως καὶ αὐτεξουσίως καὶ κατήρτισε τὰ
πάντα καὶ ἔστιν οὐσία τῶν ἁπάντων τὸ θέλημα αὐτοῦ, μόνος οὗτος
Θεὸς εὑρίσκεται ὁ τὰ πάντα ποιήσας καὶ μόνος Παντοκράτωρ καὶ
μόνος Πατήρ, κτίσας καὶ ποιήσας τὰ πάντα, τά τε ὁρατὰ καὶ τὰ
ἀόρατα καὶ τὰ αἰσθητὰ καὶ τὰ ἀναίσθητα καὶ τὰ οὐράνια καὶ τὰ

ἐπίγεια, τῷ Λόγῳ τῆς δυνάμεως αὐτοῦ, καὶ πάντα καταρτίσας τῇ Σοφίᾳ αὐτοῦ, καὶ πάντα χωρῶν, μόνος δὲ ἀχώρητος ὤν.

1. Aux lignes 211 et 216, les mots « siue ... siue ... » ne paraissent pas pouvoir traduire autre chose que εἰ μὲν ..., εἰ δὲ ... Irénée enferme ses contradicteurs dans un dilemme : — ou, comme le veulent les hérétiques, le Dieu Créateur est celui par qui le « Sauveur » d'en haut a fait le monde : en ce cas, ce Dieu est supérieur, et non inférieur, aux hérétiques, puisqu'il est leur Créateur à eux aussi ; — ou, comme l'enseignent les divines Écritures, le Dieu Créateur a fait toutes choses de lui-même et par lui-même : en ce cas, il est le seul Dieu et on ne peut même pas concevoir une réalité quelconque qui soit au-dessus de lui ou en dehors de lui.

2. Aux lignes 220-221, le sens des mots « et est substantia omnium uoluntas eius » n'apparaît pas d'emblée. Faut-il comprendre : « sa seule volonté a donné l'*existence* à tout » ? Ou : « sa volonté a été l'unique *matière* dont il a tiré toutes choses » ? Une précieuse indication est fournie par ce passage parallèle rencontré en II, 10, 2 : « ... non credentes quoniam Deus ex his quae non erant, quemadmodum uoluit, ea quae facta sunt ut essent omnia fecit, sua *uoluntate* et uirtute *substantia usus* ... » Ce dernier passage favorise la seconde interprétation : Irénée veut dire que, tandis qu'un artiste humain a besoin d'une matière préalable pour faire une œuvre d'art, Dieu n'a besoin que de son seul vouloir, celui-ci lui tenant lieu en quelque sorte de matière préalable. Autre manière, en somme, de dire que Dieu a tout fait de rien, ἐκ τοῦ μὴ ὄντος, comme Irénée le dit en divers endroits à la suite de l'Écriture elle-même

3. Dans les lignes 222-226, Irénée reproduit, sans le dire, la plupart des termes caractéristiques qui figurent dans le *Pasteur* d'Hermas, *Mand.* 1, 1. Il s'agit d'une véritable citation, quoique seulement partielle et implicite, comme le montre cette comparaison des deux textes :

Le *Pasteur* : Πρῶτον πάντων πίστευσον ὅτι εἷς ἐστιν ὁ Θεὸς ὁ τὰ πάντα κτίσας καὶ καταρτίσας καὶ ποιήσας ἐκ τοῦ μὴ ὄντος εἰς τὸ εἶναι τὰ πάντα καὶ πάντα χωρῶν, μόνος δὲ ἀχώρητος ὤν.

Irénée : ... μόνος ... Θεός ..., κτίσας καὶ ποιήσας τὰ πάντα ... τῷ Λόγῳ τῆς δυνάμεως αὐτοῦ, καὶ πάντα καταρτίσας τῇ Σοφίᾳ αὐτοῦ, καὶ πάντα χωρῶν, μόνος δὲ ἀχώρητος ὤν.

A la ligne 225, les mots « aptauit et disposuit » sont presque sûrement un doublet traduisant καταρτίσας. Il semble qu'il en aille de même aux lignes 219-220, où les mots « disposuit et perfecit » paraissent traduire le simple κατήρτισε.

A la ligne 224, les éditeurs sont unanimes à voir dans les mots « uerbo uirtutis suae » une citation implicite de *Hébr*. 1, 3. Mais il nous paraît douteux, pour ne pas dire impossible, qu'il en soit ainsi. Sans doute les mots « uerbo uirtutis suae » se lisent dans la vulgate latine à l'endroit indiqué, mais cette identité des termes latins est trompeuse, car, tandis que l'épître aux Hébreux a : τῷ ῥήματι τῆς δυνάμεως αὐτοῦ, Irénée a certainement écrit : τῷ Λόγῳ τῆς δυνάμεως αὐτοῦ : en des termes qui reviendront encore maintes fois sous sa plume (cf. III, 24, 2 ; IV, 7, 4 ; IV, 20, 1-4 ...), Irénée présente ici le Fils et l'Esprit, qu'il nomme respectivement le Verbe (Λόγος) et la Sagesse (Σοφία), comme ceux par qui le Père a créé toutes choses. On notera, de surcroît, que, dans *Hébr*. 1, 3, c'est du Fils qu'il est question, et non du Père : c'est le Fils qui est dit « porter toutes choses par la parole de sa puissance ». Il n'y a donc nul contact réel, croyons-nous, entre *Hébr*. 1, 3 et le présent passage d'Irénée. S'il fallait chercher l'origine de l'expression caractéristique τῆς δυνάμεως αὐτοῦ, nous chercherions du côté des nombreux versets bibliques renfermant cette expression, tels que *Ps*. 88, 11 (ἐν τῷ βραχίονι τῆς δυνάμεώς σου), *Ps*. 109, 2 (ῥάβδον δυνάμεώς σου), *Sag*. 11, 20 (ὑπὸ πνεύματος δυνάμεώς σου), II Thess. 1, 7 (μετ' ἀγγέλων δυνάμεως αὐτοῦ), etc.

P. 325, n. 1. — « c'en sera fait du nom de ' Tout-Puissant ' », λελύσθαι τὴν τοῦ Παντοκράτορος προσηγορίαν. Avec Grabe, nous proposons de lire « solutam » au lieu de « solam » (CVS) ou « solum » (AQe). Cf. II, 1, 5 : « ... et soluetur Omnipotentis appellatio ... (noter la totale identité du contexte).

P. 327, n. 1. — « il serait inscrit », περιγεγραμμένην. Le latin « circumscriptum » est irrecevable : d'après II, 4, 2 et les développements subséquents, c'est le monde créé qui serait contenu dans le domaine du Père « à la manière du centre dans un cercle ou d'une tache sur un vêtement ». Il convient donc de lire « circumscriptam » et de rapporter ce mot à « conditionem ».

P. 327, n. 2. — « ainsi que contre tous les « Gnostiques ' qui tiennent le même langage », καὶ τοὺς λοιποὺς τὰ αὐτὰ ὁμοίως λέγοντας Γνωστικούς.

Le génitif « Gnosticorum » qui se lit dans le latin n'est
sans doute qu'une interprétation du traducteur, qui a cru
devoir comprendre : « et contre tout le restant des gnostiques », le mot « gnostique » étant à ses yeux un terme géné-
rique englobant Saturnin, Basilide et Carpocrate nommés
immédiatement auparavant. En fait, il s'agit de la secte
particulière de ceux qu'Irénée dénomme « Gnostiques » et
dont il a longuement présenté les doctrines en I, 29-30.
L'expression τοὺς λοιποὺς Γνωστικούς est à comprendre ici,
comme en II, 13, 8, au sens de : « tous ces autres (hérétiques
que sont les) ' Gnostiques ' » (cf. *supra*, p. 247, *note justif.*,
P. 123, n. 2).

P. 327, n. 3. — « et tous ceux qu'on nomme abusivement
' Gnostiques ' », καὶ πάντας τοὺς ψευδωνύμους Γνωστικούς.

Les « Gnostiques » en question sont ceux-là mêmes dont
il a été fait mention dans la phrase précédente (ligne 28).
Le traducteur latin leur donne bien ici le nom d'« Agnitores »,
terme qu'il n'emploie nulle part ailleurs dans l'*Aduersus
haereses*. Mais, dans ce changement de nom, on ne verra
qu'une simple coquetterie d'écrivain : le lettré qui traduit
Irénée d'une façon habituellement si littérale ne dédaigne
pas de montrer qu'il sait aussi, à l'occasion, éviter d'employer
les mêmes mots à intervalles trop rapprochés.

On aura noté l'expression dont se sert ici Irénée : πάντας
τοὺς ... Γνωστικούς, « *tous* les ... ' Gnostiques ' ». Cette expression est pratiquement synonyme de l'expression τοὺς
λοιποὺς ... Γνωστικούς qui figurait dans la phrase précédente.
Cette dernière expression comporte, certes, la nuance que
nous avons rappelée dans la note précédente ; cependant,
dans la pratique, on ne peut guère traduire l'une et l'autre
expression autrement que par : « *tous* les ... ' Gnostiques ' ».

P. 331, n. 1. — « Les hérétiques sont si loin d'opérer
de telles résurrections — de ce qu'ils appellent la vérité »,
... ὥστε μηδὲ πιστεύειν τοῦτο τὸ καθόλου δύνασθαι γενέσθαι, εἶναι
δὲ ἀνάστασιν ἐκ νεκρῶν τὴν γνῶσιν τῆς ὑπ' αὐτῶν λεγομένης ἀληθείας.

Telle qu'elle se lit dans Eusèbe, la présente phrase reste
en l'air, du fait que l'adverbe τοσοῦτον appelle son corrélatif
ὥστε avec tout ce qui s'y rattache. C'est la fin de cette phrase
que nous restituons ici d'après le latin.

A la ligne 66, on a rencontré l'expression insolite « *spiritus*
mortui ». Nous savons que, pour Irénée, l'homme se compose

d'un corps et d'une âme (cf. *supra*, p. 240, *note justif.*,
P. 115, n. 2) et que la mort est la séparation de ce corps et
de cette âme (cf. V, 7, 1). Qu'est-ce donc que ce πνεῦμα
dont il s'agit ici ? Tout s'éclaire, si l'on s'avise qu'Irénée
cite de façon littérale, quoique implicite, une expression
utilisée par Luc dans un récit de résurrection, celui de la
fille de Jaïre : Καὶ ἐπέστρεψεν τὸ πνεῦμα αὐτῆς καὶ ἀνέστη
παράχρημα ... (*Lc* 8, 55). Dans la pensée d'Irénée, il s'agit
simplement de l'*âme* du défunt, et, s'il la désigne sous le
nom de πνεῦμα, c'est parce que c'est ce vocable même qu'il
lit dans le récit évangélique.

P. 333, n. 1. — « C'est d'ailleurs pour cette raison —
identique à celui des démons », Διὸ καὶ ἐὰν παρατηρήσῃ
τις τὴν καθημερινὴν αὐτῶν πρᾶξιν, εὑρήσει μίαν καὶ τὴν αὐτὴν εἶναι
αὐτοῖς σὺν τοῖς δαιμονίοις ἀναστροφήν.
A la ligne 88, le manuscrit C a la leçon « Quam prophe-
tiam » là où les autres manuscrits ont la leçon « Quapropter
etiam ». C'est à tort que Massuet, suivi par Harvey, donne
sa préférence à la leçon de C. Irénée vient de dire que les
hérétiques ont reçu en partage un « esprit d'iniquité »
(allusion possible à *Éphés.* 6, 12). *Et c'est justement pour cela*
(« Quapropter etiam »), ajoute-t-il, que, pour peu qu'on
observe leur conduite de tous les jours, on s'aperçoit que
leur comportement ne diffère en rien de celui des démons
eux-mêmes.

P. 335, n. 1. — « parce que bonnes et excellentes »,
ὡς καλὰ κἀγαθά. Expression typiquement grecque, que le
latin ne peut rendre que par diverses approximations :
IV, 37, 2 τοῦ **καλοῦ καὶ ἀγαθοῦ** (texte grec conservé dans
les *Sacra Parallela*) = « iustum et bonum » ; V, 1, 1
τοῦ ... καλοῦ καὶ ἀγαθοῦ = « optimo et bono » ; II, 32, 1
καλὰ καὶ ἀγαθά = « bona et egregia ».

P. 337, n. 1. — « qu'il s'agisse des arts théoriques ou des
arts pratiques », εἴτε ἐν λόγοις εἴτε ἐν ἔργοις συντελοῦνται.
Littéralement : « soit qu'ils s'achèvent dans des discours,
soit (qu'ils s'achèvent) dans des ouvrages ». Sur les différentes sortes de τέχναι que distinguaient les anciens, voir
H.-I. MARROU, « Les arts libéraux dans l'antiquité classique »,
dans *Actes du quatrième Congrès international de philosophie
médiévale, Montréal, 1967*, Montréal-Paris, 1969, p. 5-27.

Repris dans *Patristique et humanisme*, Paris, 1976, p. 37-63.
Ce qu'Irénée appelle « artes quaecumque ... in sermonum
rationibus ... consummantur » équivant à ce que Galien
appelle τέχναι λογικαί et à ce que, au Moyen Âge, on appellera
« artes liberales ». Irénée va citer la musique, l'arithmétique
la géométrie et l'astronomie, qui constitueront le « Quadri-
uium » médiéval, le « Triuium » comprenant la grammaire,
la rhétorique et la dialectique.

P. 339, n. 1. — « et ne durent même pas l'espace d'un
instant », καὶ οὐδὲ στιγμῇ χρόνου διαμένοντα.
Comme Grabe l'a déjà noté, il semble que, au lieu de
στιγμῇ (= « point »), le traducteur ait lu une forme de
σταγών ou de στάγμα (= « goutte »). Dans le chapitre suivant se rencontrera l'expression ἐν μιᾷ στιγμῇ χρόνου (grec
conservé dans le *Vatopédi 236*), traduite par « in breuissimo
tempore » (lignes 17-18 du texte latin).

P. 343, n. 1. — « en faisant monter des prières vers le
Dieu qui a fait toutes choses et en invoquant le nom de
notre Seigneur Jésus-Christ », εὐχὰς ἀναπέμπουσα εἰς τὸν
τὰ πάντα πεποιηκότα Θεὸν καὶ τὸ ὄνομα τοῦ Κυρίου ἡμῶν Ἰησοῦ
Χριστοῦ ἐπικαλουμένη.
Nous proposons de lire : « ... ad *Deum* qui omnia fecit ... »
On sait que les formes de « Deus » et de « Dominus » sont
fréquemment confondues du fait des abréviations. La
correction nous paraît s'imposer ici en raison de la mention
du « Seigneur » qui vient ensuite : l'Église fait monter sa
prière vers Dieu (= le Père) et invoque le nom du Seigneur
(= le Fils). Cf. E. LANNE, « Le nom de Jésus-Christ et son
invocation chez Irénée de Lyon », dans *Irenikon* 48 (1975),
p. 447-467 et 49 (1976), p. 34-53.

P. 345, n. 1. — « Quant à leur prétendu passage dans
des corps successifs », Τὴν δὲ μετενσωμάτωσιν αὐτῶν.
Sur la substitution de ἐγκατάπτωσιν à μετενσωμάτωσιν
dans le Florilège anti-origéniste d'où est tiré le fragment
grec, cf. *supra*, p. 96-100. La restitution du terme
μετενσωμάτωσιν est tout à fait certaine, car la doctrine que
réfute ici Irénée est celle qu'il a exposée en détail en I, 25, 4,
dans la notice consacrée aux disciples de Carpocrate : ce
paragraphe du Livre I présente par deux fois le verbe
μετενσωματόομαι, dans un passage dont le grec a été conservé

par Hippolyte ; on lit aussi, dans ce même paragraphe,
l'expression « secundum transmigrationes in corpora » (lignes
50-51 du texte latin), sous laquelle il n'est pas malaisé de
reconnaître le grec κατὰ μετενσωματώσεις.

P. Gallay écrit (GRÉGOIRE DE NAZIANZE, *Discours théologiques*, *SC* 250, p. 95, note 7) : « Le mot μετενσωμάτωσις ...
n'est signalé qu'à partir du IIIe siècle de notre ère (dans
Hippolyte et Plotin notamment) ». Ce n'est pas tout à fait
exact, car, même si ce mot n'est expressément attesté dans
aucun fragment grec irénéen, sa présence n'en est pas moins
certaine en deux endroits de l'*Aduersus haereses*, à savoir
I, 25, 4 et II, 33, 1.

P. 345, n. 2. — « leur union au corps ne pourrait pas
éteindre totalement le souvenir de ce qu'elles auraient vu
antérieurement, d'autant plus qu'elles viendraient précisément dans le but susdit », **Οὐ γὰρ ἠδύνατο ἡ τοῦ σώματος
προσπλοκὴ ὅλην ἐξ ὅλου πᾶσαν αὐτῶν τὴν προγεγονυῖαν
ἀποσβέσαι μνήμην τε καὶ θεωρίαν, καὶ μάλιστα ἐπὶ τοῦτο
ἐρχομένων.**
La phrase grecque offre un sens entièrement cohérent et
sa teneur paraît primitive. Il en va autrement de la phrase
latine. Tout d'abord, au lieu de « *ipsorum* quae ante habita
erant » (ligne 9), on devrait avoir : « *ipsarum* quae ante
habita *erat* » : un copiste latin a-t-il laissé s'altérer le texte
primitif ? ou le traducteur a-t-il lu αὐτῶν τῶν προγεγονότων ?
Ensuite, au lieu de « *uenientes* » (ligne 10), il faudrait
« *uenientium* » : le texte latin avait-il primitivement ce
mot ? ou le traducteur a-t-il été égaré par un texte grec
fautif ? Comme on ne peut remonter de façon certaine au
texte du traducteur, la phrase latine a été reproduite telle
qu'elle figure dans les manuscrits.

P. 345, n. 3. — « Présentement, les choses que l'âme voit
par elle-même en imagination tandis que le corps est endormi
et repose ... »
Sur cette théorie du sommeil, cf. M. SPANNEUT, *Le stoïcisme des Pères de l'Église de Clément de Rome à Clément
d'Alexandrie*, Paris, 1957, p. 217-218, 229, etc. Pour Irénée,
Tertullien, Clément d'Alexandrie ..., le sommeil est le
propre du corps, puisque l'âme, toujours active en tant
qu'immortelle, ne peut dormir. Le sommeil est comparable
à la mort : l'âme se retire d'une certaine manière du corps,

pour être en elle-même, seule ; « n'ayant plus à agir corporellement, elle contemple à part soi » (Clém. Alex.). Tout cela vient du stoïcisme. Tertullien et Clément d'Alexandrie ont d'abondants développements, mais Irénée est de la plus extrême sobriété.

P. 349, n. 1. — « ni le reste de cette spécieuse théorie relative au breuvage de l'oubli », οὔτε ἡ λοιπὴ τεχνολογία τοῦ τῆς λήθης πόματος.

Le latin n'a rien qui réponde au grec λοιπή : sans doute ce mot était-il accidentellement tombé dans le texte grec que le traducteur avait sous les yeux. D'autre part, les mots « artificiose compositum » ne semblent pas pouvoir correspondre à τεχνολογία, mais il se comprendraient mieux si le traducteur avait lu un terme tel que τεχνοποιΐα. Quoi qu'il en soit, on donnera raison à la leçon du florilège grec comme étant plus naturelle.

P. 349, n. 2. — « Comment l'âme peut-elle se souvenir — tandis que repose le corps ? », Πῶς οὖν ὅ τι καθ' ἑαυτὴν ἡ ψυχὴ θεωρεῖ ἐν ὕπνοις καὶ κατ' ἔννοιαν, ἠρεμοῦντος τοῦ σώματος, αὐτὴ διαμνημονεύει καὶ ἀνκγγέλλει τοῖς πλησίον ;

Les mots « cogitationem, mentis intentionem » ne sont sans doute qu'un doublet traduisant ἔννοιαν.

P. 353, n. 1. — « Et c'est pourquoi, lorsque sera complet — de la bonté de Dieu », Καὶ διὰ τοῦτο, πληρωθέντος τοῦ ἀριθμοῦ – ἀπὸ τῆς τοῦ Θεοῦ χρηστότητος.

Cette phrase ne pose pas de problème de critique textuelle, mais son interprétation est délicate et demande un mot de justification.

Nous avons ici une annonce nouvelle et particulièrement suggestive de l'anthropologie qu'Irénée développera dans la première partie du Livre V. Pour être correctement comprise, la présente phrase demande à être lue à la lumière des développements qu'elle annonce. Or, pour l'essentiel, la doctrine ainsi annoncée est la suivante.

Si l'homme, considéré simplement en sa nature, est un composé de corps (σῶμα) et d'âme (ψυχή), l'homme « parfait » ou « spirituel », c'est-à-dire celui qui a reçu de Dieu le don de l'Esprit Saint en vue de la vie éternelle, est un composé de corps (σῶμα), d'âme (ψυχή) et d'Esprit Saint (Πνεῦμα) (cf. V, 9, 1). L'Esprit Saint est en effet si réellement « donné »

à tous les hommes justifiés que chacun de ceux-ci le possède
véritablement comme sien, d'une manière analogue à celle
dont il possède son propre corps et sa propre âme. C'est
ce qu'Irénée lit sous la plume de saint Paul : « Que le Dieu
de paix vous sanctifie (par le don de son Esprit) en sorte
que vous soyez totalement achevés, et que votre être
intégral — à savoir votre Esprit, votre âme et votre corps —
soit conservé sans reproche pour l'avènement du Seigneur
Jésus », Ὁ δὲ Θεὸς τῆς εἰρήνης ἁγιάσαι ὑμᾶς ὁλοτελεῖς, καὶ
ὁλόκληρον ὑμῶν τὸ Πνεῦμα καὶ ἡ ψυχὴ καὶ τὸ σῶμα ἀμέμπτως ἐν
τῇ παρουσίᾳ τοῦ Κυρίου Ἰησοῦ τηρηθείη (*I Thess.* 5, 23). Ce
texte de Paul, Irénée le cite en V, 6, 1, et le commentaire
développé qu'il en donne à cet endroit ne permet pas de
douter que c'est bien de cette manière qu'il le comprend :
ce n'est pas d'un « esprit » quelconque qu'il s'agit à ses yeux,
mais de l'Esprit Saint en personne, *en tant que celui-ci est
donné* à chaque juste pour être en lui, plus intime à lui que
lui-même, le principe d'une vie nouvelle et toute sainte qui
est une participation à la vie divine que, de toute éternité,
le Fils reçoit du Père. Ce même et unique Esprit, chaque
juste le reçoit d'une manière qui lui est propre : c'est
l'infinie diversité des vocations (des « charismes ») dans
l'unité de l'Église et de la charité. C'est précisément ce caractère propre et personnel de la possession de l'Esprit par
chaque juste qui permet à Paul de dire : « ... votre Esprit »,
comme il dit : « ... votre âme, votre corps ». Autrement dit,
chaque homme justifié possède SON Esprit, comme il
possède aussi SON âme et SON corps.

Or, c'est cela même qu'affirme Irénée dans le présent
passage du Livre II, lorsqu'il dit que les justes ressusciteront
« ayant » — nous traduisons littéralement — « leurs propres
corps, leurs propres âmes et leurs propres Esprits, en lesquels
ils auront plu à Dieu », ἴδια ἔχοντες σώματα καὶ ἰδίας ψυχὰς
καὶ ἴδια Πνεύματα, ἐν οἷς εὐηρέστησαν τῷ Θεῷ. Et l'on
peut noter la justesse de la pensée : c'est bien dans son
âme (siège du libre arbitre) unie à son corps que chaque
juste aura plu à Dieu, mais précisément en tant que et dans
la mesure où la présence transfiguratrice de l'Esprit Saint
librement accueillie aura purifié du péché et élevé jusqu'à
la vie de Dieu (cf. V, 9, 2) ce composé de corps et d'âme
qu'est l'homme en vertu de sa nature.

Se récriera-t-on devant le pluriel ἴδια Πνεύματα et mettra-t-
on en doute qu'une telle expression puisse, sous la plume
d'Irénée, désigner l'Esprit Saint au sens qui vient d'être

précisé ? Mais il nous semble que ce pluriel n'a rien que de
normal si l'on admet avec Irénée que l'Esprit Saint puisse
être véritablement donné à chaque juste au point d'être
une sorte de troisième « composante » grâce à laquelle
l'homme est constitué fils adoptif du Père et participant de
la vie même de Dieu. Le langage d'Irénée est en effet catégorique sur ce point : il suffit de relire ses exposés de la
première partie du Livre V et, plus particulièrement, de
V, 6, 1 et de V, 9, 1-2, pour voir à quel point il prend au
sérieux les indications de l'Écriture relatives au don de
l'Esprit Saint et à l'inhabitation de celui-ci dans l'homme
justifié. Dès lors, de la même manière que Paul a pu dire,
en pensant à chaque juste en particulier : « ... que *votre
Esprit*, votre âme et votre corps soient conservés sans
reproche pour l'avènement du Seigneur Jésus », Irénée peut
dire ici, en pensant à tout l'ensemble des élus ressuscitant des
morts : « ... ayant leurs propres corps, leurs propres âmes et
leurs propres Esprits ». Replacé dans son contexte qui peut
seul lui donner son vrai sens, ce pluriel ne signifie pas on ne
sait quelle division ou dispersion de l'Esprit Saint, mais il
souligne le fait que l'Esprit Saint est véritablement le bien
de tous et de chacun de ceux qui l'accueillent au plus intime
d'eux-mêmes pour être l'âme de leur âme et la vie de leur
vie (cf. V, 7, 1).

Telle nous paraît être la vraie signification des formules
irénéennes relatives au don de l'Esprit Saint. Le langage
d'Irénée demeure proche de celui de l'Écriture. On se
tromperait en prétendant y trouver déjà des distinctions
qui n'auront cours que bien plus tard dans une réflexion
théologique plus élaborée (nous songeons notamment à la
distinction, classique dans la théologie de la grâce, entre le
« donum increatum » — Dieu se donnant à l'homme comme
objet immédiat de communion — et le « donum creatum »
— la grâce sanctifiante habilitant l'homme à une telle
communion —). Pour Irénée, l'Esprit Saint est donné, pour
être, dans la mesure où l'être humain s'ouvre à sa présence
purificatrice et transfiguratrice, Celui grâce à qui l'homme
accède au Père lui-même en qualité de fils adoptif.

Dans la traduction française, nous avons utilisé, pour
rendre les expressions ἴδια ... σώματα καὶ ἰδίας ψυχὰς καὶ
ἴδια Πνεύματα, des singuliers plutôt que des pluriels. Ce n'est
pas que nous ayons songé à modifier la pensée d'Irénée, mais
parce que, spontanément, le français exprime l'idée que

chacun possède son propre corps, sa propre âme, son propre
Esprit.

P. 355, n. 1. — « ayant atteint sa perfection, conserve
l'harmonie reçue du Père », ἀποτελεσθὲν τὴν ἁρμονίαν
τηρήσῃ τοῦ Πατρός.
Aux lignes 96-97, le latin est aberrant. Pour correspondre
au grec et offrir un sens acceptable, il devrait avoir :
« ... perfect<a> compag<inem> siue aptatio<nem>
conseruet Patris ». Le traducteur aurait-il lu ἀποτελεσθέντων
ἁρμονία au lieu de ἀποτελεσθὲν τὴν ἁρμονίαν et aurait-il
traduit matériellement, sans chercher à comprendre? De
toute façon, on reconnaît dans « compago siue aptatio » un
doublet traduisant ἁρμονία.

P. 355, n. 2. — « Le Seigneur a parfaitement enseigné
— dans le sein d'Abraham », Ἱκανώτατα δὲ ὁ Κύριος ἐδίδαξεν
οὐ μόνον παραμένειν μὴ μετενσωματουμένας τὰς ψυχάς, ἀλλὰ καὶ
τὸν χαρακτῆρα τοῦ σώματος ἐφ᾽ οὗ καὶ ἐφαρμόζονται συντηρεῖν
τὸν αὐτόν, μεμνῆσθαί τε αὐτὰς καὶ τῶν ἔργων ἃ ἔπραξαν ἐνθάδε
καὶ ὧν ἐπαύσαντο, ἐν τῇ ἱστοριογραφίᾳ τῇ περὶ τοῦ πλουσίου καὶ
Λαζάρου τοῦ ἀναπαυομένου ἐν τοῖς κόλποις Ἀβραάμ.
Les mots ἐν τῇ ἱστοριογραφίᾳ se laissent deviner sans
peine sous le latin « in ea relatione quae scribitur », et le
syriaque confirme qu'il s'agit du substantif ἱστορία ou
d'un composé de ce mot. Dans le discours de Jésus relatif
à Lazare et au mauvais riche (*Lc* 16, 19-31), Irénée voit donc
le récit d'un événement réel, non une parabole en laquelle
ne serait rapporté qu'un événement purement fictif. Même
façon de voir en IV, 2, 4 : « *Non* autem *fabulam retulit* nobis
pauperis et diuitis, sed primum quidem docuit ... »

P. 357, n. 1. — « Tout cela suppose manifestement — le
séjour qu'elle a mérité », Διὰ γὰρ τούτων φανερώτατα μεμήνυται
καὶ ἐπιμένειν τὰς ψυχὰς καὶ οὐ μετενσωματοῦσθαι καὶ ἔχειν τὴν
τοῦ ἀνθρώπου μορφήν, ὥστε καὶ ἐπιγινώσκεσθαι, καὶ μεμνῆσθαι τῶν
ἐνθάδε, τό τε προφητικὸν παρεῖναι τῷ Ἀβραὰμ καὶ τὴν ἀξίαν οἴκησιν
μίαν ἑκάστην ψυχὴν ἀπολαμβάνειν καὶ πρὸ τῆς κρίσεως.
A la ligne 21 du texte latin, on lit : « unamquamque
gentem ... » Cette leçon ne paraît pas pouvoir refléter
l'original irénéen (voir ligne 9 : « ... et manere in suo ordine
unumquemque ipsorum »), et il faut sans doute lire :
« unamquamque animam ... » ou « unumquemque hominem ... »

P. 357, n. 2. — « Peut-être, à cet endroit, objectera-t-on — ensuite, d'être », Εἰ δέ τινες ἐν τούτῳ τῷ τόπῳ λέγοιεν μὴ δύνασθαι ψυχὰς τὰς μικρῷ πρόσθεν εἶναι ἀρξαμένας ἐπὶ πλεῖον ἐπιμένειν, ἀλλὰ δεῖν αὐτὰς ἤτοι ἀγενήτους εἶναι ἵνα ὦσιν ἀθάνατοι, ἤ, ἐὰν γενέσεως ἀρχὴν λάβωσιν, αὐτῷ τῷ σώματι συναποθνήσκειν, μαθέτωσαν ὅτι ἄναρχος καὶ ἀτελεύτητος ἀληθῶς τε καὶ ἀεὶ κατὰ τὰ αὐτὰ ὑπάρχων μόνος ἐστὶν ὁ Θεὸς ὁ τῶν ἁπάντων Κύριος, τὰ δὲ ὑπ' αὐτοῦ πανθ' ὅσα γεγένηται καὶ γίνεται ἀρχὴν μὲν ἰδίαν λαμβάνει γενέσεως καὶ κατὰ τοῦτο ὑστερεῖται τοῦ αὐτὰ πεποιηκότος, ὅτι μή ἐστιν ἀγένητα, ἐπιμένει δὲ καὶ ἐπεκτείνεται εἰς μακρότητα αἰώνων κατὰ τὴν βουλὴν τοῦ Ποιητοῦ Θεοῦ, τοῦ οὕτως τὴν ἀρχὴν τὸ γίνεσθαι καὶ μετέπειτα τὸ εἶναι αὐτοῖς δωρουμένου.

1. Les mots « in multum temporis perseuerare » (lignes 24-25) traduisent sûrement le grec ἐπὶ πλεῖον ἐπιμένειν. En effet, en IV, 38, 3, dans un contexte de tout point semblable, au latin « in multum temporis perseuerantia » correspond le grec ἐπὶ πλεῖον ἐπιμένοντα (grec conservé dans les *Sacra Parallela*). Prise en rigueur de termes, la traduction latine « in *multum* temporis » est inexacte de part et d'autre : en IV, 38, 3, l'expression ἐπὶ πλεῖον ἐπιμένοντα est expliquée par l'expression τὴν εἰς ἀεὶ παραμονήν qui se rencontre quelques lignes plus loin ; dans le présent passage du Livre II, l'opposition qu'établit Irénée n'est pas entre mourir et durer longtemps, mais entre mourir (« cum ipso corpore mori ») et ne pas mourir (« ut sint immortales »). On donnera donc au comparatif πλεῖον sa pleine valeur, et l'on comprendra : « durer (toujours) plus longtemps », « durer indéfiniment ».

2. On notera que ce rapprochement n'est pas le seul qui puisse être fait entre le présent paragraphe et le chap. 38 du Livre IV. Un examen comparatif fait même toucher du doigt une surprenante continuité de formules et de pensée entre les deux passages de l'œuvre irénéenne, ainsi qu'il ressort du schéma suivant :

II, 34, 2	IV, 38, 1-3
Εἰ δέ τινες ... λέγοιεν ..., μαθέτωσαν ὅτι ...	Εἰ δὲ λέγοι τις ... γνώτω ὅτι ... (38, 1).
ἐπὶ πλεῖον ἐπιμένειν	ἐπὶ πλεῖον ἐπιμένοντα (38, 3).
ἀγενήτους εἶναι	ἀγένητα εἶναι (38, 1).

γενέσεως ἀρχὴν λάβωσιν ἀρχὴν μὲν ἰδίαν λαμβάνει γενέσεως	γενέσεως ἀρχὴν ἰδίαν ἔσχε (38, 1).
ἀεὶ κατὰ τὰ αὐτὰ ὑπάρχων	ἀεὶ κατὰ τὰ αὐτὰ ὄντι (38, 1).
ἄναρχος ... μόνος ἐστὶν ὁ Θεός	ὁ Θεὸς ... μόνος ἀγένητος (38, 3).
κατὰ τοῦτο ὑστερεῖται τοῦ αὐτὰ πεποιηκότος	κατὰ τοῦτο καὶ ὑστερεῖσθαι ⟨ἔ⟩δει τοῦ αὐτὰ πεποιηκότος (38, 1).
ὅτι μή ἐστιν ἀγένητα	καθὸ δὲ μή ἐστιν ἀγένητα (38, 1). ὅτι μὴ ἀγένητος ἦν (38, 2).
εἰς μακρότητα αἰώνων	μακροῖς αἰῶσι (38, 3).
τοῦ Θεοῦ τοῦ ... δωρουμένου.	τοῦ Θεοῦ ... δωρουμένου (38, 3).

Visiblement, au moment où Irénée rédige son deuxième Livre, il possède déjà en son esprit, avec une étonnante précision, les développements qu'il fera figurer dans le quatrième. On a le sentiment que l'*Aduersus haereses* a dû être fortement pensé d'abord, puis rapidement rédigé. Une telle vue ne favorise évidemment pas la thèse encore assez généralement admise selon laquelle les Livres III, IV, et V ne seraient que des rallonges successives faites à un ouvrage qui, primitivement, ne devait comporter que les Livres I et II.

3. La restitution du dernier membre de phrase ne peut être considérée comme assurée jusque dans le moindre détail. Peut-être faudrait-il lire dans le latin : «... Factoris Dei, *qui* ut sic initio fierent et postea ut sint eis donat ». Quoi qu'il en soit de ce point, la pensée d'Irénée apparaît avec une clarté indiscutable. L'objection partait d'une constatation empirique érigée en vérité absolue : tout ce qui a un commencement a nécessairement aussi une fin. La réponse d'Irénée revient, pour l'essentiel, à ceci : au regard de la foi en un Dieu Créateur de toutes choses, une telle affirmation apparaît comme gratuite ; en réalité tous les êtres reçoivent d'abord de Dieu de passer du néant à l'être (τὸ γίνεσθαι), puis de se maintenir dans l'existence ainsi reçue aussi longtemps que Dieu le veut, temporairement ou éternellement

selon que tel est le bon plaisir du Donateur (τὸ εἶναι). A
ce γίνεσθαι et cet εἶναι feront écho à la fin du chapitre, en
manière d'inclusion, les termes « factura » (γένεσις) et
« perseuerantia » (παραμονή). Tout le développement intermédiaire gravite autour de cette distinction, laquelle n'a de
sens que dans la perspective d'une dépendance radicale de
toutes choses à l'égard d'un Dieu Créateur.

P. 357, n. 3. — « le soleil, la lune, toutes les étoiles »,
ὁ ἥλιος καὶ ἡ σελήνη καὶ οἱ λοιποὶ ἀστέρες.
Littéralement : « ... et tous ces autres (corps célestes que
sont) les étoiles ». Sur cette signification particulière de
l'adjectif λοιπός, cf. supra, p. 247, note justif. P. 123, n. 2.

P. 359, n. 1. — « Il dit encore à propos de l'homme destiné
à être sauvé — pour les siècles des siècles », Καὶ
πάλιν περὶ τοῦ σωθησομένου ἀνθρώπου οὕτως φησίν · « Ζωὴν ᾐτήσατό
σε, καὶ ἔδωκας αὐτῷ μακρότητα ἡμερῶν εἰς αἰῶνα αἰῶνος », ὡς τοῦ
Πατρὸς τῶν πάντων δωρουμένου καὶ τὴν εἰς αἰῶνα αἰῶνος παραμονὴν
τοῖς σῳζομένοις · οὐ γὰρ ἐξ ἡμῶν οὐδὲ ἐκ τῆς ἡμετέρας φύσεως
ἡ ζωή, ἀλλὰ κατὰ τὴν χάριν τοῦ Θεοῦ δίδοται. Καὶ διὰ τοῦτο ὁ τηρήσας
τὸ δόμα τῆς ζωῆς καὶ εὐχαριστήσας τῷ παρασχόντι προσλήψεται καὶ
τὴν εἰς αἰῶνα αἰῶνος μακροημερίαν · ὁ δὲ ἀποβαλὼν αὐτὴν καὶ
ἀχαριστήσας τῷ Ποιητῇ διὰ τὸ γεγενῆσθαι καὶ μὴ ἐπιγνοὺς τὸν
παρέχοντα αὐτὸς ἑαυτὸν ἀποστερεῖ τῆς εἰς αἰῶνα αἰῶνος παραμονῆς.
Καὶ διὰ τοῦτο ὁ Κύριος ἔλεγε τοῖς ἀχαριστοῦσιν εἰς αὐτόν · « Εἰ
ἐν ἐλαχίστῳ πιστοὶ οὐκ ἐγένεσθε, τὸ μέγα τίς δώσει ὑμῖν ; » σημαίνων
ὅτι οἱ ἐν τῇ ἐλαχίστῃ προσκαίρῳ ζωῇ ἀχαριστήσαντες τῷ παρασχόντι
δικαίως οὐκ ἀπολήψονται παρ' αὐτοῦ τὴν εἰς αἰῶνα αἰῶνος μακροημερίαν.
Sur l'interprétation de tout ce passage et, plus particulièrement, des expressions des lignes 58-59, voir la brève et
excellente note de Massuet : « ' Ipse se priuat in saeculum
saeculi perseuerantia ' : non quod destruendam et in nihilum
redigendam eius animam uelit Irenaeus, qui toties asserit
sempiternas fore reproborum poenas, sed quod impii suis
delictis aeterna felicitate et beata sanctorum perseuerantia
(quae sola uera perseuerantia est) se priuent et mortem sibi
aeternam adsciscant ».
On pourrait comparer le langage d'Irénée à celui de Luc :
« ... mais ceux qui auront été jugés dignes d'avoir part à
l'autre monde et à la résurrection d'entre les morts n'épou-
seront pas et ne seront pas épousés ... » (Lc 20, 35). En

conclura-t-on que, pour Luc, les réprouvés ne ressusciteront pas ? Non, mais simplement que, pour lui, la seule véritable résurrection sera celle des justes, celle des réprouvés étant moins un retour à la vie que l'entrée dans une « mort » éternelle.

Éclairant aussi est le rapprochement de notre passage avec IV, 37, 1. De part et d'autre, il s'agit d'un « don » que Dieu fait à l'homme : ici, il donne la « vie » (ἡ ζωή) ; là, il donne le « bien » (τὸ ἀγαθόν). Ce don reçu de Dieu, l'homme est invité à le « conserver » (τηρέω), mais il peut aussi le « rejeter » (ἀποβάλλω). On voit d'emblée qu'Irénée situe la « vie » à un autre niveau que celui du physique ou du biologique, voire de tout ce qui ne serait que le déploiement des virtualités que l'homme porte en sa nature (« non enim ex nobis neque ex nostra natura uita est, sed secundum gratiam Dei datur ») : la « vie » dont il s'agit ici est la communion avec Dieu, et cette communion est un don que l'homme ne peut recevoir que de la grâce de Dieu : « uita hominis uisio Dei » (IV, 20, 7). On comprend, dès lors, en quel sens Irénée peut établir un parallèle entre les êtres matériels (soleil, lune, étoiles ...) et les êtres spirituels (âme, esprits ...) : qu'il s'agisse de la simple existence, ou qu'il s'agisse de la « vie » au sens qui vient d'être dit, il s'agit dans un cas comme dans l'autre, d'un don reçu de Dieu — et non reçu une fois pour toutes en un instant initial, mais reçu sans cesse à chacun des instants qui viendront ensuite, et cela aussi longtemps qu'il plaira à Dieu de continuer son don. Autrement dit, dans l'un comme dans l'autre cas se vérifie la distinction entre le γίνεσθαι et l'εἶναι, qui sous-tend, d'un bout à l'autre, la réponse d'Irénée à l'objection figurant au début de II, 34, 2.

On voit, par tout cela, à quel point il est aberrant de partir de ce passage pour soutenir, comme l'avait déjà fait Ellies Du Pin au xviie siècle et comme on l'a fait récemment encore, que, selon Irénée, l'âme est naturellement mortelle, au même titre que le corps, et que le châtiment éternel des réprouvés consiste en une simple rechute dans leur néant originel. Pour une plus ample confrontation de la présente section avec l'ensemble de la pensée et de l'œuvre d'Irénée, nous nous permettons de renvoyer à notre étude : « L'éternité des peines de l'enfer et l'immortalité naturelle de l'âme selon saint Irénée » dans *Nouv. Rev. Théol.* 99 (1977), p. 834-864.

P. 361, n. 1. — « Car, de même que le corps animé par l'âme — la vie qui est en elle », Ὡς γὰρ τὸ σῶμα τὸ ψυχικὸν αὐτὸ μὲν οὐκ ἔστιν ἡ ψυχή, μετέχει δὲ τῆς ψυχῆς μέχρις ἂν ὁ Θεὸς βούληται, οὕτως καὶ ἡ ψυχὴ αὐτὴ μὲν οὐκ ἔστιν ἡ ζωή, μετέχει δὲ τῆς ὑπὸ τοῦ Θεοῦ αὐτῇ παρεχομένης ζωῆς. Ὅθεν καὶ ὁ προφητικὸς λόγος περὶ τοῦ πρωτοπλάστου φησίν · « Ἐγένετο εἰς ψυχὴν ζῶσαν », διδάσκων ἡμᾶς ὅτι κατὰ μετοχὴν ζωῆς ζῶσα ἐγένετο ἡ ψυχή, ὥστε χωρὶς μὲν τὴν ψυχὴν νοεῖσθαι, χωρὶς δὲ τὴν περὶ αὐτὴν ζωήν.

La « vie » dont il est question dans tout ce passage est évidemment celle dont il a été question déjà au paragraphe précédent, c'est-à-dire la vie qui rend l'âme véritablement « vivante » en la rendant participante de la vie de Dieu lui-même. Un peu plus haut, Irénée disait : « Non enim ex nobis neque ex nostra natura uita est, sed secundum gratiam Dei datur ». Ici, il dit : « ... sic et anima ipsa quidem non est uita, participatur autem a Deo sibi praestitam uitam ». Les deux phrases se répondent et leur portée est identique. Il ne faut y chercher rien d'autre, en fin de compte, qu'une nouvelle formulation de la thèse fondamentale en laquelle se récapitule toute l'anthropologie irénéenne : l'homme « parfait » ou « spirituel » — nous pourrions ajouter : l'homme « vivant » — est un composé de corps, d'âme et d'Esprit Saint. Car c'est l'Esprit Saint qui, en se communiquant à l'âme qui l'accueille, la rend véritablement vivante : « ipse (= Spiritus) uita est eorum qui percipiunt illum » (V, 7, 1). C'est par la participation de l'Esprit Saint que l'homme devient vivant de cette vie qui s'affirme au plus haut degré dans le martyre : « uiuens propter participationem Spiritus » (V, 9, 2). Telle est, très précisément la « vie » dont parle Irénée dans le passage qui nous occupe.

Ce même passage contient encore une indication du plus haut intérêt : en citant *Gen.* 2, 7 (« factus est in animam uiuam ») à cet endroit, Irénée témoigne de sa conviction que, à l'instant où il sortit des mains créatrices de Dieu, le premier homme était vivant de la vie de l'Esprit ; il n'était pas un simple composé d'âme et de corps, mais un composé de corps, d'âme et d'Esprit Saint ; à l'instant même où le premier homme recevait son corps et son âme, ce corps et cette âme étaient assumés dans la vie de l'Esprit ; et c'est cette vie même qui, après avoir été perdue par la désobéissance du premier Adam, devait nous être rendue par l'obéissance du second (cf. III, 18, 1 ; V, 16, 3 ...).

On n'a pas manqué de relever à maintes reprises un assez étroit parallélisme d'expressions entre notre passage et une

page de Justin (*Dial.* 6). Comme Irénée, Justin — ou, plus
exactement, un vieillard auquel Justin donne la parole dans
les premiers chapitres de son « Dialogue avec Tryphon » —
établit une distinction entre l'âme et la vie à laquelle l'âme ne
fait que participer. Cette vie, dit Justin, l'âme la tient de
Dieu : « elle participe à la vie, parce que Dieu veut qu'elle
vive ». Mais le vieillard croit devoir tirer de là la conséquence
suivante : « De la sorte, elle ne participera donc plus à la vie,
dès là que Dieu ne voudra plus qu'elle vive ». Et de continuer :
« De même que l'homme n'existe pas toujours et que le corps
n'est pas toujours uni à l'âme, mais que, lorsque doit être
détruite cette harmonie, l'âme abandonne le corps et
l'homme n'existe plus, de même aussi, lorsque l'âme doit
cesser d'exister, l'esprit vital s'éloigne d'elle ; elle cesse alors
d'exister et s'en retourne là d'où elle avait été tirée ». Cette
page de Justin pose plus d'un problème, à commencer par
celui de savoir dans quelle mesure elle exprime la pensée
de Justin lui-même ou du vieillard qu'il fait parler. Mais,
quoi qu'il en soit de ce point, il saute aux yeux que, lorsque
le vieillard et Irénée prononcent le nom de « vie », ils ne
parlent pas de la même réalité : là où Irénée a en vue la vie
de l'Esprit qui est l'apanage des justes, le vieillard de
Justin a en vue la vie naturelle de l'âme (qui n'est rien d'autre
que sa simple existence, puisque, cette vie venant à se
retirer, l'âme retombe dans son néant originel). On voit,
dès lors, quelle déplorable erreur de méthode on commettrait
si, après avoir arraché le présent passage d'Irénée à tout
l'ensemble du contexte qui en détermine la vraie portée,
on prétendait le rapprocher de la page de Justin que nous
avons citée et, sous prétexte de similitudes verbales —
d'ailleurs très partielles — ramener purement et simplement
la pensée d'Irénée à celle du vieillard de Justin. C'est à Irénée
lui-même, et non à Justin ou aux gnostiques ou à qui que
ce soit, qu'il faut demander ce que pense Irénée : « sanctus
Irenaeus optimus sui ipsius interpres ».

Le lecteur nous demandera peut-être : « Si telle est bien
la pensée d'Irénée dans le passage qui a fait l'objet de cette
note, pourquoi ne s'est-il pas explicité davantage ? Pourquoi,
par exemple, n'a-t-il pas distingué l'âme (ψυχή) et l'Esprit
divin (Πνεῦμα), comme il l'a fait en II, 33, 5 ? La réponse est
que notre passage fait partie d'un développement qui va de
la ligne 49 à la ligne 77 du texte latin, et que ce développement lui-même se situe tout entier *dans le sillage d'une
citation biblique*, en l'occurrence *Ps.* 20, 4, qu'il ne fait que

commenter. Or, dans ce verset psalmique, le don de Dieu
par excellence, celui en lequel consiste le « salut » de
l'homme (« ... de saluando homine ... », ligne 49), est désigné
sous le nom de « vie », ζωή. Faudra-t-il s'étonner si ce même
mot se retrouve d'un bout à l'autre du commentaire irénéen
pour désigner le don divin ? Ce souci d'Irénée de respecter
le texte scripturaire et de n'en être que l'humble écho,
nous ne le rencontrons pas seulement ici, mais on peut dire
qu'il traverse tout l'*Aduersus haereses*, et plus d'une difficulté soulevée par les textes d'Irénée disparaîtrait d'elle-
même si l'on tenait davantage compte de ce caractère de
son œuvre. Une lecture de l'œuvre irénéenne plus attentive
à cette dépendance du vocabulaire d'Irénée par rapport à
celui de l'Écriture ferait apparaître, pensons-nous, coulée
dans un langage d'une souplesse souvent déconcertante —
surtout pour nos esprits cartésiens —, une pensée d'une
profonde cohérence et d'une extrême simplicité.

P. 363, n. 1. — « Quant à tous ceux qu'on appelle abusivement ' Gnostiques ' et qui disent que les prophètes ont
prophétisé de la part de différents Dieux ... », Καὶ οἱ λοιποὶ
δὲ ψευδώνυμοι Γνωστικοὶ λεγόμενοι, οἵτινες τοὺς προφήτας ἐκ
διαφόρων Θεῶν τὰς προφητείας πεποιηκέναι λέγουσιν ...
La thèse dont Irénée entreprend ici la réfutation est celle
qu'il a exposée en I, 30, 10-11, au milieu de la longue notice
consacrée à la doctrine des Ophites. D'après cette thèse,
les sept « Dieux » composant l'« Hebdomade » se seraient
choisi chacun leurs propres prophètes. En I, 30, 11, Irénée
a donné la liste de ces « Dieux » et de leurs prophètes prétendus. — A propos de cette liste, nous voudrions signaler un
intéressant article qu'il ne nous a pas été possible d'utiliser
lors de la publication du Livre I : F. T. FALLON, « The
prophets of the OT and the gnostics. A note on Irenaeus,
Aduersus haereses, I, 30, 10-11 », dans *Vig. Christ.* 32 (1978),
p. 191-194. — Dans le présent passage, Irénée va montrer
que les noms Éloé, Adonaï, Sabaoth, Jao ..., derrière lesquels
les Ophites voyaient autant de Dieux différents, ne sont que
diverses dénominations désignant un seul et même Dieu,
Créateur de toutes choses. Nul doute donc sur la vraie
signification des termes οἱ λοιποὶ ... Γνωστικοί : il ne s'agit
pas de « tous les autres gnostiques » — comme si Basilide,
Carpocrate et Simon, dont il a été question auparavant,
étaient eux aussi des gnostiques —, mais de « tous les
' Gnostiques ' », c'est-à-dire de ce groupe bien déterminé

d'hérétiques dont Irénée a exposé les doctrines en I, 20-30.
Sur la signification particulière de l'expression οἱ λοιποί
à cet endroit, cf. *supra*, p. 247, *note justif. P. 123, n. 2.*

Note sur l'emploi du terme γνωστικός *dans l'Aduersus haereses.*

Au terme de notre travail d'édition de l'*Aduersus haereses*,
il peut être intéressant de jeter un regard d'ensemble sur
tous les endroits de cet ouvrage où figure le terme γνωστικός,
afin de tirer définitivement au clair la signification qu'a ce
terme sous la plume d'Irénée.

A la lumière des différents contextes où intervient ce
vocable, sa signification se révèle double :

1. Dans le Livre I, on relève cinq emplois de l'adjectif
γνωστικός — que nous écrivons avec une minuscule — au
sens premier et habituel de ce mot, c'est-à-dire « qui sait »,
« sage », « savant ». Deux fois il s'agit du simple adjectif
γνωστικός, deux fois du comparatif γνωστικώτερος et une fois
du superlatif γνωστικώτατος. Ainsi, en I, 11, 3, voyons-nous
un maître se tendre « vers quelque chose de plus élevé et de
plus ' savant ' (ἐπὶ τὸ ὑψηλότερον καὶ γνωστικώτερον) ».
En I, 11, 5, il est question de docteurs qui, renchérissant les
uns sur les autres, veulent passer pour « plus parfaits que
les parfaits et plus ' savants ' que les ' savants ' (τελείων
τελειότεροι ... καὶ γνωστικῶν γνωστικώτεροι) ». En I, 13, 1,
nous voyons Marc le Magicien faire en sorte que l'on
s'attache à lui « comme à l'homme le plus ' savant ' et le
plus parfait qui soit (ὡς γνωστικωτάτῳ καὶ τελειοτάτῳ) ».
Enfin, en I, 25, 6, Irénée nous apprend que les Carpocratiens
se décernaient à eux-mêmes le titre de γνωστικοί, « savants ».
Soulignons que, dans ce dernier cas, il s'agit bien d'un simple
titre : les Carpocratiens s'appelaient γνωστικοί, « savants »,
exactement comme les Marcosiens s'appelaient eux-mêmes
τέλειοι, « parfaits » (cf. I, 13, 6). Selon l'acception courante
qui vient d'être dite, le terme γνωστικός ne se retrouvera
dans aucun des quatre derniers Livres de l'*Aduersus
haereses*.

2. Dès le Livre I et dans chacun des Livres suivants,
en revanche, se rencontre le mot Γνωστικός — que, pour
éviter toute amphibologie, nous écrirons avec une majuscule —. Toujours employé au pluriel et substantivement,
sauf, une seule fois, dans l'expression ἡ Γνωστικὴ αἵρεσις

(I, 11, 1), ce mot désigne alors, sous la plume d'Irénée, un groupement bien circonscrit d'hérétiques : οἱ Γνωστικοί, les « Gnostiques ». Distincts aussi bien des Valentiniens que de Simon, de Ménandre et de tous ceux qu'Irénée considère comme les ancêtres lointains des Valentiniens, les « Gnostiques » sont ce groupe particulier d'hérétiques dont Irénée rapporte les doctrines en I, 29-30 et en qui il voit les ascendants immédiats ou « pères » des Valentiniens.

Voici un relevé exhaustif des passages où figure le terme Γνωστικός — pour les passages des Livres I et II, que nous ne ferons que mentionner brièvement, on trouvera plus de détails dans les notes justificatives correspondantes — :

I, 11, 1 : « Qui enim est primus, ab ea quae dicitur *gnostica* haeresis (ἀπὸ τῆς λεγομένης Γνωστικῆς αἱρέσεως) <principia> in suum characterem doctrina<e> transferens, Valentinus, sic definiuit ... »

I, 11, 1 : « Coemissum autem ei et sinistrum Principem <dogmatizauit> similiter his qui dicentur a nobis falsi nominis *Gnostici* (ὁμοίως τοῖς ῥηθησομένοις ὑφ' ἡμῶν ψευδωνύμοις Γνωστικοῖς) ». Irénée annonce son intention de parler ultérieurement de ces « Gnostiques » : c'est ce qu'il fera, avec abondance de détails, en I, 29-30.

I, 29, 1 : « ... ex his qui praedicti sunt Simoniani multitudo *Gnosticorum* (τὸ πλῆθος τῶν Γνωστικῶν) exsurrexit ... : quorum principales apud eos sententias enarramus ». Pour le rétablissement du texte authentique de ce passage, cf. *SC* 263, p. 296-299. Suit, tout au long des chap. 29 et 30, la description des doctrines de ces « Gnostiques » : émissions et syzygies, chute de Sophia-Prounikos, descente du Christ d'en haut en ce monde pour récupérer les parcelles de lumière égarées, toutes choses qui annoncent Valentin et les systèmes issus de lui.

II, Pr., 1 : « ... doctrinam Simonis magi Samaritani ... manifestauimus, diximus quoque multitudinem eorum qui sunt ab eo *Gnostici* (τὸ πλῆθος τῶν ἀπ' αὐτοῦ Γνωστικῶν) ... » Simple rappel de I, 29-30.

II, 13, 8 : « Haec ... similiter et aduersus eos qui a Basilide sunt aptata sunt, et aduersus reliquos *Gnosticos* (καὶ πρὸς τοὺς λοιποὺς Γνωστικούς), a quibus et hi (= les Valentiniens) initia emissionum accipientes conuicti sunt in primo libro ». Il s'agit des « Gnostiques » au sens strict, dont Irénée a dit, au début de I, 11, 1, que c'est à eux que Valentin a emprunté les lignes maîtresses de son propre système. Sur la portée de l'adjectif λοιπός dans le cas présent, cf. *supra*, p. 247, *note justif.*, *P. 123, n. 2.*

II, 13, 10 : « De ... emissione Hominis et Ecclesiae, ipsi patres eorum (= des Valentiniens) falso cognominati *Gnostici* (οἱ ... ψευδώνυμοι Γνωστικοί) pugnant aduersus inuicem ...» Ici encore, il s'agit des « Gnostiquus » au sens strict : Irénée nous dit qu'ils sont les « pères », c'est-à-dire les ascendants immédiats, des Valentiniens.

II, 31, 1 : «... et aduersus eos qui sunt a Satornino et Basilide et Carpocrate et reliquos *Gnosticorum* (καὶ τοὺς λοιποὺς Γνωστικούς) qui eadem similiter dicunt idem dicetur. Quae autem de prolationibus dicta sunt ... similiter euertit Basiliden et omnes qui falso cognominantur *Agnitores* (πάντας τοὺς ψευδωνύμους Γνωστικούς) ...» Même groupe des « Gnostiques » au sens strict.

II, 35, 2 : « Et reliqui autem qui falso nomine *Gnostici* (οἱ λοιποὶ ... ψευδώνυμοι Γνωστικοί) dicuntur, qui prophetas ex diuersis Diis prophetias fecisse dicunt ...» C'est toujours le même groupe qui est désigné : il y a même une allusion précise à la thèse de ces hérétiques selon laquelle Jaldabaoth et les six autres « Dieux » se seraient choisi chacun leurs propres hérauts ou prophètes (cf. 1, 30, 10-11).

III, 4, 3 : « Reliqui uero qui uocantur *Gnostici* (οἱ λοιποὶ ... Γνωστικοί), a Menandro Simonis discipulo, quemadmodum ostendimus, accipientes initia ...» Rectifier la traduction française de la manière suivante : « Tous ceux que l'on appelle ' Gnostiques ' ...» Il s'agit toujours des « Gnostiques » au sens strict.

III, 10, 4 : « Hos angelos falsarii *Gnostici* (οἱ ψευδώνυμοι Γνωστικοί) dicunt ab Ogdoade uenisse et descensionem superioris Christi manifestasse ». Traduire : « Ces anges, les ' Gnostiques ' au nom menteur prétendent ...» Toujours le même groupe d'hérétiques. L'Ogdoade ne peut être que le lieu où séjourne la Sophia-Prounikos des « Gnostiques » (cf. I, 30, 4 : « Sic quoque Hebdomas perfecta est apud eos, octauum Matre habente locum »).

III, 11, 1 : « Secundum autem quosdam *Gnosticorum* (τῶν Γνωστικῶν), ab Angelis factus est iste mundus ...» Traduire : « Selon certains d'entre les ' Gnostiques ', c'est par des Anges ...» Toujours le même groupe : Irénée se réfère à I, 30, 5.

IV, 6, 4 : « Hic autem est Fabricator caeli et terrae ...,
et non is qui a Marcione uel a Valentino aut Basilide aut
Carpocrate aut Simone aut reliquis falso cognominatis
Gnosticis (τῶν λοιπῶν ψευδωνύμων Γνωστικῶν) adinuentus est
falsus Pater ». Traduire : « ... ou tous les ' Gnostiques ' au
nom menteur ». Il s'agit toujours du même groupe d'hérétiques.

IV, 33, 3 : « Iudicabit autem et uaniloquia prauorum
Gnosticorum (τῶν κακογνωμόνων Γνωστικῶν), Simonis eos magi
discipulos ostendens ». Traduire : « ... les bavardages des
' Gnostiques ' aux opinions fausses ... » Toujours le même
groupe d'hérétiques, clairement distingué des Valentiniens
dont Irénée a parlé aussitôt auparavant.

IV, 35, 1 : « Aduersus eos rursum qui sunt a Valentino
et reliquos falsi nominis *Gnosticos* (καὶ τοὺς λοιποὺς ψευδωνύμους
Γνωστικούς), qui aliquando quidem a Summitate quaedam
eorum quae sunt in Scripturis posita dicta dicunt propter
semen quod est inde, aliquando uero a Medietate per
Matrem Prunicam, multa uero a mundi Fabricatore a quo
et missi sunt prophetae ... » Traduire : « Contre les disciples
de Valentin, ensuite, et tous les mal nommés ' Gnostiques ',
qui prétendent ... » Même groupe d'hérétiques. Irénée
rapproche ici, tout en les distinguant, les Valentiniens et
les « Gnostiques ». Sur l'origine prétendument multiple
des prophéties, cf. I, 7, 3 (Valentiniens) et I, 30, 10-11
(« Gnostiques »). On notera que le terme Prounikos, comme
désignation de la Mère, ne se rencontre pas ailleurs que dans
les notices consacrées aux Barbéliotes (I, 29, 4) et aux
Ophites (I, 30, 3 ; I, 30, 7 [deux fois] ; I, 30, 9 [deux fois] ;
I, 30, 11) : précieux indice confirmant qu'il s'agit bien ici
des « Gnostiques » au sens strict recensés en I, 29-30.

V, 26, 2 : « Qui ergo blasphemant Demiurgum, uel ipsis
uerbis et manifeste, quemadmodum qui a Marcione sunt,
uel secundum euersionem sententiae, quemadmodum qui a
Valentino sunt et omnes qui falso dicuntur esse *Gnostici*
(καὶ πάντες οἱ ψευδώνυμοι Γνωστικοί), organa Satanae ab
omnibus Deum colentibus cognoscantur esse ... » Traduire :
« ... comme les disciples de Valentin et tous les ' Gnostiques '
au nom menteur ... » Ici encore, Irénée rapproche, tout en
les distinguant, les Valentiniens et les « Gnostiques ».

Ainsi apparaît en pleine clarté, croyons-nous, au terme
d'une lecture attentive de l'intégralité de l'*Aduersus
haereses*, la signification du terme γνωστικός (ou Γνωστικός)

sous la plume d'Irénée. Nous prions le lecteur de vouloir
bien rectifier nos traductions des Livres III, IV et V, là
où cette signification a été insuffisamment ou inexactement
dégagée.

Précisons que nos conclusions concernent Irénée seul :
il y aurait une grave erreur de méthode à prétendre s'appuyer
sur ces conclusions pour découvrir la signification qu'aurait
ce même mot γνωστικός chez d'autres auteurs qu'Irénée,
car il s'agit d'un vocable au contenu encore mal défini à
l'époque, et c'est à chaque auteur en particulier qu'il convient
de demander la signification plus ou moins précise qu'il
donne à ce vocable. Ajoutons encore que notre seul but a été
de dégager l'authentique pensée d'Irénée : nous laissons,
par conséquent, aux historiens des doctrines le soin de
déterminer dans quelle mesure leur discipline est en droit
de ratifier ou de nuancer la vision des choses qui fut celle
d'Irénée.

Sur les controverses auxquelles a donné lieu dans le passé
la signification du terme γνωστικός chez Irénée, on trouvera
d'utiles indications chez N. Brox, « Γνωστικοί als häresiolo-
gischer Terminus », dans *ZNTW* 57 (1966), p. 105-114.

P. 363, n. 2. — « Qu'on sache donc que tous les vocables
de ce genre sont des désignations et des appellations d'un
seul et même être », μαθέτωσαν ὅτι ἑνὸς καὶ τοῦ αὐτοῦ σημειώσεις
καὶ προσηγορίαι πάντα τὰ τοιαῦτα.

Pour la suite de ce paragraphe, on pourra consulter les
notes savantes, sinon toujours éclairantes, de Massuet et
de Harvey. Voir aussi F. Wutz, *Onomastica sacra* (*TU* 41),
Leipzig, 1914-1915.

P. 367, n. 1. — « Qu'avec nos paroles s'accordent — de
tous ceux qui aiment la vérité », Ὅτι δὲ τοῖς ῥητοῖς ἡμετέροις
συμφωνεῖ τὸ κήρυγμα τῶν ἀποστόλων καὶ ἡ τοῦ Κυρίου διδαχὴ καὶ
ἡ τῶν προφητῶν καταγγελία καὶ ἡ τῆς νομοθεσίας διακονία ἕνα καὶ
τὸν αὐτὸν πάντων Θεὸν Πατέρα αἰνούντων καὶ οὐκ ἄλλον καὶ ἄλλον,
οὐδὲ ἐκ διαφόρων Θεῶν ἢ Δυνάμεων σύστασιν ἔχει ἀλλ᾽ ἐξ ἑνὸς καὶ
τοῦ αὐτοῦ Πατρὸς τὰ πάντα, τοῦ μέντοι κατὰ τὰς τῶν ὑποκειμένων
φύσεις ῥυθμίζοντος καὶ τὴν διάθεσιν, καὶ οὔτε ὑπ᾽ Ἀγγέλων οὔτε
ὑπ᾽ ἄλλης τινὸς Δυνάμεως ἀλλ᾽ ὑπὸ τοῦ μόνου Θεοῦ καὶ Πατρὸς
τά τε ὁρατὰ καὶ τὰ ἀόρατα καὶ πάντα ἁπλῶς ἐγένετο, ἡγοῦμαι μὲν
ἱκανῶς ἀποδεδεῖχθαι, διὰ τῶν τοσούτων ἑνὸς δηλωθέντος Θεοῦ
Πατρὸς Ποιητοῦ τῶν ἁπάντων · ἀλλ᾽ ἵνα μὴ δοκῶμεν φυγεῖν τὴν

ἐκ τῶν κυριακῶν γραφῶν ἀπόδειξιν, αὐτῶν τῶν γραφῶν πολλῷ
φανερώτερον καὶ σαφέστερον αὐτὸ τοῦτο κηρυσσουσῶν τοῖς γε μὴ
πονηρῶς προσέχουσιν αὐταῖς, ἐν τῇ ἑξῆς βίβλῳ ταύτας τὰς γραφὰς
ἀποδιδόντες τὰς ἐκ τῶν θείων γραφῶν ἀποδείξεις παραθησόμεθα
ἐν μέσῳ πᾶσι τοῖς φιλαλήθεσιν.

Le texte latin de ce paragraphe est particulièrement
abîmé et l'on ne peut se flatter de reconstituer avec certitude,
jusque dans le moindre détail, la pensée d'Irénée. C'est donc
sous toutes réserves que nous proposons les remarques qui
suivent.

A la ligne 54, les mots « et apostolorum dictatio » (sans
doute ce dernier mot est-il une déformation de « praedicatio »)
sont un redoublement des mots « praedicatio apostolorum »
qui figurent à la ligne précédente : on n'hésitera pas à les
supprimer.

A la ligne 57, nous proposons de lire « habent » au lieu de
« habentem ». La construction de la phrase nous paraît être
en effet la suivante :

« Quoniam autem

    (a) dictis nostris *consonat* praedicatio apostolorum ...,

    (b) neque ex diuersis Diis aut Virtutibus substantiam
habent ... omnia ...,

    (c) et neque ab Angelis neque ab alia quadam Virtute ...
omnia omnino *facta sunt*,

    arbitror quidem sufficienter ostensum (esse) ...

Aux lignes 58-59, la relative « qui tamen aptat secundum
subiacentium naturas et dispositionem » semble acceptable,
pourvu que l'on considère « dispositionem » comme le
complément direct de « aptat » et que l'on donne à « et » la
valeur d'un adverbe. On comprendra alors, selon une traduction littérale : « ... qui cependant, conformément aux natures
des (êtres) placés sous (lui), règle aussi la disposition (de ces
êtres) ». La pensée est, en somme, la suivante : à l'encontre
des hérétiques, qui rattachent les différentes natures à des
« Dieux » différents, il faut affirmer un seul et même Père,
mais un Père qui, tout unique qu'il soit, *n'en pose pas moins
toute l'infinie diversité des êtres en donnant à chacun la structure
qui répond à sa nature.* Le présent passage fait ainsi écho à
des développements antérieurs tels que ceux qu'on a vus en
II, 2, 4 ou en II, 25, 2.

Aux lignes 61-62, on doit, semble-t-il, considérer le mot
« quaecumque » comme indûment ajouté au texte primitif et

comprendre : « ... quoniam ... a solo Deo Patre ... omnia omnino facta sunt ... »

A la ligne 63, le mot « et » se justifie mal. Faudrait-il lire : « ... ostensum *esse*, per haec tanta ... » ?

Enfin, à la ligne 67, l'ensemble du contexte invite à lire « in eo libro », ou quelque chose d'équivalent, au lieu de « proprium librum ».

APPENDICES

UNE PAGE D'IRÉNÉE CHEZ GUILLAUME PEYRAUD

Rarissimes sont les textes du Moyen Âge qui présentent des citations de S. Irénée. Or la somme *De uitiis et uirtutibus* de Guillaume Peyraud est de ceux-là[1].

Guillaume Peyraud[2] est aujourd'hui peu connu. Il eut cependant son moment de célébrité, car on compte par centaines les manuscrits et les éditions de son grand traité.

---

1. Nous remercions le Père G. Raciti d'avoir attiré notre attention sur ce texte. — M. L. Arduini, dans un article de *Studi Medievali*, XXI, 1, 1980, p. 269-301, « Alla ricerca di un Ireneo medievale » — que nous recevons alors que ce livre est sous presse —, s'est essayée à retrouver l'influence d'Irénée, ou tout au moins la trace de la connaissance qu'on pouvait avoir de lui, chez les auteurs du Moyen Âge. Les expressions plus ou moins approchantes de celles d'Irénée, ou les allusions, qu'elle a recueillies chez Raoul de Flaix, Rupert de Deutz et Hildegarde de Bingen constituent une gerbe utile, mais fragile et disparate, qu'il ne faudrait pas trop secouer au vent de la critique des sources, pour n'en plus garder que des brindilles... Le cas de Guillaume Peyraud, ici présenté, est, de ce point de vue, d'une tout autre ampleur et d'une tout autre solidité.

2. Sur Guillaume Peyraud, voir notice dans *DSp.*, t. VI, col. 1229-1234, avec une bibliographie succincte. Nous tirons aussi nos informations d'un article abondamment documenté d'A. Dondaine, « Guillaume Peyraut. Vie et Œuvres », dans *Arch. Fr. Praedicatorum*, XVIII (1948), p. 162-236. On trouvera là une stupéfiante énumération des manuscrits et des éditions de l'œuvre de G. Peyraud. — Nous ne nous conformons pas à l'orthographe de Dondaine *(Peyraut)* pour le nom de Peyraud. Celui-ci étant originaire de l'Ardèche et du village qui porte son nom, il nous semble légitime d'adopter l'orthographe actuelle de la géographie pour ne pas dissocier l'homme de sa patrie. On verra les arguments de Dondaine, pour l'orthographe qu'il adopte, dans *Arch. Fr. Praed.*, p. 168.

La Bibliothèque Nationale de Paris en conserve, à elle seule, plus de cinquante, celle de Munich davantage : la liste a été relevée par A. Dondaine.

De la vie de G. Peyraud, qui s'écoula toute entière au XIIIᵉ siècle, on sait peu de chose[1]. Il naquit au bourg de Peyraud, dans l'Ardèche. D'où son nom. Il entra dans l'Ordre des Frères Prêcheurs et, vraisemblablement, fit ses études à Paris. Il fut envoyé à Lyon, devint Prieur du couvent de cette ville — l'était en 1261 — et dut y mourir quelques années plus tard, en 1271 s'il faut en croire le ms. *133 (olim 115)* de la Cathédrale de Valence en Espagne, ms. du XIIIᵉ siècle, mais auquel il est difficile de se fier entièrement.

Dès cette époque, son traité, « somme des Vices et des Vertus » semble avoir eu une grande diffusion. Il dut l'écrire à Lyon entre 1236 et 1246. En 1240, la partie qui concernait les vices était finie, car le ms. *519* de Cambrai, copie du traité faite en 1277, donne la date de composition : 1236, et le ms. *16502* de la B.N., écrit vers 1240 (ou 1238), en donne de larges extraits. La partie des vertus vint après ; on estime qu'elle était achevée en 1246. La diffusion fut rapide et l'on est tenté de dire, malgré l'anachronisme du terme, que ce fut un best-seller, tant on relève de copies du traité entier, ou d'abrégés, ou de fragments séparés, ou d'adaptations, dans un très grand nombre de bibliothèques occidentales. A. Dondaine s'y est essayé : son catalogue, écrit en caractères serrés, en termes abrégés et tout à la suite, couvre quatre grandes pages de l'*Archivum Fr. Praedic.* de 1948.

Il n'est pas inutile de savoir que ce fut à Lyon que Peyraud rédigea la partie des « Vertus », celle qui nous intéresse, car elle contient la page de S. Irénée. On peut se demander si c'est à Lyon même que Peyrand trouva le ms. irénéen qui fut sa source, car, comme on le constatera, la question

---

1. Tôt, une légende s'est formée autour de son nom. Il aurait été pénitencier du Pape ; on en a fait l'administrateur du diocèse de Lyon pendant les dix années où Philippe de Savoie demeura archevêque élu ; on lui attribue les statuts de l'Église de Lyon, qu'on date ainsi de 1246 ; l'édition de Venise de 1571 *(apud F. Zilettum)* et d'autres le donnent comme archevêque de Lyon. A. Dondaine a fait justice de toutes ces inventions — qui, du moins, témoignent à leur façon de la notoriété persistante de G. Peyraud à travers plusieurs siècles.

se pose de savoir s'il a eu à sa disposition un ms. de l'*Aduersus haereses* ou simplement un extrait. La littéralité de la citation et la manière d'évoquer le contexte dans lequel elle baigne supposent que Peyraud lisait S. Irénée dans le texte du traducteur latin. Sa culture et sa curiosité patristique — il cite abondamment les Pères latins et ceux des grecs qui existaient en traduction latine au Moyen Âge — semblent s'être nourries aux sources authentiques. Qu'il ait eu en sa possession un simple extrait de l'*Aduersus haereses* n'est pas impossible, mais nous paraît moins probable, car le passage aurait alors existé dans un florilège et la littérature du Moyen Âge en aurait laissé plus d'une attestation...

Si le ms. d'Irénée utilisé par Peyraud était à Lyon, il faut tout simplement constater qu'il a disparu depuis.

De ce manuscrit perdu, nous pouvons essayer d'en savoir davantage à l'aide de nos connaissances actuelles. A quelle famille paléographique appartenait-il? On est en droit de penser que la confrontation du texte de Peyraud avec notre apparat critique permettra de découvrir sans peine la famille concernée. Peut-être ! Mais avant de donner une réponse, il faut être sûr du texte péraldien. Or là, une épreuve nous attend. Quels mss du *De Vitiis et Virtutibus* allons-nous suivre ? Dans la multiplicité que nous avons évoquée tout à l'heure, personne jusqu'à présent n'a tenté un choix raisonné. Les éditions imprimées — elles furent aussi très nombreuses — requièrent du discernement et, à côté de tant de mss, ne nous aideront guère.

Finalement, nous nous sommes tourné vers ce qui était à notre portée, vers le ms. *678* de Lyon. Il est daté de 1249[1]. C'est, au dire de Dondaine, le plus ancien traité complet. Nous le contrôlerons par les mss de Paris, *B.N. lat. 3237 A* (vertus et vices), *3243 A* (vertus), *15375* (vices et vertus), tous du xiiie siècle, et apporterons les lectures de quatre incunables.

Entrons donc dans le traité « Des Vertus ». On s'y meut comme dans un tableau synoptique. A l'instar des Sommes de cette époque, tout y est divisé et subdivisé à souhait.

1. Au f. 344[r], à la fin de l'ouvrage, on lit : *anno dn̄i m̄ c̄c x̄l nono* et au f. 152[r] : *Explicit summa de uiciis anno dn̄i m̄ c̄c l⁰ Hugo de Torno.* Les copistes — et les relieurs (?) — ont souvent interverti l'ordre des deux grandes parties de la somme. C'est ce qui peut expliquer l'anomalie de la position de ces deux dates.

Les « Vertus » comprennent trois parties, chaque partie contient plusieurs traités, chaque traité plusieurs chapitres. Dans la II[a] Pars du Traité des Vertus théologales, sous le titre général *De fide*, au chapitre XIII, l'auteur pourchasse une erreur dont le fond, a-t-il dit au chapitre précédent, s'articule à l'origénisme : *De errore primo qui ponit animas esse angelos apostatas* ; les tenants de cette erreur ne sont pas autrement désignés. Les âmes seraient donc, selon eux, les anges apostats, incarcérés dans les corps pour y faire pénitence ; elles auraient la faculté de migrer de corps en corps et d'achever ainsi d'expier leur peine. Quoi qu'il en soit de la nature de ces âmes-anges, que Peyraud ne discute pas pour le moment, cela suppose la préexistence, la faute antérieure, la chute dans les corps et la permanence du souvenir pour expier la faute. Or l'on dit qu'en entrant dans un corps, l'âme oublie tout de sa vie antérieure. Comment peut-elle donc expier une faute dont elle n'a plus conscience ? Sans chute, quel besoin de salut ?

C'est ici que G. Peyraud rencontre Irénée. Celui-ci, au chap. 33 du Livre II de l'*Aduersus haereses*, reproche à Platon d'avoir imaginé sans preuve que les âmes, en instance d'entrer dans les corps, buvaient une coupe d'oubli au seuil de la vie d'ici-bas. Mais si elles ont tout oublié, rétorque Irénée — et l'argument convient tout à fait à Peyraud —, comment l'humanité a-t-elle pu garder le souvenir de cette coupe ?

Nous laissons maintenant la parole à Peyraud. On pourra comparer son texte à celui d'Irénée. Nous avons imprimé en italique ce qui est d'Irénée et indiqué (marge de droite) les lignes du chap. 33 de notre édition auxquelles il faudra se reporter. On verra la longue citation littérale et explicite des lignes 12-19 et les nombreux emprunts, plus libres, que suppose le reste du texte. Nous n'avons pas modifié le texte des mss par celui des éditions, car celles-ci sont sujettes à caution. Deux endroits nous ont fait hésiter : 1. 16 *commemorat*, où l'on peut se demander si Peyraud n'a pas écrit, avec tous nos mss d'Irlat, *commemoratur*, et si ce ne sont pas les copistes aux prises avec l'abréviation de la désinence qui ont passé à la *lectio facilior* ; et, autre endroit, 1. 17 *reminiscetur*, où l'on pourrait écrire, avec les incunables, *reminisceretur*, en s'appuyant, une fois de plus, sur une mélecture des scribes, qui auraient transformé -*cētur* (= -*ceretur*) en -*centur*. Mais, rejetant le pluriel qui ne

peut être justifié, nous n'avons pas voulu nous écarter des
manuscrits que nous avions choisis.

Guillaume Peyraud

DE VITIIS ET VIRTVTIBVS

De uirt., II^a pars, tract. I, cap. XIII.
De errore primo qui ponit animas esse angelos apostatas.

Irlat. cap. 33

... Item dixit Plato *animas introeuntes*
in hanc uitam potari ab eo spiritu qui est
super introitum poculo obliuionis, antequam   cf. 26-30
4 *intrent corpora, nullam* huius rei *ostensio-*
nem faciens, ut ait beatus Irenaeus in libro
contra haereses. Et quaerit a Platone *unde*   cf. 34
*hoc sci*ret. Si enim anima eius potata erat
8 poculo obliuionis, non reminiscebatur nec
spiritus, nec poculi, nec quod aliquid   cf. 35-40
sciuisset, nec oblitus fuisset ; et si ista
reminiscebatur, eadem ratione et alia.

12   Item Irenaeus : *Si hoc quod in breuissimo*
tempore uisum est uel in fantasmate concep-
tum est et ab anima *sola per somnium,*
posteaquam commixta sit corpori et in
16 *uniuersa membra dispersa, commemorat,*   cf. 17-23
multo magis illorum reminiscetur in quibus
temporibus tantis et uniuerso praeteritae
uitae oxoxulo immorata est.

Manuscrits : A (*Lugd. 678*, f. 203^v). — B (*Paris. B.N. lat. 3243 A,*
f.60^r). — C (*id. 3237 A*, f. XXI). — D (*id. 15375*, f. 165^v).

Incunables : V (Bâle 1475, H. 12383). — X (Cologne 1479,
H. 12387). — Y (Bâle 1497, H. 12390). — Z (Lyon 1500, H. 12392).

1 introeuntes : incidentes C ‖ 2 portari A C^{ac} ‖ 3 super introitum
est ∽ CD ‖ 4 nullam]+habent CD ‖ huius modi C ‖ 4-5 ostenta-
tionem YZ (*pl. edd.*, v.g. 1554, 1571, 1629, 1668) ‖ 7 anima enim ∽ A ‖
esset C ‖ 9 nec$_2$: uel D ‖ aliquis AB ‖ 10 et *om.* A ‖ 14 somnum C ‖
15 est V ‖ in : inde YZ *om* VX ‖ 16 commemoraret YZ ‖ 17 illorum :
eorum XY ‖ reminiscentur B : reminiscentur AC^{pc}D reminiscentis
C^{ac} reminesceretur VXYZ ‖ 18 tantum VX ‖ 18-19 praeteritae
uitae : praeterito C

20   Item dixerunt quidem ipsum corpus esse
obliuionis causam. Sed quaerit Irenaeus :
si hoc est, *quomodo anima quod per semet-*
ipsam uidet reminiscitur et renuntiat pro-   cf. 42-46
24   *ximo?*

Item nec *ea quae olim agnita sunt aut per*
oculos aut per auditum meminisset anima   cf. 46-48
in corpore existens, si esset corpus obliuio.

28   *Anima enim in obliuione existens nihil*
aliud cognoscere posset, nisi quod in prae-   cf. 50-52
senti uideret.

Item quomodo *diuina disceret et memi-*   cf. 53-54
32   *nisset ipsorum existens in corpore?*

Item cum *non* sit *corpus fortius quam*   cf. 61
anima, non amittet anima *scientiam suam*   cf. 66
propter corpus.

36   Praeterea non est uerisimile, cum corpus
organum sit animae, quod scientiam suam ei
auferat. Non solet enim instrumentum scien-   cf. 66-76
tiam suam auferre artifici. Iam enim potius
40   esset impedimentum quam instrumentum.

Praeterea raptus est Paulus usque ad
tertium caelum, II Cor. 12, et tamen rediens
ad se memor fuit uisionis suae, quod non
44   fuisset si corpora necessario obliuionem
inducerent.

22 quomodo : quando D ‖ anima : omnia B ‖ quod : quae BCD
‖ 22-23 seipsam *VX* ‖ 23-24 proximo : populo A ‖ 25 idem A ‖ 27-
28 si — existens *om.* B ‖ 27 obliuio : obliuionis causa *YZ* ‖ 29
possit B ‖ 32 ipsorum meminisset ∽ CD ‖ 34 amitteret *YZ* ‖ 37-38
ei auferat : auferat ei ∽ B auferat CD (*add.* ei D²) ‖ 38 non :
nisi C ‖ solet : solum B ‖ 38-39 enim instrumentum ... auferre : esse
instr. quod (quod *exp.* C) ... auferret (-feret C) CD^{ac} ‖ 44-45
corpus ... induceret A*VX*.

Il nous reste à répondre à la question posée tout à l'heure :
à quelle famille de manuscrits appartient la source de
Peyraud?

Peu d'indices apparaissent à la confrontation avec l'apparat critique d'Irlat. N'ont quelque signification que trois
leçons : la première, à la ligne 14, *est et ab* ; si cette leçon
avec *et*, que nous avons trouvée dans les quatre manuscrits,

est la leçon authentique de Peyraud, celui-ci a suivi la famille AQε (sans S) ; mais il ne s'agit que d'un *et*, si petite chose à ajouter ou retrancher ... La seconde leçon est celle de la ligne 16 : *in uniuersa membra*, au pluriel et non au singulier. Dans Irlat, c'est la leçon de S seul. Cela veut-il dire que Peyraud lisait un exemplaire de la famille lyonnaise, corrompu à la manière de S ? C'est possible. La troisième leçon est celle que nous avons signalée précédemment, avant de donner le texte : ligne 17, *reminiscetur*. Si ce futur était la leçon authentique de Peyraud, ce qui, on l'a vu, n'est pas prouvé, il faudrait ranger notre auteur du côté de C ... Reconnaissons cependant que la leçon de S, *in uniuersa membra*, a plus de poids que les autres ; d'autre part, la leçon *est et ab* fait pencher la balance du côté de AQε, partant de S aussi, qui est solidaire de leur groupe.

On pourrait donc dire, mais sans que ce soit une affirmation péremptoire, que la source (ou le manuscrit ?) de Peyraud appartenait à la famille lyonnaise.

L. D.

UN TEXTE DE MAXIME LE CONFESSEUR ET DE JEAN DAMASCÈNE

A la suite de Lüdtke, H. Jordan (*Armenische Irenaeus-fragmente*, Leipzig, 1913, p. 51 suiv.) a attiré l'attention sur un bref passage qui se lit chez Maxime le Confesseur et chez Jean Damascène. Ce passage présente une indéniable parenté avec *Adu. haer.* II, 13, 2 (lignes 24-33 du texte latin de la présente édition). Cependant un simple coup d'œil montre qu'il ne peut être considéré comme une citation proprement dite, même purement implicite, du texte irénéen tel que celui-ci se laisse deviner à travers le témoignage du latin et de l'arménien : les divergences sont en effet trop profondes et trop manifestement intentionnelles. Pour cette raison, nous n'avons pas cru pouvoir considérer le texte en question comme un véritable fragment de l'œuvre d'Irénée et nous avons reporté son examen au présent appendice.

Le premier auteur chez qui nous lisions notre texte est donc Maxime le Confesseur (viie siècle). Dans un opuscule *Ad Marinum presbyterum* (*PG* 91, col. 9-37) consacré à la question des deux volontés du Christ, Maxime s'applique d'abord à définir aussi clairement que possible un certain nombre de notions relatives à l'agir humain. Il est amené de la sorte à traiter de la φρόνησις, qu'il caractérise comme une étape particulière s'inscrivant dans le déploiement total de notre activité de connaissance. Faisant état, semble-t-il, d'une source qu'il ne désigne pas de façon précise, il donne alors une analyse rapide de l'activité de l'intellect (*ibid.* col. 21 a) : « On dit (φασι) que la φρόνησις se produit de la manière suivante : ... » Suit le texte que nous reproduisons ci-après et dans lequel Maxime décrit cinq étapes successives de l'activité connaissante : νόησις, ἔννοια, ἐνθύμησις, φρόνησις et διαλογισμός (ou ἐνδιάθετος λόγος, d'où procédera le προφορικὸς λόγος).

Cette analyse de l'activité du νοῦς, Jean Damascène (viiie siècle) la reprend telle quelle, à quelques variantes près, dans son *Expositio fidei*, II, 22 (éd. B. Kotter, Berlin, 1973, p. 89, 41-48). Comme d'habitude, Jean Damascène ne signale même pas qu'il reproduit une source, mais il ne saurait faire de doute que celle-ci ne soit Maxime le Confesseur.

Pour faciliter la confrontation, nous donnons les deux textes en regard l'un de l'autre (les termes désignant chacune des opérations particulières sont imprimés en caractères gras) :

Maxime le Confesseur	Jean Damascène
Γίνεσθαι δὲ τὴν φρόνησίν φασι κατὰ τὸν τρόπον τοῦτον · οἷον,	Χρὴ γινώσκειν ὅτι
τὴν μὲν πρώτην τοῦ νοῦ κίνησιν **νόησιν** καλοῦσι ·	ἡ μὲν πρώτη τοῦ νοῦ κίνησις **νόησις** λέγεται ·
τὴν δὲ περί τινος νόησιν **ἔννοιαν** λέγουσι,	ἡ δὲ περί τι (var. τινος) νόησις **ἔννοια** λέγεται,
ἥτις ἐπιμείνασα καὶ τυπώσασα τὴν ψυχὴν πρὸς τὸ νοούμενον **ἐνθύμησις** προσαγορεύεται ·	ἥτις ἐπιμείνασα καὶ τυπώσασα τὴν ψυχὴν πρὸς τὸ νοούμενον **ἐνθύμησις** προσαγορεύεται ·
ἡ δὲ ἐνθύμησις ἐν ταὐτῷ μείνασα καὶ ἑαυτὴν βασανίσασα **φρόνησις** ὀνομάζεται ·	ἡ δὲ ἐνθύμησις ἐν ταὐτῷ μείνασα καὶ ἑαυτὴν βασανίσασα καὶ ἀνακρίνασα **φρόνησις** ὀνομάζεται ·
ἡ δὲ φρόνησις πλατυνθεῖσα ποιεῖ τὸν **διαλογισμόν**,	ἡ δὲ φρόνησις πλατυνθεῖσα ποιεῖ τὸν **διαλογισμόν**,
ἐνδιάθετον λόγον παρὰ τοῖς ταῦτα δεινοῖς ὀνομαζόμενον ·	**ἐνδιάθετον λόγον** ὀνομαζόμενον ·
ὃν ὑπογράφοντές φασι κίνημα τῆς ψυχῆς εἶναι πληρέστατον ἐν τῷ διαλογιστικῷ γινόμενον, ἄνευ τινὸς ἐκφωνήσεως ·	ὃν ὁριζόμενοί φασι κίνημα ψυχῆς πληρέστατον ἐν τῷ διαλογιστικῷ γινόμενον (var. γενόμενον) ἄνευ τινὸς ἐκφωνήσεως ·
ἐξ οὗ **τὸν προφορικὸν λόγον** φασὶ προϊέναι.	ἐξ οὗ **τὸν προφορικὸν λόγον** φασὶ προέρχεσθαι (var. + τὸν) διὰ γλώσσης λαλούμενον.

De toute évidence, Jean Damascène démarque Maxime le Confesseur ; les modifications qu'il introduit ne dépassent pas le plan stylistique ; qui sait même si, une fois édité critiquement et sur une base manuscrite élargie, le texte de Maxime ne sera pas encore plus proche, pour tel ou tel détail, de celui de Jean Damascène ?

Mais c'est avec le texte d'Irénée qu'il est particulièrement intéressant de confronter le texte commun à Maxime et à Jean Damascène — que, pour simplifier, nous appellerons dorénavant texte de Maxime, puisque aussi bien les deux textes n'en sont, en fin de compte, qu'un seul —.

Deux différences essentielles apparaissent d'emblée entre le texte de Maxime et celui d'Irénée :

1. A la suite de la mention de l'ἐνδιάθετος λόγος, on lit chez Maxime la définition suivante : ὃν ὑπογράφοντές φασι κίνημα τῆς ψυχῆς εἶναι πληρέστατον ἐν τῷ διαλογιστικῷ γινόμενον ἄνευ τινὸς ἐκφωνήσεως. Pas la moindre trace de cette incise ne se laisse repérer chez Irénée. Cette définition de l'ἐνδιάθετος λόγος, Maxime suggère qu'il la puise à une source (φασι ...). Nous pouvons identifier cette source — le P. Kotter a omis de la signaler dans son édition de l'*Expositio fidei* de Jean Damascène — : il s'agit du *De natura hominis* de Nemesius d'Émèse. On y lit au chap. 14 (*PG* 40, col. 668 a) : Ἔστι δὲ ἐνδιάθετος μὲν λόγος τὸ κίνημα τῆς ψυχῆς τὸ ἐν τῷ διαλογιστικῷ γινόμενον ἄνευ τινὸς ἐκφωνήσεως. La concordance est parfaite entre Nemesius et Maxime. Il semble que ce dernier ait ajouté de lui-même l'adjectif πληρέστατον. La chose est tout à fait compréhensible, car, chez Maxime, l'ἐνδιάθετος λόγος n'est plus simplement « le » mouvement de la partie intellective de l'âme, comme chez Nemesius, mais il est le dernier et « le plus achevé » d'une série de cinq mouvements d'intensité croissante.

2. Mais la différence la plus profonde entre le texte de Maxime et celui d'Irénée réside dans la série des cinq mouvements attribués à l'intellect. Irénée distinguait : ἔννοια, ἐνθύμησις, φρόνησις, βουλή et διαλογισμός. De son côté, Maxime énumère : νόησις, ἔννοια, ἐνθύμησις, φρόνησις et διαλογισμός. Peut-on expliquer cette divergence ?

Disons tout d'abord que Maxime paraît bien dépendre d'Irénée, car les similitudes sont trop nombreuses et trop caractéristiques. On pourrait, certes, imaginer que, par-delà Irénée, Maxime s'inspirerait de la source dont Irénée se serait inspiré le premier. Mais cela ne ferait que reculer le problème, car il resterait à montrer pourquoi, découlant d'une même source, les deux textes divergent sur un point aussi essentiel. Des deux auteurs, lequel s'est écarté de sa source, et pourquoi? Or, si nous ne voyons pas pourquoi Irénée n'aurait pas reproduit simplement sa source — à supposer qu'il en ait utilisé une —, on peut fort bien entrevoir, pensons-nous, la raison qui a amené Maxime à s'en écarter de façon consciente et pleinement délibérée. Sous bénéfice de la réserve que nous venons de dire, nous considérerons donc que Maxime se situe pratiquement dans la dépendance directe ou indirecte d'Irénée.

Pour comprendre pourquoi Maxime s'est écarté de sa source, il suffit de revenir à la première partie de son opuscule *Ad Marinum presbyterum*, en laquelle il analyse longuement les divers moments de l'agir humain volontaire (*PG* 91, col. 12 c et suiv.). Cette analyse aboutit à une sorte de tableau récapitulatif en lequel nous voyons défiler toute la série des opérations partielles dont l'enchaînement constitue l'acte proprement volontaire (*ibid.* col. 21 d - 24 a). Ces opérations, Maxime les exprime à cet endroit au moyen de verbes, mais il est aisé de restituer la liste des substantifs correspondants. Voici donc cette série, depuis le simple vouloir de nature jusqu'à l'acte volontaire pleinement achevé : θέλησις, βούλησις, ζήτησις, σκέψις, βουλή (ou βούλευσις), κρίσις, προαίρεσις, ὁρμή, χρῆσις. Un examen approfondi de tous ces termes n'est pas indispensable à notre propos — on trouvera cet examen dans l'excellent article de R.-A. Gauthier, « Saint Maxime le Confesseur et la psychologie de l'acte humain », dans *Rech. de Théol. anc. et médiév.*, 21 (1954), p. 51-100 —. Il nous suffit, quant à nous, de constater que la βουλή ou βούλευσις (= « délibération »), qu'Irénée concevait comme un moment de l'activité de l'intellect, Maxime — et, déjà avant lui, Nemesius d'Émèse, *De natura hominis*, chap. 33 (*PG* 40, col. 733 b) — la conçoit comme une étape de l'activité volontaire.

A partir de là, on peut conjecturer la manière dont les choses se sont passées lorsque Maxime a rédigé la brève analyse de l'activité de l'intellect en ayant sous les yeux le texte d'Irénée (ou la source éventuelle de celui-ci). Persuadé que la βουλή ou βούλευσις relève de l'activité volitive, Maxime ne peut évidemment la maintenir à la place où l'a située Irénée. Mais, par ailleurs, il tient, comme c'est assez naturel, à conserver le nombre de cinq étapes qu'il trouve dans sa source. S'inspirant de la distinction qu'il a établie entre θέλησις, « vouloir en général », et βούλησις, « vouloir portant sur tel objet déterminé » (cf. *PG* 91, col. 21 d), Maxime introduit donc une distinction toute semblable dans l'activité du νοῦς : là où Irénée a considéré l'ἔννοια comme le premier mouvement de l'intellect, Maxime distingue la νόησις, « pensée en général », et l'ἔννοια, « pensée relative à tel objet déterminé ». Ainsi Maxime a-t-il cru peut-être pouvoir demeurer fidèle à sa source tout en lui étant infidèle.

Telle est la manière dont nous proposons d'expliquer la principale différence que l'on relève entre le texte d'Irénée et celui de Maxime. Explication tout hypothétique, certes, et qui n'est peut-être pas la seule possible. Mais, quoi qu'il en soit de son bien-fondé, une chose du moins demeure certaine, qui est pour nous la plus essentielle : ce n'est pas chez Maxime le Confesseur, mais dans la version latine et le fragment arménien, qu'on doit chercher l'authentique pensée d'Irénée sur les cinq mouvements de l'intellect.

A. R.

TABLES

INDEX SCRIPTURAIRE

Les chiffres droits indiquent les citations littérales ; les chiffres en italique, les citations accommodées et les allusions. On renvoie aux chapitres et aux paragraphes de cette édition.

Genèse

1, 1	2, 5 ;	*30, 7*
3	*2, 5*	
6	*2, 5*	
9	*2, 5*	
11	*2, 5*	
14	*2, 5*	
20	*2, 5*	
24	*2, 5*	
26	*2, 5*	
28	*28, 1*	
2, 1	*34, 3*	
7	*26, 1; 30, 9;*	
	34, 4 ;	*30, 7*
8	*30, 9*	
15	*30, 7*	

Exode

3, 14	*9, 2*	
12, 2	*22, 3*	
20, 11	*1, 1; 30, 1;*	
	30, 9 ;	*35, 2*
25, 10	*24, 3*	
17	*24, 3*	
23	*24, 3*	
31-39	*24, 3*	
26, 1	*24, 3*	
2	*24, 3*	

7	*24, 3*
16-28	*24, 3*
16	*24, 3*
37	*24, 4*
27, 1	*24, 4*
28, 1	*24, 4*
5	*24, 4*
30, 23-25	*24, 3*
34	*24, 3*

Lévitique

23, 5	*22, 3*

Nombres

9, 5	*22, 3*
12, 7	*2, 5*

Josué

10, 16-27	*24, 4*

II Maccabées

7, 28	*10, 2*

Job

10, 8	*26, 1*
38, 22	*28, 2*

Psaumes

20, 5	*34, 2;* 34, 3
32, 6	*30, 3*
9	2, 5 ; 34, 3
43, 23	22, 2
67, 19	20, 3
103, 2	*30, 1*
4	*30, 1*
108, 8	20, 2
109, 2	28, 7
118, 73	*26, 1*
145, 6	*1, 1; 30, 1;*
	30, 9 ; 35, 2
148, 5-6	34, 3
5	2, 5

Sagesse

1, 14	*10, 2*
7, 5	*34, 2*

Sagesse de Sirach

1, 3	*30, 3*

Isaïe

5, 12	22, 2
40, 22	*30, 1*
46, 9	9, 2
53, 8	28, 5 ; *28, 6*
55, 8-9	*13, 3*
61, 2	22, 1
66, 24	32, 1

Baruch

3, 38	*32, 5*

Daniel

7, 10	*7, 4*

Zacharie

7, 9	*31, 3*

Matthieu

3, 12	*28, 1*
5, 16	*9, 1*
21-22	*32,* 1
22	*32,* 1
27-28	*32,* 1
33-34	*32,* 1
39	*32, 1*
40	*32, 1*
43-44	*32, 1*
44	*32, 1*
45	*9, 1;* 22, 2
6, 1	*9, 1*
9	*9, 1*
7, 7	13, 10 ; 18, 3 ;
	18, 6 ; 30, 2
24-27	*27, 3*
9, 20-23	*23, 1*
10, 8	*32, 4*
24	*28, 6*
29	26, 2
30	26, 2
11, 25	*11, 1; 28, 4*
27	6, 1 ; 14, 7 ;
	30, 9
12, 36	19, 2
13, 43	*32, 1*
14, 15-21	*24, 4*
15, 14	*18, 7*
16, 27	22, 2
17, 1-8	*24, 4*
19, 12	*27, 2*
22, 30	*33, 5*
32	*30, 9*
24, 36	28, 6 ; *28, 7;*
	28, 8
25, 1-12	*27, 2*
1-13	*24, 4*
41	7, 3 ; *28, 7;*
	32, 1
26, 24	20, 5

Marc

9, 48	32, 1

Luc

3, 23	*12, 1;*	22, 5
4, 19	22, 1	
8, 51	24, 4	
55	31, 2	
10, 1	*21, 1*	
17	*21, 1*	
19	20, 3	
22	6, 1	
13, 16	23, 2	
15, 6	*5, 2;*	24, 6
16, 11	34, 3	
19-31	*24, 4;*	*34, 1*
18, 27	10, 4	
20, 21	*28, 4*	

Jean

1, 3	2, 5 ;	*35, 4*
2, 1-11	*22, 3*	
13	*22, 3*	
23	22, 3	
4, 1-42	*22, 3*	
24	*30, 8*	
50	22, 3	
5, 1	*22, 3*	
2-15	*22, 3;*	*24, 4*
6, 1-13	*22, 3*	
8, 56-57	22, 6	
9, 1-41	*17, 9*	
11, 1-44	*22, 3*	
47-54	*22, 3*	
12, 1	22, 3	
92	22, 3	
14, 28	28, 8	
15, 9-10	*26, 1*	
17, 2-3	*11, 1*	
12	20, 5	

Actes des Apôtres

1, 20	20, 2	
3, 15	*22, 4*	
4, 24	*1, 1;*	*30, 1;*
	30, 9 ;	*35, 2*

14, 14	*35, 2*	
15	*1, 1;*	*30, 1;*
	30, 9	

Romains

1, 20	*6, 1*	
25	9, 2	
2, 6	22, 2	
7, 22	*19, 2;*	*30, 7*
8, 11	*29, 2*	
36	22, 2	
9, 5	*6, 2;*	*6, 3*
11, 33	*28, 8*	

I Corinthiens

1, 26-27	19, 7	
2, 2	26, 1	
10	*22, 3;*	28, 7 ;
	28, 9	
3, 10	*34, 3*	
7, 31	*28, 8*	
8, 1	26, 1	
12, 4-6	28, 7	
13, 9-13	*28, 3*	
9	*25, 3 ;*	28, 7 ;
	28, 9	
12	25, 3	
15, 27	*6, 2*	
41	17, 5	
54	*19, 6*	

II Corinthiens

1, 3	*30, 9*	
5, 4	*19, 6*	
11, 31	*30, 9*	
12, 2-3	30, 7	
2-4	*30, 7*	
2	*30, 8*	
4	30, 8	

Galates

4, 8	9, 2	

Éphésiens

1, 3	*30, 9*
9	*32, 5*
21	*30, 9*
3, 14	*30, 9*
16	*19, 2; 30, 7*
19	*17, 11*
4, 6	*2, 6*
8	20, 3
6, 12	*31, 3*

Philippiens

2, 10	*6, 2*

Colossiens

1, 3	*30, 9*
18	*22, 4*
3, 2	*16, 4*

I Timothée

2, 4	*17, 1*
6, 20	*14, 7*

II Timothée

2, 23	*28, 3*
4, 3	*21, 2*

Tite

3, 11	*32, 2*

Hébreux (?)

1, 3	*30, 9*
3, 5	*2, 5*

Jacques

2, 19	*6, 2*

I Pierre

1, 3	*30, 9*
12	17, 9

I Jean

1, 5	*18, 4*

Apocalypse

3, 21	*28, 7*
12, 4	*31, 3*
21, 27	33, 5

***

Citations non bibliques

HERMAS, *Pasteur*, Mand. 1.................... *2, 4; 6, 2; 30, 9*

ARISTOPHANE, *Les oiseaux* 700.......................... *14, 1*

HÉSIODE, *Théogonie* 561 s. *Les travaux et les jours* 60 s....... *14, 5*

       Les travaux et les jours 78...................... 21, 2

       Les travaux et les jours 81...................... *21, 2*

HOMÈRE, *Iliade* 4, 1.................................... 22, 6

       4, 43.................................... 5, 4

       14, 201.................................. *14, 2*

INDEX DES MANUSCRITS CITÉS

Les chiffres renvoient aux pages du présent volume.

I. GRECS

Athos

    Vatopedi 236.................... 51, 67-68, 79, 83, 91-100

Berlin

    Gr. 46 (Philipp. 1450) = Rupefu-
      caldinus...................... 88

Florence

    Laur. LXX, 7.................. 86
        LXX, 20................ 86

Jérusalem

    Bibl. Patriarc. S. Sépulcre 15...... 88

Milan

    Ambr. H 26 inf................ 88

Moscou

    Bibl. Syn. 50................... 86

Munich

    Staatsbibl. gr. 429.............. 88

Ochrid

    Mus. Nat. 84 (inv. 86)........... 88

Paris

Bibl. Nat. gr. 923................ 88
           1430............... 86
           1431............... 86
           1433............... 86
Coislin. 276.................... 88

Vatican

Vat. gr. 1553.................. 88
Ottob. gr. 79.................... 88

Venise

Marciana 138.................... 88
         338.................. 86

II. LATINS

Berlin

*Lat. 43 (= Philipp. 1669 = Claro-
montanus = C)*................ 1-80 persaepe, 205, 207,
                              230, 268, 294, 306, 312,
                              315, 319, 331, 334, 336

Cambrai

Bibl. Munic. 519................ 360

Leyde

Vossianus lat. F 33 (= V)........ 1-80 persaepe, 207, 230,
                                268, 294, 306, 312, 315,
                                319, 331, 334

Londres

Brit. Mus. Arundelianus 87 (= A)   1-80 persaepe, 207, 230,
                                268, 306, 312, 315, 319,
                                331, 334, 365

Lyon

Bibl. Munic. 678................ 361

Paris

    Bibl. Nat. lat. 3237 A............ 361
              3243 A............ 361
             15375.............. 361
             16502.............. 360

Salamanque

    Bibl. Univ. lat. 202 (= S)........ 1-80 persaepe (praeser-
                                       tim 33-50), 207, 268,
                                       305, 306, 312, 315, 319,
                                       331, 334, 365
             lat. 211.............. 33, 34, 42

Strasbourg

    Bibl. Nat. et Univ. 3762 (= T)..... 66, 81-82

Stockholm

    Kungl. Bibl. A 40............. 18

Valence (Esp.)

    Cod. 133 (ol. 115).............. 360

Vatican

    Vat. lat. 187 (= Q).............. 1-80 persaepe, 207, 230,
                                       268, 306, 312, 315, 319,
                                       331, 334, 365
    Vat. lat. 188.............. 19

Manuscrits perdus de l'« Aduersus haereses » :

    Carthusianus.................... 43, 57
    Fabrianus...................... 43
    Hirsaugiensis.................... 43
    Mercerii....................... 43, 54, 60, 63-65
    Monasticus « erasmiensis »........ 43, 62, 64, 65

III. ARMÉNIENS

Daraschamb

    Ms. unique..................... 108

Istanbul

Galata 54........................ 101-102, 303

Venise

Saint-Lazare 427................ 103

Vienne

Bibl. des Méchitaristes 47 (ol. 49 a). 103

IV. SYRIAQUES

Londres

Brit. Mus. Add. 12155........... 80, 114
12157........... 114
14532........... 114
14538........... 114
14612........... 114

V. ARABE

Vatican

Vat. arab. 178 (ol. 28).......... 110

INDEX DE MOTS GRECS

Cet index comprend un choix limité de mots grecs. Les noms propres, toutefois, y figurent dans leur totalité. Les chiffres renvoient aux chapitres et aux lignes de la version latine.
Chiffres en italique : mots attestés par un fragment grec. Chiffres en italique suivis d'une apostrophe : mots appartenant à une citation scripturaire. Chiffres en caractère ordinaire : mots restitués de façon conjecturale.
A la suite, on a disposé pour la commodité les mots latins selon l'ordre alphabétique.

Ἀαρών Aaron 24, 151
Ἀβιούδ Abiud 24, 151
Ἀβραάμ Abraham 22, *151'.154'*.167.*170'*; 23, *29'*; 30, 243; 34, 7.8.12.20
ἀγαπάω diligo 28, 70; 32, 8
Ἀγάπη Agape 14, 178
ἀγάπη dilectio 13, 79; 17, 216; 26, 9.19.20; 30, 184 — caritas 26, *2.6'.12'*; 28, 8.67 — agape 24, 121.207
ἀγαπητός dilectissimus Pr. 3
ἀγγελικός angelicus 2, 63; 32, 114
Ἄγγελος Angelus 2, 1.5.6.20.23.26.28.31.45.54.63.85; 4, 34. 53.70; 5, 51; 6, 1.31.41.52; 7, 110.112.116.119.119; 8, 44; 9, 3.24; 11, 5; 17, *163'*; 19, 3.8.82.86.90.103. 105.112.113.172; 28, 160; 29, 6.52; 30, 7.59.84.121. 132.252; 31, 21; 35, 60
ἄγγελος angelus 7, *100'*
ἀγένητος infectus 25, 51 — qui factus non est 25, 48 — innascibilis (= ἀγένητος) 34, 25 — ingenitus (= ἀγέννητος) 34, 33
ἀγέννητος innatus 12, 11
Ἀγήρατος Insenescibilis 14, 173
ἁγιάζω sanctifico 19, 117; 22, 102.107.107.110.113; 24, 96
ἅγιος sanctus 24, 65.148.148.213; 30, 137; 31, *67* — cf. Πνεῦμα

382 TABLES

ἀγνοέω ignoro 2, 49.56; 3, 12.12; 6, 1; 7, 1.40.40.41.46.49.
62.63.64; 8, 45; 11, 6; 12, 31; 13, 55.113.128.221;
14, 27.81.133.141.153; 15, 35; 17, 68.120.123.125.
127.146.166.197.216; 19, 11.15.18.38; 28, 137; 31, 22;
33, 39

ἄγνοια ignorantia 2, 57; 3, 36.39; 4, 31.42; 5, 18.21.25.28.
31.34.36.43.46.47; 7, 44.49.61; 13, 143.145.147; 14,
34.134; 17, 65.68.91.93.131.133.137.159.159.179.181.
188.190.192.197.199.204; 18, 2.5.91.121.131; 19, 50.
56.169; 20, 57.60; 23, 3; 28, 98.104.217; 31, 44
— participatio (leg. ignorantia) 13, 144

ἄγνωστος ignotus 6, 5; 13, 58 — incognitus 14, 20; 17, 162
ἀγωγή disciplina 27, 22
ἀδελφός frater 4, 13; 19, 135'; 24, 131; 32, 7 — fraternus 4, 22
ἀδελφότης fraternitas 31, 63
ᾅδης inferi 24, 131
ἀδιαφορία indifferentia 32, 69
ἀδιάφορος indifferens 14, 95
ἀδόκιμος reprobabilis 7, 57; 12, 142; 13, 2.157 — nullius
momenti 7, 126
ᾄδω sentio (= αἰσθάνομαι) 28, 81
Ἀείνους Ainos 14, 178
ἄζωος sine uita 13, 197
ἀθανασία immortalis 14, 77; 19, 118
ἀθάνατος immortalis 29, 41; 34, 26
ἄθεος irreligiosus Pr. 22; 9, 26; 14, 50; 19, 175 — atheus 14, 45
ἀθεότης impietas 1, 98; 26, 24 — irreligiositas 14, 34; 16, 46
Ἀθηναῖος Atheniensis 33, 24
αἴνιγμα aenigma 10, 18.18; 27, 49.52
αἵρεσις haeresis Pr. 20 — secta 23, 6; 24, 62; 26, 37
αἱρετικός haereticus Pr. 22; 2, 80; 3, 25; 14, 186; 19, 155;
30, 234; 31, 2.40
αἴσθησις sensibilitas 6, 11
αἰσθητήριον sensus 24, 139
αἰσθητός sensibilis 14, 105; 19, 35; 30, 223
Αἴσωπος Aesopus 11, 9
αἰτία causa 2, 38; 3, 13; 4, 1; 5, 82; 8, 42; 12, 124.147; 15, 2.
7.11.32; 16, 3; 17, 136.179.182.185.197; 18, 127;
21, 18; 25, 38.42.50; 26, 17.28.42.61.64; 28, 37.45.
52.53.55.183.206.227.251
αἴτιος causa 2, 26.28.29.33.36; 5, 18.25.58; 17, 178; 19, 62
— qui est causa 4, 52
Αἰών Aeon 150 occurrences

αἰών saeculum 28, *63*; 33, *22*; 34, 34.*48′.48′.49′.50′.51′*.51′.
52.56.56.59.59.64.64
αἰώνιος aeternus 3, 24.26; 5, 61; 7, 17.26.*100′*; 8, 10; 11, 37;
13, 179; 28, 201.205; 32, *36′* — sempiternus 8, 11
ἀκάματος infatigabilis 2, 66
ἀκατάληπτος incomprehensibilis 7, 150.154.156; 17, 211.214.
219; 18, 20.25.50
ἀκατασκεύαστος indispositus 5, 12
Ἀκίνητος Immobilis 14, 175
ἀκοή auditus 13, 70.172; 31, 54; 33, 47 — auris 21, 48
ἀκόλουθος sector 4, 21
ἀκούω audio 13, 171.171.191; 22, 55.96.145; 25, 33; 27, 31;
30, 144.178; 33, 57
ἀκρίβεια diligentia Pr. 9; 14, 186; 32, 24 — μετὰ ἀκριβείας, cum
diligentia ad liquidum 25, 5
ἀκριβής certus 28, 45 — liquidus 30, 218
ἀκριβῶς diligenter Pr. 10; 24, 85; 28, 254
ἄκρον finis et summitas 24, 135
ἀκτίς radius 13, 47.97.98.102.103.104; 17, 13.97.128
ἀκύρως improprie 13, 53; 15, 38; 20, 1; 28, 263
Ἀλήθεια Alethia 12, 25.37.44.59.75.84; 13, 3.226 — Veritas
14, 157
ἀλήθεια ueritas Pr. 7.12; 5, 62; 10, 28; 11, 7.28; 13, 61.188.
193; 14, 125.128.131.134.138.141.146.146; 16, 26;
17, 8.150; 18, 93.98.106.112.118; 19, 149.159; 20, 59.
79; 22, 113.168; 23, 22; 25, 16; 27, 11.16.17; 28, 1;
30, 28.127.211; 31, 34.37.49.69.73 — alethia 24,
210 — siue ratio (*leg.* ueritas) 25, 9
ἀλλαγή demutatio 14, 68
ἀλλάσσω immuto 11, 33; 14, 24 — demuto 14, 10 — muto
26, 74
ἀλληγορία allegoria 22, 19
ἀλλότριος alienus 1, 82; 2, 15; 7, 127; 18, 3; 32, 15
ἄλογος irrationabilis 6, 40; 26, 66; 27, 56; 30, 53; 31, 45
— irrationalis 8, 37; 10, 1; 18, 129; 21, 5; 22, 165;
24, 105 — mutus 6, 33.40
ἀλόγως irrationabiliter 15, 46; 28, 145
ἀμάρτυρος sine teste 9, 22
ἀμοιρέω non particeps sum 30, 176
Ἀμορραῖος Amorraeus 24, 155
ἄμορφος informis 3, 8.10; 4, 75; 19, 3.8.59; 20, 49.61 — infiguratus 12, 13
ἀμφιβολία ambiguitas 10, 16.17
ἀμφίβολος ambiguus 10, 10.11

384   TABLES

ἀνάβασις ascensio 28, 37
ἀναγεννάομαι renascor 22, 104
ἀναγκάζω cogo 5, 9; 13, 130; 16, 3.46; 24, 206.215; 35, 2
ἀναγκαῖος necessarius 22, 122; 31, 64
ἀναγκαίως necessarie 3, 8; 14, 189; 17, 5; 19, 168; 29, 33
    — necessario 1, 25
ἀνάγκη necessitas 1, 22.52.64.72.94.98; 4, 10.29.73; 5, 68.71.
    77.79.82.83.86.88.88.90.92.94; 12, 32; 14, 75.76; 16,
    15; 24, 199; 30, 20 — necesse est 1, 30.37; 2, 18;
    5, 5.32.44; 7, 34.47.66.151; 8, 3.13; 12, 62; 13, 140;
    15, 34; 17, 31.113; 24, 204; 31, 7; 35, 11 — ἀνάγκην
    ἔχω necesse habeo 16, 38
ἀναιδέομαι impudenter ago 14, 137
ἀναιδῶς impudenter 24, 60
ἀνάκειμαι adiaceo 28, 39.58 — subiaceo 28, 84.88
ἀναλαμβάνω recipio 20, 83; 30, 156; 32, 89 — adsumo 30, 179
ἀναλήθης contrarius ueritati 25, 14
ἀνάληψις adsumptio 30, 147.171
ἀναλίσκω consumo 29, 56
ἀναμφίβολος non ambiguus 27, 9
ἀναμφιβόλως sine ambiguo 27, 7
Ἀναξαγόρας Anaxagoras 14, 44.49.72
Ἀναξίμανδρος Anaximander 14, 40
ἀναπαύομαι requiesco 17, 209; 29, 8 — refrigero 34, 6
ἀνάπαυσις refrigerium 29, 16.36
ἀναρίθμητος innumerabilis 7, 70.115; 16, 64; 30, 60; 35, 5
ἄναρχος sine initio 34, 28
ἀνάστασις resurrectio 29, 38; 31, 68
ἀναστροφή conuersatio 19, 66; 31, 90; 32, 39
ἀνατίθημι committo 28, 35.75 — commendo 28, 62 — reseruo
    28, 107.153 — dimitto 28, 208
ἀνατρέπω euerto Pr. 30; 7, 8; 18, 47; 24, 32; 30, 26; 31,
    2.31 — subuerto 33, 2
ἀνατροπή euersio Pr. 32.35; 12, 6; 17, 9; 24, 166; 27, 60
ἀνείδεος infiguratus 19, 8.59 — sine specie 19, 4
ἀνένδοτος qui non cedit 20, 39
ἀνεννόητος inexcogitabilis 2, 59
ἀνεξιχνίαστος inuestigabilis 18, 23.40
ἄνεσις laxamentum 25, 35
ἀνεύρετος qui inueniri non potest 18, 20
ἀνέφικτος quem adtingere non est 28, 213
ἀνήρ uir 24, 125; 30, 108
ἀνθίστημι e contrario constituo 30, 61 — ἀνθίσταμαι contraria
    statuo 27, 18

ἀνθρώπινος humanus 13, 221; 14, 152; 15, 36.40; 28, 143; 31, 41; 32, 32

Ἄνθρωπος Anthropos 12, 85; 13, 228; 14, 169.176; 15, 17 — Homo 12, 46; 13, 207.211.211.212; 21, 3

ἄνθρωπος homo *114 occurrences*

ἀνθρωπότης genus humanum 22, 101; 24, 143; 33, *95*

ἀνίστημι resuscito 29, 40 — ἀνίσταμαι resurgo 24, 132; 33, *89*; 34, 16

Ἄννας Anna 19, 127

ἀνόητος insensatus 7, 168; 30, 2.27; 32, 80

ἄνοια dementia 6, 54; 12, 57 — amentia 6, 52 — insensatio 17, 4 — insipientia 13, 205

ἀνομοιομελής dissimilis membris suis 17, 25

ἀνόμοιος dissimilis 7, 36.56.59.108; 11, 2; 12, 35; 17, 30.35; 19, 74; 20, 66; 23, 44; 24, 170

Ἀνονόμαστος Innominabilis 16, 31.36.36.39

ἀνονόμαστος innominabilis 17, 181; 28, 171; 30, 233; 35, 33

ἀνούσιος sine substantia 19, 17.25

ἀνταποδίδωμι retribuo 22, 21

ἀνταπόδοσις retributio 22, *12′*.15.21.28.30.31.38.*39′*.42

ἀντεπερωτάω e contrario interrogo 11, 21; 15, 35

ἀντιδοξέω contrario opinor 27, 44

ἀντιλέγω contradico 9, 2 — contradictor sum 28, 241

ἀντιλογία contradictio 17, 3

ἀξιόλογος dignus ratione 30, 113 — rationabilis 30, 41

ἀόρατος inuisibilis Pr. 14; 2, 62; 3, 27; 6, 4.10; 13, 14.46; 27, 34; 28, 248; 30, 83.124.131.159.168.223; 35, 61

ἀπάθεια impassibilitas 18, 93

ἀπαθής impassibilis 12, 16; 13, 116; 17, 32.52.69.72.79.81. 100.101.103.105.115.117.217; 22, 0

ἄπειρος immensus 1, 12.43.46.62.65.71.80; 7, 132; 13, 132; 14, 40.42; 16, 23.26; 20, 13; 35, 4.14 — infinitus 1, 50.56; 23, 5; 25, 44

ἀπέραντος indeterminatus 1, 80.90 — indeterminabilis 25, 59; 28, 72

ἀπίθανος non suasorius 28, 38 — non uerisimilis 11, 22

ἀπιθάνως non uerisimiliter 13, 217; 14, 158

ἀπιστία infidelitas 10, 35; 14, 82

ἄπιστος incredibilis 3, 25; 10, 65

ἀποβάλλω amitto 33, 66.74 — abicio 25, 39; 27, 22; 34, 57

ἀποβολή amissio 13, 40

ἀπογεννάω genero 13, 15

ἀπόδειξις ostensio Pr. 37; 14, 170; 16, 29; 17, 147; 30, 111.218; 32, 128; 33, *27* — probatio 24, 6.62.119; 35, 65.69

13

386 TABLES

ἀποδίδωμι reddo 3, 14; 15, 7; 16, 2; 17, 142; 19, 28'.31; 35, 68
ἄποιος sine qualitate 19, 17.24
ἀποκαθίστημι restituo 20, 20.98; 32, 105 — restituo siue
    reuoco 20, 22 — restauro 31, 60
ἀποκαλύπτω reuelo 6, 14'.16; 28, 31; 30, 246.248.249.250.
    251.253
ἀποκηρύσσω abdico 20, 23
ἀποκυέω enitor 17, 177; 19, 81; 29, 51.53
ἀπολαμβάνω percipio 19, 7; 34, 21.64 — recipio 29, 3
ἀπόλλυμι perdo 5, 41; 11, 8.11; 24, 200 — ἀπόλλυμαι pereo
    5, 75; 14, 182; 18, 63; 20, 77.96; 24, 202; 29, 21
ἀπολύτρωσις redemptio Pr. 24
ἀπορέω aporior 4, 27; 7, 27.35
ἀπορία aporia 15, 33; 16, 27.33; 17, 3; 29, 49; 33, 32 —
    consternatio 18, 97.122 — confusio 7, 29
ἄπορος inops 2, 50 — indigens 33, 85 — τὸ ἄπορον aporia
    33, 27 — τὸ ἄπορον consternatio siue confusio 24, 7
ἀπόρροια defluxus 35, 7.11.13
ἀποσκήπτω deriuo 17, 108
ἀποστασία apostasia 6, 22; 20, 55 — abscessio 12, 63
ἀποστάτης apostata 1, 86
ἀποστατικός apostaticus 31, 80
Ἀπόστολος Apostolus 21, 31; 22, 45; 28, 65.208.243; 30, 163.
    172.184.186
ἀπόστολος apostolus 2, 87.90.92; 9, 18; 12, 149; 20, 5.70;
    21, 1.5.7.9.11.13.15.19.21.26.27; 22, 144.147.147; 25,
    3; 30, 246; 31, 62; 35, 53
ἀποτελεστικῶς efficabiliter 17, 13.26 — ἀποτελεστικῶς 28, 85
ἀποτελέω perficio 33, 96
ἀπρέπεια indecibilitas 4, 39
ἀπρόβλητος qui non est emissus 12, 10
ἀπροσδεής nullius indigens 2, 53
ἀπώλεια perditio 8, 55; 18, 127; 20, 36.46.90'
ἀργός otiosus 19, 27'.29 — uacuus 30, 76 — uacuus atque
    otiosus 30, 99.102
ἀρετή uirtus 32, 42
ἀριθμέω numero 7, 102; 24, 85.87.140; 26, 27'
ἀριθμός numerus Pr. 11; 7, 158,164; 12, 115.130.135.141.142;
    14, 101.103; 15, 15.21.24.24; 16, 17.30; 20, 19.68.87;
    21, 13.16.21.23; 22, 1; 24, 3.5.12.15.17.18.20.22.32.
    36.42.51.58.62.71.78.87.93.108.110.113.115.142.157.
    205.209.211.214.214; 25, 8.10.15.17.17; 26, 28.32.35.
    44.50.56.65; 28, 221.252.262; 30, 131; 31, 35; 32, 108;
    33, 87; 35, 15

ἀριστερός sinister 24, 46.198.199.203.206.209.214

Ἀριστοτελικός aristotelicus 14, 100

Ἀριστοφάνης Antifanus 14, 2

ἁρμόζω aptus sum 5, 3; 15, 30 — aptatus sum 1, 61; 13, 155; 31, 17 — adaptor 5, 52

ἁρμόζων aptus 2, 65; 13, 220 — aptabilis 13, 210; 15, 30

ἁρμονία aptatio 26, 59 — compago siue aptatio 33, 96

ἄρρην masculus 12, 49

ἄρρητος inenarrabilis 2, 59; 4, 34; 13, 74.223; 14, 20; 18, 101; 21, 47; 28, 145.171; 30, 144.187

ἄρτιος τὸ ἄρτιον par 14, 104

Ἀρχάγγελος Archangelus 28, 161; 30, 59.84.121.132.252

ἀρχαῖος antiquus 4, 8.24; 5, 81; 13, 94.98.100; 15, 25; 24, 29.39; 25, 7 — uetus 18, 113 — antiquus et primus 24, 40 — uetus et primus 9, 9

ἀρχέγονος principalis 12, 97.99.134; 17, 56; 21, 12; 23, 34 — archegonos 12, 83; 15, 13 — primae generationis 28, 172

ἀρχέτυπος archetypus 7, 127

Ἀρχή Initium 1, 11 — Principalitas 1, 30; 30, 236 — Principatus 6, 25; 30, 134 — Principium 30, 120

ἀρχή initium Pr. 22; 1, 21.51.56; 2, 61; 4, 40.41.46.46.48; 5, 72.86; 13, 34.156.180; 14, 11.36.41.103.103.106. 110.113; 16, 42; 17, 187.196.214.218; 25, 49.54; 28, 85.206; 30, 198.251; 34, 26.31.35.43 — principium 2, 83'; 5, 81.86; 13, 5; 17, 57 — principatus 6, 30 — imperium 6, 27 — princeps 28, 161 — terminum (leg. initium) 1, 19

ἀρχηγός princeps 17, 51; 20, 55; 22, 116

ἀρχιερεύς summus sacerdos 10, 127.128.131

ἄρχων princeps 19, 125.128

ἀσέβεια impietas 17, 95; 19, 181; 28, 23; 30, 6.20

ἀσεβέω imple ago 7, 105

ἀσεβής impius Pr. 22; 8, 37.43; 9, 26; 10, 22; 17, 93; 24, 165; 28, 218; 29, 14; 32, 1

ἀσεβῶς impie 10, 30; 31, 72

ἀσθένεια infirmitas 8, 19; 23, 26; 31, 59.60

ἀσθενέω infirmor 23, 28 — deficio 8, 20

ἀσθενής inualidus 5, 70; 19, 142 — infirmus 25, 11 — inualidus et infirmus 20, 49

Ἀσία Asia 22, 140

ἄστατος instabilis 3, 1.5; 12, 143.144; 18, 31; 19, 142; 24, 162; 30, 129; 31, 30 — τὸ ἄστατον instabilitas 24, 8

ἀστρονομία astronomia 32, 51

388   TABLES

ἀσύνθετος non compositus 13, 66
ἀσύστατος inconstans 2, 80; 8, 54; 9, 22; 10, 65
ἀσχημάτιστος sine figuratione 7, 156
ἀτελεύτητος sine fine 28, 73; 34, 28
ἀτελής imperfectus 17, 169; 19, 4.8.98; 26, 10
ἄτομος atomus 14, 54.57
αὐλαία atrium (= αὐλή) 24, 85.88.89
αὐξάνω augeo 13, 25; 17, 190; 28, 8.19; 33, 62 — αὐξάνομαι
    augesco 18, 64.69; 19, 54.73.78 — αὐξάνομαι cresco
    5, 73; 28, 52
αὔξησις augmentum 13, 19.29.34.37; 19, 60 — incrementum
    28, 12
αὐτεξούσιος suae potestatis 5, 77
αὐτεξουσίως sua potestate 16, 13 — ex sua potestate 30, 219
    — libere et ex sua potestate 13, 22
αὐτογενής a se generatus 4, 14.18.21
Αὐτοφυής Naturalis 14, 174
αὐτοφυής a se natus 4, 14.19
ἀφθαρσία incorruptela 13, 187.193; 14, 78; 17, 36 — incor-
    ruptio 20, 41.59
ἄφθαρτος incorruptibilis 5, 61; 7, 19 — incorruptus 29, 41
ἀφορμή occasio 1, 57; 17, 10
Ἀχαμώθ Achamoth 10, 38
ἀχαριστέω ingratus exsisto 34, 57.60.63
ἀχώρητος incapabilis 17, 210.214.219 — quem nemo capit
    12, 11 — qui a nemine capi potest 30, 226

βάθος profundum 8, 55; 11, 9; 17, 133.138; 18, 131; 22, 13.
    58; 25, 62 — altitudo 28, *194′*.238.247
βαθύς profundus 21, 47
βάπτισμα baptismus 10, 28; 12, 5; 20, 7; 22, 6.10.127.131
    — baptisma 12, 148; 22, 60.94.131
Βαρούχ Baruch 24, 55
βασιλεία regnum 28, 73; 32, *35′*
Βασιλεύς Imperator 6, 28
βασιλεύς rex 2, 35; 11, 5; 19, 125.130; 24, 155
Βασιλίδης Basilides 2, 32; 13, 154; 16, 25.54; 28, 160.247;
    31, 27.31; 35, 1
βασιλικός regalis 32, 60
βέβαιος firmus 28, 4.39; 29, 38
βεβαιόω confirmo 22, 11; 24, 163 — adfirmo 22, 119
βεβαίως firmissime 32, *95.100*.121
Βηθανία Bethania 22, *82′*.82

βίβλος liber Pr. 1.29; 7, 73; 12, 19.111; 13, 157; 14, 185; 31, 40; 35, 22.68

βίος uita Pr. 23; 32, 40.61; 33, *22.29*

βλασφημέω blasphemo 1, 3; 9, 39; 11, 30; 25, 41; 31, 42

βλασφημία blasphemia 3, 36; 7, 68; 13, 149; 28, 100; 30, 139

βλάσφημος blasphemus 7, 36; 9, 42; 26, *4*; 28, 89

βουλεύομαι consilior 13, 42.43

βουλή consilium 13, 29.30

Βύθιος Bythius 14, 173

Βυθός Bythus Pr. 35; 1, 70.73; 3, 1; 4, 11.15.36; 5, 94; 6, 50; 7, 128; 8, 26; 12, 17.37.43.58.84.146; 13, 3.8.129. 201.202.226; 14, 12.37.39.43.117; 16, 9.18; 17, 48. 153.180; 18, 39.70.101; 22, 13.175; 24, 52; 30, 231

Γαλιλαία Galilaea 22, 64

γελοῖος ridiculus 6, 43; 10, 42; 19, 68

γενεά generatio 28, *139′*.140.158.163

Γένεσις Genesis 2, 75

γένεσις genesis 2, 82; 13, 180.222; 14, 2.6.38.42.121.156; 17, 27; 31, 44 — generatio 14, 7.11.36.114.116; 17, 49.86.120.121; 34, 26.31 — factura 25, 49.54; 34, 44. 80; 35, 13 — natiuitas 28, 108

γενετή natiuitas 17, 157

γεννάω genero 3, 39; 12, 56.61.80.102; 17, 92; 19, 10; 28, 162; 33, *94.94* — γεννάομαι nascor 12, 11; 17, 217; 19, 59; 20, *90′*; 28, 162

γέννημα generatio 17, 28.31.135

γέννησις generatio 13, 178.184.216; 28, 156.164.173

γεννήτωρ generator 17, 29

γένος genus 18, 126; 21, 54; 20, 40

γεωμετρία geometria 32, 51

γῆ terra 1, 2.67; 2, *84′*; 6, 28.45.49; 9, 12; 14, 46; 18, 103; 19, 47; 24, 28.29.31; 26, *39′*.64; 28, 191.196; 30, 3.9. 15.43.47.182.239; 31, 84; 33, 55; 35, 20.36

γηγενής terrigenus 2, 65.65

γήϊνος terrenus 5, 15; 7, 146; 8, 47; 19, 75.76.102

Γίγας Gigas 30, 13

γνώμη sententia Pr. 5.8.32; 1, 6.72; 2, 3.19; 5, 79; 9, 26.38; 12, 58; 14, 62.95.185; 16, 13; 26, 74; 30, 14; 32, 2; 33, *25*; 34, 46 — mens 4, 39 — sensus 9, 42

γνῶσις agnitio Pr. 2; 4, 31; 5, 21.22.24.25.27.29.35.37.38. 39.42.42.45.49; 9, 42; 14, 129.134.*136′*.136; 17, 155. 170.201.210.212; 18, 96.97; 19, 49; 20, 44.47; 28, 181.209.234.246; 31, 69 — scientia 24, 8; 25, 50.56;

390 TABLES

26, 5'.7.8.11.12'.20.54.73; 27, 3; 28, 4.29.34.43.59.
150.237; 33, 66.77.80 — cognitio 14, 132 — cogitatio
(leg. cognitio) 25, 46
Γνωστικός Gnosticus Pr. 19; 13, 155.208; 31, 28; 35, 16
— Agnitor 31, 32
γράμμα littera 24, 5.6.11.16.18.20.22.26.34.36.38.41.43.46.
51.56.58.120.121.121.208; 25, 11; 28, 223; 35, 35
γραφή Scriptura Pr. 9; 2, 75; 9, 5; 10, 10.21; 13, 61; 22, 45;
24, 110.112.119.158; 27, 8.29.46; 28, 21.25.60.60.77.
86.87.94.122.177.179.203.204.207; 30, 123.126.141;
35, 22.25.65.65.68.68
γραφικός Scripturarum 27, 35
γυνή mulier 20, 9; 23, 1.10.16.26.28.45

δαιμονιακός daemoniacus 31, 81
δαιμόνιον daemonium 6, 21; 31, 90
δαίμων daemon 6, 23.38; 31, 55; 32, 99; 33, 30.36.37.39
Δαυίδ Dauid 2, 77
δεκάμορφος deciformis 15, 43
Δεκάς Decas 15, 20; 21, 14; 24, 91.112.185
δεκτικός capax 17, 34.83.99 — capabilis 13, 100 — susceptor
13, 97
δεκτός acceptabilis 10, 55; 22, 15.23.24.39'.41.55.119' —
acceptus 22, 12'
δεξιός dexter 24, 45.201; 28, 190'
Δεσπότης Dominus 26, 4; 30, 227
Δημιουργός Demiurgus Pr. 15; 1, 2; 4, 33.52.71; 5, 53;
7, 1; 14, 141; 16, 7.19; 19, 5.36.43.94.125.140.160;
21, 46.50; 24, 64.97.160; 25, 58; 26, 10; 28, 17.94;
29, 6.58; 30, 1.10.19.30.32.36.106.112.118.136.147.
148.151.152.155.162.165.168.190.201.203.209.226.235.
238; 31, 38 — Fabricator 1, 67.84; 2, 44; 5, 58; 9, 3.
26.31; 10, 29.48; 14, 72.184; 16, 42; 18, 100; 19, 11,
22.175; 35, 47 — Demiurgus, id est Fabricator 19, 155
Δημόκριτος Democritus 14, 51.62.63
διαβεβαιόομαι adfirmo 14, 81.87; 27, 54 — confirmo 28, 261
— adseuero 24, 109; 28, 69 — adsero 28, 217
διάβολος diabolus 7, 100'; 17, 132
διαδέχομαι succedo Pr. 17; 9, 24
διαδοχή successio Pr. 20; 2, 30.34; 12, 120; 16, 26.28.34;
35, 3
διάδοχος successor 14, 144

διάθεσις adfectio 7, 98; 10, 64; 12, 50; 13, 14.54.60.63.162.
    215; 14, 152; 15, 36.41; 18, 4.28.29.53.57; 28, 109
    — adfectus 13, 83; 28, 123 — dispositio 35, 59
διαθήκη testamentum 24, 67
διακονέω ministro 32, 113
διακονία ministerium 28, 195' — ministratio 35, 55
διαλογίζομαι animo tracto 13, 43.44
διαλογισμός cogitatio 13, 20.30.63.64
διατρίβω conuersor 18, 10.74.78; 28, 192 — immoror 33, 23
διαφωνέω dissono 24, 98
διδασκαλεῖον doctrina Pr. 19; 31, 35
διδάσκαλος magister 22, 94.96.98.99.112.126; 26, 47; 28,
    68.154.232; 32, 22.28.69
διδάσκω doceo Pr. 15; 1, 67; 9, 6; 11, 15; 12, 52; 13, 61.224;
    14, 24.185; 17, 121; 22, 124.125.126.139; 27, 47;
    28, 64.86.208; 30, 133; 33, 60; 34, 1 — edoceo 32, 48
διεξέρχομαι perexeo Pr. 13
διέπω guberno 13, 45 — administro et guberno 13, 22
δίκαιος iustus 11, 17; 12, 123; 22, 33'.34; 29, 8.14.21.22.47;
    30, 240; 32, 33.34'
δικαιοσύνη iustitia 22, 109; 25, 32; 29, 20.22.24.26.29.32.35.
    36.40; 32, 36
δικαίως iuste 2, 43; 7, 25.168; 16, 60; 18, 130; 19, 23; 28, 142;
    30, 88.104.210; 34, 63
διώκομαι persecutionem patior 22, 34.49
δόγμα dogma Pr. 23; 11, 22; 14, 34; 24, 165; 27, 18; 30, 23
δογματίζω dogmatizo 14, 39.45 — dogmatizo, id est doceo
    32, 33
δογματικῶς dogmaticę 33, 28
δόκηυις putatiuus 22, 168 — putatiuum 22, 97
δόξα claritas 17, 77' — opinio 28, 180; 32, 31
δοξάζω glorifico 1, 84; 25, 34; 30, 103 — clarifico 19, 117
δορυφόρος satelles 30, 75
δυάς dyas 14, 115
Δύναμις Virtus 1, 37; 2, 55; 6, 26; 9, 34; 11, 5; 16, 31; 17,
    126; 18, 108; 20, 11.12; 23, 4; 30, 84.121.134.237.
    252; 31, 21; 35, 27.46.57.60
δύναμις uirtus 10, 34.54; 13, 189; 17, 179.183; 20, 51.55';
    30, 55.224; 31, 48.49.79; 32, 82.118.125; 33, 75
δυνατός possibilis 3, 21; 7, 50; 8, 47.50; 10, 56'; 13, 191;
    17, 131; 30, 167 — potens 5, 64; 6, 11.12; 10, 43;
    29, 43 — fortis 19, 137'; 32, 23.28; 33, 61
δωδεκάμορφος duodeciformis 15, 43

Δωδεκάς Duodecas 12, 53.144; 15, 20; 24, 112.181.185
δωδεκάς duodecas 12, 149

Ἑβδομάς Septenatio 15, 14; 30, 155 — Ebdomas 16, 50
ἑβραϊκός hebraicus 24, 29.35.57; 35, 24.32
Ἑβραῖος Hebraeus 24, 26.37.41
ἑβραϊστί hebraice 24, 55
ἐγκαταγίνομαι in (aliquo) fio 17, 213
ἐγκατασπείρω insemino 17, 191
ἐγκισσάω concipio 19, 93
ἐγκράτεια continentia 32, 48
ἐγκρύπτω intus abscondo 13, 3
ἐγχωρέω permitto Pr. 30
ἐθίζω adsuesco 14, 155.160.162; 18, 73.78
ἐθνικός ethnicus 9, 14.28.42; 14, 193 — gentilis 27, 19
ἔθνος gens 32, *111*
εἶδος species 7, 80; 14, 167; 19, 60.63; 32, 50.57
εἰδωλολατρεία idolatria 31, 81
εἴδωλον figura 14, 66 — figura expressa 14, 64
εἰδωλοποιΐα imaginaria finctio 14, 69
εἰκῇ uane 15, 43; 19, 31 — sine causa 32, 7 — εἰκῇ καὶ ὡς
        ἔτυχεν frustra et prout euenit 14, 171 — εἰκῇ καὶ ὡς
        ἔτυχεν uanum est (*leg.* uane) et ut prouenit 25, 2 — οὔτε
        εἰκῇ οὔτε ὡς ἔτυχεν neque uane neque ut prouenit 26, 58
εἰκός consequens est 7, 129; 30, 215 — ὡς εἰκός ut datur
        intellegi 14, 73
εἰκών imago Pr. 14; 6, 57; 7, 3.5.11.26.37.38.40.53.56.59.71.
        83.87.92.99.101.105.107.109.111.114.119.120.132.140.
        143.145.148.152.155.159.160.163.167; 8, 3.48; 14, 61.
        67.195.196; 15, 6.7.42.51; 16, 21.22.23.24.35; 19, 91.
        113; 20, 33.76.77.78.82; 21, 28; 23, 21; 30, 67.71.82
εἱμαρμένη fatum 5, 89.90.94
εἷς unus *passim* — εἷς καὶ ὁ αὐτός unus et idem 12, 36; 13, 33;
        28, 16.18
εἰσόδιος qui est super introitum 33, *29*
εἴσοδος introitus 30, 146; 33, *37* — ingressus 27, 27
ἑκατοντάρχης centurio 22, 70
ἐκβάλλω eicio 20, 19.23.26.86.94; 22, 7; 28, 4 — proicio
        5, 20.26; 30, 90 — expello 32, 5
ἐκβράζομαι ebullio 19, 75
Ἐκκλησία Ecclesia 9, 17; 12, 46.85; 13, 207.228; 14, 169.
        176; 15, 17; 21, 3; 30, 246; 31, *64.*72; 32, *102.109*
Ἐκκλησιαστικός Ecclesiasticus 14, 179

ἐκλέγω eligo Pr. 9; 24, 61 — ἐκλέγομαι eligo 19, *137'*; 21, 9.11. 21.23; 24, 150

ἐκλογή electio 21, 7.25; 25, 3

ἐκπέμπω emitto 13, 32; 19, 77.96.98; 28, 116

ἔκπληξις expauescentia 18, 79.121

ἐκτείνω extendo 6, 8; 20, 12; 22, 135.160

ἔκτρωμα abortum 30, 88.90

ἐλαττόω deminoro 17, 213

ἐλάττωσις deminoratio 12, 7 — diminutio 12, 106

Ἐλεαζάρ Eleazar 24, 151

ἔλεγχος detectio Pr. 32; 24, 165 — indicium Pr. 35

ἐλέγχω arguo Pr. 2; 7, 9.17.168; 13, 53; 14, 26.125; 17, 109; 18, 47; 19, 122; 30, 24.25.66.173.210; 31, 47.78; 32, 90 — conuinco 13, 156.209; 16, 2 — detego 9, 38; 28, 142

Ἕλλην Graecus 24, 6.10.38.208; 28, 115

ἑλληνικός graecus 24, 13.19.34

Ἐλπίς Elpis 14, 178

ἐλπίς spes 28, 67

ἐμβροντάω fulmine percutio 26, 72 — de tonitruo percutio 30, 12

ἐμμένω maneo intus 13, 21

ἐμπαθής passibilis 18, 22

Ἐμπεδοκλῆς Empedocles 14, 73

ἔμπειρος peritus 24, 27 — multa expertus 26, *3*

ἔμπνευσις adinspiratio 31, 80

ἐμπνέω inspiro 14, 74; 22, 176

ἐμποιέω in (aliquo) facio 5, 21 — (alicui) inficio 18, 92.122 — (alicui) facio 17, 202.202 — (alicui) efficio 33, 58

ἔμφυτος infixus 2, 16

ἕν hen, id est unum 14, 114

ἐνδέχομαι ἐνδόχεται capit 8, 35; 13, 7.49; 17, 128.148; 28, 111; 34, 75

ἐνδιάθετος endiathetos 12, 93.93.94.95 — in cogitatu dispositus 13, 7 — in mente perseuerans 13, *31*

ἐνέργεια operatio 29, 68; 31, 80

ἐνεργέω operor 6, 58; 21, 48; 24, 66; 31, 48.86 — facio 24, 180

ἐνεργής efficax 2, 6 — operosus 19, 97 — operator et efficax 30, 81

ἐνθυμέομαι cogito 13, 41.41

Ἐνθύμησις Enthymesis 8, 32; 10, 50.61.63; 18, 12.27.42.50. 52.53.55.55.56.57.115; 20, 22.77.79.91.96.97.98.101 — Excogitatio 7, 104

ἐνθύμησις enthymesis 13, 15.*26.27*; 18, 13.16.17; 28, 113.114 — intentio 13, 216 — intentio mentis 29, 66

ἐννοέομαι mente concipio 3, 20.21.22.23.24.26.29.34.39 —
    cogito 25, 43; 28, 92.130.131 — contemplor 13, 41
    — mente contemplor 3, 16
Ἔννοια Ennoia 12, 23.43; 13, 3.8.10; 28, 107 — Ennoea
    12, 74; 13, 52.52
ἔννοια ennoia 13, 6.10.11.15.24.69 — ennoea 12, 26; 28, 112.
    113.113 — mentis conceptio 3, 30.38; 18, 86 — mentis
    intentio 13, 55 — mentis intuitio (leg. intentio?) 6, 11
    — cogitatio, mentis intentio 33, 44 — cogitatio 28, 166;
    29, 65
ἐντολή praeceptum 24, 147
ἐντυγχάνω occurro 18, 108
Ἕνωσις Vnitio 14, 174
ἕνωσις unitio 17, 56 — unitas 18, 125
ἐξασθενέω deficio 8, 24.36; 16, 69
ἐξήγησις expositio 22, 112; 24, 74
ἐξιχνιάζω inuestigo 16, 58; 17, 162; 18, 124; 25, 50; 28, 238;
    30, 57
ἐξιχνιασμός inuestigatio 5, 41
ἐξομολογέομαι confiteor 11, 12
Ἐξουσία Potestas 1, 11; 16, 38; 28, 161; 30, 60.84.120.134.
    236.252 — Potentia 6, 26
ἐξουσία potestas 2, 20; 6, 30; 7, 58; 27, 3; 30, 147
ἑορτή dies festus 22, 63.65.72
ἐπανέρχομαι reuertor 15, 1; 20, 86; 29, 1
ἐπανορθόω emendo 4, 44
ἐπανόρθωσις emendatio 4, 49; 12, 132 — correctio 24, 49
ἐπαοιδή incantatio 32, 115
ἐπίγειος terrenus 27, 34; 30, 224 — superterrestris 7, 76.96
ἐπιγίνομαι obuenio 13, 56 — prouenio 13, 65 — accido 13, 218
ἐπίγνωσις agnitio 17, 7
ἐπιγονή descensio 6, 6; 13, 114.188
ἐπίθεσις impositio 32, 105
ἐπιθυμέω cupio 17, 163' — concupisco 18, 106
ἐπιθυμία concupiscentia 18, 124
ἐπικάθημαι adsideo 28, 192
ἐπικαλέομαι inuoco 32, 118
ἐπίκλησις inuocatio 6, 19.24.33.39; 32, 114
ἐπίλυσις absolutio 10, 20; 22, 90.90; 27, 11.14.25.42.53;
    28, 4.5.22 — resolutio 10, 16
ἐπιλύω absoluo 7, 152; 27, 9.10.17; 28, 61.79 — exsoluo
    10, 10.21.24; 28, 225 — soluo 10, 17
ἐπιορκέω peiero 32, 9

ἐπιπλοκή permixtio 12, 54 — perplexio 12, 61 — complexio 12, 67 — complexus 12, 80

ἐπίρρησις adfatio Pr. 25; 6, 38

ἐπίσημον episemon 24, 11 — episemum 24, 31

ἐπιστρέφω reuertor 11, 27; 31, 66

ἐπίτασις extensio 25, 34

ἐπόπτης speculator 30, 149.183.186

ἐργάτης opifex 32, 58

ἔργον opus 4, 58; 5, 60; 17, 204; 20, 62; 22, 22.36'; 24, 159; 25, 31; 30, 39.61.91.103.112.173; 32, 3.26.27.36.39. 45.47.64.70.75; 34, 4 — opera 4, 79; 13, 146

ἔρημος heremus 24, 150 — desertus ac destitutus 19, 174

Ἑρμῆς Hermes 21, 38

Ἔρως Cupido 14, 4.14

ἔσχατος nouissimus 4, 54; 12, 72; 17, 195; 20, 83; 24, 43; 25, 7; 35, 10.38.41

ἑτεροίωσις demutatio 13, 39; 18, 77 — immutatio 13, 19

ἕτοιμος paratus 19, 54.100 — ἕτοιμος γίνομαι aptus expedior 19, 73 — ἐξ ἑτοίμου ex praeparato 2, 51

εὐαγγελικός euangelicus 27, 30

Εὐαγγέλιον Euangelium 20, 70; 22, 59.91.139; 26, 38

εὐγένεια generositas 14, 96

εὐδοκέω probo 5, 60 — approbo 5, 63.66

εὐδοκία placitum 5, 57; 32, 125

εὐεργεσία beneficium 32, 98.120 — opitulatio 31, 73; 32, 111

εὐεργέτης beneficus 31, 49

εὐλαβής religiosus 27, 2

εὐμελής bene consonans 25, 22

εὔπορος diues 29, 44

Εὑρετής Inuentor 30, 227

εὑρετής inuentor 14, 69

εὖρος altitudo (leg. latitudo) 24, 149

εὔρυθμος bene rhythmizatus 15, 48 — aptus 25, 6 — bene aptatus 25, 21

εὐσέβεια pietas 22, 109

εὐσεβής religiosus 17, 96 — religiosus et pius 13, 71

εὐχαριστέω gratias ago 34, 55

εὐχή oratio 31, 67; 32, 116

Ἐφραίμ Effrem 22, 81

ζάω uiuo 13, 199.201.202; 22, 71'; 33, 76; 34, 71'.72 — ζῶν uiuus 13, 82; 30, 244

Ζεύς Iupiter 5, 91; 22, 179

ζῳδάριον animal pusillum 30, 197

Ζωή Zoe 12, 44.60.75.85; 13, 160.185.204.227.228; 14, 168.
    172; 15, 16 — Vita 13, 198; 14, 157; 21, 4; 28, 108
ζωή uita 7, 136; 11, 8.17; 13, 187.193.195.196.196; 18, 74;
    20, 58; 22, 117; 26, 15; 33, 75.89; 34, 49'.53.55.63.
    68.69.72.74.74
ζῷον animal 6, 33.40; 14, 46.161; 17, 111; 18, 71; 28, 40.111;
    30, 52.200
ζωοποιέω uiuifico 26, 21; 33, 62

ἡγεμονικός principalis 28, 135 — τὸ ἡγεμονικόν quod est prin-
    cipale 28, 115 — τὸ ἡγεμονικόν quod est principale et
    summum 13, 5 — τὸ ἡγεμονικόν principalis et primus
    locus 13, 13
Ἡδονή Delectamentum 14, 174
ἡδονή uoluptas 32, 64
Ἡλίας Helias 24, 127
Ἡρακλέων Heracleon 4, 26
Ἡρῴδης Herodes 19, 130
Ἠσαΐας Esaias 22, 14
Ἡσίοδος Hesiodus 14, 90; 21, 34.48

Θαλῆς Thales 14, 35
θάνατος mors 20, 56.62; 22, 115; 34, 8
θανατόω morte afficio 22, 46'
θεῖος diuinus 10, 45; 13, 219; 18, 88; 24, 161; 26, 60; 28, 143;
    31, 78; 33, 53; 35, 69
Θελητός Theletos 14, 179 — Theletus 12, 54.66
θεογονία theogonia 14, 3
Θεός Deus passim
θεός deus 14, 6.6.8.15.16.38.195; 21, 51; 22, 179
θεότης deitas 9, 30 — diuinitas 14, 197
θεράπων famulus 2, 81
θέσις positio 25, 2
θεσμός lex 22, 101
θεωρία contemplatio 30, 68.74; 33, 10 — uisio 29, 52 — inspectio
    19, 59
θῆλυς femina 12, 48 — femineus 20, 48 — θήλεια femina 10, 46.
    46; 12, 56.56; 30, 108
θνητός mortalis 14, 77; 19, 118; 29, 39
Θρόνος Thronus 30, 59.133
θρόνος thronus 28, 192
θυγατήρ filia 13, 10; 23, 29'

'Ιακώβ Iacob 30, 244
'Ιάκωβος Iacobus 24, 127.*130'*
ἰατρική medicina 32, 53
ἰδιώτης idiota 26, *1* — imperitus et idiota 26, 70
ἱερατικός sacerdotalis 24, 41.152
ἱερεύς sacerdos 19, 125; 24, 150
'Ιεροσόλυμα Hierosolyma 22, 83
'Ιερουσαλήμ Hierusalem 22, 60.62.72.95
'Ιησοῦς Iesus 2, 87; 22, *130'*.150; 24, 9.25.31.34.155; 26, 22; 30, 247; 32, 69.74.85.91.*110*.118.120
'Ιθαμάρ Ithamar 24, 151
ἱκανός idoneus 30, 125 — idoneus et sufficiens 2, 70 — multus 32, *107* — plurimus 33, *14* — ἱκανός (εἰμι) possum 33, *32*
ἱκανῶς sufficienter 35, 62 — plene 34, 1
ἰουδαϊκός iudaicus 35, 30
'Ιουδαῖος Iudaeus 6, 37; 22, 61
'Ιούδας Iudas 20, 18.19.21.22.28.29.31.31.64.68.75.77.85.92. 94.101
'Ισαάκ Isaac 30, 244
ἰσότιμος aequalis honore 4, 7
ἰσόχρονος aequiperans in tempore 4, 15
ἱστορία relatio 22, 145
ἱστοριογραφία relatio quae scribitur 34, 5
'Ιωάννης Iohannes 2, 72; 22, 67.*140*.*141*.143; 24, 127

κάθοδος descensio 14, 127; 19, 64.85; 29, 19
Καϊάφας Caiphas 19, 127
καινός nouus 14, 31.32.90.119
καινοφωνία uocis nouitas 14, *135'*
καιρός tempus 4, 54; 17, 105; 00, 59.02.84; 25, 7; 28, 41.42; 30, 46
κακολογέω male loquor 32, 10
κακουχέω male tracto 19, 157; 32, 18
καλός bonus 18, 21 — melior 20, *89'* — κάλλιστος optimus 14, 93; 21, 36 — καλὸς κἀγαθός bonus et egregius 32, 25
καλῶς bene 1, 1; 11, 21; 13, 74; 24, 163
κάμνω laboro aliqua infirmitate 32, *104*
Κανᾶ Cana 22, 64
κανών regula 27, 16; 28, 1
Καρποκράτης Carpocrates 31, 27.48; 32, 122
καρπός fructus Pr. 27; 1, 4; 3, 35.39; 4, 79; 9, 32; 12, 55; 19, 176; 20, 48; 22, 26; 28, 98.104; 32, 81
καρποφορέω fructifico 17, 134; 20, 48.50

καρποφορία fructificatio 5, 87
καταβολή demissio 19, 12; 30, 198
κατάθεσις depositio 19, 54.139
κατάκρισις condemnatio 9, 40 — damnatio 32, 6
καταλαμβάνω comprehendo 18, 51.95; 31, 19
κατάληψις apprehensio 18, 86.95 — comprehensio 18, 91.106
καταλλαγή reconciliatio 18, 120
καταπέμπω emitto 33, 4
καταπίνω absorbo 18, 15 — absorbeo 19, 118
καταργέω destruo 20, 56; 28, 66
καταρτίζω perficio 14, 107; 16, 10 — perfectum consummo
    18, 34.37 — apto 24, 163 — dispono et perficio 30,
    219 — apto et dispono 30, 225
κατασκευάζω fabrico 2, 43.51; 3, 9; 6, 57; 10, 12; 11, 3;
    13, 140; 16, 8; 26, 5; 30, 242 — efficio 9, 28 — compono
    24, 68
κατασκευή fabricatio 2, 52; 4, 2; 14, 7.19; 32, 55 — compositio
    24, 152; 25, 4
καταστοχάζομαι conicio 13, 216; 19, 31; 22, 163; 28, 181
κατατίθημι depono 14, 89; 19, 4.36.41 — indo 21, 41
κατόρθωσις correctio 2, 35
κεῖμαι positus sum 2, 15; 14, 25; 24, 110; 27, 8.59; 28, 2;
    35, 25
κενοδοξία uana gloria 7, 15.31; 11, 32
κενός uacuus 3, 8; 4, 12.13.20.20.74; 5, 12; 8, 53.54; 13, 135.
    148 — τὸ κενόν uacuum 14, 53.59
κένωμα uacuum 3, 4.4; 4, 11.13.17.20.62.67; 8, 28.35.36;
    11, 8; 14, 51 — uacuitas 4, 4.5; 8, 24 — id quod est
    uacuum 4, 23; 8, 21.26 — cenoma, id est uacuum 8, 52
κεφάλαιον capitulum Pr. 31; 1, 1; 19, 151
κεφαλή caput 24, 142.156; 26, 26'.28.33.253.258
κήρυγμα praedicatio 22, 55; 27, 26.40; 35, 52 — praeconium
    34, 16
κηρύσσω praedico 20, 7; 22, 10.30.92.120.132.171; 27, 32.51;
    28, 10; 35, 19.66 — praecono 30, 127.245
κινέω moueo 1, 6; 6, 16 — commoueo 21, 44
κίνησις motio 13, 7.18.24.83.215; 33, 65 — motus 13, 30;
    29, 67
κινητός mobilis 10, 40
κλαίω ploro 7, 27.35
κληρονομέω possideo 14, 98
κλῆσις uocatio 19, 135'
κοινωνία communicatio 18, 125 — communio 31, 12
κόλασις poena 33, 91; 34, 15

κομίζω adfero 21, 52

κόπος labor 24, 162; 26, 71; 32, 49

κοσμέω orno 30, 4 — adorno 30, 51 — dispono 9, 17

κοσμοποιΐα mundi fabricatio 2, 79; 13, 147; 16, 14; 19, 173; 31, 8

Κοσμοποιός mundi Fabricator 2, 2.26.27.31.45; 6, 2.31.53; 7, 38.125; 9, 1; 10, 23

κόσμος mundus 1, 79; 2, 1.21.29.45.74.82; 3, 20.24; 5.2.7.52; 6, 37.47; 7, 7.93.137; 9, 16.23; 11, 13; 13, 59; 14, 7. 18.43.59.65.72.127; 16, 12.20.43; 19, *137′*; 28, 11.42. 83.84.236.251; 30, 118.242; 32, *109* — ornamentum 34, 39

κράσπεδον fimbria 20, 10.15; 23, 2

κρίσις iudicium 19, *28′*.30; 22, 23.42; 28, 147; 29, 34; 34, 22

κτίζω condo 2, 54; 4, 38; 6, 36; 9, 15; 13, 21; 30, 222 — creo 2, *78′*; 6, 9; 10, 44; 28, 18; 34, *48′* — constituo 30, 55 — ὁ κτίσας Creator 9, *29′*

κτίσις conditio Pr. 13; 1, 84; 2, 5.36.69; 3, 7.16; 4, 63.72; 5, 14; 7, 2.41.82.102.120.121.165.167; 8, 41.44.50; 9, 14.15; 10, 47.49; 15, 4.4.5.25.27; 16, 21; 31, 16. 20.25 — creatio 2, 28.61; 4, 43 — creatura 7, 70.74; 9, *29′*; 15, 38.40.42.48.54; 16, 8; 24, 163; 27, 36; 28, 33.*57* — constitutio 15, 27.27.34

κτίσμα creatura 6, 3.25; 28, 12 — conditio 30, 140

Κτίστης Conditor Pr. 26; 1, 7; 25, 41; 30, 227.237; 31, 42 — Creator 35, 47

κύημα conceptus 18, 115; 19, 2 — conceptum 19, 10 — conceptio 30, 74.77 — enixio 30, 122.193

κύησις enixio 19, 88

κυλινδέομαι uolulo 11, 8; 77, 7

Κυνικός Cynicus 14, 98; 32, 68

κυρεία dominium 6, 8.29.43

κυριακός dominicus 24, 17; 30, 123; 35, 65

κυριεύω dominor 6, 8; 34, 78

Κύριος Dominus *passim*

κύριος dominus 30, 205 — κυριώτερος dominantior 5, 64.80 — κυριώτερος magis dominans 15, 5 — κυριώτερος firmior et magis dominus 1, 32.33 — κυριώτερος firmior 24, 39.56

Κυριότης Dominatio 30, 60.84.121.133.236

κωλύω prohibeo 2, 10; 5, 68; 16, 21; 17, 218; 30, 164.166

κωμικός comicus 14, 2.14.25; 18, 84

κωμῳδέω comoediso 14, 22

κωφός surdus 19, 133; 31, 54 — hebes 27, 39

Λάζαρος Eleazarus 34, 6.8.10 — Lazarus 22, 79
λαμπρός splendidus 14, 22; 30, 41
λαμπρῶς splendide 21, 35
λαμπρότης claritas 19, 20
λανθάνω lateo 19, 21; 24, 96; 33, *31* — obliuiscor 22, 121
λεληθότως latenter 6, 58 — occulte 21, 44
λέξις dictio 22, 20; 27, 36; 28, *80*; 35, 25
λεπτολογία subtile cloquium 14, 30 — minutiloquium et
    subtilitas 14, 99 — subtilitas et minutiloquium 26, 23
λήγω desino 1, 91; 2, 18; 5, 5 — definior 1, 54.66; 8, 36
    — finior 1, 26 — deficio (*leg.* definior?) 31, 9
λήθη obliuio 33, *26.31.32.36.40*.42.48.50.54.58
ληρέω deliro 12, 151; 30, 129.234
ληρώδης delirus 26, 66 — τὸ ληρῶδες deliramentum 24, 162
Λητώ Leto 21, 43
λογίζομαι deputo 22, 174; 30, 10 — reputo 7, 33 — aestimo
    22, *47'*
λογικός rationabilis 30, 53
λόγιον eloquium 30, 126
λογισμός supputatio 24, 40.47.58.60.208 — computatio 32, 50
    — ratio 24, 211
Λόγος Logos 12, 44.59.75.84.86.87.92.92.93.94.97.98.105; 13,
    52.111.112.160.164.167.227.228; 14, 15.168.172; 15,
    16; 17, 48.48.85.86.107.108.114.115.119.123.170.174.
    202; 28, 136.138 — Verbum 2, 54.66.75.77; 11, 3;
    13, 175.176.176.179.181.182.199.211.211.212.223; 14,
    156; 17, 160.165; 19, 101.162; 21, 4; 24, 30; 25, 8.53.
    54; 27, 33; 28, 26.28.107.142.171.189; 30, 224.239.
    247 — Logos, id est Verbum 13, 161 — Sermo 17, 152;
    18, 46; 19, 74 — Ratio 6, 16; 13, 220; 19, 55; 26, 60
λόγος sermo 1, 51; 2, 48.90; 4, 62; 7, 132; 8, 52; 9, 7; 10, 34;
    13, 133; 14, 53.156; 15, 37; 19, 1.122; 29, 38; 30, 21.
    154; 32, 71; 34, 70 — uerbum 11, 12.24; 13, 21.
    31.33.47.179.182.193.216; 19, 14; 21, *41*; 22, 70;
    28, 97.126.141.167.174 — ratio 1, 66.68; 2, 44; 5, 93;
    7, 112; 11, 26; 13, 69; 15, 26; 17, 37.84.150; 19, *28'*.
    30; 21, 37; 27, 20; 28, 119; 30, 198; 33, 67 — logos
    28, 114.117.130.132.132 — sermonis ratio 32, 47.52
Λουκᾶς Lucas 22, 129
λύπη tristitia 10, 40.51 — taedium 29, 49
λυρικός lyricus 21, 49

μαγικός magicus 31, 51.71.79
μάγος magus Pr. 7.16; 9, 22; 32, 86

μάθησις scientia 27, 5
μαθητής discipulus 2, 72.81; 9, 27; 14, 144; 18, 34.99; 20, 64.86; 22, 67.125.*140*; 27, 48; 32, 71.88.*97*
Μακαρία Macaria 14, 176
Μακαριότης Macariotes 14, 179
μακροημερία longitudo dierum 34, 56.64
μακροθυμέω magnanimis sum 32, 18
Μαρκίων Marcion 1, 28.61; 3, 2; 28, 159; 30, 230; 31, 14
Μάρκος Marcus Pr. 7; 14, 119
μαρτυρέω testor 7, 78; 22, *140*.145; 27, 38.46; 34, 46 — testimonium perhibeo 10, 5; 17, 134; 30, 142 — μαρτυρέομαι testimonium accipio 9, 20 — testimonium habeo 10, 2
μαρτυρία testimonium 9, 8; 14, 170; 24, 126; 25, 14; 26, 36. 62; 28, 2.219
μαρτύριον testimonium 24, 68
ματαιολογία uaniloquium 12, 73; 19, 179; 28, 216
μάταιος uanus 10, 34; 24, 162; 26, 71
Ματθίας Matthias 20, 23.94.101
Μέγεθος Magnitudo 4, 35
μέγεθος magnitudo 12, 31; 13, 80; 17, 40.50.88.89.156.178. 183.185.213.215; 18, 18.105; 19, 63.95; 20, 45; 24, 88; 26, 75; 28, 100.138; 30, 57; 31, 22
μεθαρμόζω transfiguro 10, 8; 14, 44 — transfero 25, 15; 31, 34
μελέτη meditatio 32, 49
μέλλω incipio 2, 57; 4, 40; 5, 56; 19, 117; 29, 22.27; 30, 149 — habeo 15, 53 — μέλλων futurus 28, *63*; 32, *103*
μέλος membrum 33, *20* — melodia 25, 25.33; 28, *81*
Μένανδρος Menander 18, 84; 31, 15; 32, 122
μέσος medius 13, 127; 24, 137; 35, 69
Μεσότης Medietas 14, 84; 29, 9.12.16.33.46.57.60.64.71, 90, 35.110.156
μεσότης medietas 1, 19; 16, 70
μεταγενέστερος postgenitus 14, 187; 17, 171 — posterior 19, 164
μετανοέω paenitentiam ago 32, 19
μετάνοια paenitentia 5, 87; 17, 200
μετενσωματόομαι de corpore in corpus transgredior 34, 2 — de corpore in corpus transeo 34, 18
μετενσωμάτωσις de corpore in corpus transmigratio 33, 1
μετέχω participo 13, 137.139.141.142; 17, 53.76.106; 29, 24. 34.35.37.177; 33, 60.65 — participor 23, 20; 34, 67.68
μετοχή participatio 29, 30; 31, 12; 34, 72
Μήτηρ Mater 5, 20.24.33.35; 6, 55; 7, 2.28.35.41.106; 8, 9; 10, 46.50; 12, 128; 14, 17.47.74.139.145.149.151; 17, 135.137; 18, 116; 19, 3.36.44.68.81.124.172; 21, 43.

49; 22, 177; 24, 63.97; 29, 3.7.49; 30, 40.64.77.87.89.
    91.157.161.163.193.201.229; 31, 30
μήτηρ mater 13, 10; 14, 38.121; 24, *130'*
μήτρα uulua 28, 14.17
Μητρικός Metricos 14, 178
Μιλήσιος Milesius 14, 35
Μίξις Mixis 14, 173
μνήμη memoria 33, *9.34*.50.77
Μονογενής Monogenes 7, 44.62; 12, 108.112.114.125; 14,
    175; 17, 158.203; 19, 162 — Vnigenitus 7, 39; 24, 53;
    28, 170
μονοειδής uniformis 17, 23
μόρφωσις formatio 2, 70; 5, 35.48; 12, 128; 19, 6.60
μουσική musica 32, 50
μυέω initio Pr. 24
μυθολογέω fabulis refero 30, 13
μυθολογία fabulosa enarratio 28, 226
μῦθος fabula 12, 144; 14, 9
μυστήριον mysterium Pr. 25; 13, 223; 14, 20.141.157; 21,
    47.49; 24, 21; 28, 7.29.146.169; 30, 148 — sacra-
    mentum 17, 163; 30, 133.181
μωρία stultitia 30, 17
μωρολογία stultiloquium 28, 106
μωρός stultus 21, 42; 24, 124; 28, 88 — fatuus 2, 80; 10, 65;
    32, 11
Μωϋσῆς Moyses 2, 82; 22, 88; 24, 127.146; 30, 127; 34, 14

Ναδάβ Nadab 24, 151
Ναυή Naue 24, 155
νεανίας iuuenis 22, 105.109.110.110.133.135; 24, 145
Νεῖλος Nilus 28, 37
νεκρός mortuus 22, 80.*116'*; 24, 132; 31, *61*.69; 32, 87.*106*;
    34, 16
νέος nouellus 13, 36
νέφος nubes 28, 48.51
νεώτερος iunior 12, 53; 17, 70; 21, 6; 22, 166 — iuuenior
    17, 22.58.73 — posterior 13, 169.196 — minor (*leg.*
    iunior?) 17, 105
νήπιος paruus 19, 77 — infantilis 19, 84 — paruulus 22, 105.
    107.107; 24, 144
νηστεία ieiunium 31, *65*
νοερός intellectualis 29, 5
νοέω intellego 12, 27.39; 13, 88; 17, 38.59; 18, 14; 22, 40;
    28, 170; 34, 73 — sentio 13, 80.104

νόησις sensus 13, 6 — sensuabilitas 13, 69
νομοδιδάσκαλος legis doctor 19, 128
νομοθεσία legislatio 35, 54
νόμος lex 11, 4; 24, 61.106.146; 30, 244
Νοῦς Nus 7, 39.61.63; 12, 24.37.44.59.75.84; 13, 3.4.8.9.12.
    52.164.167.176.201.226; 14, 13; 17, 48.48.109.110.112.
    113.113.115.151.153.164.168.168.174; 18, 24 — Sensus
    13, 87.87.90.90.90.91.94.96.99.153.175.175; 14, 157 —
    Mens 28, 133.134.136 — Nus, id est Sensus 13, 158
νοῦς sensus 1, 79.99; 7, 133; 10, 17; 13, 21.68.74.75.81.84.
    193.194.195.196.197.222; 14, 49.111; 16, 47.58; 18,
    112; 19, 159; 24, 166; 26, 67; 27, 1; 28, 112.113.124.
    127.166; 29, 65 — mens 6, 16; 13, 215; 16, 51; 28, 119.
    129.132.132; 33, 71 — nus 13, 11.11.34.45 — cogitatio
    28, 131
νύμφη sponsa 29, 6
Νυμφίος Sponsus 27, 23
νυμφίος sponsus 29, 4
νυμφών thalamus 27, 28
Νύξ Nox 14, 3.4.12
νύξ nox 16, 62
Νῶε Noe 30, 243

ξένος peregrinus 18, 71
ξύλον lignum 2, 39

Ὀγδοάς Ogdoas 12, 83.97.99.143; 14, 18; 16, 59; 17, 3;
    23, 24; 24, 12 — Octonatio 15, 13.20; 16, 56.64;
    24, 79.83.111.185
ὁδηγός ductor 18, 130
ὁδός uia 19, 133.158
οἴημα praesumptio 18, 111; 30, 14
οἰκονομία dispositio 4, 1; 10, 12; 25, 55; 28, 7
οἰκουμένη orbis 9, 18
οἷον ut puta 28, 82.252; 30, 117; 35, 35
ὀκτάμορφος octiformis 15, 42
ὀλιγομαθής parum sciens 26, 1
ὀλιγοχρόνιος breuissimi temporis 7, 14
ὁλόκληρος integer 7, 120; 27, 11
Ὁμηρικός homericus 5, 91
Ὅμηρος Homerus 14, 37; 22, 176
ὁμίχλη nebula 28, 48.52
ὁμογενής eiusdem generis 30, 199

ὁμογνώμων eiusdem testamenti (*leg.* mentis?) cum (aliquo) 14, 98

ὁμοιομελής similimembrius 13, 66 — simili aptatione membrorum 27, 12

ὁμοιόμορφος similis formationis 8, 49

ὁμολογέω confiteor 1, 94; 3, 8; 4, 27.75; 5, 10.13; 7, 81.116. 149; 8, 4; 9, 3; 13, 131.135.149; 14, 48; 16, 4.42.48; 17, 30.103.111; 18, 114; 20, 31; 22, 20.85.136; 24, 206.215; 27, 57; 28, 96; 30, 87.109 — consentio 5, 31.44; 8, 41.42; 9, 9; 16, 38; 24, 204 — fateor 15, 45 — consentio et confiteor 26, 53

ὁμολογία consensus 26, 62

ὁμοούσιος eiusdem substantiae 14, 87; 17, 17.29.51.67.87.98. 116; 18, 60.75; 29, 18

ὁμότιμος eiusdem honoris 4, 16.22

ὁμοφυής eiusdem naturae 4, 16

ὁμόχρονος eiusdem temporis 17, 20

ὄνομα nomen 6, 35; 7, 72; 12, 20.110; 14, 10.24.68.190.194. 198; 17, 180; 24, 4.9.13.17.19.40.47.54.56.207.213; 25, 2; 28, 157.223.262; 31, 32; 32, *96.109*.117.120 — uocabulum 18, 7; 24, 34

ὀνομάζω nomino 12, 56; 13, *28*; 14, 13; 21, 36; 22, 44 — appello 13, *32*

ὁρατός uisibilis 27, 33; 30, 124.223; 35, 61

ὀρθός rectus 17, 150

ὀρθῶς recte 13, 75; 28, 224 — rectissime 2, 40; 13, 32.76; 28, 25

ὁρμάω impetum facio 11, 11

ὁρμή impetus 10, 50; 29, 50

Ὅρος Horos 12, 109.111.126; 19, 172

Οὐαλεντῖνος Valentinus Pr. 3; 4, 20.24; 16, 50; 17, 132; 19, 154; 28, 159.246; 31, 1

οὐράνιος caelestis 7, 75.97; 27, 34; 28, 30; 30, 224; 33, 56

οὐρανοποιΐα fabrica caelorum 35, 7

οὐρανός caelum 1, 2.67; 2, *83'*; 6, 48; 9, 5.12; 14, 46; 16, 28. 33.59.61.69; 24, 28.29.30; 26, 64; 30, 3.42.51.58.117. 120.130.140.143.146.154.160.170.172.182.186.232.239; 32, 89; 34, 37; 35, 3.5.7.8.14.15.20.40.47

οὐσία substantia 2, 65; 4, 13; 5, 19; 7, 30; 10, 31.34.39.45.49. 53; 12, 103; 13, 39; 14, 79.107.113; 16, 17; 17, 18.30. 34.35.61.78.177; 18, 11.45.54.88.109.123; 19, 15.33. 42; 20, 14.61; 29, 12.15.25.48.61; 30, 10.220; 31, 78

ὄφις serpens 20, *54'*

παθητός passibilis 12, 15; 17, 79.82.95.102

πάθος passio 4, 42; 10, 47.63; 12, 55.67; 13, 54.60.66.147.221; 14, 181; 17, 34.53.66.71.91.93.99.106.109.110.130.133. 212; 18, 3.7.9.13.17.28.44.50.51.53.55.55.79.83.91.96. 107.107.121; 20, 4.5.16.17.30.34.34.36.38.42.46.48.50. 52.56.65.92.96.97.99.101; 23, 12.14.20.36

παίδευμα erudimentum 19, 35

παῖς puer 7, 127; 22, 105; 24, 144 — puella 24, 128.*130'*

παλαιός uetus 14, 2.32.33; 33, *24*

Πᾶν Totum 12, 116

πᾶν (τό) uniuersitas 9, 31; 11, 6; 14, 64; 19, 23.156; 31, 23 — uniuersum 14, 101 — quod est uniuersum 3, 9

Πανδώρα Pandora 14, 90; 21, 52; 30, 74 — Pandora, id est Omnium munus 21, 35

Πάνδωρος Pandoros 14, 92

Πάντα Omnia 5, 31; 7, 58; 21, 33

Παντοκράτωρ Omnipotens 1, 98; 6, 18.32; 31, 13

παντοκράτωρ omnipotens 6, 12; 30, 122; 35, 46

παραβαίνω transgredior 28, 184.188.205.207 — παραβεβηκώς transgressor 28, 201

παραβολή parabola 10, 6.22; 11, 20; 19, 180; 20, 1; 22, 19; 27, 8.10.14.17.25.41.49.52.53; 28, *78.79.*224.264

παράδειγμα exemplum 7, 130; 14, 66.67; 16, 14.18.44

παράδεισος paradisus 30, 144.146.183.189.242

παραδίδωμι trado 20, *89'*; 21, 32; 22, *141*; 24, 146; 30, 246

παράδοσις traditio 9, 10.18

Παράκλητος Paracletus 14, 177

παραλαμβάνω accipio 9, 18; 14, 102; 24, 147

παραλείπω praetermitto 8, 28; 10, 1; 18, 7

παραμονή perseuerantia 32, 49; 34, 52.59.75.80

παρατηρέω obseruo 31, 88

παραχωρέω cedo 26, 73; 28, 24.189; 34, 79 — concedo 28, 181. 199.211.237

παρέχω praesto 1, 9; 5, 24.37; 6, 12; 26, 16; 28, 200; 30, 188; 32, 14.81.120; 34, 55.58.63.69; 35, 51

παρθενικός uirginalis 30, 232

παρθένος uirgo 24, 123

παρουσία aduentus 6, 20; 35, 21

Πάσχα Pascha 22, 59.63.65.72.*81'.*84.86

πάσχα pascha 22, 83

πάσχω patior 7, 104; 8, 32; 12, 55.61.62.65.68.80; 13, 219; 17, 104; 18, 6.49.49.59.66.67.73.115; 20, 9.12.29.32. 33.35.37.38.42.43.47.65; 22, 9.52.84.87.121.133.172; 23, 4.10.17.19.32.32.37; 28, 31; 30, 208 — perpetior 20, 60

Πατήρ Pater *passim*
πατήρ pater 13, 11.207; 18, 116; 22, *151'*; 24, *130'*
Πατρικός Patricos 14, 178
πατρικός paternus 4, 64.67.77; 5, 10; 8, 18.23.29; 13, 117;
    17, 71.80.82; 18, 106; 19, 58.67 — paternalis 14, 139
Παῦλος Paulus 2, 87; 19, 135; 21, 30; 22, 44; 26, 5; 28, 197;
    30, 141
παύομαι cesso 1, 83; 8, 38; 11, 29; 18, 24; 20, 16; 32, 84;
    33, 76.*93*; 34, 5 — quiesco 3, 19
πείθω suadeo 18, 19.22.36.40 — πείθομαι credo 2, 79; 19, 181;
    28, 256.261; 31, 53 — adsentio 9, 28; 16, 1; 18, 129;
    34, 14
πεῖρα experientia 25, 46
πειράομαι conor Pr. 10.12; 5, 74.87; 14, 100; 18, 105; 19, 180;
    20, 4; 28, 225; 32, 44.63 — tempto 21, 28; 22, 11; 24, 6.
    62.163 — adnitor 14, 118 — nitor 32, 80
πεισμονή suadela 9, 11 — suasio 28, 9
Πέλοψ Pelops 21, 50
Πεντάς Quinio 15, 14; 24, 160
πεντάς pentas 14, 115
περιγραφή circumscriptio 7, 148.151.155; 13,129; 17, 40
περιγράφω circumscribo 1, 25; 4, 29; 8, 33; 31, 5.23
περιεργάζομαι curiose ago 1, 82; 31, 11
περιεργία curiositas 32, 115
περίεργως curiose 26, 27
περιποιέω adtribuo 11, 17; 19, 49.50 — περιποιέομαι acquiro
    18, 75; 22, 27
περισσεύω in abundantia sum 22, 35 — abundo 30, 49 — supero
    22, 78
περισσός superfluus 13, 107; 14, 126; 19, 84; 23, 8; 29, 18.18
    — τὸ περιττόν impar 14, 105
περιφορά circumlatio 32, 73
Πέτρος Petrus 24, 126.*129'*
πήλινος luteus 19, 147
πηλός lutum 15, 51; 19, 145.148
πιθανολογέω suadeo per pithanologiam 14, 165
πιθανός uerisimilis 2, 52; 13, 8.210; 14, 193; 17, 122; 31, 24
    — suasorius 23, 15; 28, 38 — suasorius siue seductorius
    2, 48
πιθανότης uerisimilitudo 14, 170
πιθανῶς uerisimiliter 13, 217; 14, 1.154
Πιλᾶτος Pilatus 32, *110*
Πίνδαρος Pindarus 21, 49
πιστεύω credo 10, 31.36.42.45; 11, 1.5; 14, 172; 17, 6; 19,

129; 20, 53; 21, 43; 22, 24.53.55.*66'*.146; 26, 18; 27, 31; 28, 102.104; 29, 18.39; 30, 128.246; 31, 67; 32, *101*.121

Πίστις Pistis 14, 178

πίστις fides 14, 100; 22, 54; 25, 40; 28, 67.67.*75*; 29, 26

πιστός fidelis 2, 81; 34, *61'* — credibilis 10, 55; 14, 194

πλανάομαι erro 20, 44; 25, 39 — πεπλανημένος errans 10, 51.61; 12, 18; 17, 135 — πεπλανημένος erraticus 1, 37

πλάνη error 4, 79.80; 5, 60.62.73; 12, 16; 14, 181; 20, 57.63; 22, 177; 24, 114; 31, 51.70

πλάσις plasmatio 14, 8.19; 30, 64

πλάσμα figmentum 8, 53; 20, 2; 21, 43; 22, 118; 23, 27.42; 24, 14.59.72.117; 28, 220 — fictio Pr. 10 — plasma 32, 124

πλάσσω plasmo 7, 51; 26, 15; 28, 12.17; 30, 182 — fingo 9, 37.40; 18, 87; 28, 218 — adfingo 12, 69; 31, 44 — formo 14, 16; 30, 52.241

Πλάστης Plasmator 11, 13

πλαστός finctus 14, 30

πλατύνω in multum dilato 13, 29.30

Πλάτων Plato 14, 62.65.73; 33, *24*.34

πλεονέκτης auarus 1, 83

Πλήρωμα Pleroma *148 occurrences* — Plenitudo 1, 11; 7, 29; 14, 117; 18, 8; 24, 12.84

πλούσιος diues 10, 43; 24, 130; 34, 6.7.13

πλοῦτος diuitiae 28, 72

Πνεῦμα spiritus 28, 26.28.*193'*; 30, 190; 33, *90*; 34, 46

Πνεῦμα ἅγιον Spiritus sanctus 12, 114.126; 19, 165.171.177

πνεῦμα spiritus 6, 21.23; 13, 68; 17, 24.42; 18, 64 65; 21, 54; 00, 120, 29, 0; 30, 7; 31, 66.87; 32, *101*; 34, 41

πνευματικός spiritalis 2, 62.62; 3, 10.27; 7, 147.150.153.153; 8, 6.8.47; 10, 45; 13, 150.151; 14, 82; 15, 5; 17, 42. 43.149; 18, 9.11.78.78.81.87.92.104; 19, 33.40. 62.76.76.97.115.116.118; 28, 30.*61*.124.259; 29, 4.6. 10.10.53.54; 30, 5.10.32.74.106.119.121.137.138.140. 142.181.185.188.191.192.195.204.208.215; 31, 79; 33, 60

πνευματικῶς spiritaliter 7, 50.51; 33, 56.59

πνοή spiramen 26, 15

ποίημα factura 9, 16; 25, 21; 30, 63

Ποιητής Factor 1, 90; 7, 116.119; 9, 43; 11, 13; 19, 156; 25, 29.67; 26, 75; 28, 216; 30, 213.227.237; 31, 43; 34, 35.57; 35, 20.64 — Fabricator 9, 11; 11, 4

ποιητής factor 4, 56; 14, 69; 17, 184 — poeta 14, 38.81;
21, 35; 22, 176
ποιός qualislibet 13, 7.18
ποιότης qualitas 17, 78; 19, 16.19
πολυμαθής πολυμαθής εἰμι multum scio 26, 3
πολυμερής multifarius 11, 29; 14, 116; 25, 12 — multiformis
7, 121
πολυμερῶς multifarie 24, 110
πολυφωνία multae uoces 28, 80
πόμα poculum 33, 26.32.37.40
Πόντιος Pontius 32, 110
ποσότης quantitas 17, 40; 24, 78; 26, 52.56
ποτίζω poto 33, 30.36
πραγματεία dispositio 7, 129; 14, 17; 16, 5.32.35; 17, 2; 30,
151 — operatio 5, 58; 25, 3; 30, 202.203.205 — operositas 14, 184; 16, 65 — negotium 22, 122; 23, 45 —
negotiatio 24, 24
πραγματεύομαι ago 33, 17
πρᾶξις operatio 14, 95; 29, 13; 31, 89; 32, 1.45; 33, 4 — opus
30, 18.35.112 — actio 19, 25; 30, 101 — actus 20, 1
— factum 32, 65
πρεσβύτερος senior 17, 73; 21, 7; 22, 105.111.111.114.138.
139; 24, 145 — antiquior 13, 168.195; 17, 21.58 —
prouectior 22, 124.134 — aetate prouectior 17, 173
Προαρχή Proarche 1, 27; 8, 39; 30, 232
προβάλλω emitto 106 occurrences — profero 4, 7.21.38; 10, 62;
13, 199; 20, 62.72; 21, 3.4; 24, 49.52; 28, 126.155.176
— profero siue emitto 20, 27
πρόβατον ouis 5, 41; 22, 47'.49; 24, 200.202
προβολεύς prolator 2, 34.46; 4, 6.20 — emissor 17, 32
προβολή emissio 59 occurrences — prolatio 3, 36; 5, 60; 13,
180; 21, 2; 28, 89.91.98.105.108.133.137.142.156.164.
173; 31, 29 — probole 13, 222
προγενέστερος anterior 5, 23; 13, 212
προγεννάω progenero 17, 153
προγίνομαι ante habeor 33, 9 — fio 33, 33 — προγεγονώς
praeteritus 33, 22.79
πρόγνωσις praescientia 32, 102
προγνώστης praescius 3, 13.15
πρόγονος progenitor Pr. 16
προδότης proditor 20, 30.68 — traditor 20, 32
πρόειμι procedo 9, 6
προέρχομαι procedo 13, 227; 18, 13 — prodeo 10, 39
πρόθυμος promptus 26, 46

INDEX DE MOTS GRECS 409

προθύμως prompte 27, 4
προκόπτω proficio 27, 4; 30, 166
πρόνοια prouidentia 6, 5; 15, 47; 24, 16; 26, 51.55; 30, 167
προοῖδα praescio 3, 10; 17, 198.203; 28, 203
προορίζω ante praefinio 33, 95 — ante definio 33, 88 — praedestino 2, 60
Προπάτωρ Propator 3, 11; 4, 69; 6, 56; 7, 30.62; 8, 38; 12, 8.
29.74.112.119; 13, 9.12.102.128.202; 17, 68.109.110.
151.161.206; 18, 105; 31, 22
προσευχή oratio 31, 63
προσεύχομαι oro 32, 19
προσηγορία appellatio 1, 98; 6, 18; 12, 130.138; 13, 35.38.
190.192; 14, 193; 31, 14 — nuncupatio 35, 29.44.
49 — uocabulum 13, 19
προσηλόω clauis adfigo 24, 137
πρόσκαιρος temporalis 3, 25; 5, 14.54.61; 7, 18.21; 34, 62
προσπλοκή admixtio 19, 56; 33, 8
προϋπάρχω ante exsisto 4, 24
πρόφασις occasio 26, 8
προφητεία prophetia 35, 17
προφητεύω propheto 28, 198'.244'
προφήτης propheta 2, 82.91; 7, 117; 9, 13; 11, 14; 14, 140;
22, 10.17.18.28.29.44; 28, 139; 30, 127.245; 32, 126.
127; 33, 55; 34, 14; 35, 17.18.53
προφητικός propheticus 27, 29; 32, 93.103; 34, 20.46.70
προφορικός emissibilis 13, 32 — emissionis 28, 174 — prolatiuus
13, 178
Προών Proon 1, 27
πρωτεύω primatum teneo 22, 116'; 28, 177 — principor 34, 77
πρωτόπλαστος primoplastus 9, 10 — protoplastus 34, 70
πρωτότοκος primogenitus 17, 203; 22, 115'
Πτολεμαῖος Ptolomaeus 4, 25; 22, 146; 28, 246
Πυθαγόρας Pythagoras 14, 120
Πυθαγορικός Pythagoricus 14, 102
πῦρ ignis 7, 99'.144; 12, 40; 18, 64.64; 28, 201.205; 29, 15.56.
62; 32, 12.36'.37'.67

ῥευστός fluxibilis 18, 119
ῥέω fluo 17, 182 — effluo 20, 13 — defluo 23, 5
ῥῆμα sermo 19, 27'.29; 30, 187 — uerbum 30, 144
ῥῆσις dictio 22, 28.37; 32, 103
ῥυθμός consonantia 2, 61; 15, 37.40; 26, 59 — rhythmizatio
15, 30.31
Ῥωμαῖος Romanus 6, 27; 22, 46

410 TABLES

Σαβαώθ Sabaoth 35, 26.37
Σαμάρεια Samaria 22, 68
Σαμαρῖτις Samaritana 22, 69
Σαμαρίτης Samaritanus Pr. 17
σαρκικός carnalis 28, 125; 30, 6
σάρξ caro 19, 116.116; 21, 51
Σατανᾶς Satanas 23, *30'*
Σατορνῖνος Saturninus 28, 160; 31, 27
σεμνῶς grauiter et honeste 28, 101
σημεῖον signum 22, *66'*
σημείωσις significatio 35, 28
σιγάω taceo 22, 6
Σιγή Sige 4, 11; 12, 24.37.59.84.86.86.91.92.93.97.98.105; 13, 203.226; 14, 13.40 — Silentium 14, 3.12
σιγή silentium 12, 26
Σίμων Simon Pr. 16.22; 9, 22; 31, 15.47; 32, 86.122
σιωπάω taceo 21, 30; 24, 16; 28, 117
σκεῦος uas 19, 107.107.110 — uasculum 19, 108
σκιά umbra 3, 4; 4, 4.61.67; 8, 1.5.8.10.14.15.17.21.27.28.35. 52; 11, 9.10; 14, 51
σκοτεινός tenebrosus 4, 75; 5, 13; 27, 41
σκότος tenebrae 7, 144; 12, 88.89.90.91; 19, 66; 27, 25
Σοφία Sophia 12, 18.53.61.65.102; 14, 180.181; 17, 95.108. 129.176; 18, 2.3.5.6 — Sapientia 30, 225.239
σοφία sapienta 13, 194; 17, 132; 25, 5.31; 30, 55.57.98
σοφιστής sophista 17, 161.167
σοφός sapiens 11, 4; 19, *136'*
σοφῶς sapienter 21, 50
σπείρω semino 19, 6
σπέρμα semen 6, 55; 14, 46.47.48.50.139.145.149.150; 19, 1.12.16.24.33.36.44.48.72.82.111.113.121.124.139. 173; 30, 198
σπερματικῶς seminaliter 14, 41
σπίλος macula 4, 36.37.44.46; 31, 23
σπλάγχνα uiscera 13, 117; 24, 140
Σταυρός Soter (= Σωτήρ) 12, 127
σταυρός crux 24, 135
σταυρόω crucifigo 26, 22; 32, *110*
στιγμή stillicidium 32, 84 — μία στιγμὴ χρόνου breuissimum tempus 33, *17*
στοά porticus 14, 80; 24, 133
στοιχεῖον elementum Pr. 11 — littera 28, 224
Στωϊκός Stoicus 14, 80
συγγένεια cognatio 19, 129

INDEX DE MOTS GRECS 411

συγγενής cognatus 4, 7; 18, 73
Σύγκρασις Contemperamentum 14, 175
σύγκρασις temperamentum 25, 36
σύγκρισις comparatio 1, 97; 30, 22; 32, 77
συγχωρέω concedo 4, 47; 5, 59.63.66.67.68.72.72.83; 24, 168; 28, 148
συγχώρησις concessio 5, 57.78
συζυγία coniugatio Pr. 34.34; 12, 33.47.63.70.72.78.100; 14, 118; 20, 84
σύζυγος coniux 12, 54.61.68.102; 13, 203
συλλαβή syllaba 24, 4.4; 25, 10; 28, 222.262; 35, 38.41
συλλαμβάνω concipio 17, 131; 18, 28; 19, 2.83.88.89.91; 28, 14.127
σύλληψις conceptio 19, 87
συμβάλλω conuenio (= συμβαίνω) 22, 141
σύμβολον symbolum 17, 156
συμπαραμένω cum (aliquo) perseuero 17, 206
συμπάσχω compatior 23, 34
συμπήγνυμι compingo 21, 52
συμπροβάλλω cum (aliquo) emitto 4, 10; 17, 171 — coemitto 13, 21
συμφωνέω consono 20, 69; 28, 79; 35, 52
σύμφωνος consonans 10, 19; 25, 25; 28, 77.80
συνακούω coobaudio 13, 192
συναναστρέφομαι cum (aliquo) conuersor 32, 124
συναποθνήσκω cum (aliquo) morior 34, 27
συνεκτικώτατος maxime continens 19, 151
συνερανίζω confero et congero 19, 168 — συνερανίζομαι ex collatione subsisto 21, 33
Σύνεσις Synesis 14, 179
σύνθετος compositus 3, 31; 7, 51.146.148; 13, 50.88; 17, 24. 111; 21, 32; 28, 111.134
συνίστημι constituo 24, 113 — consisto 28, 225 — συνίσταμαι consto 7, 111; 9, 2.19; 10, 55; 12, 98; 14, 43; 18, 30 — συνίσταμαι subsisto 7, 82; 13, 50; 25, 26
συντέλεια consummatio 22, 26; 29, 2
συντελέω consummo 7, 137; 32, 48
συνυπάρχω coexsisto 12, 42.48; 25, 52; 30, 250
σύστασις substantia 13, 148; 14, 189; 17, 19.208; 18, 58; 19, 57; 28, 175.217; 35, 57 — constitutio 4, 43
σφετερίζομαι uindico 13, 209
σχῆμα figuratio 7, 149.151.157; 17, 39.45 — figura 7, 155; 13, 128.139; 28, 236 — habitus 7, 162; 24, 135; 26, 56 — habitus et liniamentum 23, 23

412   TABLES

σώζω saluo 6, 20; 11, 30; 19, 117; 22, 27.41.103; 29, 23.23.
    25.25.26.29; 30, 243; 32, 20; 34, 49 — saluum facio
    34, 52
σῶμα corpus 8, 3.5; 13, 35.39.50.133; 17, 41; 19, 109; 27, 11;
    29, 23.28.31.34.38.40.60.63.71; 30, 175'.175'.176.179.
    180.207.208; 31, 58; 32, 59; 33, 8.11.14.17.20.30.35.
    35.41.45.48.48.54.54.58.60.61.64.65.66.73.74.75.81.83.
    86.89.92; 34, 3.27.66
σωματικός corporalis 13, 88; 14, 84; 18, 80; 31, 59
Σωτήρ Saluator 5, 30.35.40.47; 6, 58; 7, 1.11.16.28.46.55.58.
    66; 12, 116.127; 14, 88.92.126.147; 17, 156; 18, 98;
    19, 3.9.90.91.166.178; 20, 5.10.11.81.85; 21, 7.9.32;
    22, 5; 23, 44; 24, 64.97.179.200; 27, 47; 28, 193;
    29, 4.19; 30, 40.64.69.77.165.212 — Soter 14, 188;
    19, 172; 24, 18.34.120 — Soter, id est Saluator 24, 14
σωτηρία salus 10, 30; 18, 74; 20, 32.47; 24, 202.204; 31, 75;
    32, 54
σωτήριος salutaris 18, 126

τάξις ordo 2, 61; 7, 159; 13, 1; 17, 21.119; 20, 73.75.75; 25,
    56; 26, 56; 30, 132; 34, 9 — ordinatio 12, 95; 13, 171.
    183
ταπεινός humilis 6, 49
ταπεινόω humilio 11, 28
τέλειος perfectus 4, 51.55.56.57.58; 9, 41; 16, 66; 17, 115.117.
    153.153.155.169.172.174.210; 18, 33.37.38.90.95.102.
    103.124; 19, 55.73.77.100.101; 22, 94.111; 26, 10.14;
    28, 26.236.259; 29, 44; 32, 41
τελείωσις perfectio 2, 38; 18, 92.118; 19, 6.49.61.65.78
τελέω perficio Pr. 25
τέλος finis 1, 19.20.24.52; 8, 38
τερατολογία portentiloquium 16, 52
Τετράς Tetras 12, 134 — Quaternatio 20, 14; 24, 78
τετράς tetras 14, 115 — quaternatio 14, 121
τέχνη ars 14, 32; 30, 98; 32, 46.55.58.58; 33, 84
τεχνικός artificialis 32, 43
Τεχνίτης Artifex 25, 28.34.39; 25, 60
τεχνίτης artifex 7, 57.60.127.134; 30, 97.101.104; 33, 67.68
τεχνολογία ἡ ... τεχνολογία τοῦ τῆς λήθης πόματος artificiose
    compositum obliuionis poculum 33, 40
Τηθύς Tethys 14, 39
Τιβεριάς Tiberias 22, 76
τίκτω pario 20, 61; 30, 89

τιμάω honoro 7, 2.13.16.24.28.30; 19, 125 — honorifico 19, 139
τιμή honor 6, 59; 7, 10.12.14.17.21.31.33.35; 12, 137
τοιουτόσχημος huiusmodi figurae 15, 44 — huiusmodi figu-
    rationis 16, 10
τόλμα temeritas 11, 23 — audacia 28, 214
τολμάω audeo Pr. 12; 8, 2; 12, 52; 17, 107; 30, 150
τολμηρῶς audaciter 28, 145
τόπος locus 3, 14.17.69; 8, 24.37; 9, 30; 13, 95.143.186.199.
    200.222; 14, 60; 20, 20.23.27.74.87; 29, 7.9.33.36.58;
    30, 35; 31, 64; 34, 15.23
Τραϊανός Traianus 22, 142
τρέμω tremo 6, 24.25.33
Τριακοντάς Triacontas 12, 1.17.108.139
Τριάς Trinitas 15, 14
τρόπος modus Pr. 4; 4, 11.29; 5, 50; 9, 2; 12, 44; 19, 150;
    21, 52; 22, 57; 28, 74 — ὃν τρόπον quemadmodum
    13, 214
Τροφεύς Nutritor 31, 43
τυγχάνω ὁ τυχών quilibet 19, 122; 22, 136; 24, 112; 28, 221
    — ὡς ἔτυχεν : cf. εἰκῇ
τυπικός typicus 24, 118
τύπος typus 20, 21.32.64.76.92.94.102; 21, 1.6.13.17.22.25.
    28.31; 23, 15.18.21.31.32.38.39.43.45; 24, 64.66.73.82.
    83.86.107.108.113.164.170.174.179.188; 25, 37
τυφλός caecus 12, 117; 17, 157.158.165.169.175; 18, 130.130;
    19, 133; 31, 53 — τυφλότερος plus caecus 17, 175
τυφλόω obcaeco 17, 155 — excaeco 17, 177
τύφλωσις caecitas 4, 60; 17, 159; 28, 105
τυφλώττω caeculio 17, 150; 22, 13; 27, 40
τῦφος supercilium 20, 12
τυφόω inflo 10, 41; 28, 145   τυφούμενος tumidus 30, 15

ὑβρίζω contumeliose tracto 7, 25
ὕβρις contumelia 7, 24; 32, 21
ὑγιής sanus 2, 93; 24, 134; 27, 1; 30, 128; 32, 105
υἱοθεσία adoptio filiorum 11, 16
Υἱός Filius 6, 14'.14'.14'; 14, 148'.150'; 20, 89'; 26, 22;
    28, 147.149'.150.155.162.228; 30, 248.250.251; 32, 95;
    35, 21
υἱός filius 17, 137; 20, 90'; 22, 69.70'
ὕλη materia 10, 31.43.47.52.58.60.62.64; 13, 146; 14, 65.71;
    17, 61.62; 18, 45.54.119.123; 19, 56.69.72; 20, 99;
    28, 90.175; 29, 50.62.72 — materia et substantia 23, 21

ὑλικός materialis 5, 54; 20, 61; 24, 198.212.215; 29, 10.11.55. 56.61; 30, 117

ὕπαρ uigilans 33, 15

ὑπεραναβαίνω superascendo 30, 33.107

ὑπερβαίνω supergredior 22, 100; 30, 162 — supertranscendo 25, 57

ὑπερβάλλων immensus 17, 216 — eminens 25, 53

ὑπερηφανία superbia 32, 21

ὑπερουράνιος supercaelestis 2, 63; 17, 162; 28, 260 — caelestis (leg. supercaelestis) 2, 63

ὑποβαίνω ὑποβεβηκώς inferior 2, 56

ὑπόγειος subterrenus 27, 35

ὑπόθεσις regula Pr. 31; 7, 68; 12, 145; 18, 58.114; 19, 141. 151; 25, 17.18.39; 35, 2 — argumentum 14, 23.23; 17, 104; 24, 95.104.116; 25, 9.13.17; 26, 44; 28, 219 — argumentatio 11, 27.32; 12, 6.67.101; 29, 2; 30, 22. 80.93

ὑπόκειμαι subiaceo 13, 94.97 — ὑποκείμενος subiacens 3, 3; 7, 114; 10, 58; 13, 99; 18, 131; 24, 158; 25, 9.16; 35, 59 — ὑποκείμενος subiectus 13, 93; 14, 71; 30, 155 — τὸ ὑποκείμενον res subiecta 33, 70

ὑποκριτής hypocrita 5, 71; 14, 21

ὑπόληψις suspicio 28, 225

ὑποταγή subiectio 22, 109; 28, 185.187

ὑποτάσσω subicio 6, 19.26.35; 30, 165 — subdo 27, 3; 34, 79

ὑστερέομαι minor sum 25, 47.51 — minor sum et nouissimus 28, 27 — inferior sum 34, 32 — ὑστερούμενος minor 25, 44

ὑστέρημα labes 2, 57; 3, 35.38; 4, 41.42.44.53.79.79; 5, 60. 75; 9, 32; 12, 102; 14, 184.188; 17, 65.68; 19, 56.176. 177.178; 28, 98.104.217; 31, 44 — deminoratio 13, 118.119.146; 17, 152; 18, 2; 19, 163.167.169; 31, 30 — diminutio 19, 170 — postremitas Pr. 27 — extremitas 1, 4

ὑψηλοφρονέω altum sapio 10, 41

Ὕψιστος Altissimus 6, 18; 35, 47

φανερός manifestus Pr. 34; 10, 19; 12, 5.117; 13, 83; 14, 191; 23, 11; 24, 59; 27, 26; 29, 32; 32, 123 — apertus 27, 30.59; 28, 2

φανερόω manifesto Pr. 17; 9, 16; 19, 158; 20, 58; 30, 248; 32, 88.90

φανερῶς manifeste 12, 57; 13, 159; 14, 62; 19, 121; 24, 32; 28, 10.79; 32, 116; 34, 17; 35, 66 — aperte 27, 7.13.44

φανέρωσις manifestatio 13, 110

φαντάζομαι fantasmor 28, 180 — in phantasmate ago 33, *12*
— in phantasmate concipio 33, *18*
φαντασία phantasia 11, 29; 31, 71.83
φαντασιωδῶς per phantasmata 32, *92*
φάντασμα phantasma 31, 81.86; 32, 83
Φαρισαῖος Pharisaeus 22, 80
φθαρτός corruptibilis 5, 61; 7, 20.106.146; 14, 78; 24, 215
φθορά corruptio 17, 83; 20, 57.62; 24, 199.206 — corruptela
29, 27
φιλαλήθης amator ueri 25, 27 — amans uerum 27, *2* — amans
ueritatem 27, 57; 35, 70
φιλοσοφία philosophia 32, 68
φιλόσοφος philosophus 14, 28; 27, 19
φιλοτιμέομαι elaboro 32, 62; 35, 27
φρονέω sentio Pr. 15; 13, 177; 16, 52; 18, 48.49.52; 25, 65
— sapio 13, 42.42; 28, 121
φρόνησις sensus 13, 15 — sensatio 13, *28.28*
φρόνιμος sapiens 24, 123
φυσιολογέω naturali disputatione comminiscor 14, 9
φυσιόω inflo 26, *5'.12'*.20
φύσις natura 7, 88.89.90.91.109.114; 13, 50; 17, 76.89; 18,
72; 24, 158; 25, 64; 28, 187.188.206; 29, 24.*42*; 30,
131; 34, 53; 35, 59 — φύσει naturaliter 17, 72.80;
29, 47; 30, 199
φυσίωσις inflatio 26, 13
φωνή uox 2, 92; 14, 22; 35, 30
Φῶς Lumen 14, 5; 30, 232
φῶς lumen 4, 65.68.77; 5, 10; 7, 144; 8, 18.23.29.36; 12, 88.
89.90.91; 13, 70.76.77.141.141; 17, 24.47.47.54.55.57.
59.59.60.70.71.72.74.80.82; 18, 46.67.68.82; 19, 58.62.
67.104; 27, 24.40; 28, 15; 30, 7 — lux 28, 120
φωτεινός lucidus 5, 9; 8, 8; 10, 39; 27, 39
φωτίζω illumino 4, 66.70.78; 8, 27; 24, 84 — lumino 5, 11
— elucido 30, 44

Χάος Chaos 14, 3.4.13
χαρακτήρ character 28, 6; 31, 34.*87*; 34, 3
χάρις gratia 7, 21; 25, 44; 28, *62*.200.212; 32, *97*; 34, 54
χάρισμα gratia 28, *195'*; 32, *108*
χείρ manus 17, 91; 24, 138.203.210; 28, 256; 30, 8.97; 32, *104*
χέω effundo 7, 150.153
χοϊκός choicus 5, 15; 8, 47; 14, 85
χρήσιμος utilis 30, 91 — -ώτηρος aptior et utilior 19, 57 — operabilior (*leg.* aptabilior?) et utilior 19, 65

χρηστεύομαι benignitatem exerceo 32, 18
χρηστός benignus 4, 53
χρηστότης bonitas 33, 93
χρῖσις unctio 24, 95
Χριστός Christus 2, 87; 5, 18.47; 12, 114.125; 14, 187; 17,
      171.201.201; 18, 35; 19, 164.171.176; 20, 30.38.80;
      22, 150; 24, 46; 26, 22; 28, 108; 29, 52; 30, 245.247;
      32, 109.118.120
χρονίζω multum temporis facio 13, 27
χρονικός temporalis 28, 85
χρόνος tempus Pr. 30; 3, 14; 5, 73; 17, 62; 22, 23.25.40.43.48.
      51.54.142.166.172; 32, 85; 33, 14.17.22
χωρέω capio 12, 12; 13, 96; 27, 48; 28, 245; 30, 225 — cedo
      24, 200; 29, 8.27.58.59.65; 30, 34 — secedo 14, 75.79.
      87 — succedo 29, 13.14.16.33.46.69 — eo 32, 45 — abeo
      30, 163; 32, 68
χωρητικός capax 13, 74
χωρίζω separo 6, 7.29; 8, 18; 10, 63; 11, 6; 12, 42.71.74;
      13, 82.85.127; 18, 28.54; 20, 21.80.91.99; 28, 139
χωρισμός separatio 12, 63

ψαύω tango 20, 14
ψευδηγορία falsiloquium Pr. 4
ψευδής falsus 8, 51; 19, 122; 22, 89; 24, 31
ψευδοδοξία falsa opinio 19, 149
ψεύδομαι mentior 9, 35.36; 13, 217; 14, 147.159; 19, 31; 22,
      29.165
ψεῦδος mendacium 11, 7
ψευδωνυμία ficta nominatio 14, 192
ψευδώνυμος falsi nominis Pr. 2 — falso nomine 35, 16 — falso
      cognominatus 13, 207 — qui falso cognominatur 31, 31
      — falsus 14, 136'.136
ψεύστης mendax 7, 9; 22, 159; 30, 66
ψῆφος numerus 24, 10.38.51 — calculus 24, 36
ψυχή anima 13, 26.50; 18, 10; 19, 5.41.42.49.99.106.109.
      138; 29, 5.8.12.16.17.20.21.25.27.33.35.46.60.63.67.67.
      68.70; 32, 23.74.91; 33, 3.12.28.35.43.47.51.59.59.61.
      63.67.72.84.86.90.92; 34, 3.17.24.41.67.67.68.71'.72.
      73.75; 35, 80 — gens (leg. anima?) 34, 21
ψυχικός animalis 2, 64.64; 9, 32; 14, 84; 19, 35.44.98.102;
      26, 70; 29, 7.51.57; 30, 11.33.80.107.137.190.191.204.
      216; 34, 66 — psychicus 19, 94
ψυχικῶς psychice 29, 9

Ὠκεανός Oceanus 14, 38
ὠκεανός oceanus 28, 44
ὠφέλεια utilitas 7, 13; 19, 25; 32, 76.81.118
ὠφελέω prosum 30, 145 — utilitatem praesto 31, 52
ὠφέλιμος utilis 7, 136

Aaron 'Ααρών
abdico ἀποκηρύσσω
abeo χωρέω
abicio ἀποβάλλω
Abiud 'Αβιούδ
abortum ἔκτρωμα
Abraham 'Αβραάμ
abscessio ἀποστασία
abscondo intus ἐγκρύπτω
absoluo ἐπιλύω
absolutio ἐπίλυσις
absorbeo (-bo) καταπίνω
abundantia : in -tia sum περισσεύω
abundo περισσεύω
acceptabilis δεκτός
acceptus δεκτός
accido ἐπιγίνομαι
accipio παραλαμβάνω
Achamoth 'Αχαμώθ
acquiro περιποιέω
actio πρᾶξις
actus πρᾶξις
adaptor ἁρμόζω
adlatio ἐπίρρησις
adfectio διάθεσις
adfectus διάθεσις
adfero κομίζω
adfigo clavis προσηλόω
adfingo πλάσσω
adfirmo βεβαιόω, διαβεβαιόομαι
adiaceo ἀνάκειμαι
adinspiratio ἔμπνευσις
administro διέπω
admixtio προσπλοκή
adnitor πειράομαι
adoptio filiorum υἱοθεσία

adorno κοσμέω
adsentio πείθω
adsero διαβεβαιόομαι
adseuero διαβεβαιόομαι
adsideo ἐπικάθημαι
adsuesco ἐθίζω
adsumo ἀναλαμβάνω
adsumptio ἀνάληψις
adtingo : quem -gere non est ἀνέφικτος
adtribuo περιποιέω
aduentus παρουσία
aenigma αἴνιγμα
Aeon Αἰών
aequalis honore ἰσότιμος
aequiperans in tempore ἰσόχρονος
Aesopus Αἴσωπος
aestimo λογίζομαι
aeternus αἰώνιος
Agape 'Αγάπη
agape ἀγάπη
agnitio γνῶσις, ἐπίγνωσις
Agnitor Γνωστικός
ago πραγματεύομαι, — curiose περιεργάζομαι
Ainos 'Αείνους
Alethia 'Αλήθεια
alethia ἀλήθεια
alienus ἀλλότριος
allegoria ἀλληγορία
Altissimus Ὕψιστος
altitudo βάθος, εὖρος
altus : -tum sapio ὑψηλοφρονέω
amator ueri φιλαλήθης
ambiguitas ἀμφιβολία

14

ambiguus ἀμφίβολος, non —
ἀναμφίβολος, sine -guo ἀναμφιβόλως
amentia ἄνοια
amissio ἀποβολή
amitto ἀποβάλλω
amo : -ans ueritatem (uerum)
φιλαλήθης
Amorraeus ᾿Αμορραῖος
Anaxagoras ᾿Αναξαγόρας
Anaximander ᾿Αναξίμανδρος
angelicus ἀγγελικός
Angelus ῎Αγγελος
angelus ἄγγελος
anima ψυχή
animal ζῷον, — pusillum
ζῳδάριον
animalis ψυχικός
animus : -mo tracto διαλογίζομαι
Anna ῎Αννας
ante definio προορίζω
ante exsisto προϋπάρχω
ante habeor προγίνομαι
ante praefinio προορίζω
anterior προγενέστερος
Anthropos ῎Ανθρωπος
Antifanus ᾿Αριστοφάνης
antiquus ἀρχαῖος, -quior πρεσβύτερος
aperte φανερῶς
apertus φανερός
aporia ἀπορία, ἄπορος
aporior ἀπορέω
apostasia ἀποστασία
apostata ἀποστάτης
apostaticus ἀποστατικός
Apostolus ᾿Απόστολος
apostolus ἀπόστολος
appellatio προσηγορία
appello ὀνομάζω
apprehensio κατάληψις
approbo εὐδοκέω
aptabilis ἁρμόζων

aptatio ἁρμονία
apto καταρτίζω, -atus sum
ἁρμόζω, bene -atus εὔρυθ-
μος
aptus ἁρμόζων, ἕτοιμος, εὔρυθμος, χρήσιμος, — sum
ἁρμόζω
Archangelus ᾿Αρχάγγελος
archegonos ἀρχέγονος
archetypus ἀρχέτυπος
argumentatio ὑπόθεσις
argumentum ὑπόθεσις
arguo ἐλέγχω
aristotelicus ᾿Αριστοτελικός
ars τέχνη
Artifex Τεχνίτης
artifex τεχνίτης
artificialis τεχνικός
artificiose compositus τεχνολογία
ascensio ἀνάβασις
Asia ᾿Ασία
astronomia ἀστρονομία
Atheniensis ᾿Αθηναῖος
atheus ἄθεος
atomus ἄτομος
atrium αὐλαία
auarus πλεονέκτης
audacia τόλμα
audaciter τολμηρῶς
audeo τολμάω
audio ἀκούω
auditus ἀκοή
augeo αὐξάνω
augesco αὐξάνω
augmentum αὔξησις
auris ἀκοή

baptisma βάπτισμα
baptismus βάπτισμα
Baruch Βαρούχ
Basilides Βασιλίδης
bene καλῶς
bene aptatus εὔρυθμος

bene consonans εὐμελής
bene rhythmizatus εὔρυθμος
beneficium εὐεργεσία
beneficus εὐεργέτης
benignitatem exerceo χρηστεύομαι
benignus χρηστός
Bethania Βηθανία
blasphemia βλασφημία
blasphemo βλασφημέω
blasphemus βλάσφημος
bonitas χρηστότης
bonus καλός
breuis : -issimus στιγμή,
-issimi temporis ὀλιγοχρόνιος
Bythius Βύθιος
Bythus Βυθός

caecitas τύφλωσις
caecus τυφλός
caecutio τυφλώττω
caelestis οὐράνιος, ὑπερουράνιος
caelum οὐρανός, fabrica -orum
οὐρανοποιΐα
Caiphas Καϊάφας
calculus ψῆφος
Cana Κανᾶ
capabilis δεκτικός
capax δεκτικός, χωρητικός
capio χωρέω, -pit ἐνδέχομαι,
quem nemo -pit ἀχώρητος,
qui a nemine -pi potest
ἀχώρητος
capitulum κεφάλαιον
caput κεφαλή
caritas ἀγάπη
carnalis σαρκικός,
caro σάρξ
Carpocrates Καρποκράτης
causa αἰτία, αἴτιος, sine -a
εἰκῇ

cedo παραχωρέω, χωρέω, qui
non -dit ἀνένδοτος
cenoma κένωμα
centurio ἑκατοντάρχης
certus ἀκριβής
cesso παύομαι
Chaos Χάος
character χαρακτήρ
choicus χοϊκός
Christus Χριστός
circumlatio περιφορά
circumscribo περιγράφω
circumscriptio περιγραφή
clarifico δοξάζω
claritas δόξα, λαμπρότης
clauus : -uis adfigo προσηλόω
coexsisto συνυπάρχω
cogitatio γνῶσις, διαλογισμός,
ἔννοια, νοῦς
cogito ἐνθυμέομαι, ἐννοέομαι
cognatio συγγένεια
cognatus συγγενής
cognitio γνῶσις
cognomino : falso -natus
ψευδώνυμος, qui falso -natur ψευδώνυμος
cogo ἀναγκάζω
collatio : ex -one subsisto
συνερανίζω
comicus κωμικός
commendo ἀνατίθημι
committo ἀνατίθημι
commoueo κινέω
communicatio κοινωνία
communio κοινωνία
comoediso κωμῳδέω
compago ἁρμονία
comparatio σύγκρισις
compatior συμπάσχω
compingo συμπήγνυμι
complexio ἐπιπλοκή
complexus ἐπιπλοκή
compono κατασκευάζω, artificiose -situs τεχνολογία

420 TABLES

compositio κατασκευή
compositus σύνθετος, non —
ἀσύνθετος
comprehendo καταλαμβάνω
comprehensio κατάληψις
computatio λογισμός
concedo παραχωρέω, συγχω-
ρέω
conceptio κύημα, σύλληψις
conceptum κύημα
conceptus κύημα
concessio συγχώρησις
concipio ἐγκισσάω, συλλαμβάνω, mente — ἐννοέομαι
concupiscentia ἐπιθυμία
concupisco ἐπιθυμέω
condemnatio κατάκρισις
conditio κτίσις, κτίσμα
Conditor Κτίστης
condo κτίζω
confero συνερανίζω
confirmo βεβαιόω, διαβεβαιόομαι
confiteor ἐξομολογέομαι, ὁμολογέω
confusio ἀπορία, ἄπορος
congero συνερανίζω
conicio καταστοχάζομαι
coniugatio συζυγία
coniux σύζυγος
conor πειράομαι
consensus ὁμολογία
consentio ὁμολογέω
consequens est εἰκός
consilior βουλεύομαι
consilium βουλή
consisto συνίστημι
consonans σύμφωνος, bene —
εὐμελής
consonantia ῥυθμός
consono συμφωνέω
consternatio ἀπορία, ἄπορος
constituo κτίζω, συνίστημι, e
contrario — ἀνθίστημι

constitutio κτίσις, σύστασις
consto συνίστημι
consummatio συντέλεια
consummo καταρτίζω, συντελέω
consumo ἀναλίσκω
Contemperamentum Σύγκρα-
σις
contemplatio θεωρία
contemplor ἐννοέομαι
continens : maxime — συνεκτικώτατος
continentia ἐγκράτεια
contradico ἀντιλέγω
contradictio ἀντιλογία
contradictor sum ἀντιλέγω
contrarius : — ueritati ἀναλήθης, -ria opinor ἀντι-
δοξέω, -ria statuo ἀνθί-
στημι, e -rio constituo
ἀνθίστημι, e -rio interrogo
ἀντεπερωτάω
contumelia ὕβρις
contumeliose tracto ὑβρίζω
conuenio συμβάλλω
conuersatio ἀναστροφή
conuersor διατρίβω, — cum
συναναστρέφομαι
conuinco ἐλέγχω
coobaudio συνακούω
corporalis σωματικός
corpus σῶμα, de -pore in -pus
transeo (transgredior) μετενσωματόομαι, de -pore in
-pus transmigratio μετεν-
σωμάτωσις
correctio ἐπανόρθωσις, κατόρθωσις
corruptela φθορά
corruptibilis φθαρτός
corruptio φθορά
creatio κτίσις
Creator Κτίστης, κτίζω
creatura κτίσις, κτίσμα

credibilis πιστός
credo πείθω, πιστεύω
creo κτίζω
cresco αὐξάνω
crucifigo σταυρόω
crux σταυρός
Cupido Ἔρως
cupio ἐπιθυμέω
curiose περιέργως, — ago
  περιεργάζομαι
curiositas περιεργία
Cynicus Κυνικός

daemon δαίμων
daemoniacus δαιμονιακός
daemonium δαιμόνιον
damnatio κατάκρισις
Dauid Δαυίδ
Decas Δεκάς
deciformis δεκάμορφος
deficio ἀσθενέω, ἐξασθενέω,
  λήγω
definio : ante — προορίζω,
  -ior λήγω
defluo ῥέω
defluxus ἀπόρροια
deitas θεότης
Delectamentum Ἡδονή
deliramentum ληρώδης
deliro ληρέω
delirus ληρώδης
dementia ἄνοια
deminoratio ἐλάττωσις, ὑστέρημα
deminoro ἐλαττόω
demissio καταβολή
Demiurgus Δημιουργός
Democritus Δημόκριτος
demutatio ἀλλαγή, ἑτεροίωσις
demuto ἀλλάσσω
depono κατατίθημι
depositio κατάθεσις
deputo λογίζομαι
deriuo ἀποσκήπτω

descensio ἐπιγονή, κάθοδος
desertus ἔρημος
desino λήγω
destitutus ἔρημος
destruo καταργέω
detectio ἔλεγχος
detego ἐλέγχω
Deus (deus) Θεός (θεός)
dexter δεξιός
diabolus διάβολος
dictio λέξις, ῥῆσις
dies : longitudo -erum μακροημερία
dignus ratione ἀξιόλογος
dilato : in multum — πλατύνω
dilectio ἀγάπη
dilectus : -issimus ἀγαπητός
diligenter ἀκριβῶς
diligentia ἀκρίβεια
diligo ἀγαπάω
diminutio ἐλάττωσις, ὑστέρημα
dimitto ἀνατίθημι
disciplina ἀγωγή
discipulus μαθητής
dispono καταρτίζω, κοσμέω,
  in cogitatu -situs ἐνδιάθετος
dispositio διάθεσις, οἰκονομία,
  πραγματεία
disputatio : naturali -ione
  comminiscor φυσιολογέω
dissimilis ἀνόμοιος, — membris suis ἀνομοιομελής
dissono διαφωνέω
diues εὔπορος, πλούσιος
diuinitas θεότης
diuinus θεῖος
diuitiae πλοῦτος
doceo δογματίζω, διδάσκω
doctor legis νομοδιδάσκαλος
doctrina διδασκαλεῖον
dogma δόγμα
dogmatice δογματικῶς
dogmatizo δογματίζω

dominans : magis — κύριος
Dominatio Κυριότης
dominor κυριεύω
dominicus κυριακός
dominium κυρεία
Dominus Δεσπότης, Κύριος
dominus κύριος
ducator ὁδηγός
Duodecas Δωδεκάς
duodecas δωδεκάς
duodeciformis δωδεκάμορφος
dyas δυάς

ebullio ἐκβράζομαι
Ecclesia Ἐκκλησία
Ecclesiasticus Ἐκκλησιαστικός
edoceo διδάσκω
efficabiliter ἀποτελεστικῶς
efficax ἐνεργής
efficio ἐμποιέω, κατασκευάζω
effluo ῥέω
Effrem Ἐφραίμ
effundo χέω
egregius καλός
eicio ἐκβάλλω
elaboro φιλοτιμέομαι
Eleazar Ἐλεαζάρ
Eleazarus Λάζαρος
electio ἐκλογή
elementum στοιχεῖον
eligo ἐκλέγω
eloquium λόγιον, subtile —
λεπτολογία
Elpis Ἐλπίς
elucido φωτίζω
emendatio ἐπανόρθωσις
emendo ἐπανορθόω
eminens ὑπερβάλλων
emissibilis προφορικός
emissio προβολή, -onis προφορικός
emissor προβολεύς
emitto ἐκπέμπω, καταπέμπω,

προβάλλω, — cum συμπρο-
βάλλω, qui non est -issus
ἀπρόβλητος
Empedocles Ἐμπεδοκλῆς
enarratio fabulosa μυθολογία
endiathetos ἐνδιάθετος
enitor ἀποκυέω
enixio κύημα, κύησις
Ennoea Ἔννοια
ennoea ἔννοια
Ennoia Ἔννοια
ennoia ἔννοια
Enthymesis Ἐνθύμησις
enthymesis ἐνθύμησις
eo χωρέω
episemon (-um) ἐπίσημον
erraticus πλανάομαι
erro πλανάομαι
error πλάνη
erudimentum παίδευμα
Esaias Ἠσαΐας
ethnicus ἐθνικός
euangelicus εὐαγγελικός
Euangelium Εὐαγγέλιον
euenio : prout -it τυγχάνω
euersio ἀνατροπή
euerto ἀνατρέπω
excaeco τυφλόω
Excogitatio Ἐνθύμησις
exemplum παράδειγμα
exerceo benignitatem χρη-
στεύομαι
expauescentia ἔκπληξις
expello ἐκβάλλω
experientia πεῖρα
experior : multa -tus ἔμπειρος
expositio ἐξήγησις
exsisto : ante — προϋπάρχω
exsoluo ἐπιλύω
extendo ἐκτείνω
extensio ἐπίτασις
extremitas ὑστέρημα

fabrica caelorum οὐρανοποιΐα

fabricatio κατασκευή, mundi
— κοσμοποιΐα
Fabricator Δημιουργός, Ποιητής, mundi — Κοσμοποιός
fabrico κατασκευάζω
fabula μῦθος, -lis refero μυθολογέω
fabulosa enarratio μυθολογία
facio ἐμποιέω, — in ἐμποιέω,
saluum — σῴζω, qui non
est -tus ἀγένητος
Factor Ποιητής
factor ποιητής
factum πρᾶξις
factura γένεσις, ποίημα
falsiloquium ψευδηγορία
falso : — cognominatus ψευδώνυμος, qui — cognomi-
natur ψευδώνυμος
falsus ψευδής, ψευδώνυμος, -sa
opinio ψευδοδοξία, -si (-so)
nominis (-ne) ψευδώνυμος
famulus θεράπων
fantasmor φαντάζομαι
fateor ὁμολογέω
fatum εἱμαρμένη
fatuus μωρός
femina θῆλυς
femineus θῆλυς
festus : dies — ἑορτή
fletio πλάσμα
fictus : -ta nominatio ψευδωνυμία
fidelis πιστός
fides πίστις
figmentum πλάσμα
figura σχῆμα, εἴδωλον, —
expressa εἴδωλον, huius-
modi -rae τοιουτόμορφος
figuratio σχῆμα, sine -one
ἀσχημάτιστος
filia θυγατήρ
Filius Υἱός

filius υἱός, adoptio -orum
υἱοθεσία
fimbria κράσπεδον
finctio imaginaria εἰδωλοποιΐα
finctus πλαστός
fingo πλάσσω
finior λήγω
finis ἄκρον, τέλος, sine -ne
ἀτελεύτητος
fio προγίνομαι, — in ἐγκαταγίνομαι
firmiter : -issime βεβαίως
firmus βέβαιος, -ior κύριος
fluo ῥέω
fluxibilis ῥευστός
formatio μόρφωσις, similis
-onis ὁμοιόμορφος
formo πλάσσω
fortis δυνατός
frater ἀδελφός
fraternitas ἀδελφότης
fraternus ἀδελφός
fructificatio καρποφορία
fructifico καρποφορέω
fructus καρπός
frustra εἰκῇ
fulmen : -ine percutio ἐμβροντάω
futurus μέλλω

Galilaea Γαλιλαία
generatio γενεά, γένεσις, γέννημα, γέννησις, primae -onis
ἀρχέγονος
generator γεννήτωρ
genero ἀπογεννάω, γεννάω, a
se -ratus αὐτογενής
generositas εὐγένεια
Genesis Γένεσις
genesis γένεσις
gens ἔθνος
gentilis ἐθνικός
genus γένος, — humanum

ἀνθρωπότης, eiusdem -eris
ὁμογενής
geometria γεωμετρία
Gigas Γίγας
gloria : uana — κενοδοξία
glorifico δοξάζω
Gnosticus Γνωστικός
Graecus Ἕλλην
graecus ἑλληνικός
gratia χάρισμα, χάρις, -as ago
εὐχαριστέω
grauiter σεμνῶς
guberno διέπω

habeo μέλλω, ante -eor προγίνομαι
habitus σχῆμα
haeresis αἵρεσις
haereticus αἱρετικός
hebes κωφός
Hebraeus Ἑβραῖος
hebraice ἑβραϊστί
hebraicus ἑβραϊκός
Helias Ἡλίας
hen ἕν
Heracleon Ἡρακλέων
heremus ἔρημος
Hermes Ἑρμῆς
Herodes Ἡρώδης
Hesiodus Ἡσίοδος
Hierosolyma Ἱεροσόλυμα
Hierusalem Ἱερουσαλήμ
homericus Ὁμηρικός
Homerus Ὅμηρος
Homo Ἄνθρωπος
homo ἄνθρωπος
honeste σεμνῶς
honor τιμή, aequalis -re ἰσότιμος, eiusdem -ris ὁμό-
τιμος
honorifico τιμάω
honoro τιμάω
Horos Ὅρος

huiusmodi figurae τοιουτόμορφος
humanus ἀνθρώπινος, -num
genus ἀνθρωπότης
humilio ταπεινόω
humilis ταπεινός
hypocrita ὑποκριτής

Iacob Ἰακώβ
Iacobus Ἰάκωβος
idem εἷς
idiota ἰδιώτης
idolatria εἰδωλολατρεία
idoneus ἱκανός
ieiunium νηστεία
Iesus Ἰησοῦς
ignis πῦρ
ignorantia ἄγνοια
ignoro ἀγνοέω
ignotus ἄγνωστος
illumino φωτίζω
imaginaria finctio εἰδωλοποιΐα
imago εἰκών
immensus ἄπειρος, ὑπερβάλλων
Immobilis Ἀκίνητος
immoror διατρίβω
immortalis ἀθάνατος
immortalitas ἀθανασία
immutatio ἑτεροίωσις
immuto ἀλλάσσω
impar περισσός
impassibilis ἀπαθής
impassibilitas ἀπάθεια
Imperator Βασιλεύς
imperfectus ἀτελής
imperitus ἰδιώτης
imperium ἀρχή
impetus ὁρμή, -tum facio
ὁρμάω
impie ἀσεβῶς, — ago ἀσεβέω
impietas ἀσέβεια, ἀθεότης
impius ἀσεβής
impositio ἐπίθεσις
improprie ἀκύρως

impudenter ἀναιδῶς, — ago
ἀναιδέομαι
incantatio ἐπαοιδή
incapabilis ἀχώρητος
incipio μέλλω
incognitus ἄγνωστος
incomprehensibilis ἀκατάληπτος
inconstans ἀσύστατος
incorruptela ἀφθαρσία
incorruptibilis ἄφθαρτος
incorruptio ἀφθαρσία
incorruptus ἄφθαρτος
incredibilis ἄπιστος
incrementum αὔξησις
indecibilitas ἀπρέπεια
indeterminabilis ἀπέραντος
indeterminatus ἀπέραντος
indicium ἔλεγχος
indifferens ἀδιάφορος
indifferentia ἀδιαφορία
indigens ἄπορος, nullius —
ἀπροσδεής
indispositus ἀκατασκεύαστος
indo κατατίθημι
inenarrabilis ἄρρητος
inexcogitabilis ἀνεννόητος
infantilis νήπιος
infatigabilis ἀκάματος
infectus ἀγένητος
inferi ᾅδης
inferior ὑποβαίνω, ὑστερέομαι
inficio ἐμποιέω
infidelitas ἀπιστία
infiguratus ἄμορφος, ἀνείδεος
infinitus ἄπειρος
infirmitas ἀσθένεια, laboro aliqua -tate κάμνω
infirmor ἀσθενέω
infirmus ἀσθενής
infixus ἔμφυτος
inflatio φυσίωσις
inflo τυφόω, φυσιόω
informis ἄμορφος

ingenitus ἀγένητος
ingratus exsisto ἀχαριστέω
ingressus εἴσοδος
initio μυέω
Initium Ἀρχή
initium ἀρχή, sine -tio ἄναρχος
innascibilis ἀγένητος
innatus ἀγέννητος
Innominabilis Ἀνονόμαστος
innominabilis ἀνονόμαστος
innumerabilis ἀναρίθμητος
inops ἄπορος
insemino ἐγκατασπείρω
Insenescibilis Ἀγήρατος
insensatio ἄνοια
insensatus ἀνόητος
insipientia ἄνοια
inspectio θεωρία
inspiro ἐμπνέω
instabilis ἄστατος
instabilitas ἄστατος
integer ὁλόκληρος
intellectualis νοερός
intellego νοέω, ut datur -gi
εἰκός
intentio ἐνθύμησις
interrogo e contrario ἀντεπερωτάω
introitus εἴσοδος, qui est super
-tum εἰσόδιος
inualidus ἀσθενής
inuenio : qui non potest -iri
ἀνεύρετος
Inuentor Εὑρετής
inuentor εὑρετής
inuestigabilis ἀνεξιχνίαστος
inuestigatio ἐξιχνιασμός
inuestigo ἐξιχνιάζω
inuisibilis ἀόρατος
inuocatio ἐπίκλησις
inuoco ἐπικαλέομαι
Iohannes Ἰωάννης
irrationabilis ἄλογος
irrationabiliter ἀλόγως

irrationalis ἄλογος
irreligiosus ἄθεος
Isaac Ἰσαάκ
Ithamar Ἰθαμάρ
Iudaeus Ἰουδαῖος
iudaicus ἰουδαϊκός
Iudas Ἰούδας
iudicium κρίσις
iunior νεώτερος
Iupiter Ζεύς
iuste δικαίως
iustitia δικαιοσύνη
iustus δίκαιος
iuuenior νεώτερος
iuuenis νεανίας

labes ὑστέρημα
labor κόπος
laboro aliquo infirmitate
    κάμνω
latenter λεληθότως
lateo λανθάνω
laxamentum ἄνεσις
Lazarus Λάζαρος
legislatio νομοθεσία
Leto Λητώ
lex θεσμός, νόμος, -gis doctor
    νομοδιδάσκαλος
liber βίβλος
libere αὐτεξουσίως
lignum ξύλον
liniamentum σχῆμα
liquidus ἀκριβής
littera γράμμα, στοιχεῖον
locus τόπος
Logos Λόγος
logos λόγος
longitudo dierum μακροημερία
loquor male κακολογέω
Lucas Λουκᾶς
lucidus φωτεινός
Lumen Φῶς
lumen φῶς
lumino φωτίζω

luteus πήλινος
lutum πηλός
lux φῶς
lyricus λυρικός

Macaria Μακαρία
Macariotes Μακαριότης
macula σπίλος
magicus μαγικός
magister διδάσκαλος
magnanimis sum μακροθυμέω
Magnitudo Μέγεθος
magnitudo μέγεθος
magus μάγος
male loquor κακολογέω
male tracto κακουχέω
maneo intus ἐμμένω
manifestatio φανέρωσις
manifeste φανερῶς
manifesto φανερόω
manifestus φανερός
manus χείρ
Marcion Μαρκίων
Marcus Μάρκος
masculus ἄρρην
Mater Μήτηρ
mater μήτηρ
materia ὕλη
materialis ὑλικός
Matthias Ματθίας
maxime continens συνεκτι-
    κώτατος
medicina ἰατρική
Medietas Μεσότης
medietas μεσότης
meditatio μελέτη
medius μέσος
melior καλός
melodia μέλος
membrum μέλος, dissimilis
    -ris suis ἀνομοιομελής, simili
    aptatione -rorum ὁμοιο-
    μελής
memoria μνήμη

Menander Μένανδρος
mendacium ψεῦδος
mendax ψεύστης
Mens Νοῦς
mens γνώμη, νοῦς, -te contemplor ἐννοέομαι, -te concipio ἐννοέομαι, -tis conceptio
ἔννοια, -tis intentio ἐνθύμησις, -tis intentio ἔννοια,
-tis intuitio ἔννοια
mentior ψεύδομαι
Metricos Μητρικός
Milesius Μιλήσιος
ministerium διακονία
ministratio διακονία
ministro διακονέω
minor νεώτερος, ὑστερέομαι
minutiloquium λεπτολογία
Mixis Μίξις
mobilis κινητός
modus τρόπος
momentum : nullius -ti ἀδόκιμος
Monogenes Μονογενής
morior cum συναποθνήσκω
mors θάνατος, -te afficio θανατόω
mortalis θνητός
mortuus νεκρός
motio κίνησις
motus κίνησις
moueo κινέω
Moyses Μωϋσῆς
mulier γυνή
multifarie πολυμερῶς
multifarius πολυμερής
multiformis πολυμερής
multus ἱκανός, -tum scio
πολυμαθής, -tae uoces πολυφωνία
mundus κόσμος, -di fabri-
catio κοσμοποιΐα, -di Fabricator Κοσμοποιός
munus : Omnium — Πανδώρα

musica μουσική
mutus ἄλογος
mysterium μυστήριον

Nadab Ναδάβ
nascor γεννάω, a se natus
αὐτοφυής
natiuitas γένεσις, γενετή
natura φύσις, eiusdem -rae
ὁμοφυής
Naturalis Αὐτοφυής
naturalis : -li disputatione
comminiscor φυσιολογέω
naturaliter φύσις
Naue Ναυή
nebula ὁμίχλη
necessarie ἀναγκαίως
necessario ἀναγκαίως
necessarius ἀναγκαῖος
necesse ἀνάγκη
necessitas ἀνάγκη
negotiatio πραγματεία
negotium πραγματεία
Nilus Νεῖλος
nitor πειράομαι
Noe Νῶε
nomen ὄνομα, falsi (-o) nominis (-e) ψευδώνυμος
nominatio falsa ψευδωνυμία
nomino ὀνομάζω
nouellus νέος
nouitas uocis καινοφωνία
nouus καινός, -issimus ἔσχατος, ὑστερέομαι
Nox Νύξ
nox νύξ
nubes νέφος
numero ἀριθμέω
numerus ἀριθμός, ψῆφος
nuncupatio προσηγορία
Nus Νοῦς
nus νοῦς
Nutritor Τροφεύς

obcaeco τυφλόω
obliuio λήθη
obliuiscor λανθάνω
obseruo παρατηρέω
obuenio ἐπιγίνομαι
occasio ἀφορμή, πρόφασις
occulte λεληθότως
occurro ἐντυγχάνω
Oceanus Ὠκεανός
oceanus ὠκεανός
octiformis ὀκτάμορφος
Octonatio Ὀγδοάς
Ogdoas Ὀγδοάς
Omnia Πάντα
Omnipotens Παντοκράτωρ
omnipotens παντοκράτωρ
Omnium munus Πανδώρα
opera ἔργον
operabilis χρήσιμος
operatio πραγματεία, ἐνέργεια,
  πρᾶξις
operator ἐνεργής
operor ἐνεργέω
operositas πραγματεία
operosus ἐνεργής
opifex ἐργάτης
opinio δόξα, falsa — ψευδοδοξία
opinor contraria ἀντιδοξέω
opitulatio εὐεργεσία
optimus καλός
opus ἔργον, πρᾶξις
oratio εὐχή, προσευχή
orbis οἰκουμένη
ordinatio τάξις
ordo τάξις
ornamentum κόσμος
orno κοσμέω
oro προσεύχομαι
ostensio ἀπόδειξις
otiosus ἀργός
ouis πρόβατον

paenitentia μετάνοια, -am ago
  μετανοέω
Pandora Πανδώρα
Pandoros Πάνδωρος
par ἄρτιος
parabola παραβολή
Paracletus Παράκλητος
paradisus παράδεισος
paratus ἕτοιμος
pario τίκτω
particeps : non sum — ἀμοιρέω
participatio ἄγνοια, μετοχή
participo (-or) μετέχω
parum sciens ὀλιγομαθής
paruulus νήπιος
paruus νήπιος
Pascha Πάσχα
pascha πάσχα
passibilis ἐμπαθής, παθητός
passio πάθος
Pater Πατήρ
pater πατήρ
paternalis πατρικός
paternus πατρικός
patior πάσχω
Patricos Πατρικός
Paulus Παῦλος
peiero ἐπιορκέω
Pelops Πέλοψ
pentas πεντάς
Petrus Πέτρος
percipio ἀπολαμβάνω
perditio ἀπώλεια
perdo ἀπόλλυμι
peregrinus ξένος
pereo ἀπόλλυμι
perexeo διεξέρχομαι
perfectio τελείωσις
perfectus τέλειος
perficio ἀποτελέω, καταρτίζω,
  τελέω
peritus ἔμπειρος
permitto ἐγχωρέω

permixtio ἐπιπλοκή
perpetior πάσχω
perplexio ἐπιπλοκή
persecutio : -nem patior διώκομαι
perseuerantia παραμονή
perseuero cum συμπαραμένω,
in mente -rans ἐνδιάθετος
phantasia φαντασία
phantasma φάντασμα, per -ata
φαντασιωδῶς, in -ate ago
(concipio) φαντάζομαι
Pharisaeus Φαρισαῖος
philosophia φιλοσοφία
philosophus φιλόσοφος
pietas εὐσέβεια
Pilatus Πιλᾶτος
Pindarus Πίνδαρος
Pistis Πίστις
pithanologia : suadeo per
-iam πιθανολογέω
pius εὐσεβής
placitum εὐδοκία
plasma πλάσμα
plasmatio πλάσις
Plasmator Πλάστης
plasmo πλάσσω
Plato Πλάτων
plene ἱκανῶς
Plenitudo Πλήρωμα
Pleroma Πλήρωμα
ploro κλαίω
plurimus ἱκανός
poculum πόμα
poena κόλασις
poeta ποιητής
pono : positus sum κεῖμαι
Pontius Πόντιος
portentiloquium τερατολογία
porticus στοά
positio θέσις
possideo κληρονομέω
possibilis δυνατός
possum ἱκανός

posterior νεώτερος
postgenitus μεταγενέστερος
postremitas ὑστέρημα
potens δυνατός
Potentia Ἐξουσία
Potestas Ἐξουσία
potestas ἐξουσία, suae -atis
αὐτεξούσιος, (ex) sua -ate
αὐτεξουσίως
poto ποτίζω
praeceptum ἐντολή
praeconium κήρυγμα
praecono κηρύσσω
praedestino προορίζω
praedicatio κήρυγμα
praedico κηρύσσω
praefinio : ante — προορίζω
praeparatus ἕτοιμος
praescientia πρόγνωσις
praescio προοῖδα
praescius προγνώστης
praesto παρέχω
praesumptio οἴημα
praeteritus προγίνομαι
praetermitto παραλείπω
primatum teneo πρωτεύω
primogenitus πρωτότοκος
primoplastus πρωτόπλαστος
primus ἀρχαῖος, — locus ἡγεμονικός, -mae generationis
ἀρχέγονος
princeps ἀρχή, ἀρχηγός, ἄρχων
principalis ἀρχέγονος, ἡγεμονικός
Principalitas Ἀρχή
Principatus Ἀρχή
principatus ἀρχή
Principium Ἀρχή
principium ἀρχή
principor πρωτεύω
Proarche Προαρχή
probatio ἀπόδειξις
probo εὐδοκέω
probole προβολή

procedo πρόειμι, προέρχομαι
prodeo προέρχομαι
proditor προδότης
profero προβάλλω
proficio προκόπτω
profundum βάθος
profundus βαθύς
progenero προγεννάω
progenitor πρόγονος
prohibeo κωλύω
proicio ἐκβάλλω
prolatiuus προφορικός
prolator προβολεύς
prompte προθύμως
promptus πρόθυμος
Proon Προών
Propator Προπάτωρ
propheta προφήτης
prophetia προφητεία
propheticus προφητικός
propheto προφητεύω
prosum ὠφελέω
protoplastus πρωτόπλαστος
prouectior aetate πρεσβύτερος
prouenio ἐπιγίνομαι, τυγχάνω
prouidentia πρόνοια
psychice ψυχικῶς
Ptolomaeus Πτολεμαῖος
puella παῖς
puer παῖς
putatiuus (-um) δόκησις
Pythagoras Πυθαγόρας
Pythagoricus Πυθαγορικός

qualislibet ποιός
qualitas ποιότης, sine -ate
  ἄποιος
quantitas ποσότης
Quaternatio Τετράς
quemadmodum τρόπος
quiesco παύομαι
quilibet τυγχάνω
Quinio Πεντάς

Ratio Λόγος
ratio λογισμός, λόγος, dignus
  -one ἀξιόλογος
rationabilis ἀξιόλογος, λογικός
radius ἀκτίς
recipio ἀναλαμβάνω, ἀπολαμβάνω
reconciliatio καταλλαγή
recte (-issime) ὀρθῶς
rectus ὀρθός
redemptio ἀπολύτρωσις
reddo ἀποδίδωμι
refero fabulis μυθολογέω
refrigerium ἀνάπαυσις
refrigero ἀναπαύομαι
regalis βασιλικός
regnum βασιλεία
regula κανών, ὑπόθεσις
relatio ἱστορία, — quae scribitur ἱστοριογραφία
religiosis εὐλαβής, εὐσεβής
renascor ἀναγεννάομαι
reprobabilis ἀδόκιμος
reputo λογίζομαι
requiesco ἀναπαύομαι
res subiecta ὑπόκειμαι
reseruo ἀνατίθημι
resolutio ἐπίλυσις
restauro ἀποκαθίστημι
restituo ἀποκαθίστημι
resurgo ἀνίστημι
resurrectio ἀνάστασις
resuscito ἀνίστημι
retribuo ἀνταποδίδωμι
retributio ἀνταπόδοσις
reuelo ἀποκαλύπτω
reuertor ἐπανέρχομαι, ἐπιστρέφω
reuoco ἀποκαθίστημι
rex βασιλεύς
rhythmizatio ῥυθμός
rhythmizo : bene -zatus εὔρυθμος
ridiculus γελοῖος

Romanus Ῥωμαῖος

Sabaoth Σαβαώθ

sacerdos ἱερεύς, summus — ἀρχιερεύς

sacerdotalis ἱερατικός

sacramentum μυστήριον

saeculum αἰών

Saluator Σωτήρ

saluo σῴζω

salus σωτηρία

salutaris σωτήριος

saluus : -um facio σῴζω

Samaria Σαμάρεια

Samaritana Σαμαρῖτις

Samaritanus Σαμαρίτης

sanctifico ἁγιάζω

sanctus ἅγιος, Spiritus — Πνεῦμα

sanus ὑγιής

sapiens σοφός, φρόνιμος

sapienter σοφῶς

Sapientia Σοφία

sapientia σοφία

sapio φρονέω, altum — ὑψηλοφρονέω

Satanas Σατανᾶς

satelles δορυφόρος

Saturninus Σατορνῖνος

scientia γνῶσις, μάθησις

scio : multum — πολυμαθής, parum -ens ὀλιγομαθής

scribo : relatio quae -itur ἱστοριογραφία

Scriptura γραφή, -arum γραφικός

secedo χωρέω

secta αἵρεσις

sectator ἀκόλουθος

seductorius πιθανός

semen σπέρμα

seminaliter σπερματικῶς

semino σπείρω

sempiternus αἰώνιος

senior πρεσβύτερος

sensatio φρόνησις

sensibilis αἰσθητός

sensibilitas αἴσθησις

sensuabilitas νόησις

Sensus Νοῦς

sensus αἰσθητήριον, γνώμη, νόησις, νοῦς, φρόνησις

sententia γνώμη

sentio ᾄδω, νοέω, φρονέω

separatio χωρισμός

separo χωρίζω

Septenatio Ἑβδομάς

Sermo Λόγος

sermo λόγος, ῥῆμα

serpens ὄφις

Sige Σιγή

significatio σημείωσις

signum σημεῖον

Silentium Σιγή

silentium σιγή

similimembrius ὁμοιομελής

Simon Σίμων

sinister ἀριστερός

siue ratio ἀλήθεια

soluo ἐπιλύω

Sophia Σοφία

sophista σοφιστής

Soter Σταυρός

ϝρόδιος εἴδως, δἱιιϛ -ϛ ἀνείθεος

speculator ἐπόπτης

spes ἐλπίς

spiramen πνοή

spiritalis πνευματικός

spiritaliter πνευματικῶς

Spiritus Πνεῦμα

splendide λαμπρῶς

splendidus λαμπρός

sponsa νύμφη

Sponsus Νυμφίος

sponsus νυμφίος

statuo contraria ἀνθίστημι

stillicidium στιγμή

Stoicus Στωϊκός

stultiloquium μωρολογία
stultitia μωρία
stultus μωρός
suadela πεισμονή
suadeo πείθω, — per pitha
　nologiam πιθανολογέω
suasio πεισμονή
suasorius πιθανός, non —
　ἀπίθανος
subdo ὑποτάσσω
subiaceo ἀνάκειμαι, ὑπόκειμαι
subicio ὑποτάσσω
subiectio ὑποταγή
subiectus ὑπόκειμαι
subsisto συνίστημι, — ex
　collatione συνερανίζω
substantia οὐσία, σύστασις,
　ὕλη, eiusdem -ae ὁμοούσιος,
　sine -a ἀνούσιος
subterrenus ὑπόγειος
subtilis : -le eloquium λεπτο
　λογία
subtilitas λεπτολογία
subuerto ἀνατρέπω
succedo διαδέχομαι, χωρέω
successio διαδοχή
successor διάδοχος
sufficiens ἱκανός
sufficienter ἱκανῶς
summitas ἄκρον
summum ἡγεμονικός
summus sacerdos ἀρχιερεύς
superascendo ὑπεραναβαίνω
superbia ὑπερηφανία
supercaelestis ὑπερουράνιος
supercilium τῦφος
superfluus περισσός
supergredior ὑπερβαίνω
supero περισσεύω
superterrestris ἐπίγειος
supertranscendo ὑπερβαίνω
supputatio λογισμός
surdus κωφός
susceptor δεκτικός

suspicio ὑπόληψις
syllaba συλλαβή
symbolum σύμβολον
Synesis Σύνεσις

taceo σιγάω, σιωπάω
taedium λύπη
tango ψαύω
temeritas τόλμα
temperamentum σύγκρασις
temporalis πρόσκαιρος, χρονι
　κός
tempto πειράομαι
tempus καιρός, χρόνος, mul
　tum -oris facio χρονίζω,
　aequiperans in -ore ἰσό
　χρονος, breuissimi -oris ὀλι
　γοχρόνιος, eiusdem tempo
　ris ὁμόχρονος
tenebrae σκότος
tenebrosus σκοτεινός
teneo primatum πρωτεύω
terminum ἀρχή
terra γῆ
terrenus γήϊνος, ἐπίγειος
terrigenus γηγενής
testamentum διαθήκη, eius
　dem -i ὁμογνώμων
testimonium μαρτυρία, μαρτύ
　ριον, — accipio (habeo,
　perhibeo) μαρτυρέω
testis : sine -e ἀμάρτυρος
testor μαρτυρέω
Tethys Τηθύς
Tetras Τετράς
thalamus νυμφών
Thales Θαλῆς
Theletos (-us) Θελητός
theogonia θεογονία
Thronus Θρόνος
thronus θρόνος
Tiberias Τιβεριάς
tonitruum : de -uo percutio
　ἐμβροντάω
Totum Πᾶν

tracto : contumeliose —
ὑβρίζω, male — κακουχέω
traditio παράδοσις
traditor προδότης
trado παραδίδωμι
Traianus Τραϊανός
transeo de corpore in corpus
μετενσωματόομαι
transfero μεθαρμόζω
transfiguro μεθαρμόζω
transgredior παραβαίνω
transgressor παραβαίνω
transmigratio de corpore in
corpus μετενσωμάτωσις
transmigro de corpore in
corpus μετενσωματόομαι
tremo τρέμω
Triacontas Τριακοντάς
Trinitas Τριάς
tristitia λύπη
tumidus τυφόω
typicus τυπικός
typus τύπος

uacuitas κένωμα
uacuum κένωμα
uacuus ἀργός, κενός
Valentinus Οὐαλεντῖνος
uane εἰκῇ
uaniloquium ματαιολογία
uanus μάταιος, -a gloria κένο-
δοξία
uas σκεῦος
uasculum σκεῦος
Verbum Λόγος
uerbum λόγος, ῥῆμα
uerisimilis πιθανός, non —
ἀπίθανος
uerisimiliter πιθανῶς, non —
ἀπιθάνως
uerisimilitudo πιθανότης
Veritas Ἀλήθεια
ueritas ἀλήθεια, amans -tem
φιλαλήθης, contrarius -ti
ἀναλήθης

uerus : amans -um φιλα-
λήθης, amator -i φιλαλήθης
uetus ἀρχαῖος, παλαιός
uia ὁδός
uigilans ὕπαρ
uindico σφετερίζομαι
uir ἀνήρ
uirginalis παρθενικός
uirgo παρθένος
Virtus Δύναμις
uirtus ἀρετή, δύναμις
uiscera σπλάγχνα
uisibilis ὁρατός
uisio θεωρία
Vita Ζωή
uita βίος, ζωή, sine -a ἄζωος
uiuifico ζωοποιέω
uiuo ζάω
uiuus ζάω
umbra σκιά
unctio χρῖσις
uniformis μονοειδής
Vnigenitus Μονογενής
unitas ἕνωσις
Vnitio Ἕνωσις
unitio ἕνωσις
uniuersitas πᾶν
uniuersum πᾶν
unum ἕν
unus εἷς
uocabulum ὄνομα, προσηγορία
uocatio κλῆσις
uoluptas ἡδονή
uoluto κυλινδέομαι
uox φωνή, multae -ces πολυφωνία, -is nouitas καινοφωνία
ut puta οἷον
utilis χρήσιμος, ὠφέλιμος
utilitas ὠφέλεια, -tem praesto
ὠφελέω
uulua μήτρα

Zoe Ζωή

TABLE DES MATIÈRES

AVANT-PROPOS.. 7

INTRODUCTION

Chap. I. LA TRADITION LATINE   17
par L. D.

I. Texte critique et éditions antérieures.......... 18
    La main d'Érasme............................... 19
    Orthographe et morphologie...................... 20
    Normalisation des noms propres.................. 22
    Cas, genre et nombre........................... 23
    Verbe et conjugaison........................... 25
        Modes et temps............................. 26
        Confusion de verbes similaires............. 27
    Corrections diverses........................... 28
    Conjectures.................................... 30

II. Le manuscrit de Salamanque.................... 33
    Le livre II dans le S 202...................... 33
    Les doublets................................... 35
    Les fragments et les compléments............... 36
    Les omissions : S et les autres mss............ 38
    Affinités entre Q, S et ε...................... 40
    Stemma de la seconde famille................... 43
    Corruption et interpolation.................... 44
    Bonnes conjectures de S........................ 46
    Jugement définitif sur S....................... 49

III. Argumenta et Capitula........................ 51
    Les *argumenta* dans la *Tabula*............... 52
        Première famille : CV...................... 52
        Deuxième famille : AQSε................... 53
        La numérotation........................... 54
        Les fusions d'*argumenta*................. 55

La numérotation grecque de Q.................. 56
L'ordre des *argumenta*.......................... 58
Les *capitula* dans le texte......................... 59
En A et A³.. 59
Le cas de Q et de Q³........................... 59
Les vestiges de S................................ 61
Érasme témoin d'une restauration................. 61
Josias Mercier et les *Mercerii*..................... 63
Tableau comparatif de l'emplacement des *capitula*.... 65
Note préliminaire............................. 65
Tableau....................................... 69

IV. Le manuscrit de Strasbourg..................... 81

Chap. II. LES FRAGMENTS GRECS   83
par A. R.

1 L'*histoire Ecclésiastique* d'Eusèbe..................... 85
2 Les *Sacra Parallela* et le *Florilège* d'Ochrid............. 87
3. Le *Vatopedi 236*..................................... 91

Chap. III. LES FRAGMENTS ARMÉNIENS   101
par A. R.

1. Le *Galata 54*.. 101
2. L'*Évagre arménien*................................. 102
3. Le « *Sceau de la foi* »............................... 108
Note sur un fragment arabe........................... 110

Chap. IV. LES FRAGMENTS SYRIAQUES   113
par L. D.

Chap. V. CONTENU ET PLAN DU LIVRE II   117
par A. R.

Préface.. 117
Première partie : Réfutation de la thèse valentinienne
relative à un Plérôme supérieur au Dieu Créateur........ 121
1. Monde prétendument extérieur au Plérôme ou au
premier Dieu.................................. 122
2. Monde prétendument fait par des Anges ou par
un Démiurge................................. 123

3. Un « vide » dans lequel aurait été fait le monde..... 126
4. Une « ignorance » d'où serait issu le monde......... 127
5. Des « images » des réalités du Plérôme............. 131
6. Conclusion...................................... 135

DEUXIÈME PARTIE : Réfutation des thèses valentiniennes relatives aux émissions des Éons, à la passion de Sagesse et à la semence.................................... 138

1. La Triacontade............................... 139
2. Le fait des émissions.......................... 141
3. La structure du Plérôme....................... 148
4. Le mode des émissions......................... 151
5. La Sagesse, l'Enthymésis et la passion........... 154
6. La semence................................... 157
7. Conclusion................................... 159

TROISIÈME PARTIE : Réfutation des spéculations valentiniennes relatives aux nombres...................... 160

1. Les exégèses ptoléméennes..................... 162
2. Les spéculations marcosiennes.................. 167
3. L'orgueil gnostique............................ 170

QUATRIÈME PARTIE : Réfutation des thèses valentiniennes relatives à la consommation finale et au Démiurge....... 179

1. Le sort final des trois natures ou substances..... 180
2. La nature prétendument psychique du Démiurge... 182

CINQUIÈME PARTIE : Réfutation de quelques thèses non valentiniennes..................................... 185

1. Préambule.................................... 186
2. Thèses de Simon et du Carpocrate.............. 187
3. Thèse de Basilide sur le grand nombre des cieux.... 193
4. Thèse des « Gnostiques » sur la pluralité des Dieux.. 193

Conclusion... 194

NOTES JUSTIFICATIVES   par A. R.   199

APPENDICES

I. Une page d'Irénée chez Guillaume Peyraud........... 359
par L. D.

II. Un texte de Maxime le Confesseur et de Jean Damascène. 366
par A. R.

TABLES

    i. Index scripturaire................................... 373
   ii. Index des manuscrits cités......................... 377
  iii. Index de mots grecs............................... 381

TABLE DES MATIÈRES   435

NIHIL OBSTAT
Lyon, 30 décembre 1981
C. MONDÉSERT, s.j.
B. DE VREGILLE, s.j.

IMPRIMI POTEST
Orval, 27 janvier 1982
B. DE STRYCKER, o.c.s.o.
Abbé de Westmalle

IMPRIMI POTEST
Paris, 3 février 1982
H. MADELIN, s.j.
Praep. Prov. Gall.

IMPRIMATUR
Lyon, 15 février 1982
Albert DECOURTRAY
Archevêque de Lyon

IMPRIMERIE A. BONTEMPS

LIMOGES (FRANCE)

Éditeur n° 7538 - Imprimeur n° 1546-81

Dépôt légal : avril 1982